JN059121

はじめに

　日経広告研究所は、1967 年に日本経済新聞社の呼びかけに賛同した広告主、広告会社、媒体社、および調査会社によって設立された中立的な広告コミュニケーションの研究機関です。『広告白書』は、日本の広告界の動向を網羅的にまとめた年次報告書として 1977 年から発行して参りました。

　2024-25 年版は、当研究所の調査・研究を基に、コロナ禍後の生活者や企業、各メディアの動向を様々な角度から分析しながら、広告コミュニケーションの「今」を俯瞰的に理解できるように努めました。広告主企業、広告会社、研究者の皆様のお手元で、ご活用いただければ幸いです。

　発行にあたりまして、多くの企業、団体の取材協力、各分野で活躍されている研究者、専門家による寄稿、ならびに広告マーケティング分野の第一人者である田中洋中央大学名誉教授に総合監修をいただきました。この場をお借りして、皆様のご協力とご支援に心より御礼申し上げます。

2024 年 10 月

日経広告研究所

専務理事　北村裕一

広 告 白 書
2024-25年版
Advertising Whitepaper

目次

第 1 章

社会の変化と
広告コミュニケーション

1 社会の構造変化と 広告コミュニケーション領域の拡大

共感形成へ進化する広告コミュニケーション

▶ 社会のコミュニケーション構造は、ツリー型からニューロン型に変化

▶ 生活者は、自らが好む情報だけを能動的に選択する傾向

▶ 共感をつくる広告が、人と企業の長期的な関係を築く

デジタル化で変わる社会と広告

コロナ禍を経て、社会のデジタル化が加速し、情報環境はかつてないほど、大きく変化している。多メディア化によって社会の情報量は飛躍的に増大する中で、生活者は、多くの情報の中から、自分の欲しい情報だけを選択し、主体的に接触する傾向を強めている。

こうした環境下において、企業が伝えたいメッセージをただ一方的に露出するだけの広告コミュニケーションは、生活者の心には届きにくい。生活者の変化に対応した広告コミュニケーションが求められている。

デジタル化の進展によって、生活者の情報行動は2つの点で変化している。

1つは、生活者が自らの嗜好や考え方に近い情報やコンテンツとつながる、「選択的接触」の傾向が強まったことだ。選択的接触が進むと、自分が好むコンテンツや同じ意見の人々のクチコミの情報だけが入ってくることになる。自分が見たい情報しか見えなくなってしまう「フィルターバブル」が起こりやすくなる。SNSなどを運営するプラットフォーム企業は、AIを使ったレコメンド機能を強化させており、自分が好むコンテンツや情報だけを閲覧する傾向に拍車をかけている。

もう1つは、生活者が企業のプロモーションの意図を敏感に察知するようになったことだ。インターネット上には購買意欲を刺激する情報が入り乱れ、そうした情報に対する生活者の警戒感が強くなっている。このため、企業からのコミュニケーションを企業が意図したように生活者が受け取るとは限らなくなっている。

こうした構造を右ページに示した。「ツリー型」の構造（左側）は、これまでの企業からの情報の伝達経路を示している。企業が発信する情報は、マスメディアの記事、広告、オピニオンリーダーなどを介して、生活者に一方向に届く構造であった。このため、企業はこれらの情報チャネルを意識したコミュニケーション活動をしていればよかった。

これに対して、「ニューロン型」の構造（右側）は、SNSにより、人と人、人と企業が直接つながる、情報の流れを示している。心理的なつながりを持つ人、考え方が近い人、同じ価値観を持つ人が自由につながるネットワーク型

の情報伝達構造になっている。情報選択の基準は生活者側にあり、自らの意思によって共有され、社会に広がる仕組みになっている。

ツリー型の環境下では、生活者に広告を繰り返して露出すればメッセージが刷り込まれ、企業や商品の内容が認知されていた。しかし、ニューロン型の環境下では、生活者の状況を意識しない一方的な広告は、届いていても心理的に排除される可能性が高い。広告を主体的に受け取ってもらうためには、生活者がメディアの情報にどのように向き合っているのか、どのような価値意識で情報を選択しているのかといった、生活者に対する理解が不可欠になる。

■ 広告コミュニケーション領域の拡大

社会のコミュニケーション構造が大きく変化する中、企業のコミュニケーション活動には、これまでにない発想が求められる。広告の役割や捉え方を、時代にあったものに変える必要がある。

ツリー型の構造下においては、広告は企業の伝えたい情報をターゲットに届ける手段として位置付けられてきた。しかし、人が、自らが好む情報とつながるニューロン型の環境下では、広告は人と企業がつながり、長期的な関係をつくる手段として位置付けられるべきだろう。

そのように捉えると、広告の領域は大きく拡大することがわかる。

拡大する広告コミュニケーションの領域を図に示した。縦軸は、企業が生活者と直接つながる「Direct」―企業がインフルエンサーなど人を介して生活者とつながる「Indirect」である。横軸は、様々な企業活動によって生活者のつながりをつくる「Experience」―生活者にメッセージでつながりをつくる「Messaging」である。これらはすべて広告コミュニケーションとして機能する。

広告コミュニケーションの領域が拡大するにつれて、インナー（従業員や販売会社）の役割が増大する。顧客窓口での対応、技術者のインタビューなどに接触する機会はすべて広告コミュニケーションとして機能する。そのため、広告コミュニケーションの意味を拡張し、統合的に捉える必要がある。

社会のコミュニケーションの構造変化

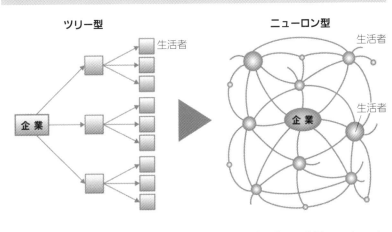

ツリー型　　　　　　　ニューロン型

生活者はメディアからの情報を受け取る存在

生活者は自らの意思でメディアや情報とつながる存在

広告コミュニケーションの領域が拡大

Direct（直接つながる）

商品・サービス
直販サイト（スマホの画面）
会員制サービス
カスタマーセンター

マス広告
インターネット広告
交通広告、OOH広告
SNS、動画コンテンツ
ホームページ
プロモーションメディア

Experience（体験）　　　　　　　　　Messaging（伝達）

各種コミュニティ
文化・スポーツイベント
SDGsなどの社会貢献

報道・パブリシティ
スポンサードアド
インフルエンサー
店頭

Indirect（間接的につながる）

※上記すべてが広告コミュニケーションとして機能する

「共感」が人と企業のつながりをつくる

　企業が生活者とコミュニケーションでつながりをつくる際に手掛かりとなるのが、生活者が「共感」を求める動きである。今「共感」を軸にした情報選択の強まりが、様々な社会現象を生み出している。

　若年層を中心とした「推し活ブーム」もその1つである。アニメやゲーム、アイドルを応援する動きが以前から存在していたが、現代においては様々な対象を応援する動きが生まれている。SNSを活用し、能動的に選択できるニューロン型の環境下においては、「何かに共感したい、共感するものを応援したい」という欲求が増幅し、それが顕在化していると考えられる（第2章3を参照）。

　日経広告研究所が2024年3月に行った調査でも、若い世代ほど、共感できる対象を応援したい欲求が強いことがわかった。

　企業や生産者などを応援・支援するために消費を行う「応援消費」、SNSで情報発信やコンテンツを提供することで、何十万、何百万人の人々からフォローされる「インフルエンサー」など、現代に見られる社会現象も、生活者が能動的に情報選択するようになった環境下で強まったものと言える。これらの現象は、どれも自分の好きな対象を追い求め、支援するという点で共通している。

　デジタル空間上においては、生活者だけではなく、企業も1つの人格を持つ存在として認識される。企業は、その考え方や振る舞いによって生活者に共感される存在になることが、ニューロン型環境下で生活者とのコミュニケーションを成立させるために必要な要件と言える。

■ 広告で築く、人と企業の長期的な関係

　共感をつくり人々との関係を築く事例が、広告においても見られるようになってきた。

　武蔵野大学は、21年4月にアントレプレナーシップ学部を新設した。学生を募集する広告のコピーは「会社に入るか。社会を創るか。」。入学者の6割はこの広告を見て興味を持ち、入学を決めたそうだ。広告をきっかけに学生が無意識に感じていた価値意識に気付かされ、その

若い世代ほど、共感できるものを応援

お金をかけてでも、応援したい相手（存在）がいる

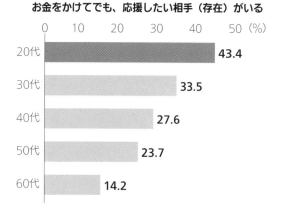

世代	(%)
20代	43.4
30代	33.5
40代	27.6
50代	23.7
60代	14.2

出所：日経広告研究所「生活者の情報行動調査」（2024年3月）

共感につながった広告

武蔵野大学アントレプレナーシップ学部

花王 メリット

言葉に共感したことが行動に結びついた。入学後も、常にこの言葉に立ち返ることで、学びの指針になったという。それだけではない。新設学部を手掛ける教員にとっても教育の原点になったという。広告が大学に関わるすべての人々の価値意識を共有し、関係を築いた事例と言える。アントレプレナーシップという言葉を説明するだけの広告では、そのような状況は生まれなかったと考えられる。

花王の「家族と愛とメリット」のCM（24年4月〜）は、SNSでの反響が大きかった。娘の自転車の練習を手伝う父親が、娘が1人で乗れるようになったときに、それが「最後のお手伝いだったんだ」と後から気付く。子どもの成長とともに突然やってくる一幕を描いている。同じような経験をした親世代だけでなく、父親との関係を思い出した若い世代からも反響があった。親と子のインサイトを見つけて、人々に家族の愛に気がつかせたことが共感につながった（第1章3に詳細を記述）。

どちらの事例も、生活者の無意識の感情、価値意識を広告によって気付かせたことが人々の共感につながった。企業の主張や情報をそのまま伝えるのではなく、インサイトを見つけて言語化したり、描写化したりすることは広告の重要な機能である。企業と生活者の価値意識を一致させるきっかけをつくり、人々が自分ごととして意識し、他者に語りたくなる要因になる。

ニューロン型の構造における広告の役割を図に示した。生活者自身が気付かない無意識の感情や価値意識を、言語化や描写化することで生活者がそれに気付くきっかけをつくり、企業（ブランド）の価値が共感されるプロセスを示している。共感をつくることによって、顧客や潜在顧客だけでなく、従業員や取引先など企業に関わるすべての人が同じ価値意識を共有し、企業との長期的な関係をつくる機能を果たす。人と人がつながる情報環境において、こうした役割はますます重要になる。共感をつくるという視点で「広告」を捉え直すことで、これからの企業のコミュニケーションを発展させることができると考えられる。

（坂井直樹）

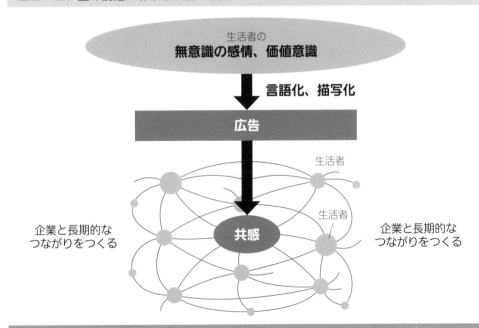

ニューロン型の構造における広告の役割

生活者の
無意識の感情、価値意識

言語化、描写化

広告

生活者

生活者

企業と長期的な
つながりをつくる

共感

企業と長期的な
つながりをつくる

企業（ブランド）の価値として社会と共有される

2 広告コミュニケーション戦略の「前提」の変化

消費行動とメディア利用行動は相互に影響

▶ ニューロン型の環境下で、生活者の情報行動や購買プロセスが多様化

▶ 生活者には情報行動や消費行動の特性が異なる 6 つのタイプが存在

▶ 生活者の情報行動特性の違いを意識した戦略が求められる

購買プロセスの多様化と広告コミュニケーションの役割

デジタル化の進展によって、社会のコミュニケーション環境は、ツリー型からニューロン型へ移行している（第 1 章 1 を参照）。

生活者は日々、膨大な情報の中から取捨選択をしている。生活者はどのような意識で情報を選択しているのか、メディアの情報にどのような態度で接しているのかなど、メディアと生活者の接点をよく見極めて、広告コミュニケーションの戦略を立案する必要がある。

こうした課題意識から、日経広告研究所は「生活者の情報行動研究プロジェクト」を立ち上げ、生活者の情報行動やその背景にある心理について調査・研究を行っている。

その結果、生活者には、メディアに対する関

生活者の 6 つのタイプの分類

継続的に
視聴・閲覧している
メディアの
利用目的

9つの利用目的
（「1.全くあてはまらない」〜
「7.非常にあてはまる」）

因子分析

目的のコンテンツの範囲が狭い
● 興味や関心のあることを知りたいときに視聴・閲覧する
● お気に入りのコンテンツ（動画、記事、番組など）を見たいときに視聴・閲覧する

目的のコンテンツの範囲が広い
● 他の人の考え方を知るために視聴・閲覧する
● 世の中の動きを知りたいときに視聴・閲覧する
● 会話のネタにするために視聴・閲覧する
● 知らない知識や話題に出合うために視聴・閲覧する
● 商品の購入時に参考にするために視聴・閲覧する

目的のコンテンツが不明確
● 特に理由がなくても、つい視聴・閲覧する
● 退屈なときの暇つぶしに視聴・閲覧する

クラスター分析

生活者の 6 つのタイプ

A　B　C
D　E　F

6つのタイプの特徴
1 メディアやコンテンツに対する関与度（興味・関心の高さ、活用度）が大きく異なる
2 性年代や職業など、デモグラフィック属性にかかわらず存在する
3 買い物行動の特徴や生活意識など価値観が異なる

与度（メディアのコンテンツに向き合う動機の度合い）が異なる6つのタイプが存在することがわかった。これらのタイプは、性年代や居住地域、職業などデモグラフィック属性にかかわらず存在し、情報行動だけでなく、消費行動や生活意識、人生観まで異なることがわかった。

ターゲットのペルソナを想定し、購買プロセスを1つのシナリオとして描いてきた「カスタマージャーニー」に見られるように、ターゲットは、似たような行動をすることが想定されてきた。しかし、ターゲットのデモグラフィック属性が同じでも、生活者の消費行動や生活意識が同一ではなく、「前提の見直し」から戦略を検討する必要がある。

■ メディア関与度が異なる6つのタイプ

「生活者の情報行動研究プロジェクト」は、日々継続利用しているメディア利用行動（メディア・フォロー）に注目している。2024年3月に実施した調査では、全体の95.3%が、日頃、何らかのメディアを継続利用し、その種類は平均すると4.8個であることがわかっている。

継続利用しているメディアの利用動機の回答データを因子分析した結果、3つに分かれた。第1因子は、興味・関心のあることを知りたい

など目的が明確な「目的のコンテンツの範囲が狭い」、第2因子は、目的は存在するが、具体的な情報をイメージしていない「目的のコンテンツの範囲が広い」、第3因子は、退屈なときの暇つぶしなど「目的のコンテンツが不明確」である。3因子の因子得点を基に分析を行ったところ、6つのクラスターに分かれた。

6クラスターの含有率を世代別に比較するとほぼ同じように存在する。しかし各クラスターは、メディアやコンテンツに対する関与度が大きく異なり、消費行動や生活意識などの価値観にも違いがあることがわかった。各クラスターの特徴をまとめると次のようになる。

メディア低関与層
（グループA、構成比23.4%）

フォローメディアの数が最も少なく、メディアの関与度がかなり低い。レコメンド機能を利用せず、他者のクチコミを参考にしない、自らもSNSに投稿することが少ない。

個人志向層（グループB、同12.5%）

動画配信サービス、地上波テレビのドラマ・映画番組などのメディアに対する関与度が高い。趣味や娯楽など、自分の好みに合ったコンテンツを好む。

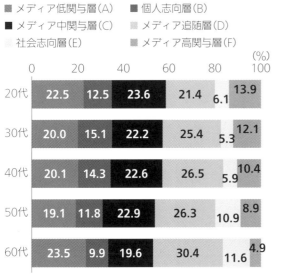

世代別の6クラスター含有率

■ メディア低関与層（A）　■ 個人志向層（B）
■ メディア中関与層（C）　メディア追随層（D）
社会志向層（E）　■ メディア高関与層（F）

	A	B	C	D	E	F
20代	22.5	12.5	23.6	21.4	6.1	13.9
30代	20.0	15.1	22.2	25.4	5.3	12.1
40代	20.1	14.3	22.6	26.5	5.9	10.4
50代	19.1	11.8	22.9	26.3	10.9	8.9
60代	23.5	9.9	19.6	30.4	11.6	4.9

出所：日経広告研究所「生活者の情報行動調査」（2024年3月）

SNSの利用頻度

■ 日頃、継続的に視聴・閲覧する　■ ときどき視聴・閲覧する
たまに視聴・閲覧する　■ 視聴・閲覧しない

	日頃、継続的に	ときどき	たまに	視聴・閲覧しない
メディア低関与層（A）	30.2	14.1	21.4	34.4
個人志向層（B）	39.8	12.8	16.5	30.9
メディア中関与層（C）	42.2	15.6	17.4	24.9
メディア追随層（D）	29.3	16.1	21.5	33.1
社会志向層（E）	31.9	14.0	17.6	36.5
メディア高関与層（F）	51.9	12.7	10.5	25.0

出所：日経広告研究所「生活者の情報行動調査」（2024年3月）

メディア中関与層（グループC、同24.0%）

フォローメディアの数がメディア高関与層（F）に次いで多く、メディア関与度が高い。商品購入時にクチコミやショッピングサイトのレコメンドを積極的に活用する。SNS投稿頻度もメディア高関与層（F）に次いで高い。

メディア追随層（グループD、同25.7%）

フォローメディア数がメディア低関与層（A）に次いで少なく、地上波テレビのニュース・報道番組、新聞（紙）の継続利用率は平均よりも高いが、それ以外はすべて低い。クチコミをあまり参考にせず、投稿頻度は、全クラスターで最も低い。構成比は最も人数が多い。

社会志向層（グループE、同6.0%）

「目的のメディアの暇つぶし利用」がかなり低い。フォローメディアは、新聞（紙）が6クラスターの中で最も多く、SNSやニュース・情報系サイトも全体平均よりも多い。「ウェブページの書き手が誰なのかを確認する人が多い」など情報源を確認する項目や、「問題を解くために長時間じっくり考える」など思考系情報接触の項目の比率が、最も高い。他者に影響されずに自らの価値観をしっかり持つ傾向にある。

メディア高関与層（グループF、同8.4%）

フォローメディアの数が最も多く、積極的にSNSのクチコミや各種レコメンド機能を活用

している。SNSでの投稿頻度もほかのクラスターに比べてとても多い。SNSの活用行動と心理を比較すると、他者にシェアされたり、情報を共有したりと、他者への影響が高いことがわかる。また情報源を検証する志向が低く、他者の投稿を疑いなく信用する傾向にある。

■ 各クラスターの消費意識と行動

6つのクラスターは消費意識も異なる。「基本的な機能に力をいれているものがよい」などの「機能重視」が強いのが、社会志向層（E）と個人志向層（B）であるのに対して、「商品を選ぶとき、他人にどうみられているかが気になる」など「他者志向」は、メディア高関与層（F）が最も高く、メディア中関与層（C）が次いで高い。消費意識の違いが明確に表れている。消費行動と情報行動の関係をより子細に見るため、23年3月に、日常の情報行動や消費行動に関して、行動履歴を記録するシングルソースパネルを使った調査を実施した。首都圏の1都3県で、日々、購入した商品をバーコードで読み取ってもらっているインテージの「SCI」モニターを対象とした。

ビールメーカー4社とプライベート・ブランドの5つを対象に、2カ月間にどのブランドだけを購入したかを示す数値（ロイヤルティ率）

買い物行動の特徴

	機能重視	他者志向
メディア低関与層（A）	3.67	2.56
個人志向層（B）	**3.86**	2.50
メディア中関与層（C）	3.80	**3.08**
メディア追随層（D）	3.72	2.77
社会志向層（E）	**3.87**	2.19
メディア高関与層（F）	3.82	**3.16**

注：因子を尺度得点に置き換え、各グループの尺度得点の平均値を算出。
各クラスターで上位2つのクラスターに濃い網掛け
出所：日経広告研究所「第2回 生活者のメディア利用と情報価値意識に関する調査」（2022年3月）

ロイヤルティ率の比較

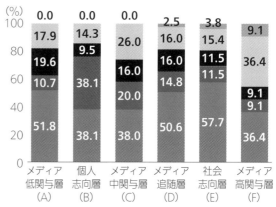

出所：日経広告研究所「生活者の情報行動調査」（2023年3月）

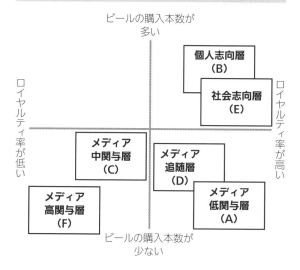

ビールの購入本数とロイヤルティ率の関係図

ビールの購入本数が
多い

個人志向層
（B）

社会志向層
（E）

ロイヤルティ率が低い

ロイヤルティ率が高い

メディア
中関与層
（C）

メディア
追随層
（D）

メディア
高関与層
（F）

メディア
低関与層
（A）

ビールの購入本数が
少ない

を測定した。ビールを対象にしたのは、購買頻度が高く、ブランドの嗜好が表れやすいからだ。クラスターごとにモニター全員のロイヤルティ率を集計し、平均値を算出した。6クラスター間でロイヤルティ率の平均値を比較した。

　80%以上のロイヤルティ率を見ると、個人志向層（B）、社会志向層（E）、メディア低関与層（A）が高くなった。これに対して、メディア高関与層（F）はロイヤルティ率が最も低く、メディア中関与層（C）が続いて低くなった。また、2カ月間でのビールの購入本数を比較すると、これらの2つは低くなり、個人志向層（B）、社会志向層（E）の購入本数は多くなった。

　6つのクラスターのビールの購買行動に関してその特徴を「ビールの購入本数とロイヤルティ率の関係図」として示した。右上の最も優良顧客になる可能性が高い象限には、個人志向層（B）と社会志向層（E）が布置された。一方で、メディア高関与層（F）はロイヤルユーザーになりにくく、かつ購入本数も少ないため、最も顧客になりにくいと考えられる。

■ クラスターの価値意識を生かした戦略

　クラスター分析は、継続利用するメディアの利用動機のデータのみを使っているにもかかわらず、消費行動もメディア利用行動と似た傾向にあることがわかった。現代のメディア環境においては、メディア利用行動と消費行動は相互に影響し合っていると考えられる。

　SNSでバズることは、現代の広告やマーケティング活動において重視されているものの1つであるが、一連の結果から、バズることの有効性について再考を迫られる結果となった。メディア高関与層（F）やメディア中関与層（C）はものの価値を見定めるというよりも、他者志向が強く、他者を意識した消費行動をしている傾向が強いこともわかった。SNSへの書き込みは、コメントが可視化されているため、効果があったと理解されがちだが、商品が購買に結びつかなかったり、売れても一過性で終わったりしてしまう可能性もある。

　一方、メディア利用における価値基準が明確な個人志向層（B）と社会志向層（E）は、情報源を意識し、消費行動や生活意識においても、あまり目移りせず、気に入った商品のロイヤルユーザーになる可能性が高い。これらの層に価値を伝える、質の高い広告コミュニケーションをできるかが問われている。

　一連の研究から、継続利用しているメディアに対する期待、メディア利用行動、消費行動の関係が明らかになった。これからの広告コミュニケーションは、情報行動の特徴の違いを踏まえて立案することが重要であると言える。

（坂井直樹）

メディアに対する期待と、情報行動と消費行動との関係

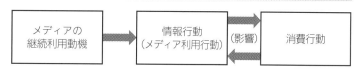

3 広告コミュニケーション戦略の変化——3つのアプローチ

ニューロン型環境下で多様化した生活者心理に対応

▶ 「説得」よりも「描写」、生活者の共感をつくる

▶ 「映像」とマッチした「音楽」で強い印象を残す

▶ 多様な価値観に対応した配慮や仕掛けが存在

共感をつくり、自分ゴト化できる表現が重要に

　ニューロン型の環境下で広告コミュニケーションの戦略は大きく変わってきている。個人がメディアとして情報を発信するようになり、情報の伝達形態が変わってきている。一方で、メディア利用の多様化が進み、多くの人が同じ時間に同じコンテンツを見ることが減少している。生活者の情報に向き合う態度は同質ではない。人によって差異が生まれている。そのため、広告を出稿すれば、マスに届くことが前提だった時代とは異なる戦略が求められている。

　共感は情報バリアのハードルを下げて、生活者の自分ゴト化につながる。生活者のニーズが分散し、マスに届きにくくなってきた現代においては、広告コミュニケーションで共感をつくることは避けて通れないのものになっている。共感を広告でどのようにつくるか。日経広告研究所の会員向けオンラインマガジン「広研レポート On-line」では、連載「広告コミュニケーション我が社の戦略」をスタートさせ、企業の戦略について事例をまとめている。ここでは3社の事例から見えてきた、ニューロン型環境下で有効な戦略について紹介する。

■【アプローチ1】リアリティをつくる

　キリンビール「晴れ風」のCMは、CM総合研究所の銘柄別CM好感度ランキングで2024年4月に1位となった。2位とダブルスコアのCM好感度を記録し、人々の共感を得たキャンペーンである。CMでは、内村光良さん、天海祐希さん、今田美桜さん、目黒蓮さんの4人のタレント、俳優を起用した。

　このCMが優れているのは、出演の4人には当日現場で初めてビールを飲んでもらい、自由に感想を言う様子を撮影したことだ。内村さんが飲んだ感想を「ふわーっていう感じ」と表

**キリンビールCM
目黒蓮さんが晴れ風を初めて飲むシーン**

現するなど、脚本家がつくるセリフではなく、それぞれが素の感想を言っているところが、リアリティのある映像につながった。人気のある4人だが、「らしさ」に敏感なファンにも届く、見応えのあるCMになった。

■【アプローチ2】根源的な感情に訴求

　企業のブランド戦略においては、機能の訴求だけでなく、生活者の感情に訴求する戦略が求められている。生活者は、論理的な思考だけでなく、様々な感情的理由で商品を選んでいるからだ。これまで、情緒的な価値を訴求するためには、広告コミュニケーションで情緒的なイメージを刷り込む方法が取られることが多かった。しかし、情報過多の時代においてはそうした方法は難しくなっている。

　花王メリットのシャンプーは、人間の根源的な感情に注目し、感情のポジショニングマップを意識した広告展開で、成果を上げている（第1章1参照）。

　ブランドコンセプトを「家族シャンプー」から「家族愛シャンプー」に変え、「家族愛」のエピソードを表現している。自転車に乗る練習を手伝っていた父親が、子どもが自転車に乗れるようになると、それが最後だったのかとあとで気付く。嬉しくも寂しい気持ちを代弁し、大きな反響を呼んだ。人間には様々な根源的な感

花王 メリット交通広告

情が備わっているという、心理学者のユングの考え方に基づくという。そうした根源的な感情にまつわるインサイトを見つけて、それを訴求し続けることで長期的なブランドづくりに貢献すると考えられる。

■【アプローチ3】企業の「思想」を表現

　広告コミュニケーションによって、単体の商品の訴求ではなく、企業の考え方や思想を広め、社会の共感を得て、事業展開をしていくことも有効な戦略である。

　アサヒビールが展開しているスマートドリンキング（スマドリ）プロジェクトは、若者の「酒離れ」など市場縮小の中で、あえて飲まない人やたくさんは飲みたくない人を受け入れる考え方の発信事業である。商品ラインナップも

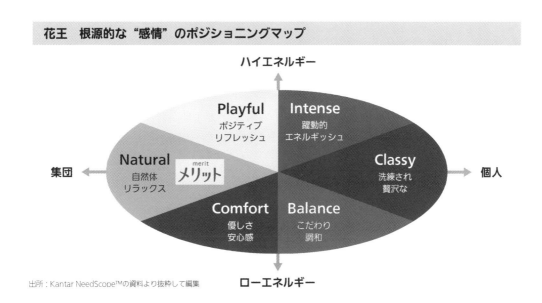

花王　根源的な"感情"のポジショニングマップ

出所：Kantar NeedScope™の資料より抜粋して編集

ノンアルコールだけでなく、低アルコール度数の飲料を投入し、選択肢を広げている。スマドリは商品ではなく「思想」だ。しかし、そのままメーカーから発信しても顧客層に興味を持ってもらえない。「笑い」のコンテンツパワーに優れた吉本興業とのコラボレーションによって、広告での認知向上に成功した。登場するキャラクターは4人。「飲みトモズ」と命名した。ダウンタウンの浜田雅功さんは、スマドリを推進するアンバサダー、ミキの亜生さんは飲めない人、3時のヒロインの福田麻貴さんは飲めるがあえて飲まない人、ブラックマヨネーズの小杉竜一さんは、お酒との付き合い方を考えている人、と設定。BGMは、ウルフルズの「ええねん」。実際にCMを見た人から、「私が思っていることを代弁してくれた。このままでいいんだ、自分が許されたような気がした」との声が寄せられたという。

■ 3つのアプローチの共通点

これらのアプローチには次の3つの共通点がある。これらは現代の情報環境にマッチした広告コミュニケーション戦略と考えられる。

(1)「説得」するのではなく、「描写」している

どの事例も、機能を説明したりせずに、日常にあるシーンを「描写」することで、企業の主張を伝えている。見ている人が感じるであろうことを言葉にせず、それを「余白」として残している。そのため、見た人が自由に意見や感想

が言えるのである。

日経広告研究所の「広告定点観測」プロジェクト（第5章3を参考）では、コロナ禍を経て、広告コミュニケーションがどのように変わったのかについて分析した。クリエイターによると、生活者の傾向として、最近は「自分ゴト」に転換しやすい身近なことの描写が共感されやすいとのことで、それを裏付けている。

(2)「映像」と「音楽」のマッチングが絶妙

どの事例も昔の名曲を採用している。描かれたシーンとのマッチングが絶妙で、心に響くCMになっている。キリンビールの「晴れ風」は、THE BOOMの「風になりたい」（1995年）を使って、まさに晴れ風のようなシーンを描いている。

花王の「メリット」のCMに起用された「今宵の月のように」は、エレファントカシマシの代表曲だ（97年）。子育てにおける嬉しさと寂しさを表現するシーンにピッタリである。

アサヒビールの「スマドリ」のキャンペーンのBGMは、ウルフルズの「ええねん」（03年）。「これでええねん！」という歌詞が、キャンペーンの主張そのものであり、映像と音楽が一体となって強い印象を残している。

(3)多面的な工夫が随所に見られる

SNSでは、様々な意見の異なる主張を持つ人がいることを前提に、そうした多様な価値観に対応した配慮がなされている。キリンビールの晴れ風キャンペーンは、CMの開始とともに「晴れ風ACTION」をスタートさせた。「晴れ風」を購入すると、商品の売上の一部が自動的に日本の風物詩である花見や花火大会などに寄付される仕組み。缶の裏に印字された二次元コードから専用サイトに行くと、0.5円分の「晴れ風コイン」が付与され、寄付先を選ぶことができるという。社会貢献に関心のある人との共感形成を図っている。

（坂井直樹）

第 2 章

生活者の情報行動の動向

1 メディア利用行動の変化

オンライン常態化で変容するリアリティ

▶ 携帯／スマホのシェアは続伸し、メディア総接触時間の約4割を占める。メディア環境は「オンライン常態化」が継続

▶ インターネットにつながったデバイスは多様化し、様々なコンテンツを見聞きできる状況の中、生活者は1日のべ12時間以上接触

▶ このようなオンライン常態化が進む中、生活者の「リアリティ」も変化している

携帯／スマホのシェアは約4割
メディア環境は「オンライン常態化」が継続

メディア環境研究所は、博報堂DYグループにおいて「メディアに接触する生活者」の変化に注目し、その変化に対応すべく「次の視点」を広く提言する研究所である。本稿で紹介するデータの多くはメディア環境研究所のWebサイト（https://mekanken.com/）で公開しており、こちらもぜひ併せてご覧いただきたい。

さて、メディア環境研究所では、毎年1月末から2月初旬にかけて「メディア定点調査」を実施し、メディア環境の変化を定点観測している。2024年生活者のメディア接触はどのように変化したのか。前半はこの調査結果の報告から始め、後半はデジタル化するメディア環境の中で起こる生活者の「リアリティ変化」の現状について伝えていきたい。

コロナ禍を経て5類に移行し、外出も増えた昨今、メディア環境はどのように変化したのか見ていこう。テレビ・ラジオ・新聞・雑誌・パソコン・タブレット端末・携帯電話／スマートフォン（携帯／スマホ）の7メディアの接触時間を合計したメディア総接触時間は、24年は432.7分（1日当たり／週平均）。23年から10.8分減少した。過去最高を記録した21年のメディア総接触時間（450.9分）から3年連続で減少したが、コロナ禍前の20年（411.7分）と比較すると、依然として高い水準で推移している。接触時間が伸びたのはタブレット端末（37.9分、23年から2.4分増）と携帯／スマホ（161.7分、同10.1分増）。23年に増加したラジオは22年並みに減少し、携帯／スマホは増加し続けている。携帯／スマホは22年に初めてテレビを上回り首位となったが、24年テレビが12.9分減少して122.5分となったため、その差が広がった（23年：16.2分→24年：39.2分）。新聞は減少（9.2分、23年から4.6分減）し、雑誌は微減、パソコンは変化しなかった。

メディア総接触時間のシェアを時系列推移で見ると、テレビのシェアは減少傾向にあり、携帯／スマホのシェアが増加していることがわかる。調査開始当初（06年）は過半数だったテレビのシェアは、23ポイント減少して24年

主要7メディア総接触時間の時系列推移（東京）

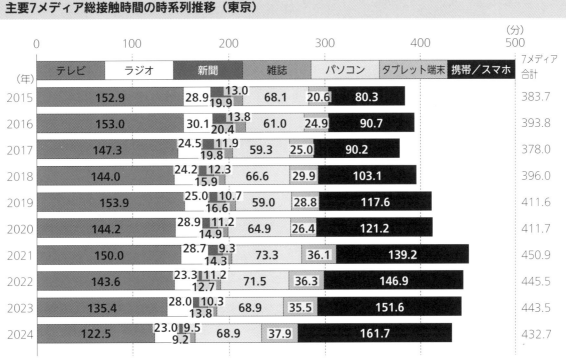

(年)	テレビ	ラジオ	新聞	雑誌	パソコン	タブレット端末	携帯／スマホ	7メディア合計
2015	152.9	28.9	13.0 / 19.9	68.1	20.6		80.3	383.7
2016	153.0	30.1	13.8 / 20.4	61.0	24.9		90.7	393.8
2017	147.3	24.5	11.9 / 19.8	59.3	25.0		90.2	378.0
2018	144.0	24.2	12.3 / 15.9	66.6	29.9		103.1	396.0
2019	153.9	25.0	10.7 / 16.6	59.0	28.8		117.6	411.6
2020	144.2	28.9	11.2 / 14.9	64.9	26.4		121.2	411.7
2021	150.0	28.7	9.3 / 14.3	73.3	36.1		139.2	450.9
2022	143.6	23.3	11.2 / 12.7	71.5	36.3		146.9	445.5
2023	135.4	28.0	10.3 / 13.8	68.9	35.5		151.6	443.5
2024	122.5	23.0	9.5 / 9.2	68.9	37.9		161.7	432.7

注：メディア総接触時間は、各メディアの接触時間の合計値。各メディアの接触時間は不明を除く有効回答から算出
出所：博報堂ＤＹメディアパートナーズ メディア環境研究所「メディア定点調査」

性年代別主要7メディア総接触時間（2024年、東京）

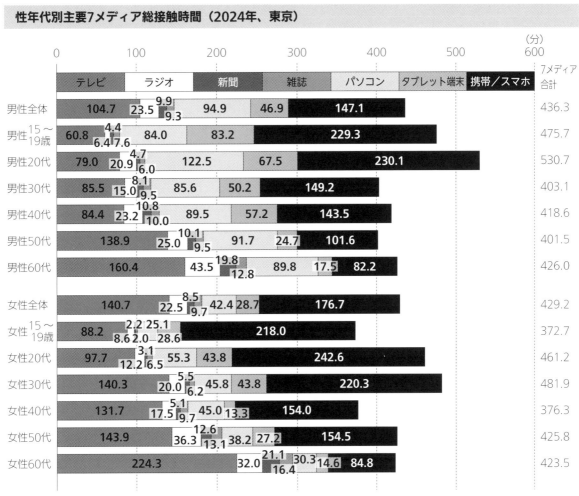

	テレビ	ラジオ	新聞	雑誌	パソコン	タブレット端末	携帯／スマホ	7メディア合計
男性全体	104.7	23.5	9.9 / 9.3	94.9	46.9		147.1	436.3
男性15～19歳	60.8	6.4	4.4 / 7.6	84.0	83.2		229.3	475.7
男性20代	79.0	20.9	4.7 / 6.0	122.5	67.5		230.1	530.7
男性30代	85.5	15.0	8.1 / 9.5	85.6	50.2		149.2	403.1
男性40代	84.4	23.2	10.8 / 10.0	89.5	57.2		143.5	418.6
男性50代	138.9	25.0	10.1 / 9.5	91.7	24.7		101.6	401.5
男性60代	160.4	43.5	19.8 / 12.8	89.8	17.5		82.2	426.0
女性全体	140.7	22.5	8.5 / 9.7	42.4	28.7		176.7	429.2
女性15～19歳	88.2	8.6	2.2 / 2.0	25.1	28.6		218.0	372.7
女性20代	97.7	12.2	3.1 / 6.5	55.3	43.8		242.6	461.2
女性30代	140.3	20.0	5.5 / 6.2	45.8	43.8		220.3	481.9
女性40代	131.7	17.5	5.1 / 9.7	45.0	13.3		154.0	376.3
女性50代	143.9	36.3	12.6 / 13.1	38.2	27.2		154.5	425.8
女性60代	224.3	32.0	21.1 / 16.4	30.3	14.6		84.8	423.5

注：メディア総接触時間は、各メディアの接触時間の合計値。各メディアの接触時間は不明を除く有効回答から算出
出所：博報堂ＤＹメディアパートナーズ メディア環境研究所「メディア定点調査」

28.3%となっている。一方、携帯／スマホのシェアは37.4%と23年に続きその割合を拡大させ続け、今や約4割の水準まで到達。デジタル（パソコン・タブレット端末・携帯／スマホ）のシェアは62.1%と、初めて6割を超えた。

メディア総接触時間を性年代別で見ると、かなり差異があることがわかる。差異は、接触時間が長いテレビと携帯／スマホで顕著である。携帯／スマホは10代（調査対象は15～19歳）～20代で200分超と接触時間が長く、最長である女性20代（242.6分）と最短である男性60代（82.2分）では2時間半以上差がある。テレビは女性60代（224.3分）の接触時間が最も長く、最も短い男性10代（60.8分）と比べると、同じく2時間半以上差がある。携帯／スマホは男女ともに若年層で接触時間が長いが、パソコンは年代差ではなく性差が大きく、いずれの年代も女性より男性が長い。男性60代のパソコンの接触時間（89.8分）は男性20代、男性50代に次いで長いが、仕事での利用で習慣化され、プライベートにおいても接触時間が長くなっていると推察される。デジタルのシェアが最も高いのは男性10代で8割超（83.4%）。最も低いのは女性60代で約3割（30.6%）。メディア接触は性年代別でいまだ大きな違いがある。ただ、60代のデジタルシフトが進んでいることには注目する必要があり

そうだ。

メディア総接触時間の時系列推移では、19年に接触時間は400分の大台に達した。そして21年、パソコン・タブレット端末・携帯／スマホのデジタルすべてが牽引してメディア総接触時間は大きく伸長。「オンライン常態化」と言えるメディア環境に入った。その状況は現在も続き、さらに加速している。

■ 多様化する「テレビ」の楽しみ方

メディア総接触時間はコロナ禍で大きく伸長してデジタルシフトが加速したが、サービスの利用やデバイスの所有にも変化が見られる。

まず、テレビのインターネット接続は23年から8.6ポイント増加して63.5%と大幅に伸長。テレビスクリーンで動画視聴するストリーミングデバイスの所有もコロナ禍で急速に伸びたものの1つであるが、23年から2.4ポイント伸びて4割に近づいた（36.1%）。

このように、テレビスクリーンのインターネット化は加速し、様々な配信サービスの利用が伸長。定額制動画配信サービスの利用は大きく伸びて24年は64.5%と、初めて6割を超えた。コロナ禍で利用が増えたTVerは、22年に初めて3割を超えたが、24年はさらに大きく14.3ポイント伸びて53.8%と、初めて過半数を超えた。16年からの8年間で、定額制動画配信サービスは約7倍、TVerは14倍以上と急伸している。ABEMA（17年から調査開始）は、24年は39.2%と4割に近づいた。

見てきたように、現在テレビスクリーンのネット化は加速。もはやテレビ受像機はインターネットデバイスの1つになったと言っても過言ではないだろう。パソコン、タブレット端末、スマホ、そしてテレビと、インターネットデ

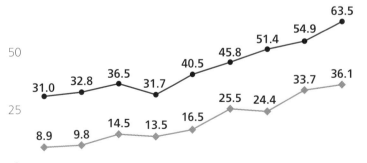

テレビスクリーンのインターネット接続率の時系列推移

(%) ●→ テレビ受像機をインターネットに接続している
●→ 動画をテレビ受像機で見られるデバイスを所有している

出所：博報堂DYメディアパートナーズ メディア環境研究所「メディア定点調査」

バイスは増加し、メディア環境はより多接点になった。そしてその多接点で無料動画配信、有料動画配信、テレビ番組の配信…と多種多様なコンテンツが楽しまれるようになったのだ。

では、ますますネットと接続されたテレビスクリーンではどのようにサービス、コンテンツが楽しまれているのだろうか。「メディア定点調査」では、マスメディアの接触時間を聞いた後で、その時間に具体的に何を入れたのかを20年から調査している。テレビを見る時間として何を入れたのか時系列で確認しよう。

20年から伸長傾向にあるのは有料動画視聴（31.0％、20年から17.6ポイント増）と無料動画視聴（32.8％、同13.8ポイント増）で、近年動画視聴がテレビ視聴と捉えられるようになった。この1年で最も伸びたのは、見逃し視聴サービスによるテレビ番組視聴（33.5％、23年から7.3ポイント増）だ。見逃し視聴サービスによるテレビ番組視聴は、有料動画視聴、無料動画視聴と同程度のスコアとなった。テレビ視聴における見逃し視聴サービスの存在感が増したが、録画したテレビ番組視聴は63.5％と、23年から0.9ポイント減少した。テレビがネットと接続されたことで、動画やテレビ番組のコンテンツを配信サービスで見るという視聴行動が「テレビを見る」時間として捉えられるようになり、生活者にとってのテレビ視聴は大きく変化している。

また、テレビ視聴のスクリーンも変化している。「メディア定点調査」では、スマホのスクリーンで何をしているかを調査しているが、その変化を確認してみよう。スマホでテレビ番組を視聴している人は、23年から4.2ポイント

配信サービスの利用率の時系列推移

注：ABEMAは2017年より調査
出所：博報堂ＤＹメディアパートナーズ メディア環境研究所「メディア定点調査」

「テレビ」を見る時間として入れたもの

(%)

利用内容	2020年	2021年	2022年	2023年	2024年
テレビ番組をリアルタイムで見る	84.3	87.6	85.3	81.3	79.1
録画したテレビ番組を見る	73.0	72.5	71.5	64.4	63.5
見逃し視聴サービスでテレビ番組を見る注1	11.3	15.3	17.7	26.2	33.5
有料動画を見る注2	13.4	21.8	22.1	24.1	31.0
無料動画を見る注3	19.0	22.6	27.0	26.9	32.8
インターネットテレビを見る注4	5.0	4.7	6.7	7.3	9.0
SNSにあがっているテレビ番組を見る注5	4.4	5.4	4.9	4.4	6.5
その他を見る	2.9	1.6	1.8	2.9	1.1

注1：TVer、日テレ無料！(TADA)、TBS FREE、ネットもテレ東、FOD見逃し無料、NHKオンデマンド、テレ朝動画、テレビ東京オンデマンド、フジテレビオンデマンドなど
注2：Netflix、Hulu、Amazonプライム・ビデオ、Lemino（旧dTV）、DAZNなど
注3：YouTube、ニコニコ動画、Dailymotion、FC2動画など
注4：ABEMAなど
注5：Facebook、X（旧Twitter）、LINE、Instagram、TikTokなど
出所：博報堂ＤＹメディアパートナーズ メディア環境研究所「メディア定点調査」

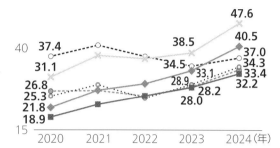

スマホのマスメディア接触

出所：博報堂DYメディアパートナーズ メディア環境研究所「メディア定点調査」

増加し32.2%と、初めて3割を超えた。スマホで新聞社のサイト・アプリを見ている人は37.0%（23年から2.5ポイント増）と微増。スマホでラジオ番組を聴いている人は33.4%（同5.2ポイント増）、出版社のサイト・アプリを利用している人は34.3%（同5.4ポイント増）。いずれも3割を超え、スマホでマスメディアのコンテンツに接触することが一般化している。今やテレビ番組や新聞、出版コンテンツ、ラジオをスマホで見聞きしたり、無料、有料配信動画をテレビ受像機で見たりと、生活者は多様なコンテンツを多様なデバイスで楽しんでいるのだ。

■ 1日12時間以上スクリーンと 接触している生活者

このような多様なスクリーンを通じて多様なコンテンツが利用される現状を把握するため、メディア環境研究所では「スクリーン利用実態調査2023」を実施した。そこから見えてくるのは、「多スクリーン・多コンテンツ時代」におけるテレビコンテンツの強さだ。

この調査では、多様化するメディア接触スク

リーン（テレビ、パソコン、タブレット端末、スマホ、家庭用プロジェクター）で、どのようなコンテンツを楽しんでいるのかを、その接触時間を中心に聞いている。

まず驚くのは、1日当たりの平均スクリーン接触時間が731.2分と、12時間を超えている点だ。これは、テレビを見ながらスマホを触ったり、パソコンで作業をしながらタブレット端末で無料動画を流したり…と様々な「ながら行動」を含むのべ時間ではあるが、合計すると我々は1日のうち半分以上を何らかのスクリーンに接触しながら生活しているのだ。

その中でテレビ番組（リアルタイム）の見られ方も多様化。まず、テレビ受像機で1日平均108.3分ほどテレビ番組（リアルタイム）は視聴されている。ただ、そのほかにスマホでも11.7分、パソコンも12.1分視聴されているなど、その見られ方は多様化している。

さらに突っ込んで、テレビ番組（録画）、テレビ番組（見逃し配信サービス）まで含んだ「テレビコンテンツ」全体への、スクリーンをまたいだ合計接触時間を見ていこう。

まず10代（調査対象は中学生12歳から）から60代までを含んだ全体としては、テレビコンテンツへの1日当たり平均接触時間は225.8分。多くの人が利用している「無料動画配信」の101.1分を大きく超え、テレビコンテンツの強さが見えてくる。

では「テレビ離れ」が叫ばれている若年層、特に10代ではどうか。実はこの傾向は全体と変わらない。10代男性でテレビコンテンツ全体への1日当たり平均接触時間は219分と、無料動画配信の206.8分を超える。10代女性でも、テレビコンテンツ全体への1日当たり平均接触時間は267.6分と、無料動画配信の179.1分を88.5分も上回っている。ちなみに10代男性は73.3分、10代女性は92.1分「見逃し配信サービス」を利用しており、テレビのリアルタイム視聴だけでなく、「見逃し配信サービス」も若年層のテレビコンテンツ接触を

支えている様子が見て取れる。そして、この傾向は20代の男女でも大きく変わらない。

若年層はテレビコンテンツ以上にネットの無料動画を積極視聴しているように思われがちだが、見逃し配信サービスを中心に、ネット上でテレビコンテンツが見られることによって、テレビコンテンツは多様なスクリーンで楽しまれているのだ。

■ 膨張するメディアリアリティ

このように多様なスクリーンで、多様なメディア・コンテンツと1日のべ12時間以上接触している生活者。起きている間の多くの時間をデジタルとともに過ごす中で、メディアを通した彼らの現実に関する感覚、いわゆるメディアリアリティも変容。「多くの人がバーチャルを日常に受け入れ始めた」という変化が起きている。これは別に流行のメタバースやVTuberについての話だけではない。

例えば、今や多くの人が受け入れ、使っている「ビデオ会議」。コロナ禍前、会議と言えば顔を合わせて行うものだった。しかし、今や「ビデオ会議も、会議室でのフィジカルなミーティングもどちらも選べる」状況になっている。

23年夏に我々が実施した「新・デジタル技術の普及と生活意識に関する調査2023」でも、Zoom、LINEなどのオンラインビデオ通話の利用経験は50代、60代でも約半数に達している。さらに、YouTuberの動画や配信を60代でも4人に1人が見ており、オンライン空間やそこで活躍する人々の存在は非常に身近なものになったと言えるだろう。

これは一見すると、単なるツールや新しい形態のコンテンツの普及に見える。ただそれだけでは終わらない。私たちは今、ZoomやYouTubeなどを利用して、フィジカルでは会っていない人々にも、日常的に身近さやリアリティを感じ続けている。これが我々自身の「何をリアルと感じるか」という感覚そのものを変容させているのだ。

例えば、前述した調査で見えてきた面白いデータを紹介したい。「オンラインの集まりに『つなぐ』『アクセスする』ではなく『行く』と言ってしまう」人の割合は、10代で4割を超え、50代、60代でも1割近くになる。デジタル空間に対して、実際に移動したり訪れたりする場所のようなリアリティを感じ始めていることがわかる。

この変化は「空間」にとどまらない。人の「存在」に対してのリアリティも変化し始めている。「アイコンやアバターで認識していて、名前がパッと出てこない人がいる」「久しぶり

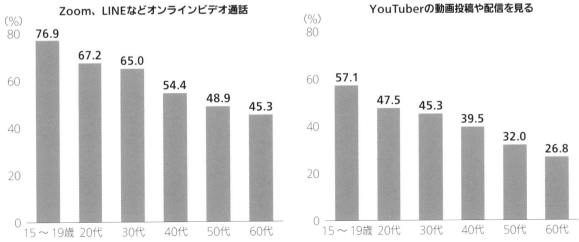

オンラインビデオ、YouTuberの視聴経験

Zoom、LINEなどオンラインビデオ通話

	15〜19歳	20代	30代	40代	50代	60代
(%)	76.9	67.2	65.0	54.4	48.9	45.3

YouTuberの動画投稿や配信を見る

	15〜19歳	20代	30代	40代	50代	60代
(%)	57.1	47.5	45.3	39.5	32.0	26.8

出所：博報堂DYメディアパートナーズ メディア環境研究所「新・デジタル技術の普及と生活意識に関する調査2023」

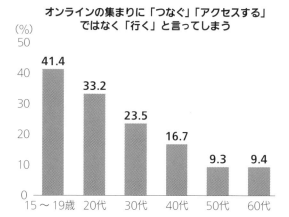

オンラインの集まりへのリアリティ感覚

オンラインの集まりに「つなぐ」「アクセスする」
ではなく「行く」と言ってしまう

出所：博報堂DYメディアパートナーズ メディア環境研究所「新・デジタル技術の普及と生活意識に関する調査2023」

に対面で会っても、SNSで日々見かけているので久しぶりの感じがしない」という意識は、各年代で約2～4割ほどが「あてはまる」と回答。60代でも約2割という回答結果は我々も驚きだった。

コロナ禍を経て急速に進んだデジタル化。その中で日々見聞きするデジタル上の存在に対して、実在の人と混同するほどのリアリティが生まれ、両者の差をあいまいに感じる生活者が現れ始めているのだ。

このように、現状普及しているビデオ通話・会議や動画配信、SNSなどのメディア上で、生活者のリアリティの変化が起きつつある。で

は、これからさらに普及するであろうメタバースやバーチャルヒューマン、対話型AIといった技術やサービスが生み出す新たな空間、行動に、生活者はどの程度リアリティを感じられるのだろうか。今回、「オンライン空間で1日のほとんどを過ごしている」「バーチャルヒューマンの存在を、人と同じように認める」「AIを上司として働く」などの、新技術が生み出す先進的な行動を生活者に提示。行動に対してリアリティを感じられるかどうかを、「自分がやることを想像できますか」という質問で聴取してみた。

この結果を分析する際に、現在もすでによく取られている行動と、先進的な行動を並べ比較。どちらが「自分がやることを想像できるか＝リアリティがあるか」を見てみた。そこから興味深いデータをご紹介しよう。

面白かったことは、若者にとっては「実在する有名人」よりも「架空のキャラクター」に恋をするほうがリアリティを感じられていたということだ。15～29歳の若年層においては、「テレビやネットの有名人に恋をする（ことに自分がやることを想像できる）」と回答した人は39.5%。対して「架空のキャラクターに恋をする（ことに自分がやることを想像できる）」と回答した人は43.0%。フィジカルの世界に実

デジタル上のアイコンやSNS存在に対するリアリティ感覚

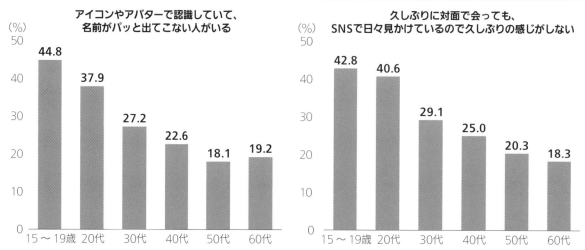

アイコンやアバターで認識していて、
名前がパッと出てこない人がいる

久しぶりに対面で会っても、
SNSで日々見かけているので久しぶりの感じがしない

出所：博報堂DYメディアパートナーズ メディア環境研究所「新・デジタル技術の普及と生活意識に関する調査2023」

在している有名人よりも、バーチャルな架空の
キャラクターに恋をすることにリアリティを感
じていたのだ。

　昨今、バーチャルシンガーと実在男性の結婚
というニュースが話題になったことをご存じの
方も多いかもしれない。このように架空のキャ
ラクターに惹かれるセクシャリティ「フィクト
セクシャル」や、それに伴う結婚のようなアク
ションも、今後は決して特殊なものではなくな
るのかもしれない。

　さて、ここまで主に若年層を中心としてリア
リティ感覚の大きな変化に注目してきたが、も
う少し上の年代まで含めた全体での反応を見て
みよう。ここではある程度世の中で普及してい
る基準として、調査対象者全体の約3分の1以
上が「自分がやることを想像できる＝リアリ
ティを感じる」と回答した行動について紹介し
ていきたい。

　まず調査対象者全体で高く上がってきたのが
「AIにわからないことを質問・相談する」
（45.0%）、「AIに自分に合いそうなモノやコン
テンツ、人をおすすめしてもらう」（35.7%）
といった、AIに日常生活をサポートしてもら
うことへのリアリティだ。「AIにわからないこ
とを質問・相談する」では50〜60代でも4割
以上の人が「自分がやることを想像できる」と
回答している。これは22年11月にチャット

GPTがリリースされてから6カ月程度経過し
た時点で行った調査であるが、その時点でも全
年代でAIからのサポート期待が高まっていた
ことがわかる。

　続いて、勉強や仕事の方法についても「オン
ラインのみで、仕事をしたり、授業を受ける」
（40.4%）、「オンライン上ですべてが完結する
職や副業などで収入を得る」（32.0%）という
質問に対して高いリアリティが感じられている。
すでにオンラインビデオ会議などは一般的に行
われているが、こちらは「オンラインのみ」「オ
ンライン上で完結する」と仕事や学業を定義し
た質問だ。生活の基盤とも言える「稼ぐ、学
ぶ」という領域がオンラインのみで完結するこ
とにも違和感がなくなってきている。また、今
まではフィジカル空間において生身の体で体験
することが当然だった「旅」という領域でも、
「有名な観光地や興味のある国や場所にバー
チャル空間で訪れる」（35.8%）と比較的高い
リアリティを獲得し、50〜60代でも3割以上
が「自分がやることを想像できる」と回答をし
ている。

　このようにAIを日常生活に受け入れながら、
フィジカルが当たり前だった「稼ぐ」「学ぶ」
「旅」などをデジタル空間で行うことに、多く
の人がリアリティを感じ始めていることが見え
てきた。

対象者全体で比較的高く反応された先進的行動

約3人に1人以上が「自分がやることを想像できる」
(%)

	全体	15〜29歳	30〜40代	50〜60代
AIにわからないことを質問・相談する	45.0	51.1	45.3	41.2
オンライン上で仲良くなっても本名や職業を知らないままでいる	40.9	61.7	42.2	27.9
オンラインのみで、仕事をしたり、授業を受ける	40.4	54.7	40.8	32.1
SNSのタイムラインを常にチェックしている	39.7	69.1	41.5	21.4
有名な観光地や興味のある国や場所にバーチャル空間で訪れる	35.8	41.1	36.8	31.8
AIに自分に合いそうなモノやコンテンツ、人をおすすめしてもらう	35.7	49.4	36.3	27.4
オンライン上ですべてが完結する職や副業などで収入を得る	32.0	44.3	32.8	24.4

出所：博報堂DYメディアパートナーズ メディア環境研究所「新・デジタル技術の普及と生活意識に関する調査2023」

若年層で特に高く反応された先進的行動

自分がやることを想像できる   (%)

	全体	15〜29歳	差分
配信者やYouTuberの配信をつけっぱなしにしている	30.6	59.0	+28.4
遠くにいる恋人、友人や家族と通話しっぱなしにする	28.0	53.0	+25.0
オンライン空間で1日のほとんどを過ごしている	28.0	52.9	+24.9
SNSなどで、人格・キャラクターを複数使い分ける	26.4	46.2	+19.8
オンライン空間でデジタルの服やアクセサリーなどを買う	24.7	44.2	+19.6
性別・年齢・種族など、なりたい自分にデジタル上でなる	27.7	46.3	+18.6
配信者やYoutuberを自分の友人のように大切に思う	24.3	41.7	+17.5
バーチャルヒューマンの存在を、人と同じように認める	22.5	38.4	+15.8
架空のキャラクター（小説、漫画、ドラマ、アニメ、VTuberなど）に恋をする	27.2	43.0	+15.8

出所：博報堂DYメディアパートナーズ メディア環境研究所「新・デジタル技術の普及と生活意識に関する調査2023」

　では、これから未来に向けてさらにどんなリアリティ感覚の変化が起きてくるのだろう。テクノロジーや価値観をより先取りして受け入れる15〜29歳で、その可能性を分析してみた。今回、全体よりも15〜29歳が15ポイント以上高く回答している項目について分析をしてみると、未来に向けた大きなリアリティの変化の傾向が見えてくる。

　1つは「日常生活そのものがデジタル世界に広がっていく」ということだ。15〜29歳では「配信者やYouTuberの配信をつけっぱなしにしている」（59.0%）、「遠くにいる恋人、友人や家族と通話しっぱなしにする」（53.0%）、「オンライン空間で1日のほとんどを過ごしている」（52.9%）といった項目で過半数を超えるリアリティが感じられていた。フィジカルな世界はもちろん、デジタル世界の中で社会生活を送り、人とつながることが日常になっても、もはや違和感はないと言えるだろう。

　次に見えてきたのは、「自己実現の場」がデジタルにも広がりつつあるということだ。「オンライン空間でデジタルの服やアクセサリーなどを買う」（44.2%）や「性別・年齢・種族など、なりたい自分にデジタル上でなる」（46.3%）といった回答からは、デジタル上でなりたい自

分になり、そのためのアイテムもデジタルで買うのが現実的な選択肢になることが伝わってくる。なりたい自分には生身の体を持ちながら、フィジカルの会社や学校という場所でならなくてもよい。そんなリアリティがここからは見えてくる。

　そして3つ目に見えてきたのは「共に生きる存在がデジタルにも広がってきている」ということだ。「配信者やYouTuberを自分の友人のように大切に思う」（41.7%）、「バーチャルヒューマンの存在を、人と同じように認める」（38.4%）など、架空の存在にリアルな人格を認め、共生していくことにもリアリティが高まっている。日々手のひらの中のスマホで接する配信者やYouTuberは身近な友人のようであり、その感覚の延長にあるバーチャル上に再現された人間にも違和感がなくなる。そんな未来のリアリティのあり方がここからは見えるのではないだろうか。

　これらの変化は、若年層の一部ではなく、すでに多くの人々のリアリティになりつつある。今後この感覚は、彼らを先行者として全世代へ広がっていく可能性も十分にあり得るだろう。

　今、生活者に起きていること。それは、これまでフィジカルな世界で行われてきたことがデ

ジタルに延長され、生活者がリアリティを感じ、受容する。いわば「リアリティ融合」とも呼ぶべき現象が生まれ、さらに広がろうとしていると言えるのではないだろうか。

　以上、ネット接続されたデバイスが多様化し、その中で多種多様なコンテンツに触れる生活者の現状を前半で、後半ではその中で起こっている生活者のリアリティ変化について見てきた。これからさらに進むであろうメディア環境のデジタル化。この中でどのような生活者、視聴者、読者の変化が起きてくるのか。メディア環境研究所は、引き続き研究、発信、提言をしていきたい。

（新美妙子、山本泰士）

【調査概要】
■メディア定点調査 2024　調査概要
- 調査目的：メディア環境の変化に伴い、既存のメディア、新しく出現したメディアのライフステージを定点観測（俯瞰）し、そのブレイクポイント／ダウンポイントの兆しを発見すること
- 調査地区：東京都
- 標本抽出方法：RDD（Random Digit Dialing）
- 調査方法：郵送調査法
- 調査対象条件：対象エリアに在住の15〜69歳の男女個人

- 調査期間：2024年1月26日（金）発送〜2024年2月9日（金）投函締切り

■スクリーン利用実態調査 2023　調査概要
- 調査目的：デジタル化によって多岐なコンテンツとつながるようになった生活者のメディアの利用環境や実態を「スクリーン」という軸から捉えることで、メディア環境の変化を把握していく
- 調査地区：ビデオリサーチのACR/ex調査に準拠した首都圏・関西圏・中京圏・北部九州地区・札幌地区・仙台地区・広島地区の7エリア
- 標本抽出方法：アンケートモニターパネルに登録サンプルへのアンケート配信
- 調査方法：Webアンケート調査
- 調査対象条件：対象エリアに在住の12〜74歳男女個人（小学生は除く、中学生［12〜15歳］は親が代理にて回答）
- 調査期間：2023年4月21日（金）〜2023年4月27日（木）

■新・デジタル技術の普及と生活意識に関する調査 2023　調査概要
- 調査目的：新・デジタル技術・サービスを利用した生活行動に関わる意識・行動を把握することで、生活行動の今後についてヒントを得る
- 調査方法：インターネット調査
- 調査対象者：全国15歳（高校生以上）〜69歳男女
- サンプル数：3400サンプル
- 調査期間：2023年5月12日（金）〜2023年5月13日（土）

2 若者とメディアのこれから

これからを占う大きな2つの対立軸

▶ 2023 年頃から日本で急速に流行した BeReal. の人気ぶりを分析し、若者のメディアインサイトを読み解く

▶ 既存プラットフォームが固定化する中で、それらが抱える課題とそこを突いて出てくる新興サービスのありようとはどんなものか？

▶ SNS はこれからも有意義な場でいられるか？ 鍵を握るクリエイター／エキスパートに着目し、現代の情報環境で果たす役割を指摘する

　本稿は、「若者とメディアのこれから」というテーマを読み解くべく、大きく2つの対立軸を設定し、それに沿って論述を進めていく。1つは、すでに数多のユーザーを抱え、社会的に大きな存在感を獲得した巨大なソーシャルプラットフォームと、そこに挑む新興サービスの「矛と盾」のような対立。そしてもう1つは、メディアとクリエイターだ。見出しに冠した「and／or」には、両者が対立性を持ちつつも、場をともにする協力関係にあるという両義性が込められている。新世代のクリエイター（ないしエキスパート）は、どんな社会的機能を果たしているのかを紐解いていきたい。

巨大プラットフォームと新興サービスの「矛と盾」

　ソーシャルメディアは成熟領域に入ったと言える。私たちにとって、新奇なものから日常生活になくてはならないものへと、日に日に存在感を高め続けてきた。特に世界中で数億〜数十億のユーザーを抱える巨大プラットフォームは、ネットワーク効果（そのサービスのユーザーが増えるほど、各ユーザーの効用が増すこと）などによって雪だるま式にユーザー数が増え、さらに既存ユーザーのスイッチングが起こりにくくなる。また事業目線で考えても、投資家からのマネーが流入することで経営的に盤石性を帯びるのに比例しているし、それらに対しての「ゴーイング・コンサーン」が求められるため、安定的な運用が実現される。

　現に 2010 年代は、「新しいソーシャルメディア／SNS」が話題になることが多かったものの、20 年代に入るとそうした勢いは観察されにくくなった。しかしながら、常にその巨大プラットフォームの間隙を縫って新興のサービスが生まれてくるのも事実であり、特に若い世代ほどその新しさに順応的だ。すでに巨大化した「盾」としての既存プラットフォームと、その隙間を埋めるように新しく出現する「矛」としての新興サービス。ここでは、その「矛と盾」の現在的なあり方をまとめておきたい。

■ BeReal. の流行から読み解く 若者の欲求

「矛」の筆頭として挙げられるのが、23年頃から日本国内で加速的に流行し始めた、20年にフランスで誕生した「BeReal.」だ。基本的な仕組みは、まず毎日ランダムな時間に「写真を撮影・投稿する」ことを求める通知が届き、2分以内にイン・アウトカメラで写真を撮影して投稿すること（制限時間以外での投稿も可能ではある）。いきなり指示が飛んでくるため、本当に今その瞬間の写真を投稿するしかない。ゆえに、アプリの名前の通り「Real」であるというわけだ。自分が投稿することで、アプリ上でつながっている友人・知人の投稿を閲覧することができるようになる。その意味で、ほかのSNSとは異なり、「見る専」はNGだ。投稿する者だけがほかの投稿を見ることができるという意味で、フラット（平等）な性格を持っているとも言える。

21年頃からフランスの大学で使われ始め、アンドリーセン・ホロウィッツなど著名なベンチャーキャピタルから資金調達を行ったことで、テック業界からの注目度が上昇。22年には学生向けのアンバサダープログラムを展開し、ユーザーが自ら宣伝を担う仕組みを構築。その結果、TikTok上でも話題となり、広範にユーザーを獲得することにつながったのだった。

調査会社のSensorTowerによれば、日本で「BeReal.」の人気が出始めたのは23年初頭から。23年1月と24年1月の日本における月間アクティブユーザー数（MAU）比較では、10倍以上の成長が確認できるという（実数値は公開されていない）。24年に入ってからも継続して伸びており、4月時点では米国に次ぐMAUとなっているようだ。また、日本のユーザーは「スニーカー好き」「高いファッション感度」「学生」といったペルソナが上位を占めているようで、若くて社交的（ソーシャル）な人々がメインのユーザーになっていることがわかる（SensorTowerブログ「『BeReal』の

日本MAUが1年で10倍以上に、日本ではiOSが9割で男性比率も他市場に比べて高い独自の市場」24年5月、https://sensortower.com/ja/blog/bereal-mau-increased-in-japan）。

Z総研による「Z世代が選ぶ2024年上半期トレンドランキング」（24年6月発表）では、流行したコト・モノ部門で第1位。流行した言葉部門でも第2位に輝いている。若年層のポップカルチャーにおける存在感も高まっており、若手ラッパーの楽曲を聴いていると「BeReal.にハマっている若者」の姿が等身大でリリック化されている。

その面白さの秘訣はどこにあるだろうか。「SNSに顕著な"どれだけ盛れるか"の承認欲求レースから距離を置きたい若年層が、飾らない交流ができるBeReal.に夢中になっている」というのがよく語られる教科書的な理解だが、実際には「そんなBeReal.でいかに自然なかたちで魅力的な写真を投稿できるか」のゲームになってしまう面が、ユーザー心理の面白いところだ。加工や後出しができない分だけ、逆にどれだけ素敵な日常や人間関係を伴っているのかを本当に見せびらかせる場であったというわけだ。いつ指令が届くか予見できないので、友達とあえて長い時間を過ごすようになったりと、若年層の振る舞いにも変化が及ぶこととなった。根底の人間の欲求は変わらず、それが時代・世代ごとに違った現れ方をするのみだというラーニングになるだろう。

若年層の欲求という面で言えば、BeReal.のような「飾らない自分」や「素の瞬間」、さらには「やらかしてる場面」を見せたがるのは、それが現代的な友情の維持に寄与しているからだとも考えられる。「本当に仲良い友達とはバカやれる」の心理が、最新のSNSと合致するとこうなるというわけだ。また、あくまでもバカな自分を自発的に投稿しているのではなく、アプリから命令されてやっているという言い訳が立つこともポイントだ。自分の意思で投稿する

2024年上半期 Z世代が選ぶトレンドランキング

(%)

順位	流行ったコト・モノ		流行った言葉	
1	BeReal.	55.8	それガーチャー？ ほんまごめんやで	58.8
2	猫ミーム	35.8	BeReal.	43.0
3	おぱんちゅうさぎ	14.4	チーム友達	40.1
4	ディズニー・パルパルーザ	11.7	カチカチに凍った漢江の上を 猫が歩いています	31.6
5	劇場版ハイキュー!! 「ゴミ捨て場の決戦」	11.5	ハッピーハッピーハッピー	28.4
6	バレエコア	10.1	BIG LOVE	10.1
7	ハローキティ	9.1	回転界隈	9.6
8	ちいかわ	8.8	平成女児	7.8
9	劇場版名探偵コナン 「100万ドルの五稜郭（みちしるべ）」	8.0	猫ミーム	7.7
10	Eye Love You	7.3	寿司ください。お茶ください。	5.4

出所：Z総研プレスリリース「『Z世代が選ぶ2024年上半期トレンドランキング』をZ総研が発表!」
https://prtimes.jp/main/html/rd/p/000000093.000020799.html

と「痛い」が、BeReal.のようにランダムに指示されるのであれば仕方ない。そもそも、スマホネイティブな若年層は、「続きが見たければ〇〇しろ」や「広告をスキップしたければ〇〇が必要」といったアプリからの命令・指示に慣れていて、受け入れやすいという特性も関係しているだろう。

BeReal.は、最近では企業・ブランドの活用が目立ち始めている。例えば私が敬愛するDIOR（ディオール）はショーのバックステージを投稿しており、憧れと親密感の良いバランスを模索しているように思われる（比較として、Instagramには通常投稿・ストーリーともにブランドが作成した公式コンテンツのみを発信している）。よりエンゲージメントの高いファンとつながれるのだとすれば、ほかのSNSにはない使い方が生まれてくるとも言える。

また、最新の状況として、ハイパーカジュアルゲームを運営するVoodoo社に5億ユーロ（約850億円）で買収されることが発表された。Voodooが得意とする広告マネタイズ事業の中でどう戦略的に位置付けられるのかに注目したい。多くの若者が通知に応じて毎日使ってくれるサービスであると捉え返すなら、その広告メディアとしてのポテンシャルは非常に大きいと言えるだろう。

■ 2024年はプラットフォームの曲がり角

BeReal.の流行は一般的にこのように説明されることが多かった。「Instagramに代表される"映え文化"からの脱出を図る若年層が、周囲への見せびらかしから距離を置き、気取らず友達とコミュニケーションすることができるBeReal.に魅せられたのだ」と。ここまでの論述を踏まえるとその説明は不十分であることがわかるが、すでに定着した巨大SNSプラットフォームは完璧ではないこと、生活者の中に不満や飽きが生まれていることについて指摘する意義はある。

10年代はスマートフォンの普及とあいまって、SNSの黄金期だったが、引き続き成長基調にありつつも成熟期を迎えた20年代は、そ

の急成長・急拡大の中で生まれてきた課題と向き合い、自らの存在感の大きさに伴った社会的な責任を引き受ける時期になる。

24年の4月は、そうした転換点を象徴するようなニュースが相次いだ。まず著名人になりすまし詐欺広告の被害が拡大している現状を受けて、FacebookやInstagramを運営するMeta社に対して、自由民主党から強い対策要請が発出された（24年4月）。また、LINEヤフーに対して、「通信の秘密の保護」と「サイバーセキュリティーの確保」の観点からの対策が不十分ということで、総務省による2度目の行政指導が執り行われた（24年4月）。米国では、同国内でTikTok運営の禁止法案を可決。親会社のバイトダンスに対し、9カ月以内に売却するよう義務付けた（24年4月）。この法律が憲法に違反しているとして差し止めを求める訴えが起こされており、行く末に注目する必要があるものの、法律で禁止されたことの余波は国際的に及ばざるを得ない。

X（旧Twitter）については、23年の経営体制の刷新以降、特に北米を中心に広告主の離反が課題となっている（日本は比較するとそうでもないが）。広告事業に依存しすぎている状況から脱して、様々な機能の追加を施し、SNSというカテゴリーにとどまらず、動画視聴や送金・決済に至るまでをカバーする「Everything App」になることを宣言しているが、無事に落着するかどうかは要注目だ。また、いわゆる「インプレゾンビ」の問題は解決されておらず、ユーザーのアプリ使用体験（UX）を残念ながら損なうかたちになってしまっている。

インプレゾンビとは、インプレッション目当てに、特定の投稿へのリプライを一覧表示させるリプ欄に湧いてくるアカウントのことで、インプレッション数に応じて報酬が支払われる広告収入シェアの仕組みによって顕在化してきた。インプレゾンビのアカウントの多くは、海外の低所得地域に住む人が運用していると見られて

おり、現地では得難いような月々数千円ほどの報酬を得ることが目的となっているようだ。

しかしながら、そもそも論で言えば、SNSにまつわる様々な課題はこの数年指摘され続けてきており、特に若年層のメンタルヘルスに与える影響については議論が収束していない。米国では子どものSNS利用を制限する取り組みが広がっており、全米50州のうち35州が規制などの導入に乗り出している。ニューヨーク市は、ソーシャルメディアが若者のメンタルヘルスに悪影響を与えているとして、運営する各社に損害賠償などを求めて提訴した（24年2月）。日本ではあまりクローズアップされていないが、この問題が今後どう扱われるようになるか、目配りしておく必要がある。

■ 注目しておくべきサービス群

そうした巨大サービスの「盾」が揺らぐ中で、「矛」としての新しいサービスがいくつか育ってきていることに着目したい。

1つ攻め込む余地のある領域が「音声」だと言える。まず取り上げておきたい「Airchat」は、わかりやすく例えるなら音声版Xだ。ユーザーは自分のページにメッセージを投稿し、気になる人をフォローするのだが、そこでの投稿やメッセージのやりとりはすべて音声を介して行われる（テキストの作成やコピー＆ペーストは不可）。米国では、OpenAIのサム・アルトマン氏などテック業界の著名人も利用しており、そうした人々の話を聞きたいユーザーから重宝されている。その点では、ポッドキャストへのニーズに近いとも言えるが、やはりブログとポッドキャストがロングフォームコンテンツだとすれば、XやAirchatはショートフォームコンテンツなのだと整理することができる。

音声コンテンツの欠点の1つは、情報を直接摂取するしかないため、どうしても時間がかかってしまうということだが（もちろん倍速にするなどの対策は可能だが）、AirchatはAIが音声を書き起こしてくれるため、文字化された

ものを読むことで効率的に情報収集することができる。また、テキストでのやりとりはできないが、投稿に画像やリンクを追加したり、メッセージに「いいね！」を押したり投稿をシェアしたりすることもできる。

　Airchatのもう1つの特徴は、特定の話題や特定のユーザーとのチャットルームを開始できるということだ。しかし、コロナ禍で流行したClubhouseとは異なり、リアルタイムでの交流（おしゃべり）というよりも、時間差でメッセージを送り合う（ドロップし合う）チャットグループに近い。

　その特性に近いサービスとして、ボイスメッセージを友人間で送り合える「TenTen」（22年9月リリース）も、すでに600万ダウンロードを達成。TikTokで拡散してヒットしたことからもわかるように、海外の若年層を中心にスマッシュヒットしている。ちなみにTenTenもBeReal.と同じくフランス生まれのサービスである。その意味で、フランスのSNSは元気があるという論点を付記しておくことができるだろう。スマホをトランシーバー代わりに使えるというもので、電源を切るか、機内モードにしない限りは、自分からの音声メッセージも相手からの音声メッセージも届く仕組みだ。

　これらの音声×ソーシャルメディアの領域にスポットライトが当たるのは、ニュアンスが伝わりやすく、コミュニケーションの機微が共有されやすいからだ。情報伝達の効率性のみが先立つと、どうしても私たちのコミュニケーションは殺伐としてしまう。その課題への反省的なアプローチだと見なすことができる。

　一方、現在のSNSが抱える課題に真っ向からアプローチしようとしているのが、Twitterの共同創業者エヴァン・ウィリアムズらが出資する「Maven」（24年1月にローンチ）だ。App Storeの紹介ページでは、「The Serendipity Network」と題され、Meet & Chat on Social Mediaというタグラインが添えられている。MavenはSNSではおなじ

みのフォロー／フォロワーや「いいね！」を廃止し、純粋な興味を通じて人と人（投稿）をつなぐことを信条とする。フォロワーの多い発言力の大きい人に支配されることなく、アルゴリズムによって偶然の出会いと深い議論を促すことが目指されているのだ（彼らの言葉を借りると「interests, not influencers.」）。つまり、人間関係のネットワークであるソーシャルグラフを排し、興味・関心でつながるネットワークであるインタレストグラフに特化したSNSだと表現することもできるが、一般的にはSNSとはソーシャルグラフが価値を持つので、その組み合わせの新しさ（あり得なさ）が価値として定着するか否か、しっかり見守りたい。

　また他方で、既存のプラットフォーマーが新機能を拡充する動きもチェックしておかなければならない。ショート動画サービスの雄であるTikTokは、最近になって写真共有アプリを相次いで発表している。1つが「Notes」（24年4月）で、写真とテキストで有益な情報発信の機会をユーザーに与えるもの。もう1つが「Whee」（24年6月にテストローンチ）で、親しい友人とのつながりを保つためにつくられた写真共有アプリである。後者は友人との共有に特化したSnapchatやBeReal.の競合に位置付けられるものだろう。

　Instagramが運営する、Xのようなタイムライン形式でスレッドを気軽に投稿・共有できる「Threads」は、月間アクティブアカウント数が1.5億人を突破（24年4月時点）するなど、ユーザー数を伸ばしている。さらに、24年6月にはAPI（Application Programming Interface）を公開した。これによって、サードパーティアプリで投稿を公開したり、管理ツールを展開したりできるようになるので、特に企業やクリエイターがマーケティング目的で活用することを後押しする。

　ここまで描いてきた「盾」と「矛」の対立の構図は重要だが、完全なる二項対立というわけでなく、盾の中にも矛的な役割のものが存在す

るなど、交じり合い、生物の多様性のようなバリエーションを持って広がっていくのが実情である。関西大学の水越伸教授（メディア論）は、そうしたありようを「メディア・ビオトープ」と名付けていたが、まさにソーシャルメディアの領域にも同様のビオトープが形づくられてきているのだ。

そして、今後特に若年層のユーザーほど、目的や関心、ソーシャルグラフなどに応じて、複数のソーシャルメディアを使い分ける傾向がどんどん強まっていくと見られる。情報発信や対外的なコミュニケーション用途、趣味や専門分野の情報収集用途、気心知れた友人とのみつながるプライベートな交流用途…など。メディア・ビオトープの広がりとともに、そうしたタッチポイントの多様化が進むにつれて、生活者と企業・ブランドの接点はより点在的になり、マーケティングコミュニケーション投資の宛先はより細分化していくだろう。それは、後述するように、私たちが身を置くコミュニケーション環境全体の「見渡せなさ」が、より体感されるような方向にシフトすることを含意している。

これからのメディア and／or クリエイター

■ 生成 AI が加速する「悪貨問題」

ソーシャルメディアは引き続き若年層を中心に情報源として重要な位置を担っている。モバイル社会研究所の「2023 年一般向けモバイル動向調査」によると、生活情報（趣味や買い物等）を得ているメディア利用率は、10〜30 代においてはソーシャルメディアが最も重要な情報源になっている。だからこそ、ブランドやパブリッシャーはその領域におけるオウンドメディア運用やペイドメディア活用（＝広告出稿）に精を出すわけだ。

しかしながら、そうした定着の裏面として、みんなが使うからこそ価値があるソーシャルメディア上で、それに乗っかったかたちで「たくさん情報を出せば経済的なメリットを得られる」という、ネガティブな動機付けが強まっている。昨今の副業ブームなどもあいまって、今や「SNS で簡単に稼げます」ブームだ。そうしたモチベーションを持った個人を支援するサービスや扇動的なインフルエンサーが台頭しており、それに応じた特定のテンプレートに沿ったアカウント運営やアフィリエイトへの誘

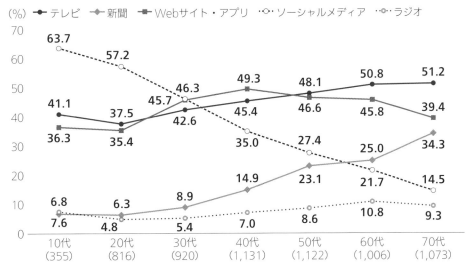

生活情報（趣味やお買い得情報など）を得ている年代別メディア利用率（2023年）

注：複数回答。カッコ内は調査人数。調査対象は全国15〜79歳男女。n=6,423
出所：NTTドコモ モバイル社会研究所「2023年一般向けモバイル動向調査」

導が激増してしまっている。その結果、筆者自身も一ユーザーの実感として、どこかで見たような投稿トーン＆マナー、そこに乗っかってくる既視感のある情報、同じようなおすすめアイテム…といった、充足感とはほど遠い投稿に出合う機会が増えていると言わざるを得ない。

　ではそのようなアテンション－広告モデルでなければいいかというと、有料課金制の某ブログサービスなどでも情報商材の喧伝がかまびすしく、AIでつくられた記事や、海外の有料記事が大量に日本語訳され販売されるようになっているという。

　東京経済大学の佐々木裕一教授が著書『ソーシャルメディア四半世紀――情報資本主義に飲み込まれる時間とコンテンツ』（2018年、日本経済新聞出版社）で指摘したように、インターネット普及の初期段階は、趣味に高じる篤志家たちによるギブ的な情報提供が主流だったが、その後マス層にまで広がると、ネットやSNSが効率的にお金儲けするための狩り場になり、情報圏としての性質が一気に変化（悪化）したのだった。そうして、検索サイトからもSNSからも有益な情報が引き出しにくくなってしまっているわけだが、これはインターネットの歴史上繰り返される「悪貨が良貨を駆逐する」サイクルなのかもしれない。

　この「悪貨問題」は、生成AIによって悪化しないのかどうかが次に問われるべきだが、例えば近年話題になることが多いMFA（Made For Advertising）サイトがもたらすデジタル広告の課題はその最前線に位置する。その意味で、23年6月に発表されたANA（The Association of National Advertisers：全米広告主協会）のレポートは業界に衝撃をもたらした。いわく、MFAサイトは調査インプレッションの21%、広告支出の15%を占めていたというのだ。つまり、ざっと5分の1ほどの広告リソースが「金をドブに捨てている」状態であることが示唆された（出所：ANA「ANA Programmatic Media Supply Chain Transparency Study－First Look」23年6月19日、https://www.ana.net/miccontent/show/id/rr-2023-06-ana-programmatic-transparency-first-look）。

　しかしながら、同組織から24年の1〜5月の実績値をもとにした追加検証のレポートが発表されると、広告支出のMFAへの流出は15%から4%に減少したというポジティブな結果が明らかになった。23年の調査レポートが大々的に報道されたことを受け、広告主がより統制を強めたことが要因で、キャンペーンを実施するWebサイトやアプリの平均数を半減させ、SSP（Supply Side Platform）やエクスチェンジ・パートナーの数を減らすことを決断した広告主の割合が高くなったようだ。

　このように、「つくる側」のスキルや倫理に頼るだけでなく、「見る側」や「届ける側（仲介する側）」が協働して対策をしなければ、良質なプラットフォームを維持することはできないということだ。

■ 令和のミドルマンとしての　クリエイター／エキスパート

　では、「つくる側」の影響力が非常に大きくなっていることの功罪をどう評価するべきか。クリエイターエコノミーが高進し、若者にとっての影響力は非常に強力なものになっている。そこに一点付け加えると、それはSNSが存在する前からの法則でもある。社会学者のポール・ラザースフェルドらが「コミュニケーションの2段階の流れモデル」（マスメディアからの情報をオピニオンリーダーが解説し、それに基づいて一般生活者は情報を理解する）で説いたように、私たちは中間的な解釈者の存在を常に必要としている。その役割が現代では情報流通経路の変化によって大きくなっているというわけだ。

　筆者はかつて、若者のあいだでSNS検索の重要性が高まってきていることを「ググるから

タグるへ」(拙著『シェアしたがる心理――SNSの情報環境を読み解く7つの視点』2017年、宣伝会議)と評したが、それを説明したのは情報のディストリビューションの単位が変化してきていることを踏まえてのことだった。今やユーザーは、媒体やWebサイトを訪れるよりも、記事やコンテンツ・投稿にダイレクトに到達し、その面白さや有益さを評価するようになっている。その結果、個人クリエイターであっても、良いクオリティの記事やコンテンツ・投稿を生み出せれば、大手のパブリッシャーよりも認知を獲得できる機会が増える。

また、生活者にとっても、かつては地域ごとの新聞やメディアのコンテンツを消費することが中心だったため、仮に良し悪しあって平均的なクオリティであっても、その網羅性が十分な価値となっていた。しかし、無数のコンテンツから選べる現代の情報環境においては、より良いコンテンツのつまみ食い、さらにはその最適な組み合わせが求められるようになる。尖ること、ニッチ化することの価値が高まっており、クリエイターや個人のエキスパートが相対的に競争力を獲得しやすくなっている。

米国ではビジネスメディアでも同様の変化が起こっており、例えばAppleのティム・クックやMetaのマーク・ザッカーバーグは、大手メディアの取材に加えて、新世代エキスパートのポッドキャストやYouTube番組に出演することを選択するようになっている。テック起業家にとっても、新世代エキスパートと話したいという興味に加えて、組んだほうがクールに見えるという考え方もあるだろう。

実際、22年の米国人への意識調査では、メディアの信頼は全体的に落ちているが、クリエイターやエキスパートが運営するポッドキャストの信頼が上昇している。87%の米国人はポッドキャスト経由で聞くニュースは大体正しいと感じていて、30%はポッドキャストでしか聞けないニュースを聞いていると回答(Pew Research Center「Podcasts as a Source of News and Information」23年4月18日、https://www.pewresearch.org/journalism/2023/04/18/podcasts-as-a-source-of-news-and-information/)。先に音声×ソーシャルメディアの新興サービス(矛)を紹介したが、それとも重なる現象と捉えられそうだ。余談になるが、そうしたトレンドは広告プロモーション施策にも昇華されており、ブランドが役者を採用し、マイクの前で会話をするかたちで商品をプロモーションするポッドキャストのようなショート動画広告が見られるようになっている。

法政大学の藤代裕之教授は、マスメディアとパーソナルメディアの中間に位置するミドルメディアという概念を彫琢し、両者への情報の流れを仲介する重要な役割を説いた(藤代裕之編著『ソーシャルメディア論〈改訂版〉――つながりを再設計する』2019年、青弓社)。ここまでの議論を踏まえると、ミドルメディアの機能的等価物に新時代のインフルエンサー/クリエイターがおさまっていく絵が想定される。ミドルメディアの役割を人が担うこと、つまりミドルマン化するというわけだ。令和のミドルマンとしてのクリエイター/エキスパートという現象は、平均的なメディア、平均的なコンテンツにユーザーのアテンションや信頼が集まらなくなる状況が続く限り、その裏面として進行し続けるはずである。

■ アルゴリズム vs. キュレーション

現代の情報環境における隔靴掻痒感は、情報が爆発的に増えているという量的な側面だけに起因するわけではなく、本質的な情報が表に出てこない見通しづらさという質的な側面もそこに付随しているのではないか。

24年にスマッシュヒットしたNetflixドラマ『三体』は、世界中のSFファンに熱狂的に受け止められているが、見どころの1つが超高度な知性を持った宇宙生命体と人間との「知恵比べ」だ。作品としての面白さはもちろん、そ

れら作品上のコンセプトがITやメディアの世界に携わる人々に大きな示唆を与えてくれると思うのだが、ここで取り上げてみたいのが「暗い森理論」（正確には「宇宙の暗い森理論［the dark forest theory of the universe］」）である。夜の森は静寂に満ちており、生き物を観測することは難しいが、それはその森に生き物がいないということを意味するわけではない。暗い森にも生命は満ちている。なぜ姿を現さないかと言えば、捕食者がいるからだ。「実は宇宙でも同じことが起こっているのではないか」という直観がこの理論で、地球のほかに生命体がいないように見えるのは、存在が明らかになった時点で侵攻される恐れが高いため、暗い森で潜む動物たちのように静かにしておくだけの分別があるからだ（まさに「囚人のジレンマ」状態である）。

この比喩を現代の情報環境に適応すると、現代のソーシャルメディアは意見を表明することのメリットよりも、心理的安全性を脅かされたり、社会的にキャンセルされたりするリスクを帯びるなどデメリットのほうが大きくなっており、賢明なユーザーほど暗い森に逃げ込むようになってしまった。それがクローズドなSNS、会員制のメルマガや有料課金制のコンテンツ、そしてオープンだが誤解されたり切り取られたりする恐れの少ないポッドキャストといったものの隆盛につながっていると考えられる。これが先に述べた見通しづらさにつながっているのは間違いない。

情報量が増え、カルチャーはニッチ化し、暗い森が広がって見通しづらさが増している中で、私たち（特に若者）は自分たちが立脚するカルチャーの羅針盤をますます求めるようになっている。それは自分の趣味嗜好に沿ってアルゴリズムがおすすめしてくる情報のパッチワークでは描きがたい、ビッグピクチャーのようなものである。ミドルマンとしてのクリエイター／エキスパートは、その方向性を明らかにするキュレーターとして期待されている面が大きい。お

そらくそれは、アルゴリズムによって整除されたり導出されたりするものではなく、同時代に生きる者が情熱を持って指し示さなければならないものだ。情報の終わりなき摂取を減速させ、解釈のための枠組みを提供し、多くの人々の鑑賞の感覚を養うことに貢献する。そして、良い鑑賞なきところに、良い制作は起こり得ない。実はここが次代のクリエイターエコノミーの生命線なのだとも言えるだろう。

とはいえ、キュレーションを顕彰してアルゴリズムを否定したいわけではない。そもそも、アルゴリズムは、おおむね「視聴に関する指標」と「エンゲージメントに関する指標」とに分けることができるが、私たちが実際に投稿やコンテンツの質を分析する場合とそう変わらないとも言える。これは、生成AIを活用して仕事を効率化することは是か非かを問う議論と似ているのではないか。そして、それは是だと捉えられることが増えているように思われる。

英国のロイター・ジャーナリズム研究所が発表している「Digital News Report」では、人々のニュースやメディアとの関わりやその価値判断を各国で比較できるようなかたちで聴取している（最新版は24年、https://reutersinstitute.politics.ox.ac.uk/digital-news-report/2024）。大きなトレンドとして、ニュースへの信頼度・関心と既存マスメディアの利用頻度の減少が世界的に進行している。特に米国はその低下具合が著しく、それらが上述の新世代のエキスパートを歓迎する動きにつながっているとも言える。

フランスが誇る知の巨人、ジャック・アタリ氏が『メディアの未来』（2018年、プレジデント社）で示した未来図もここまでの議論に適合的だ。いわく、SNSが影響力を増す現代〜近未来の情報環境において、鍵となるのが個々の専門家による「デジタル・アッヴィージ」であると。

聞きなれない語彙だが、アッヴィージとは何だろうか。ヨーロッパにおいて、活版印刷技術

が誕生する以前は、基本的に情報の共有は誰かから誰かに宛てられた私信のかたちで行われていた。修道院間の手紙の交信、そしてその後に発展した大学間の郵便ネットワークなどがその役割を担ったとされる。次第に、商人が物資とともに情報を運ぶようになっていくのだが、そこで生まれたのが情報の配信を専門にする定期便「アッヴィージ（arvvisi）」であるという。現代風にいうと"ビジネスに役立つ有料ニュースレター"といった体<ruby>体<rt>てい</rt></ruby>だが、これはお金を出せば誰でも買える市販物としての側面があることから、私信とは異なる情報流通回路を築いたものだと評価することができる。

アタリ氏は巨大プラットフォームが占有的になった現代において、民主制を維持するために必要な健全なる情報環境を支えるものとして、現代的にアップデートされた「デジタル・アッヴィージ」が力を発揮するのだと述べる。例えば、個人のジャーナリストやエキスパートが、SNSによって築かれたソーシャルグラフを活用してファンコミュニティを育み、記事やポッドキャスト、あるいは動画などを通じてニュースや専門トピックスを解説することで、独立的な言説の量を維持することにつながる。具体的には、アメリカではSubstack、日本ではnoteやtheLetterなどのサービスを挙げることができるが、SNSと併存したファストすぎないコミュニケーションの環境をいかに確保するかが重要だという論点は、ここでしっかり銘記しておきたい。

本稿の主題「若者とメディアのこれから」を考える上で、今や無視できないのがパブリッシャーに加えて、巨大プラットフォームのアルゴリズム（届け方の仕組み）や次世代のクリエイター／エキスパートといった存在である。パブリッシャー、プラットフォームとアルゴリズム、クリエイター／エキスパートという三者間のパワーバランスはどう変化していくのか。そして、私たち生活者がその情報の質や信頼性をどのように見積もるようになるのかを、引き続き注視していかなければならない。

（天野彬）

3 推し活する人の情報行動

"推し活" に熱心な人たちが求める情報とは

▶ 年代問わず「好き・魅力を感じるものあり」と答えた人が多いが、このうち、自らを「推し」と認識している人は若年層女性に多い

▶ 「推し」自認者はメディア利用が活発で、好きなものへの課金も厭わない

▶ 「推し」自認者は関連する情報を漏れなく把握したい意識が強く、「タイパ視聴」も積極的に行いながら情報収集している

熱量が高い「推し」の行動は

　"推し活" という言葉を目にする機会が増えているのではないだろうか。好きなものに熱中したり、好きなアイドルや選手などを熱心に応援したりする "推し活" がブームになっているという記事や、SNS 上で "推し活" に関連する投稿を見かけることも多くなっている。"推し活" に熱心な人たちは熱量が高く、積極的に行動をする原動力を持つ人たちであると考える

こともできるだろう。そのような人たちだからこそ、企業にとって魅力的なターゲットになり得るのではないか。そんな発想も出てくるのではないだろうか。

　「推し」を広い意味で捉えれば、好きなもの・好きなことがある人たちと考えることもできる。NHK 放送文化研究所（以下、文研）が 2022 年に行った世論調査では、「自分の好きなこと

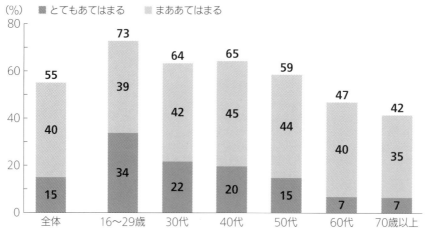

好きなもの・ことに対する積極的な意識（年代別）

自分の好きなことをするためなら、多少は高くても、お金を払ってもいい

出所：NHK放送文化研究所「全国メディア意識世論調査・2022」（2022年10〜12月、全国16歳以上）

をするためなら、多少は高くても、お金を払ってもいい」と回答した人（「とても」「まあ」あてはまる計）が、16歳以上の全体で55%と、半数を超えている。年代別に見ると、16～29歳では73%と最も高く、30代、40代で60%を超えるなど、若年層を中心に、そのような意識が見て取れる。

そこで、本稿では、文研が24年2月に行った、「推し」とメディア利用に関するWebモニターアンケート調査（全国16～69歳・5111人）を基に、"推し活"に熱心な人たちがどのような情報行動をしているのか。その人たちの特徴と意識を探りながら、どのようなアプローチがあり得るのか、調査データを紹介しながら、考察したい。

■ 女性の若年層に多い「推し」自認

そもそも「推し」とは何を指すのだろうか。世の中で使われている「推し」という言葉は、使われる文脈などにより意味が異なることがある。その定義づけを行うことは別の場に譲りたいが、ここでは、まず「推し」の前提として、そもそも「好き・魅力を感じる対象（人・グループ、キャラクター、ジャンルなど）」があると答えた人がどのくらいいるのかを紹介したい。文研が24年に行ったWebモニターアンケート調査では、全体の77%の人たちが何かしら好きな対象があると答えた。性年代別に見ると、女性の16～19歳が93%と突出して高いが、この中では低い男性20代（73%）、30代（71%）でも70%を超えていて、多くの人に何らかの好きな対象があることがわかる。

ただ、多くの人が好きや魅力を感じる対象を持っていても、その人たちがすべて「推し」に該当するわけではない。上記の好き・魅力を感じる対象があると答えた人に、自分自身をどのように思うか尋ねたところ、全体で最も多かったのは「ファン」で33%だった。それ以外は、

「最も好き・魅力を感じるもの」と自分の関係

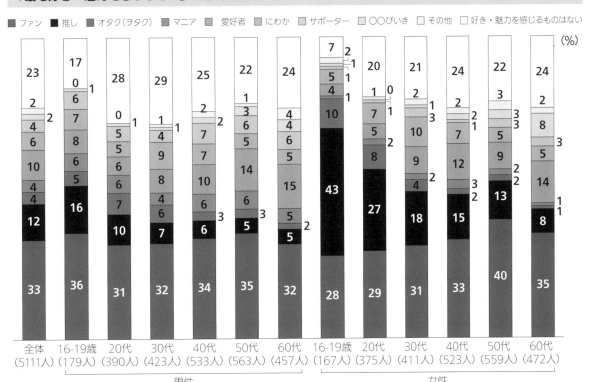

注：性別の「その他」「答えたくない」の合計（59人）の数値は非掲載（以下、性年代別の図表は同様）
出所：NHK放送文化研究所『「推し」とメディア利用に関するWebモニターアンケート調査』（2024年2月、全国16～69歳、人口統計に基づき男女年齢層5歳刻みごとに割り付け）

「推し」「愛好者」「にわか」「サポーター」「オタク（ヲタク）」など様々であるが、「推し」（以下、「推し」自認者）は約1割（12%）で、必ずしも多いわけではない。ただ、性年代別に見ると、16～19歳の女性で43%、20代の女性で27%と、特に若年層の女性で自らを「推し」と認識している人が多いことがわかる。一方、男性では16～19歳は16%であったが、20代以降は10%以下となっていて、年齢が高くなると、自らを「推し」と認識している人は少なくなる。

ここからは、「推し」自認者、「推し」以外自認者などを以下のような定義で分析したい。
▽「推し」自認者：「好きなもの・魅力を感じるものがある」と答えた人のうち、自らを「推し」と認識している人。
▽「推し」以外自認者：「好きなもの・魅力を感じるものがある」と答えた人のうち、自らを「推し」以外、具体的には「ファン」「サポーター」「オタク」などと認識している人。
▽「好き・魅力を感じる対象なし」：「好きなもの・魅力を感じるものがある」と答えなかった人。

■ 性年代で異なる好きな対象

では、「推し」自認者も含めて、好きなもの・魅力を感じるものがあると答えた人たちが、どのようなものを好きだと思い、魅力があると感じているのだろうか。最も好きな対象を選んでもらった。「漫画・アニメ・ゲームのキャラクター・作品」が10%で最も多く、次いで「野球（球団・選手）」（7%）、「動物」（7%）、「車・バイク」（5%）、「男性アイドル（旧ジャニーズ）」（5%）など、好きや魅力を感じる対象は多岐にわたっている。これを性年代別に見ると、特徴的な傾向が見えてくる。最も多い「漫画・アニメ・ゲームのキャラクター・作品」は、男女ともに幅広い年代で人気があることがわかる。一方、「男性アイドル（旧ジャニーズ）」は、若年層を中心に女性で人気があること、「野球

（球団・選手）」「車・バイク」は男性の高年層で多いなど、それぞれ異なった特徴が見られた。
図表は割愛したが、これを、「推し」自認者で見ると、「漫画・アニメ・ゲームのキャラクター・作品」（17%）、「男性アイドル（旧ジャニーズ）」（15%）、「男性K-POP」（7%）が上位を占めた。

■「推し」自認者の約8割が課金

ここからは、自らを「推し」と認識している人（「推し」自認者：調査相手全体の12%）に絞って、その特徴を見ていく。「好きな対象を熱心に応援する人たち」は、コンサートやイベントに何度も足を運び、自らが推している対象のグッズなどを購入する姿をよく目にするが、調査では、「推し」自認者がどのような分野に、どのくらいお金を使っているのかを調べた。

「推し」自認者では、自分が最も好きな対象に関して、何かしらお金を使っていると答えた人は77%にのぼり、「推し」以外自認者の57%を大きく上回った。「推し」自認者の1カ月で使った最大の金額としては、「1万円～3万円未満」が21%、「5000円未満」が18%、「5000円～1万円未満」が16%となった。金額そのものは必ずしも高くはないが、「推し」自認者の多くが10代や20代の女性であることを考えれば、決して少ないとも言い切れないだろう。

では、「推し」自認者はどのようなことにお金をかけているのだろうか。最も好きな対象に関連して、お金をかけて行っているものがあるかどうか複数回答で尋ねたところ、提示した選択肢のうち、具体的な内容として最も多かったのは「グッズや関連するものを買う」だった。次いで「CD・レコード・DVD・ブルーレイのソフトを買う」「本・マンガ・雑誌を買う」「近場で開催されるライブ・劇・試合・イベントに参加する」「有料のファンクラブなどに入会する」などが上位を占め、「推し」以外自認者と比べて、上記で示したような分野にお金を使っ

ている人が多いことがわかった。

■ メディアの利用が活発な「推し」自認者

このように「推し」自認者では、「推し」に関連したグッズなどを積極的に購入する傾向が見られた。そこで、最も好き・魅力を感じる対象

についての情報収集をどのくらいの頻度で行っているのか尋ねたところ、「ときどき行う」では「推し」自認者が46%で、「推し」以外自認者の51%と大きな差は見られなかったが、「よく行う」については「推し」自認者が43%と、「推し」以外自認者の24%を大きく上回り、自

最も好きなもの・魅力を感じるもの（性年代別・抜粋）

(%)

		全体	男性						女性					
			16−19歳	20代	30代	40代	50代	60代	16−19歳	20代	30代	40代	50代	60代
1	漫画・アニメ・ゲームのキャラクター・作品	10	15	17	19	12	8	4	14	12	16	9	6	3
2	野球（球団・選手）	7	5	9	8	11	10	14	1	1	3	4	3	6
3	動物	7	1	3	2	4	4	5	5	6	6	12	14	14
4	車・バイク	5	2	4	4	9	17	15	0	1	1	0	0	1
5	男性アイドル（旧ジャニーズ）	5	3	5	1	0	1	0	20	13	10	8	6	4
6	ミュージシャン・歌手（国内）	4	3	1	2	2	4	2	1	5	4	5	6	6
7	お笑い芸人	3	2	2	3	4	3	2	2	4	3	4	4	2
8	YouTuber・TikToker・配信者	3	12	3	2	1	2	2	9	7	3	2	2	2
9	サッカー（チーム・選手）	3	5	4	5	6	5	3	1	1	2	1	1	0
10	バンド（国内）	2	4	3	2	2	2	1	2	3	3	3	4	1
11	ドラマ・映画・小説の作品・登場人物・キャラクター	2	0	1	1	2	2	1	1	2	3	3	4	7
12	テーマパーク	2	1	0	1	1	1	1	1	6	7	3	3	2
13	俳優・役者（国内・男性）	2	1	1	1	1	1	1	2	1	3	3	7	4
14	女性アイドル（国内）	2	3	4	5	5	3	2	2	2	0	0	0	0
15	鉄道	2	4	4	3	3	4	5	0	0	0	0	0	1
16	男性K-POP	2	2	0	0	0	0	0	10	4	3	5	4	2
17	女性K-POP	2	5	2	1	2	1	0	7	5	3	2	1	0
18	俳優・役者（国内・女性）	2	2	0	2	2	2	4	0	2	2	1	1	2
19	その他のスポーツ（チームや選手）	2	2	1	2	2	2	3	1	1	0	2	1	3
20	ミュージシャン・バンド・歌手（K-POP以外の海外）	2	1	0	2	1	3	4	2	1	0	1	2	1
	好きなものや魅力を感じるものはない	23	17	28	29	25	22	24	7	20	21	24	22	24

注：人・グループ、キャラクター、ジャンルなど40項目の中から全体の上位20項目を抜粋して掲載
出所：NHK放送文化研究所「『推し』とメディア利用に関するWebモニターアンケート調査」

らを「推し」と認識している人ほど、好きな対象に関して、頻繁に情報収集を行っていることが明らかになった。

また、推しの情報に限らず、普段どのようなメディアをよく利用しているかを尋ねた。図表は割愛するが、「毎日」「週3〜4回以上」と比較的頻繁に利用すると回答した人の結果を見ると、LINE（83％）、YouTube（67％）、X（65％）、放送時間にリアルタイムで見るテレビ番組（64％）、Instagram（59％）が上位にあがった。なお、「好き・魅力を感じる対象なし」では、これらのメディアを比較的頻繁に利

最も好きな対象についてお金をかけて行っていること

（複数回答）　　　　　　　　　　　　　　　　　　　　　　　　　　　　　　　　（％）

	「推し」自認者（619人）	「推し」以外自認者（3306人）	差分
グッズや関連するものを買う	45	20	**25**
CD・レコード・DVD・ブルーレイのソフトを買う	40	17	**23**
本・マンガ・雑誌を買う	31	18	**14**
近場で開催されるライブ・劇・試合・イベント（握手会・ファンミーティング・試写会・コラボカフェなど）に参加する	29	14	**15**
有料のファンクラブなどに入会する	28	8	**20**
映画を見る	25	13	**12**
有料で動画配信されるライブ・イベントを視聴する	22	8	**14**
遠方で開催されるライブ・劇・試合・イベント（握手会・ファンミーティング・試写会・コラボカフェなど）に参加する	19	7	**12**
PRやコラボ、おすすめしている商品を買う	17	4	**13**
有料動画配信サービスに加入、または動画コンテンツを買う	15	8	8
イベントに合わせて、服（参戦服）を買ったり、ヘアメイクやネイルをする	14	3	**11**
有料の施設や場所（テーマパークや駅など公共施設への入場料など）に行く	12	8	5
舞台になった地域や縁のある場所など、関連した場所や店などを訪問する（聖地巡礼）	10	3	7
自作グッズ（うちわ・ボード・キーホルダーなど）のための材料を買う	9	2	7
ゲームソフトを買う	9	5	4
オンラインコンテンツ（ゲームのガチャ・アイテムや、HPのダウンロードコンテンツなど）に課金する	9	3	6
好きな対象が着ている服を買ったり、同じ髪型・髪色にしたりする	9	2	6
インターネットのライブ配信などで、お金やギフトを送る（投げ銭）	7	1	5
関係団体に寄付をする・関連するキャンペーン（チャリティイベントなど）に募金する	4	2	2
その他	1	1	0
お金をかける行動は行っていない	23	43	−21

注：「推し」自認者が「推し」以外自認者と比べて10ポイント以上高いものを網掛け
出所：NHK放送文化研究所「『推し』とメディア利用に関するWebモニターアンケート調査」

最も好きな対象に関する情報収集の頻度

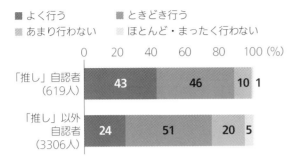

■ よく行う　　■ ときどき行う
■ あまり行わない　　■ ほとんど・まったく行わない

「推し」自認者（619人）	43	46	10 / 1
「推し」以外自認者（3306人）	24	51	20 / 5

出所：NHK放送文化研究所「『推し』とメディア利用に関するWebモニターアンケート調査」

用する人の割合が「推し」自認者よりも低いという結果も確認できた。「推し」自認者は、若年層の女性が多いため、メディア利用が活発な若年層女性の特徴が影響している可能性にも留意したいが、「推し」自認者たちはメディア利用が活発だということは、特徴の１つとして言えるだろう。

情報行動の特徴と背景にある意識

■「タイパ視聴」も多い「推し」自認者

メディア利用が活発な「推し」自認者の情報行動には、どのような特徴があるのだろうか。ここでは限られた時間の中でより多くの情報を得ようとする行動に注目した。最も好きな対象の情報に限定せず、再生速度を速めるいわゆる「倍速視聴」や、複数の端末で同時に視聴する「マルチ視聴」、ある部分だけを取り出して見る「部分視聴」をどのくらい行っているかを尋ねた。「推し」自認者では、そのいずれもが「推し」以外自認者、好き・魅力を感じる対象がないと答えた人を上回る結果となった。「推し」自認者では、好きな対象の情報にたくさん触れ

ていたい。数多くの情報に触れるために、時間を効率的に使って、情報収集活動をしたいという思いから、いわゆる「タイパ（タイムパフォーマンス）」を意識した行動が積極的に行われているのではないかと推察される。

■ 重視される「公式」情報

また、「推し」自認者は対象に関する情報を得る際にどのようなことを重視しているのだろ

「タイパ視聴」の頻度

「よくある」「ときどきある」計
■「推し」自認者（619人）
■「推し」以外自認者（3306人）
■「好きなもの・魅力を感じる対象なし」（1186人）

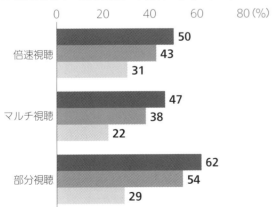

倍速視聴	50 / 43 / 31
マルチ視聴	47 / 38 / 22
部分視聴	62 / 54 / 29

出所：NHK放送文化研究所「『推し』とメディア利用に関するWebモニターアンケート調査」

最も好き・魅力を感じる対象に関して情報収集をする際に求める情報

（複数回答）　　　　　　　　　　　　　　（%）

	「推し」自認者（613人）	「推し」以外自認者（3140人）
公式の情報	68	53
最新の情報	56	49
信頼できる情報	55	54
わかりやすい情報	53	52
詳しい情報	38	33
自分にとって思いがけない情報	18	14
自分が不快に思わない情報	18	13
専門的な情報	17	23
多くの人が評価・共有している情報	16	13
意見や考え方の幅が広い情報	13	11

注：最も好き・魅力を感じる対象に関して情報収集を行うと回答した人が分母
出所：NHK放送文化研究所「『推し』とメディア利用に関するWebモニターアンケート調査」

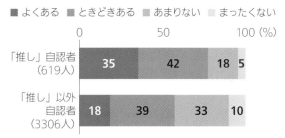

最も好きな対象に関する情報観

最も好きなものや魅力を感じるものに関連する作品や番組、
書籍などのコンテンツや情報はすべてチェックしないと
気がすまない

■ よくある　■ ときどきある　■ あまりない　■ まったくない

「推し」自認者 （619人）	35	42	18　5
「推し」以外 自認者 （3306人）	18	39	33　10

出所：NHK放送文化研究所「『推し』とメディア利用に関するWebモニターアンケート調査」

うか。調査では、情報収集をする際、どのような情報を求めることが多いかを複数回答で尋ねた。最も多かったのは「公式の情報」で68%であった。また、「最新の情報」「信頼できる情報」「わかりやすい情報」がいずれも半数を超えた。

　本人が発信をするのか、所属する事務所が発信をするかなど、発信元の違いはあるが、いずれも本人に関連したところが発信している、誰が発信したのかがわかるなど、信頼できるところが発信していること、最新の情報やわかりやすい情報であることを重視していることがうかがえる。

■「推し」の共感を得るためには

　ここまで「推し」自認者の情報行動の特徴を見てきた。推しを通じて、彼ら彼女らにアプローチしていく際には、何が大事になってくるのだろうか。そのヒントとして、最後に情報行動の背景にある「推し」自認者の意識について紹介したい。調査では、「最も好きなもの・魅力を感じるものに関連する作品や番組、書籍などのコンテンツや情報はすべてチェックしないと気がすまない」と思うことがどのくらいあるかを尋ねた。「推し」自認者では「よく」「ときどき」あると答えた人は77%だったのに対し、「推し」以外自認者では57%にとどまり、大きな差があった。「推し」自認者については、今回のWebモニターアンケート調査に関連して23年11月に行ったインタビュー調査で、「情報を取りこぼさないように必死感がある。新しいものは全部取りこぼさないように必死になっている」などといった回答が複数見られた。ここから読み取れるのは、推している対象をより深く知りたいという強い気持ちであり、それに応えていくことが重要と考えられる。

　一方で、推しのテレビ出演に関しては「テレビ番組で取り上げられると、薄い内容になりがち」（男性K-POPを推す20代女性）といった発言も複数聞かれ、好きな対象に関することだからこそ、評価基準も厳しくなる様子もうかがえた。数多くの情報に接しているがゆえに、目が肥えていることも確かであり、その要求に応えられる情報でなければ、相手にされなくなってしまうおそれも抱えている。自分の推している対象に惜しみなく時間と労力を割き、多少高くてもお金を払ってもよいと考えている人が多いと見られる「推し」。熱量が高く、魅力的なターゲットであることは確かだと思うが、その人たちの共感を得、賛同を得る輪を広げていこうとするには、相手を知り、相手に即したアプローチをすることがより一層必要になってくると言えるだろう。　　　　　　（芳賀紫苑）

第 3 章

広告コミュニケーション
活動の動向

1 デジタルマーケティングとの組織的連携

ブランド価値向上にデジタルデータを活用

▶ 広告・マーケティングのデジタルデータを共通基盤にして、全社的なデジタル戦略に役立てる動き

▶ リテールメディアを利用する企業は全体の3割を超える。「広告宣伝費」として計上される割合は66.7%

▶ 顧客IDを共通化し、デジタルデータを整備したポーラ。発想の起点は人を大切にする企業文化

広告・マーケティングデータを共通基盤に

　企業のデジタル投資が活発化する中で、広告宣伝部門においても業務の進め方、実際の広告の展開法などでデジタル対応が進展している。デジタルデータによる基盤を構築、整備して、業務全体の有効性を高めるものだ。企業として進めるDX（デジタルトランスフォーメーション）戦略との結び付きを強め、広告・マーケティング領域で取得したデータや利用のノウハウを幅広く生かすことも可能である。

　次ページの図は、広告・マーケティング領域のデジタルデータ基盤、および他部門との連携、全社的なDXへの取り組みとの関係を概念的に表したものである。インターネット広告やデジタルマーケティングにおいて取得、利用されるデジタルデータは様々だが、クリック率、コンバージョン率、動画広告視聴データといったインターネット広告に関わるデータ、シェア数、ホームページへの遷移数、遷移先ホームページでの行動といったSNS・オウンドメディアに関するデータ、登録ユーザーのIDとその属性

やサイコグラフィックデータ、購買／利用履歴、問い合わせ履歴などからなる。基盤上では、これらがユーザーIDを基軸に関連付けられることが望まれよう。

　顧客に関するデータや広告・マーケティング部門の視点、分析といった知見は、データの共有化とともに事業部門や経営企画、商品開発、カスタマーサービスなどの他部門にフィードバックされる可能性がある。他部門と連携を取りながら、あるいは広告・マーケティング部門がリード役となりながら、全体的なDX戦略の推進に役立てられる。広告コミュニケーションと販売促進を融合したマーケティングDXに取り組むだけでなく、顧客満足の向上や将来にわたる継続的な利用、ユーザーの嗜好に合った商品開発・拡張、部門間連携による業務の効率化などへの貢献が考えられる。デジタルデータにおいては、営業・販売データや詳細な商品データとリンクさせることができよう。

デジタルデータ基盤のイメージ

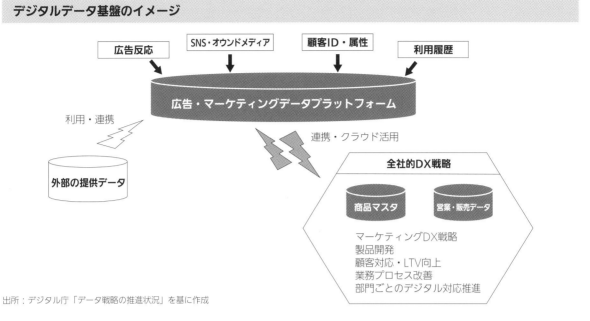

出所：デジタル庁「データ戦略の推進状況」を基に作成

約75%の企業がデジタル化を推進

　日経広告研究所が毎年実施している「広告主動態調査」では、広告宣伝部門のデジタル対応について尋ねている。2023年11月〜24年2月に実施した調査では、「広告・マーケティング業務でデジタル化を進めているか」に対して、「進めている」と回答した企業は74.1%となり、前回調査よりも3.2ポイント上昇した。「進めていない」は8.9%、「検討中」は16.5%で、こうした企業についても今後取り組むことが考えられる。

　「デジタル化を進めている」と回答した企業に、「目的」として4つの事柄から当てはまるものを選んでもらったところ、「広告・マーケティング業務の費用対効果の向上」が80.1%と最も高かった。反応の数値化、訴求対象の絞り込み、手法の統合的利用、データ連携といったデジタル施策の可能性、特性を生かして、効率化を目指すものである。「顧客満足度の向上と顧客維持」54.2%、「データをもとにした業務推進プロセスの構築、改善」52.4%、「企業

デジタル化推進の状況

広告・マーケティング業務でデジタル化を進めているか

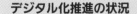

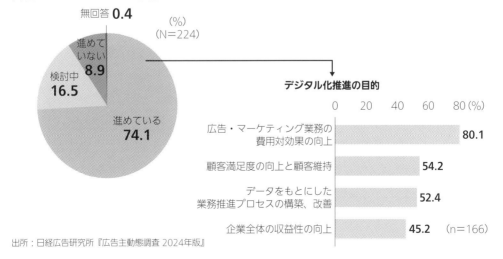

出所：日経広告研究所『広告主動態調査 2024年版』

全体の収益性の向上」45.2%と続く。成果を上げるために、内部の業務変革を進めている様子もうかがえる。

多くの企業が取り組むデジタル対応であるが、推進する態勢にはやや違いが認められる。企業としてDX戦略を推進するケースも多いことから、全社的なDX活動と広告宣伝部門のデジタル化対応の関係を尋ねたところ、「広告部門等のこれまでのデジタル化のノウハウを全社的なDX推進に生かすかたちで連携」して進めている場合が41.6%と高く、「DX推進部門の全体計画に従うかたちで連携」が27.7%、「特に連携はせずに進めている」が29.5%となった。広告宣伝部門が積極的、主体的に働きかけながら企業全体でデジタル化を推し進めている割合が高いが、比較的偏らず、上記に分かれると見てよいようだ。

こうした立ち位置によって、推し進めるデジタル化の内容や実践するコミュニケーション、マーケティング施策にも相違が見られる。広告宣伝部門が「進めているデジタル化の内容」を3つのタイプごとに見てみると、「DX推進部門の全体計画に従うかたちで連携」しているタイプは、「デジタルマーケティング部門と協働できる体制づくり」や「データに基づくコミュニケーションプロセスの設計と最適化」に力を入れている割合が高い。全社的なデジタル化の取り組みをふまえ、他部門と調整、連携が取れるマーケティングコミュニケーションの仕組みづくりを図っていると見られる。一方、「広告部門等のこれまでのデジタル化のノウハウを全社的なDX推進に生かすかたちで連携」しているタイプは、「プランニングや効果分析のためにツールを導入」している割合が高くなっている。「ブランド認知から顧客対応まで、一貫した顧客接点管理」や「データの社内連携・共有化やDMPの構築」なども低いわけではなく、デジタルデータを活用した具体的な基盤整備を目指している可能性があろう。そのためにツールの導入といった投資にも積極的であると考えられ

る。連携はしていないタイプは、「データに基づくコミュニケーションプロセスの設計と最適化」や「プランニングや効果分析のためにツールを導入」している割合が高いが、協働や連携に関する数値は低くなっている。相対的に「広告制作でのデジタルテクノロジー活用」も高く、社内的には独自の立場ながらも、デジタル投資や活用に積極的な姿勢がうかがえる。

■ 先進的な手法を活用

また、デジタル基盤の整備、活用の一環として、DtoC（Direct to Consumer）事業に取り組む企業が増えており、広告宣伝部門とマーケティング部門が連携を取りながら進めることも少なくないと見られる。そこで「広告主動態調査」では、DtoCマーケティングの主要な手法であるEC（Eコマース＝電子商取引）と、近年注目を集めているリテールメディアについて、利用の有無などを尋ねている。

ECにおいては「行っている／利用している」企業の割合は61.2%だった。業種別では（回答企業数10社以上）、化粧品・トイレタリー、ファッションの100.0%、商社・流通・小売業の91.7%、食品・飲料の83.3%が高くなっている。「行っている」企業には販売ルートとして「どのような形態が最も多いか」も尋ねたところ、「自社サイトなどによる直接販売」が56.2%と最も高く、2位の「通販サイト（Amazon、楽天など）による販売」26.3%を大きく上回った。店頭での販売が主力でも、EC事業を手掛けている企業は少なくないと見られる。ただ、「商品販売におけるECの割合」は「10%以下」が67.9%であり、2位の「10〜30%程度」17.5%に比べ、際立っている。金融・保険、情報・通信といった業種でECの比率が高いが、手掛けていても多くの企業では店頭や営業取引による売り上げが主流である。

一方、リテールメディアについては、「広告を出している」企業の割合は32.1%だった（リテールメディアの説明として「小売業が運

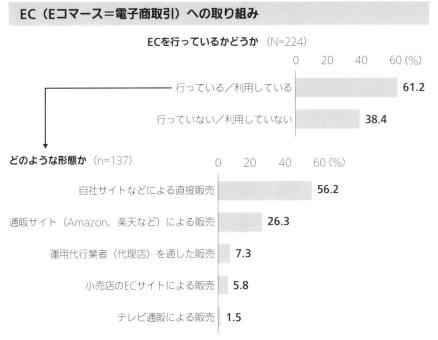

EC（Eコマース＝電子商取引）への取り組み

ECを行っているかどうか（N=224）

	(%)
行っている／利用している	61.2
行っていない／利用していない	38.4

どのような形態か（n=137）

	(%)
自社サイトなどによる直接販売	56.2
通販サイト（Amazon、楽天など）による販売	26.3
運用代行業者（代理店）を通した販売	7.3
小売店のECサイトによる販売	5.8
テレビ通販による販売	1.5

出所：日経広告研究所『広告主動態調査 2024年版』

営するアプリ、EC サイトなどの各種オンライン広告媒体。ここでは店頭のデジタルサイネージは含まない」と添えて質問）。全体の利用率としては高くないものの、業種別では（回答企業数 10 社以上）、化粧品・トイレタリー81.8％、食品・飲料61.1％、ファッション60.0％が高い。これらの業種はリテールメディア上での展開に適していると考えられる。また、利用企業には「主にどの部門が出稿を担当しているか」を尋ねたところ、「広告宣伝部門」が51.4％、「販売・営業・事業部門」が45.8％となり、販売系統の部署が担当するケースも多いことがわかった。クーポンによる値引きや限定商品の告知広告といった施策が取られるように、販売促進策として展開される面が強いようだ。

こうしたリテールメディア上の展開に対して「主に計上している費目」を尋ねたところ、「広告宣伝費」が66.7％、「販売促進費」が38.9％、「営業費」が11.1％となった。広告宣伝費の割合がひときわ高く、販売系統の部署が担当する場合でも広告会社を通すなどで、広告宣伝費として扱われることもあると見られる。また、アプリやEC サイト上の広告は、購買履歴を参照して対象商品に興味関心が高いユー

ザーをターゲットとして配信することができる。購買履歴以外のデモグラフィックデータ、サイコグラフィックデータと関連付けることができれば、それらを生かした配信も可能となろう。

「広告主動態調査」からは、インターネットの特性を生かした様々なコミュニケーション手法の利用についても、積極的な姿勢が見られる。デジタルメディアやSNS の普及によって登場した手法に対して、「行っているかどうか」を継続的に尋ねている。最新（23～24 年）の調査では「コンテンツマーケティング」が66.1％と最も高く、「統合型マーケティングコミュニケーション」の 62.1％、「自社サイトのメディア化」の 61.2％が続いた。今回の調査で選択肢に加えた「社員を起用したコミュニケーション活動」は 54.0％と、半数を超える企業が行っていると回答した。21 年の結果と比べると「コンテンツマーケティング」は 6.7 ポイント、「自社サイトのメディア化」は 7.3 ポイント増加しており、"何をどのメディアで訴求し""オウンドメディアではどういったコンテンツを取り揃えるか"を重視し、実践する企業が増えていると見られる。「社員を起用したコミュニケーション活動」も、モノづくりの思想

や自社の日々の活動、受け手にとって関心のある話題などを発信するもので（質問票では「社員が登場するインタビュー動画、SNSの発信、ブログなど」と説明書きを添えて回答）、「コンテンツマーケティング」や「自社サイトのメディア化」と関係の深い手法だろう。ほかには「インフルエンサーマーケティング」が21年の35.2%から24年の46.4%へと大幅に上昇した。若年層ユーザーが多い、ほかのユーザーの声が商品選択に生かされやすいといった、食品・飲料や化粧品・トイレタリーなどの業種での利用にやや集中しているため、全体での採用割合はそれほど高くないものの、利用が広まった手法だ。

デジタル化で体験価値向上——ポーラの取り組み

このように、「広告動態調査」からは、広告・マーケティング面でのデジタル化対応やデジタルコミュニケーション展開がさかんに行われている様子がうかがえる。広告やマーケティング部門は生活者と間接的ながらも向き合っており、情報発信や好感を持って受け入れられる対応が欠かせない領域である。加えてターゲティング広告、DMP（Data Management Platform）の構築など、デジタル技術の活用に早くから取り組み、広告・マーケティング部門では知見やデータの蓄積が進んでいる。他部門と連携し、こうしたノウハウを共有、還流するかたちで全社的なデジタル戦略を推し進めていくケースも少なくないようだ。

以下では、デジタル活用に積極的に取り組み、オフラインでのマーケティングコミュニケーションと融合を果たしているケースとして、ポーラの活動を取り上げる。

■ デジタルはおもてなしを高める一手法

ポーラは、全国の店舗やEC利用など各販売チャネルで保有していた顧客IDを共通化し、すべてのチャネルを横断して、一人ひとりに合わせたブランド体験を可能にするサービス「ポーラ プレミアム パス（POLA Premium Pass）」を23年4月に導入した。全国どこでも、どの販売チャネルでも使用できるIDを顧客一人ひとりが持つことで、購入履歴や肌分析の結果をいつでも確認することができ、顧客の気分、都合、価値観や悩み、肌の状態などに合わせて、"一人ひとりに寄り添った"サービス・接客を行うことが可能となる。

昨今、顧客を取り巻く環境は変化し、価値観やライフスタイルも多様化、そして購買行動においても自由にストレスなく選択できる必要性が高まっている。顧客一人ひとりの個性・違いを尊重するからこそ、導入に踏み切ったという背景がある。ECで商品購入した顧客が、実際の店舗でカウンセリングやエステなどのサービスを受けることも可能だ。こうしたシームレスな顧客体験の向上は、デジタル化による共通基盤をつくることで実現した。前述の「ポーラ プレミアム パス」では、2070万件（2023年12月末時点）の肌データを基にしてパーソナライズした肌に関する有益な情報を提供する「肌バンク」をスタートしたほか、より幅広いサービス、情報を受けられるよう、「POLA アプリ」を一新した。

こうした先進的な取り組みだが、同社は「あくまでも顧客視点に立ち、ブランド体験をシームレスにつなげ、顧客満足度を上げていくという考えが前提にある」という。「そうした発想の下、IDを共通化して接点がつながる仕組みづくりに取り組み始めた」と強調する。多くの企業が関心を寄せるデジタル化だが、目的達成のための手法の1つであり、顧客のブランド体験を高めようとする意志が起点となっている。

また、同社はかねてからダイレクトセリングで丁寧な販売、カウンセリングを行っており、顧客一人ひとりを大切にする文化が根付いてお

り、企業の独自性にもなっている
ようだ。「オンライン販売も行っ
ているが、全国の店舗で対面販売
によって培ってきた歴史、お客さ
まとの信頼関係はDXやOMO
(Online Merges with Offline)
を考える上でも絶対に外せない、
我が社のオリジナリティだと思っ
ている」(同社)という。そうし
た信念があるからこそ、持ち合わ
せている情報資産をつなぐことが顧客、企業双
方にとっていっそうブランド価値を高めるとの
判断に結び付いたわけだ。

　ID共通化によるデジタル推進は、顧客戦略
部が中心となって行われたが、同部の系統であ
るマーケティング部門の他部署や、事業部門な
ど各部署と横断的に連携を取りながら進められ
た。「チャネルのシームレス化といった取り組
みとなると、必然的に影響範囲が社内の至ると
ころに及ぶ。多くの部門が一丸となって行って
きた」(同社)という。各部署への情報展開に
よるデータ活用、接客支援のための販売スタッ
フ用アプリの開発といった、社内での業務改革
も進んだ。前述の「広告主動態調査」で見られ
た広告・マーケティング部門のデジタル化推進
が還流するかたちで、全社的なDXが進むケー
スと言えよう。

　また、プロジェクト推進にあたっては、先に
触れた同社の独自性ある共通理念が大きな役割
を果たした。社内横断的な取り組みだが、「創
業以来受け継がれてきた『最上のものを一人ひ
とりに合ったお手入れとともに直接お手渡しし
たい』という想い、人と人とのつながりを大切
にするという共通認識で、皆が同じほうを向い

「POLA Premium Pass」のロゴマーク

出所：ポーラ

シームレスな顧客体験を可能にした
「POLA Premium Pass」

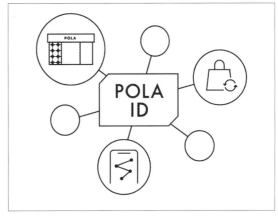

出所：ポーラ

ているところがあった」「お客さまにとって何
が一番であるか、長く愛され続けるにはどう
いった"ポーラ"であることが必要かを、あく
まで顧客視点で考えたプロジェクト。今後の
ポーラに必要なことという理解は、ビジネス
パートナーも含めた社内外に浸透していると思
う」(同社)という。目的に向かって目線を合
わせ、力強く推し進められているようだ。

　今後は一人ひとりに合わせた美容や生活を豊
かにするコンテンツを搭載し届けるなど、拡張
していきたいという。

(土山誠一郎)

2 広告コミュニケーション手法の多様化

様々な形態の統合的活用が不可欠に

▶ コンテンツマーケティングやオウンドメディア活用で、ファンとの結びつきを強化

▶ 社員が登場、実感のこもった発信が好感度を上げる

▶ 意識変革、モチベーション向上といったインナー効果も認められる

5割を超える企業が「社員を起用」

インターネットを広告活動に利用することが欠かせなくなり、広告宣伝部門の業務領域も拡大している。日経広告研究所が毎年、広告主企業を対象に実施している「広告主動態調査」では、広告宣伝部門が、他部署が担当することも考えられる各種業務を受け持っているかを尋ねている。「媒体広告以外の手法を使った展開の企画・運営」が89.3%（「すべてを行う」と「一部を行う」の計）、「自社SNSアカウントの管理」が88.4%、「ホームページの制作・管理」が86.6%、「統合的なデータ管理・分析」が85.3%となるなど、多くの企業で広告業務の内容が拡張している。

こうした傾向は、広告宣伝部門が取るコミュニケーション手段が多様化していることを表している。上述の調査では広告宣伝部門が行っている、戦略的なコミュニケーション手法についても尋ねている。9つの手法を挙げて行っているかどうかを答えてもらったところ、「コンテンツマーケティング」を行っている企業の割合が最も高く、66.1%に上る（回答にあたりコンテンツマーケティングの説明として、「ユー

ザーにとって価値のあるコンテンツでWebサイトへ呼び込んで、ファンをつくったり、問い合わせや商品購入などの行動へとつなげたりする施策」と添えている）。広告などで掲出、発信する内容と、ホームページなど自社メディアのコンテンツを、ともに重要視する姿勢を映している。

関連する動きとして高くなっているのが「自社サイトのメディア化」の61.2%である（回答にあたり自社サイトのメディア化の説明として、「メディア企業のように自社サイト内に、独自コンテンツを掲載することで、潜在顧客を誘引し、ファンづくりや販売につなげる活動」と添えている）。ホームページやSNS、動画サイトの自社チャネルを、企業理解やファンづくりにつながる内容によって、オウンドメディアとして充実させている企業の多さを表す。商品や企業情報だけでなく、日常生活や趣味嗜好領域で関連する様々な情報を掲載するなど、工夫を凝らしてサイトの価値を高めている。このように受け手へのアプローチを強化することが、広告宣伝部門の重要な業務として位置付けられてい

る。

　今回の調査で選択肢に加えた「社員を起用したコミュニケーション活動」も、自社サイトのコンテンツやSNSなどで社員が登場し、ブランドの世界観、受け手に役立つ情報などを伝えるコミュニケーションで、上述の手法とも関連する取り組みだ。その企業ならではの思い、考え方、実際に社員が語ることでの現実感を伝えて共感を生み、ファンを増やそうとするものである。54.0%の企業が行っていると答えており、有効なコンテンツの一形態となっていることがうかがえる。

　インフルエンサーに商品を利用した実感を語ってもらう「インフルエンサーマーケティング」を行っている割合も46.4%となっており、少なくない企業が実践している。食品・飲料や化粧品・トイレタリー、ファッションといった消費財、若年層が主要な購買層である業種での利用率が高くなっている。

　また、同調査では「媒体広告以外のコミュニケーション関連の制作費は、3年前と比較して

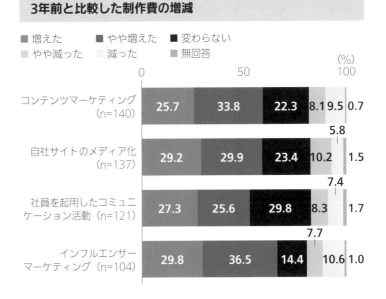

増えた／減った」を尋ねている。上述の4つのコミュニケーション手法について、それぞれ行っている企業ごとの増減を見ると、いずれの場合も増えたとする企業が半数を超えている（「増えた」と「やや増えた」の計）。制作費をかけて、これらの活動を積極的に行っていることを表している。こうした面からも、広告宣伝部門が扱う領域が多様化している様子がうかがえよう。

マス広告、SNS、コミュニティサイトなど活用

　ここからは、各コミュニケーション手法の象徴的な最新活用事例を取り上げる。

　コクヨは企業理念やパーパスを浸透させるコミュニケーションを開始した。テレビCMの放映のほか、交通広告やオウンドメディアの活用など、統合的に展開している。社員が登場し、飾らぬ言葉に注目を集めている。

　アパレル企業のパルグループホールディングスは、多くのインフルエンサー社員がSNSの個人アカウントに積極的に投稿し、顧客と強いエンゲージメントを築いている。インターネット広告も活用し、ECサイトに集客している。

　サッポロビールのブランド「ヱビスビール」

では、顧客が自由に対話できるファンコミュニティ「ヱビスビアタウン」を開設、運営している。同社のブランド担当者も、その中の“住民”だ。ブランドに対する顧客の価値観と、ブランドの世界観が融合する場となっている。

　イトーキは社員一人ひとりにフォーカスし、どういった意識でどんな仕事に取り組んでいるかを、ステークホルダーに広く伝える広告を展開。もともとは意識改革や社員にはつらつと働いてもらうための、デジタル社内報での取り組みだ。「人」が強みと位置付ける、同社のブランディング活動となっている。

（土山誠一郎）

事例1　オウンドメディアと広告の連携

コクヨは、23年4月からテレビCMシリーズ「コクヨのヨコク」の放映を開始した。「コクヨのヨコク」というジングルは、約20年前に使っていたものだ。当時は、「オフィス生き生き宣言」というテーマで、より良いオフィスのあり方を提案していた。今回は、企業理念やパーパス「ワクワクする未来のワークとライフをヨコクする。」を浸透させることを狙った。

■「自律協働社会」を目指す

「背景として、21年に立てた長期ビジョンがある。売り上げは3000億円の規模だが、30年に5000億円の売り上げを目指すという目標を掲げた。少子化やテレワークなど環境が変化する世の中で、目標を達成するためには、新たな価値創出が必要だと考えた。同年には、企業理念を『be Unique.』へ刷新した。そしてその先で、社員一人ひとりが個性を磨いて多様な価値観を尊重し合いながら、自己実現と他社貢献を両立させ、世の中の価値につながるようにする『自律協働社会』を目指すことを発表した」（同社）。翌22年5月に、パーパス「ワクワクする未来のワークとライフをヨコクする。」を発表している。同社は文具とオフィス家具のイメージが強いが、それだけでなく、「ワークとライフ全般で未来を良くする会社になっていく」という思いを込めて掲げたパーパスだ。社内や社外に向けて認知を高めるために、「コクヨのヨコク」のコミュニケーションを約20年ぶりに再開している。

まず、最初にプロジェクトのアイコンとなる「!?」というシンボルマークを制作。ヨコクはワクワクするものだという感覚を世の中と共有しようとしている。

23年4月からはCMシリーズ第一弾を放映。実際に働く社員が登場。お笑い芸人のバカリズムさんが、社員に対して、「あなたの『ヨコク』はなんですか？」と問いかけていくと、様々な答えが出てくる。同時に、本社のある品川駅をはじめ、全国11駅でポスターやサイネージなど交通広告を展開している。特設サイトも始めた。

また社内向けに、CMに登場した社員のポスターを社内に掲出。社内のヨコク事例をまとめた冊子「ヨコクBOOK（第一弾）」を制作。チョコレートやステッカーなどのアイテムと一緒に社員に配布している。9月には、社員が自分のヨコクについて考えるイベント「ヨコクしナイト」を開催。10月には、全役員が部門の未来を語る動画「事業のヨコク」を公開した。

24年6月からは、CMシリーズ第二弾を放映した。このタイミングで、30人の社員にインタビューした「ヨコクBOOK（第二弾）」を配布している。

「広告や動画などを見た社員の家族や知人が話題にして、社員のモチベーションアップや自信につながるようなブーメラン効果を狙っている。『パーパスに共感した』と調査で答えた社員が72％から83％に増えた。ヨコクにより世の中の創造性を刺激し続け、自律協働社会の実現を目指したい」（同社）。

動画「コクヨのヨコク」

事例2　インフルエンサーマーケティングの活用 ──パルグループホールディングス

■ 個人のSNS活用は自由度が高い手法

パルグループホールディングスは、多くのブランドを持つアパレル企業だ。インフルエンサー社員を活用したマーケティングを行っている。「14年、Instagramができたばかりの頃、SNSの中では、Twitter（現X）やFacebookのほうが優勢だった。当時、数名の社員がInstagramを使って集客をしており、それを見て社員がアカウントを活用する方法は非常によいと考えた。Instagramを使っていた社員たちは、『再現性』がある使い方をしており、着実にフォロワー数を増やしていた。この手法を会社として取り組もうと思った」（同社）。

同社は、16年から本格的にInstagramの活用を始めた。そこで、ブランドのアカウントだと見る人は単に眺めているのだが、個人のほうがコメントやバズる投稿が多く、非常に反応が良いことに気付いた。「ブランドは一貫したイメージを伝え続けなければならないという宿命があり、自由度は低い。一方、個人でのSNS活用はクリエイティブの幅が広く出せるというメリットがあった」（同社）という。

現在では約4割に当たる1800人の社員が、個人のアカウントでSNSに投稿するようになり、アカウント数は約1700万になった。1人当たりのフォロワー数は平均で約1万人となり、20万人のフォロワーがいる社員も数人出てきた。顧客が実際に、フォローしているインフルエンサー社員に会いに来ることも多くなったようだ。

顧客と強いエンゲージメントをつくっていくのは難しい時代だが、同社は、「個人がブランドを代弁して、ブランドの良さを個人が伝えたほうがよい。多様性の時代で個人によって興味関心が違うので、押しつけられるコミュニケーションは嫌がられている」と感じている。

「服は人によって似合うものが違う商品だ。ブランドで発信する場合は、ある程度整った外国人モデルを使って発信するが、その体形と違うと、見ている人は満足しない。アドバイスできるのは個人の強みだと思う。そうやって、発信している社員にフォロワーが増えていく。いきなり商品を購入してもらうよりも、ブランドとの結びつきを強くして、日常的に接することで、いつか商品を購入してもらうようにしたい」（同社）。

広告との連動では、ファッション雑誌にも多く出稿していたが、現在ではインターネット広告に大きくシフトしている。「PAL CLOSET」というECサイトに集客して購買してもらうために、検索連動型広告やリターゲティング広告を特に活用している。こちらは、より購買に結びつけるために行っている。「SNSから直接購入することは少ないが、アプリや検索、社員のアカウントから入って購入する人が非常に増えている。売り上げなどの定量的な効果も感じている」（同社）。

同社は、インフルエンサー社員の評価・報酬システムも整えており、社員自らが情報発信で商品の魅力を伝えて売っていくモデルを目指している。

インフルエンサーのInstagram

事例3 ファンコミュニティの活用 ──ヱビスビアタウン

サッポロビールの「プレミアムビール」であるヱビスビールは、以前Facebookやメールマガジンで顧客とコミュニケーションを取っていた。

「20年にメールマガジン会員にアンケートを実施した際に、ブランド担当者だけでなく、会員同士でつながることができると、より楽しくなるというご意見をいただいた。そこで、22年にファンコミュニティ『ヱビスビアタウン』を開始することになった。ブランド担当者もこの中に入ることによって、よりお客様との距離も近くなると考えた」（同社）。

■ 住民同士が自由に対話できる コミュニティ

ヱビスビアタウンでは、顧客のことを「住民」と呼んでいる。住民同士が自由に対話できる掲示板「みんなの"縁"会場」や、ブランド担当者と意見を交わし合う場である「ヱビス担当語りBAR」、ヱビスを取り扱っている飲食店の情報を掲載した「ヱビスなお店」がコンテンツの中心だ。住民同士で自由に発信ができることが特徴である。

最初の住民の中には「ヱビスにまつわる強烈な原体験を持っている人」が多かったようだ。例えば、「初めて飲んだヱビスビールが美味しくて忘れられない」「ヱビスビールでお祝いしてもらった」「両親が昔から飲んでいて、私も大人になったら飲みたいと思っていた」といったものだ。

「他の人も巻き込みたい、新商品が出るときには関与したいという熱量の高い方たちが初期の住民となり、そこから広がっていった。登録者数は現在13万人以上となっている。また、住民の中から約20人を実行委員として自薦・他薦で選出。ブランド担当者と、

運営についての意見交換を月1回程度オンラインで行っている。ここで出た意見をブランド担当者が集約して、次の施策に生かしている。このコミュニティでは、お客様の価値観が定性で出てくるので、飲食店やイベントに生かせる。また、ブランドの世界観を考えるときに、住民のご意見をふまえている」（同社）。

同社は、このコミュニティを目先の売り上げのためのものとは考えていない。

「これまで、顧客がヱビスブランドと、よりつながりたくなるための場所と考えていた。コミュニケーション戦略も含めた企業姿勢や企業活動を表現するときに、住民と相談しながら、新しい顧客にも姿勢が自然と伝わるようになってきている。これが情報発信の強化や新規顧客のブランドの理解にもつながっていくと考えている」（同社）という。

「ビールがあることで、その人の生活が楽しくなっていく。ヱビスとつながっていることで人生が面白くなる。そういうブランドになりたいと思っている。世の中ではビール離れと言われるが、毎年住民数は増えており、コミュニティとして大きな可能性を感じている。今後は、ヱビスビアタウンでの取り組みを既存顧客の方以外にもきちんとお伝えしてファンになっていただきたい。イベントやYEBISU BARにも来ていただきながら、気がついたらファンが増えている状態が理想的だ」（同社）。

ファンコミュニティのトップページ

事例4　社員を登場させたブランディング ──イトーキ

イトーキは、ミッションステートメントに『明日の「働く」を、デザインする。』を掲げ、オフィス家具の製造販売、オフィス空間デザイン、働き方コンサルティング、オフィスデータ分析サービスのほか、在宅ワークや家庭用家具販売、公共・物流施設向け機器製造など、様々な事業を展開している。「これらの事業に必要なモノづくりの技術やノウハウといった『テクノロジー』と、プロダクトやインテリアの『デザイン』、そしてそれらを生み出し、支えるプロフェッショナルな『人』こそが、当社の強み『Tech×Design Based on People』であると定義している」（同社）。

■ デジタル社内報の強化で
　 社員の意識に変化

同社では、営業と製造の会社が統合した歴史があり、お互いの部門の動きが見えづらいといった状況やコロナ禍での急速な働き方の変化など、複合的な要因によって社員のエンゲージメント調査の結果が低調という課題があった。「22年3月に代表取締役社長に就任した湊宏司は、この状況を鑑みて経営の重要指標として従来掲げていた売上高、営業利益に加えて『ES（社員満足度）調査』の『会社に対する誇り』のスコアを採用した」（同社）。

これは、古い企業文化や体質を変え、社員に活き活きと働いてもらうことが、結果として売り上げや利益につながるという考えからだった。このスコアを上げるために同社が注力した取り組みの1つがデジタル社内報の強化だった。

それまで、同社では平等を重んじる傾向があったが、「個を伸ばそう」という湊社長の方針の下、デジタル社内報「iTalk」では社員一人ひとりにフォーカスした。顧客対応の最前線で活躍する営業担当者を取り上げる「イトーキの顔」や、製品開発の舞台裏を伝える「Creators」、ものづくりの現場でキラリと光る技術を持った社員を紹介する「扇のカナメ」など、偏りなく多くの部門に光を当てられるコーナーを展開している。

「スタート当初は大きく取り上げることに戸惑う社員も多かったが、記事に対するポジティブな反応が多く、同僚が紹介されることに対して素直に嬉しいといった声が聞こえてくるようになった。また、自分も取り上げてもらえるように頑張りたい、とお互いを称賛し合う雰囲気が醸成された」（同社）。

そして、社内報で紹介された30人以上の社員の中から5人を選び、新聞広告を制作。日本経済新聞や地方紙に掲載している。同社の最大の強みである「人」である社員たちが、どんな矜持を持って仕事に取り組んでいるのかをステークホルダーに広く伝えようとした広告だ。

同社は、デジタル社内報と新聞広告を活用して、イトーキらしさや存在意義に共感してもらえるコンテンツを情報発信。ブランディングを進めている。　　　　　（事例は村上拓也）

社内報と新聞広告

社内報

新聞広告

3 広告コミュニケーション組織の変化

生活者と対話するフロントラインの役割が拡大

▶ デジタル化の進行に伴い広告宣伝組織の業務領域が広がる

▶ 広告宣伝の組織形態には、戦略が異なる 5 つのタイプが存在

▶ 広告計画の最終決定を行う部署の違いがクリエイティブの方針に関係

組織タイプ別に見た広告宣伝部門の機能と役割

デジタル化や SNS によって企業と生活者が直接つながるようになったことで、自らを表現するなどの企業のコミュニケーション能力がこれまで以上に求められている。こうした中で、広告宣伝（コミュニケーション）の担当組織はどのような役割を担っているのだろうか。

日経広告研究所の「広告主動態調査」では、「広告宣伝部門に含まれる業務」について尋ねている。2024 年 2 月実施の調査によると、「すべてを行う」「一部を行う」を合わせると、「自社 SNS アカウントの管理」「媒体広告以外の手法を使った展開の企画・運営」「ホームページの制作・管理」「統合的なデータ管理・分析」の業務は、8 割以上の企業が広告宣伝部門で行っている。

■ 広告計画における広告宣伝部門の役割

それでは、広告コミュニケーション計画において、広告宣伝（コミュニケーション）担当はどのような役割を果たしているのだろうか。

広告主動態調査では、広告計画プロセスを「広告予算案の策定」から「最終決定権（計画

にゴーサインを出す）」までの 8 段階に分け、どこの部署が担当しているか（あるいは外部に委託しているか）について尋ねている。それによると、8 段階のうち「広告予算案の策定」から「広告効果測定（実務作業）」までの 7 段階に関しては、半数以上の企業で「広告宣伝（コミュニケーション）担当」が担っていることがわかった。「最終決定権」に関しては、「経営企画、総務、経営トップ」（38.8％）と「広告宣伝（コミュニケーション）担当」（34.4％）の 2 つに分かれた。

また調査では、広告宣伝部門が企業の組織図の中でどこに位置しているかについても尋ねている。日本アドバタイザーズ協会への取材など、実務家の意見をふまえて広告宣伝部門が組織図上のどこに位置するかについて 5 つの形態を示し、自社の組織に一番近いものを選択してもらっている。前回（23 年 2 月実施）の調査では、組織図上の 5 つの形態は、コミュニケーションの統合の範囲や広告活動の背景にある戦略・目標と関連があることがわかっている。

そこで 24 年調査でも、同様に組織図上の 5

広告宣伝組織の5類型と各業務担当部門

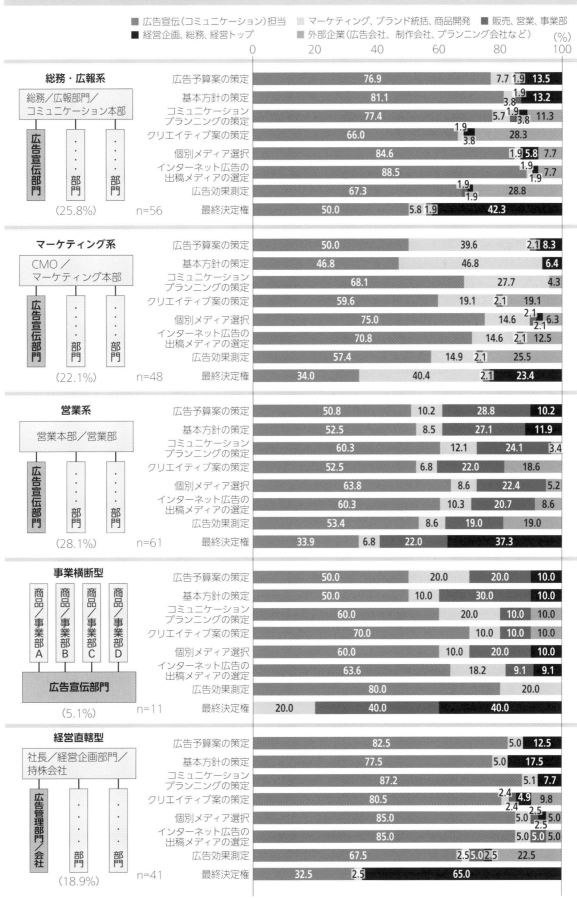

凡例：
■ 広告宣伝（コミュニケーション）担当　■ マーケティング、ブランド統括、商品開発　■ 販売、営業、事業部
■ 経営企画、総務、経営トップ　■ 外部企業（広告会社、制作会社、プランニング会社など）（%）

総務・広報系
総務／広報部門／コミュニケーション本部
広告宣伝部門／‥‥部門／‥‥部門
（25.8%）　n=56

業務	広告宣伝	マーケティング	販売・営業	経営企画	外部
広告予算案の策定	76.9	7.7	1.9		13.5
基本方針の策定	81.1	3.8	1.9		13.2
コミュニケーションプランニングの策定	77.4	5.7	1.9	3.8	11.3
クリエイティブ案の策定	66.0	1.9	3.8		28.3
個別メディア選択	84.6	1.9		5.8	7.7
インターネット広告の出稿メディアの選定	88.5	1.9	1.9		7.7
広告効果測定	67.3	1.9	1.9		28.8
最終決定権	50.0	5.8	1.9		42.3

マーケティング系
CMO／マーケティング本部
広告宣伝部門／‥‥部門／‥‥部門
（22.1%）　n=48

業務	広告宣伝	マーケティング	販売・営業	経営企画	外部
広告予算案の策定	50.0	39.6		2.1	8.3
基本方針の策定	46.8	46.8			6.4
コミュニケーションプランニングの策定	68.1	27.7			4.3
クリエイティブ案の策定	59.6	19.1	2.1		19.1
個別メディア選択	75.0	14.6	2.1	2.1	6.3
インターネット広告の出稿メディアの選定	70.8	14.6	2.1		12.5
広告効果測定	57.4	14.9	2.1		25.5
最終決定権	34.0	40.4	2.1		23.4

営業系
営業本部／営業部
広告宣伝部門／‥‥部門／‥‥部門
（28.1%）　n=61

業務	広告宣伝	マーケティング	販売・営業	経営企画	外部
広告予算案の策定	50.8	10.2	28.8		10.2
基本方針の策定	52.5	8.5	27.1		11.9
コミュニケーションプランニングの策定	60.3	12.1	24.1		3.4
クリエイティブ案の策定	52.5	6.8	22.0		18.6
個別メディア選択	63.8	8.6	22.4		5.2
インターネット広告の出稿メディアの選定	60.3	10.3	20.7		8.6
広告効果測定	53.4	8.6	19.0		19.0
最終決定権	33.9	6.8	22.0		37.3

事業横断型
商品／事業部A／商品／事業部B／商品／事業部C／商品／事業部D
広告宣伝部門
（5.1%）　n=11

業務	広告宣伝	マーケティング	販売・営業	経営企画	外部
広告予算案の策定	50.0	20.0	20.0		10.0
基本方針の策定	50.0	10.0	30.0		10.0
コミュニケーションプランニングの策定	60.0	20.0	10.0		10.0
クリエイティブ案の策定	70.0	10.0	10.0		10.0
個別メディア選択	60.0	10.0	20.0		10.0
インターネット広告の出稿メディアの選定	63.6	18.2	9.1		9.1
広告効果測定	80.0	20.0			
最終決定権	20.0	40.0			40.0

経営直轄型
社長／経営企画部門／持株会社
広告管理部門／会社／‥‥部門／‥‥部門
（18.9%）　n=41

業務	広告宣伝	マーケティング	販売・営業	経営企画	外部
広告予算案の策定	82.5	5.0			12.5
基本方針の策定	77.5	5.0			17.5
コミュニケーションプランニングの策定	87.2	5.1			7.7
クリエイティブ案の策定	80.5	2.4	2.4	4.9	9.8
個別メディア選択	85.0	5.0	2.5	2.5	5.0
インターネット広告の出稿メディアの選定	85.0	5.0	5.0		5.0
広告効果測定	67.5	2.5	5.0	2.5	22.5
最終決定権	32.5	2.5			65.0

出所：日経広告研究所『広告主動態調査　2024年版』

つの形態（広告宣伝組織の5類型）を尋ねるとともに、「広告予算案の策定」から「最終決定権」までの8段階のそれぞれを、どこの部署が担当しているか（あるいは外部に委託しているか）について尋ねた。5類型別に比較したところ、まず「広告予算案の策定」から「広告効果測定」までの7段階に関しては、5つの組織形態すべてにおいて、広告宣伝（コミュニケーション）担当が最も多かった。マーケティング系のみ「基本方針の策定」で、広告宣伝（コミュニケーション）担当と「マーケティング、ブランド統括、商品開発」部門が同率（46.8%）となった。

「クリエイティブ案の策定」を「広告会社、制作会社、プランニング会社、調査会社など外部企業」が担当する比率を、5類型別に比較した。総務・広報系が28.3%で最も高く、マーケティング系が19.1%、営業系が18.6%と続いた。

「最終決定権」は、全体的に「経営企画、総務、経営トップ」の比率が高くなる。特に経営直轄型と営業系は、広告宣伝（コミュニケーション）担当よりも高くなった。

■ 目的別に見たクリエイティブの方針

広告主動態調査では、「企業名や商品名の認知を高める広告」「企業や商品のブランドイメージを構築する広告」「商品の販売促進を目的とした広告」の3つの広告の目的別に、クリエイティブの方針について尋ねている。社会の情報環境が変化する中で、広告主企業は広告クリエイティブについてどのように考えているのだろうか。伝わりづらい環境下においてはクリエイティブの重要性は増していると考えられるからだ。

広告界で活躍するクリエイターの意見をふまえて、「タレントや有名人を起用する傾向にあるのか」「音楽や広告コピーなど表現にこだわっているのか」「インフルエンサーの表現力を意識しているのか」など、いくつかのクリエイティブの考え方について近いものを選択して

もらっている。

また、3つの目的ごとに表現方法についても尋ねている。「広告コミュニケーションをストレートに伝えるのか」（以下「ストレート」）、あるいは「表現の工夫によって伝えるのか」（同「表現を工夫」）のどちらに重点を置いているのか、5段階評価で3つの目的ごとに尋ねている。それによって、クリエイティブのゴールとして、何を意識しているのかについて、判別できるようにしている。

「クリエイティブの方針」の表は、「ストレート」「表現を工夫」の「当てはまる」「やや当てはまる」を合算したものと、「どちらでもない」の3段階で集計したものである。全体としては、広告の3つの目的ともに、「ストレート」の回答が50%前後となり、「表現を工夫」を大幅に上回った。回答社全体の考え方の上位5項目を比較すると次のようになった。

①企業名や商品名の認知を高める広告：「ストレート」の企業（47.1%）のほうが、「表現を工夫」企業（21.4%）よりも、やや高い傾向にある。

②企業や商品のブランドイメージを構築する広告：「ストレート」企業（52.3%）よりも、「表現を工夫」企業（13.8%）で高い傾向にある。特に、「企業やブランドの社会との関係性（パーパス）を示す」（75.9%）、「想定する顧客（ターゲット）だけでなく、社会のさまざまな人たちへの波及効果を意識する」（44.8%）、「SNSなどで話題に取り上げられ、発信、拡散される表現を重視する」（31.0%）は、「ストレート」企業よりも高くなった。

③商品の販売促進を目的とする広告：「ストレート」企業（51.7%）のほうが、「表現を工夫」企業（14.8%）よりも高い項目が多い。

■ 最終決定権を担当する4つの部署別に見たクリエイティブ手法

前述のように、広告計画の「最終決定権」に

関しては、企業によって担当部署が分かれた。そこで、最終決定権を担当する４つの部署別にクリエイティブの手法を比較した。

その結果、最終決定権を「経営企画、総務、経営トップ」が担当すると回答する企業は、ほかの部署と回答した企業と比較して特徴があった。まず、最終決定権を「経営企画、総務、経営トップ」と回答した企業は、「広告表現のコンセプト策定」「コミュニケーション手段の選定」に関しては、社内よりも外部に委託する傾向にあった。また、広告の目的別の表現に関しては、３つの目的ともに「表現を工夫」の回答がほかの部署の回答企業よりも低くなった。さらに、「タレントや有名人を登場させている」と回答する比率が高かった。これらの結果から、最終決定権を「経営企画、総務、経営トップ」が担当すると回答した企業は、クリエイティブの内製化に関して積極的ではないと推察することができる。

■ 組織形態とクリエイティブ方針の関係

一連の分析でわかったことは、広告業務における「最終決定権」をどこが担当しているかによって、クリエイティブの方針に顕著な違いが

クリエイティブの方針　（「ストレート」企業と「表現を工夫」企業の比較）

(%)

		全体(n=206)	ストレート(47.1)	表現を工夫(21.4)	どちらでもない(31.6)
企業名や商品名の認知を高める広告	企業や商品の事実に基づいたクリエイティブを意識する	61.2	60.4	55.8	**66.1**
	印象に残る音楽やビジュアル表現を意識する	59.7	**60.4**	48.8	66.1
	広告コピーにこだわる	59.7	58.3	58.1	**62.9**
	タレントや有名人を登場させている	41.3	**43.8**	34.9	41.9
	SNSなどで話題に取り上げられ、発信、拡散される表現を重視する	23.4	22.9	18.6	**27.4**

「企業名や商品名を分かりやすく、ストレートに表現する」から「面白さや表現の工夫で、思わず覚えてしまうような表現をする」までの5段階

		全体(n=218)	ストレート(52.3)	表現を工夫(13.8)	どちらでもない(33.9)
企業や商品のブランドイメージを構築する広告	企業や商品の事実に基づいたクリエイティブを意識する	63.1	**69.9**	44.8	59.7
	企業やブランドの社会との関係性を示す	61.2	54.9	**75.9**	65.3
	印象に残る音楽やビジュアル表現を意識する	43.5	47.8	**48.3**	34.7
	想定する顧客だけでなく、社会のさまざまな人たちへの波及効果を意識する	35.0	32.7	**44.8**	34.7
	SNSなどで話題に取り上げられ、発信、拡散される表現を重視する	20.1	15.0	**31.0**	23.6

「企業の活動や商品の内容を分かりやすく、ストレートに表現する」から「受け手のイマジネーションを膨らませるようにこだわって表現する」までの5段階

		全体(n=209)	ストレート(51.7)	表現を工夫(14.8)	どちらでもない(33.8)
商品の販売促進を目的とした広告	商品の効用を詳しく表現する	66.5	**68.8**	60.0	66.2
	同業他社や同種の他商品との違いを表現する	37.7	42.7	**43.3**	27.7
	価格を訴求する	20.4	**24.0**	20.0	15.4
	表示される場所を意識し、広告の受容性を高めるために、できる限りメディアごとに、クリエイティブを変える	20.4	**26.0**	13.3	15.4
	ABテストなどで売上が上がるクリエイティブを採用する	18.8	**20.8**	16.7	16.9

「商品の価値や価格を、ストレートに表現する」から「表現やメッセージを工夫してクリエイティブの力で購買につなげる」までの5段階

注：「ストレート」と「表現を工夫」は、「当てはまる」と「やや当てはまる」の合計。最も多いものにアミかけ
出所：日経広告研究所『広告主動態調査　2024年版』

あるということだ。

「経営企画、総務、経営トップ」にある場合には、「複数の広告会社（または制作会社）に対してコンペを行って委託先を決めている」など、広告表現のコンセプト策定を外部に依頼する傾向が強い。一方、「広告宣伝（コミュニケーション）担当」「マーケティング担当」に最終決定権がある場合は、内部でクリエイティブを制作する志向が強いことがわかった。

「企業名や商品名の認知を高める」「企業や商品のブランドイメージを構築」「商品の販売促進」という、3つの目的別に広告クリエイティブの方針を見ても、最終決定権が「広告宣伝（コミュニケーション）担当」「マーケティング担当」にある場合は表現を工夫する傾向がある

のに対して、「経営企画、総務、経営トップ」にある場合はストレートに表現する傾向が高く、タレントや有名人を起用する比率が高くなる。よって、「最終決定権」は、広告クリエイティブの違いと最も関係していることがわかった。概して、社内で制作し、広告宣伝担当の業務範囲が広いほど、クリエイティブの研究に熱心であった。特に、ブランドイメージを構築する広告を目的とする場合に、印象に残る音楽やビジュアル表現を意識する志向が強い。

企業が生活者と直接つながりを持つ時代においては、広告宣伝担当の組織の業務範囲が広い企業のほうが、クリエイティブに関して柔軟に対応できると推察される結果となった。

（坂井直樹）

最終決定権の部署別の広告クリエイティブの方針

5段階尺度の平均値		広告宣伝（コミュニケーション）担当 (36.2%)	マーケティング、ブランド統括、商品開発 (14.1%)	販売、営業、事業部 (8.9%)	経営企画、総務、経営トップ (40.8%)
社内で行う度合い	広告表現のコンセプト策定 社内（5）↔外部委託（1）	3.51	3.48	3.37	3.17
	コミュニケーション手段の選定 社内（5）↔外部委託（1）	3.25	3.36	3.50	2.94
各広告を策定する上で重視していること	企業名や商品名の認知を高める広告 表現を工夫（5）↔ストレートに表現（1）	2.79	2.90	2.74	2.33
	企業や商品のブランドイメージを構築する広告 表現を工夫（5）↔ストレートに表現（1）	2.55	2.90	2.37	2.11
	商品の販売促進を目的とした広告 表現を工夫（5）↔ストレートに表現（1）	2.47	2.70	2.72	2.32

「当てはまる」＋「やや当てはまる」　　　　　　　　　　　　　　　　　　　　　　　（単位：%）

		広告宣伝（コミュニケーション）担当	マーケティング、ブランド統括、商品開発	販売、営業、事業部	経営企画、総務、経営トップ
企業名や商品名の認知を高める広告	企業や商品の事実に基づいたクリエイティブを意識する	59.5	53.3	63.2	63.1
	タレントや有名人を登場させている	37.8	33.3	31.6	51.2
	SNSなどで話題に取り上げられ、発信、拡散される表現を重視する	32.4	20.0	15.8	20.2
企業や商品のブランドイメージを構築する広告	印象に残る音楽やビジュアル表現を意識する	54.1	26.7	31.6	44.6
	インフルエンサーの表現・発信力を活用する	6.8	20.0	10.5	6.0
商品の販売促進を目的とした広告	商品の効用を詳しく表現する	59.4	79.3	73.7	62.8
	同業他社や同種の他商品との違いを表現する	44.9	34.5	42.1	32.1
	ABテストなどで売上が上がるクリエイティブを採用する	17.4	31.0	15.8	12.8

注：▨▨▨は最も多い　□は経営企画の特徴
出所：日経広告研究所『広告主動態調査　2024年版』

第 **4** 章

広告メディアの動向

1 広告市場の動向

広告費全体を押し上げるネット広告費の伸び

▶ 2024年度はインターネット、交通、テレビを中心に広告費を押し上げる

▶ 多様化する動画広告やECプラットフォームでの広告が、インターネット広告費の増加に寄与

▶ 人手不足により、人材獲得のための広告や人材関連企業の広告が伸びる

企業収益の安定と個人消費の伸びが広告への投資意欲に

■ 企業収益の安定と人材獲得の活発化

広告市場は国内総生産（GDP）の拡大に伴って大きく膨らんできた。インターネットの登場以降、広告の領域が広がっている。

2024年度はおおむね円安基調が続き、企業収益が安定する。インバウンドの観光需要も拡大していく。また、人手不足に対応するためのDX（デジタルトランスフォーメーション）化投資や能力増強投資が堅調だ。人材獲得のための企業活動が活発化していく。そして、所得税減税や物価の沈静化により個人消費が上向くことで、24年度後半の広告費の増額につながっていく。

本稿ではまず、電通の「日本の広告費」の数字を見ながら23年までの広告費の推移を把握する。次に、日経広告研究所の「広告費予測」「広告主動態調査」、日本民間放送連盟研究所の「テレビ、ラジオ営業収入見通し」などの広告費予測を基に、24年度の広告市場の動向について説明する。最後に、電通グループの「世界広告費予測」から海外の広告費について述べる。

■ ネット広告の急速な伸びにより現在の規模に拡大

電通の「日本の広告費」は、「マスコミ四媒体（衛星メディア関連も含む）」「インターネット」「プロモーションメディア」の広告媒体料と広告制作費などについて、日本国内で1年間に使われた広告費を媒体社や広告制作会社、広告会社、各種団体などの協力を得ながら推定したものだ。こういった取材をベースにした手法は、マクロ経済のデータをベースにした経済産業省の「特定サービス産業動態統計調査」と異なる点だ。広告商品業種別（21分類）は、マスコミ四媒体（衛星メディア関連を除く）で推定している。

この「日本の広告費」は、1947年から86年まで一貫して同じ方法・範囲で推定していたが、87年の推定値を発表する際、85年にさかのぼって、マスコミ四媒体以外の推定範囲を拡大するなど、範囲の改定を行った（第1次改定）。また、07年の推定値を発表する際には、05年にさかのぼって推定範囲の改定を行った（第2次改定）。さらに、14年の発表より、地

上波テレビのデジタル化に伴う衛星放送共用テレビなどの一般化をふまえ、テレビ区分をテレビメディアとし、地上波テレビと衛星メディア関連の推定値を合算している。

「日本の広告費」を開始した1947年には、日本の総広告費は14億6000万円だった。当時は、テレビ放送は始まっていなかった。総広告費の内訳を見ると、新聞広告がおよそ4分の3を占め、雑誌が約1割で、残りは「その他」として分類されていた。戦後約80年の間に総広告費は急速に伸び、今では約5011倍となっている。

■ ECプラットフォームでの広告費の伸びがインターネット広告費増に貢献

「日本の広告費」によると、23年の総広告費は7兆3167億円（前年比3.0％増）で、過去最高となった。1～6月は、コロナ5類移行に伴うリアルイベントの開催数増加や、国内外の観光・旅行の活性化などにより回復が見られた。7～12月は、夏から秋にかけての猛暑や中東問題などの影響を受けたものの、社会・経済活動の活発化に伴い「交通・レジャー」「外食・各種サービス」「飲料・嗜好品」を中心に広告需要が高まった。社会のデジタル化を背景に増加傾向が続くインターネット広告費や、人流の活発化に伴って増加したプロモーションメディア広告費が、広告市場全体の成長に寄与している。

インターネット広告費は、3兆3330億円（前年比7.8％増）と大きく伸びており、総広告費の伸びを牽引している。特に、「物販系ECプラットフォーム広告費」は、前年比10.1％増の2101億円と、非常に高い伸びを示した。EC（電子商取引）での購買が定着したことにより高い成長を継続している。コロナ5類移行後に、購買までの動線整備やライブコマース、ポップアップストアの実施などの施策が行われている。

テレビメディア放送事業者などが主体となって提供するインターネットメディア・サービスにおける広告費（テレビメディアデジタル）のうち、テレビ番組の見逃し配信やリアルタイム配信サービスなど、インターネット動画配信の広告費を推定範囲とする「テレビメディア関連動画広告費」は、443億円（前年比26.6％増）と高い伸びを示している。

10年ごと（03年、13年、23年）の総広告費に占める「マスコミ四媒体広告費」「インターネット広告費」「プロモーションメディア広告費（SP広告費）」の構成比を示した。これを見ると、03年当時はわずか2.1％だった「インターネット広告費」は、10年後に15.7％、20年後に45.5％と急成長している。20年間での急速な伸びが明確になっている。

一方、「マスコミ四媒体広告費」は03年当時、63.8％を占めていたが、13年は48.4％、23年は31.7％となり、構成比を落としている。

媒体別広告費の構成比推移

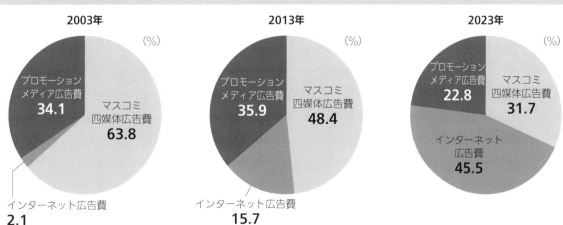

出所：電通「日本の広告費」を基に作成

広告主の間でも、ネットとテレビ、新聞などの媒体を効果的に組み合わせる「統合型マーケティングコミュニケーション」が主流となっている。

ネット、交通、テレビ広告の成長で 24 年度は 3.1％増

日経広告研究所は毎年2月に、翌年度の広告費予測をまとめている。経済産業省の「特定サービス産業動態統計調査」の広告業売上高のデータを基に、四半期ベースの広告費を予測している。また、7月にはその後の経済環境などをふまえて、2月に予測した数字の見直し作業を行っている。

広告費を表す統計として、経済産業省が毎月発表している「特定サービス産業動態統計調査」の広告業売上高を選び、財務省が発表している「法人企業統計」の経常利益と比較した。広告費は景気動向と密接な関係にある。08年のリーマン・ショックでの落ち込み後の急激な回復を除き、広告業売上高は経常利益の伸びにおおむね合わせた動きをしている。

広告費予測には、大きく分けて3つのステップがある。最初にデータの整備である。具体的には「特定サービス産業動態統計調査」の過去の予測データを実績値に置き換え、補正・遡及していく。次に、景気との相関分析を行う。日本経済研究センターと共同で開発した広告費の予測モデルの推計式を作成する。「特定サービス産業動態統計調査」の広告業売上高と、「法人企業統計」の経常利益、名目GDPの過去の関係を分析して作成したのが、左のような推計式だ。そして最後に、予測値を算出する。日本

広告業売上高と経常利益の動き

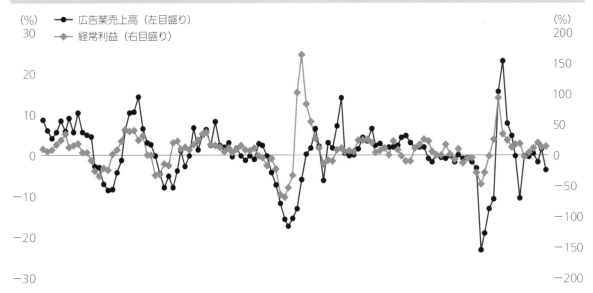

出所：経済産業省「特定サービス産業動態統計調査の広告業」、財務省「法人企業統計」を基に作成

経済研究センターが発表している経済予測の
データを基に、広告費予測値を算出する。

■ 動画広告の多様化や
ECプラットフォームでの広告が伸びる

24年7月に日経広告研究所が予測した
「2024年度広告費予測」（見直し）では、24年
度の広告費を3.1％増としている。これは、24
年7月1日に日本経済研究センターが公表した
データに基づいている。

マクロ経済動向のポイントは、「円安による
企業収益の安定」「人材獲得のための企業活動
の活発化」「消費が上向くことで年度後半の広
告費の増額へ」の3つである。

また、広告関連のトピックは3つ。1つ目は、
企業のマーケティングにおけるデジタル化に向
けた動きが加速している。リテールメディアや
ECプラットフォームなど、新メディアの利用
が拡大している。媒体別でシェアが1番高い
「インターネット広告」の伸びが、広告費全体
を牽引している。

2つ目は、NISA（少額投資非課税制度）の
拡充（新NISA）だ。これまで投資にあまり関
心がなかった層に対して、「この機会に口座を
開設して投資を始めてもらうための広告」の出
稿が伸びる。特に、ネットやテレビでの広告が
多くなる。

3つ目は、人材獲得のための広告出稿の伸び
だ。有効求人倍率が高水準で推移し、人材不足
の状態である。人材獲得のための広告出稿の伸
びが期待できる。例えば、求人サイトの広告や、
採用も目的の1つとした企業広告などの出稿が
活発化する。

インターネット広告は、24年度に5.9％増
となる。動画広告の多様化が伸びに寄与する。
ECプラットフォームでの広告や、アプリ内の
クーポンが増えている。こういった広告は販促
費も取り込んでおり、市場は引き続きプラス成
長する。テレビのデバイスでのコネクテッド
TVなど広告商品の多様化が進んでいる。

テレビ広告は、24年度に1.5％増となる。人
手不足による人材広告の伸びや、前年度に落ち
込んでいた業種の製薬・不動産などで回復する。
新NISAでの口座開設の広告が引き続き増加
する。

新聞広告は、24年度に4.0％減となる。サプ
リメントの自主回収問題があり、健康食品の通
販広告が落ち込んでいる。また、認証不正問題
により自動車の広告も出稿減となっている。し
かし、新聞読者は可処分所得が高い層が多く、
外資のファッションブランドの広告出稿が好調
だ。実際に新聞の紙面を店頭に持っていき、購
入していく読者も見られる。各新聞社は、新聞
の紙面と電子版を連動させた広告ソリューショ
ンサービスに注力しており、SNSとの連携も
強化している。

雑誌広告は、24年度に横ばいとなる。雑誌
の販売部数は低下傾向にある。しかし、コロナ
5類移行後に生活者の外出が増えているため、
「美容系の広告」が増加している。また、リア
ルのイベントも好調だ。「紙＋デジタル＋イベ
ント」の連携で、協賛会社からの広告出稿が増
えている。オリンピック関連では、スポーツ系
の雑誌で特集が組まれ、売上は増加しているが、
広告はあまり増えていない。もともと出版社に
は新聞社と同様に「コンテンツをつくる力」が
ある。その「つくる力」がデジタル時代に脚光
を浴びている。雑誌にはターゲットを絞って読
者に広告を伝えるという特性があり、ネットと
の親和性が高い媒体だ。

ラジオ広告は、0.9％増となる。コロナ5類
移行後の人流の回復により、イベント関連の告
知広告の出稿が増える。業種では「官公庁・団
体」などに期待が集まる。ラジオコンテンツの
スマートフォン聴取へのシフトも進んでいる。

交通広告は、24年度に3.8％増となる。23
年度に12.1％増と大きく伸びたが、その後も
成長しており、ネットと同様に伸び率が非常に
高い媒体である。人流の回復によって、主要
ターミナル駅構内のデジタルサイネージや車両

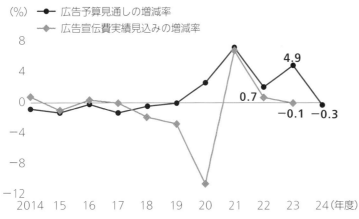

広告予算見通しと広告宣伝費実績見込みの増減率（前年度比）

(%)
● 広告予算見通しの増減率
◆ 広告宣伝費実績見込みの増減率

出所：日経広告研究所「広告主動態調査」を基に作成

サイネージが好調だ。大型サイネージや大型ボードなどを効果的に使って空間を占拠することができる「ジャック系媒体」の広告掲出が目立っている。単に動画を流すだけでなく、リアルのイベントとも連動でき、利用者が没入感のある体験をすることができる。

折込・ダイレクトメールは、24年度に3.0%減となる。折込では、通販や中古車関連の出稿が減っている。資材費の高騰もマイナス要因だ。ただ、生活必需品を扱うドラッグストアなどは善戦。東京都知事選挙などの選挙関連もプラスに働いている。DMでは、24年10月の郵便料金の引き上げが大きく影響する。値上げ前の駆け込み需要は見込まれるが、その後に大幅反動減となる。

SP・PR・企画催事は、24年度に2.9%増となる。人流の回復によって屋外イベントについては復活しており、セールスプロモーションの機会も増えている。駅のデジタルサイネージと組み合わせたイベントなども伸びている。

■ 広告主への調査と民放連の調査では若干のマイナスに

日経広告研究所は、毎年2〜3月に「広告主動態調査」の報告書を刊行している。広告宣伝活動に熱心な企業が「どのような問題意識を持って、どのような活動を行っているのか」について、アンケート調査を実施して結果をまとめている。23年調査は224社から回答を得た。

この調査では、広告予算や広告メディア、広告クリエイティブなど、様々な側面から広告主企業の活動について尋ねている。

「広告予算」の質問項目の中で、「広告予算見通しと広告宣伝費実績見込みの増減率」と、「翌年度の広告予算見通し」を毎年尋ねている。23年度の広告宣伝費実績見込みは前年度比0.1%減となっている。22年調査では、23年度は同4.9%増える見通しであった。24年度の広告費については同0.3%減となっている。しかし、「2023年度実績の当初予想との比較」では、「当初予想より売上高が減りそう」と回答した企業が20.5%、「当初予想より利益が減りそう」が17.4%となっており、「増えそう」と回答した企業は約4割存在する。

17の業種別で広告予算の見通しを見ると、24年度の広告予算見通し増減率では、「電気機器・AV機器」が21.9%増と、大幅な回復が見

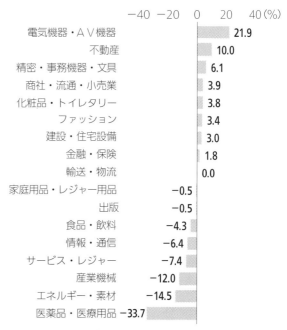

2024年度業種別広告予算見通し増減率

業種	増減率(%)
電気機器・AV機器	21.9
不動産	10.0
精密・事務機器・文具	6.1
商社・流通・小売業	3.9
化粧品・トイレタリー	3.8
ファッション	3.4
建設・住宅設備	3.0
金融・保険	1.8
輸送・物流	0.0
家庭用品・レジャー用品	−0.5
出版	−0.5
食品・飲料	−4.3
情報・通信	−6.4
サービス・レジャー	−7.4
産業機械	−12.0
エネルギー・素材	−14.5
医薬品・医療用品	−33.7

出所：日経広告研究所「広告主動態調査」を基に作成

込まれる。「不動産」が10.0%増となっている。一方で「医薬品・医療用品」が33.7%減など、減少見通しの業種が8つ見られた。

日本民間放送連盟の研究所である民放連研究所は、会員である放送局向けに毎年1月にまとめている「翌年度のテレビ、ラジオ営業収入見通し」を発表している。予測に当たり、民放連研究所は以下の手法を取っている。まず日経広告研究所と同様、日本経済研究センターのマクロ経済予測のデータを基にして、独自開発した回帰モデルから推計する。同時に、会員の放送局を対象に翌年度の営業収入見通しを聞き取り調査して、その結果を活用する。さらに定性的な判断を加えて、最終的な予測値を決めている。

民放連研究所は、テレビ、ラジオとも広告売上高だけではなく、営業収入をベースにした予測をしている。営業収入の内訳としてタイム広告とスポット広告があり、その項目ごとの予測も算出している。営業収入にはタイム、スポット以外で放送に属する事業収入が含まれているが、放送とは関係のない収入は入っていない。

テレビは地上波とBS放送に分けて予測している。このうち、地上波は東阪名15局とローカル・ネットワーク系列局、独立局ごとの営業収入や、スポット広告の予測値も算出。さらに、全国30地区ごとの予測値も公表している。ラジオは中波・短波とFMに分け、それぞれの営業収入とスポット広告を予測し、全国13地区ごとのデータも発表している。

「テレビ営業収入の伸び率実績と見通し」を見ると、テレビ営業収入は23年度1.6%減と予測した。24年度については1.1%減を見込んでいる。スポットは2.3%減、タイム＋制作費は1.7%減を見込んでいる。会員社へのアンケートでは、コロナ禍からの回復を見込んで、「飲料・嗜好品」「交通・レジャー」などの業種

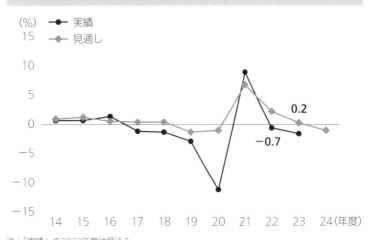

テレビ営業収入の伸び率実績と見通し

注：「実績」の2023年度は見込み
出所：日本民間放送連盟研究所　2024年度の「テレビ、ラジオ営業収入見通し」

にスポット広告出稿の期待が集まっていた。

24年度の地上波ラジオ営業収入は横ばいの見通しだ。23年度はスポットが5.4%減、タイム＋制作費も3.6%減だった。24年度はスポットが1.9%減、タイム＋制作費も0.6%減と予測している。会員社へのアンケートでは、「官公庁・団体」などにスポット広告出稿の期待が見られた。

■「世界の広告費」は4.6%増

これまでは日本国内だけの広告費予測を取り上げてきた。しかし、メガエージェンシーと呼ばれる世界の大手広告会社は、系列リサーチ会社を通じて、世界全体や、地域、国ごとの動向を発表している。

電通グループは北米、西欧、中央アジア・東欧、アジア太平洋、南米の合計59の地域と国を対象に、広告費の伸び率を予測している。23年12月の発表によると、24年の世界の広告費は4.6%増の7528億ドルと見込む。複数の大型スポーツイベントの開催や、多くの国で実施される国政選挙などが広告費を押し上げる。その後も、25年は4.2%増、26年は4.3%増と、広告市場が拡大していく。なお、「地域別広告費」と「媒体別広告費」の詳細を資料編に掲載した。

（村上拓也）

2 インターネットメディア・プラットフォーム

新たな変革期を迎えたインターネット広告

▶ インターネット広告市場の拡大は続くが、虚偽広告や広告費詐取が大きな課題に

▶ Google がサードパーティクッキーの廃止方針撤回も、プライバシー重視の流れは継続

▶ 生成 AI によるインターネット広告で自動化が進展

2023 年のインターネット広告市場

■ 全世代が利用するインターネット

インターネット元年と言われる Microsoft の Windows95 の発売から 30 年を経て、人々が様々なデバイスで常時インターネットにつながっている時代が到来した。

総務省が 2012 年から毎年実施している「情報通信メディアの利用時間と情報行動に関する調査」によれば、全世代平均の 23 年度平日のネット利用率は 91.2％、利用時間は 212.9 分となった。同調査によれば、70 代のスマホの利用率は 71.6％となり、Windows95 発売時にインターネットを利用し始めた世代が高齢層に入り、利用率、利用時間を押し上げている。

■ コロナ禍での高成長は一服

デジタルトランスフォーメーション（DX）を背景に、23 年もネット広告費は増加を続けた。電通の「2023 年 日本の広告費」によれば、インターネット広告費は、広告費全体の 45.5％、前年比 7.8％増となった。引き続き総広告費の伸びを牽引したが、コロナ禍における急速な社会全体のデジタルシフトを追い風にした高成長は一服した。

■ 2023 年の分野別動向

23 年のインターネット広告媒体費は、2 兆 6870 億円で、前年比 8.3％増となった。この伸びを牽引したのは、検索連動広告と動画広告だ。CCI／電通／電通デジタル／セプテーニが共同で発表した「2023 年 日本の広告費 インターネット広告媒体費 詳細分析」によると、

年代別インターネット利用率（平日）

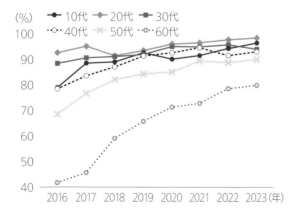

出所：総務省「令和5年度情報通信メディアの利用時間と情報行動に関する調査報告書」の平日の利用者率を基に作成

検索連動広告は1兆729億円で前年比9.9%増、動画広告は6860億円で同15.9%増となった。これに対して、バナーなどのディスプレイ広告は7701億円、同4.5%増で、検索連動広告や動画広告の半分以下の伸びにとどまった。

取引手法別では、運用型広告が2兆3490億円で前年比10.9%増、予約型広告が2648億円、同0.0%の横ばいとなった。

メディア・プラットフォーム領域では、SNSやYouTubeなどのコンテンツ共有サービス上でのソーシャル広告が9735億円で前年比13.3%増となり、引き続きシェアを拡大した。大手企業による顧客エンゲージメントの手段としてだけでなく、商圏の限られた個人、地方のビジネスやスモールECなどもソーシャル広告も成長を支えている。

「2023年 日本の広告費」によると、マス4媒体由来のデジタル広告費は、新聞デジタルが208億円で前年比5.9%減、雑誌デジタルが611億円で同0.2%増、ラジオデジタルは28億円、同27.3%増、テレビメディアデジタルが447億円、同24.9%増となった。民放各社が共同で運営する見逃し配信サービスTVerなどの成長により、テレビデジタル市場が拡大している。

■ 需要が高まる検索連動広告

コロナ禍以降、多くの企業が、DXの一環としてデジタルマーケティングを加速させている。企業と生活者の関係づくりの入り口として、検索連動広告へのニーズがさらに高まっている。一般にターゲティング広告は、属性や興味関心を「推定」して広告を配信するため、必ずしも広告を見た人のニーズに合致しているとは限らない。加えて、利用者の心理に沿った広告体験になるように出稿場所やタイミングを制御することは難しい。これに対して検索は、生活者の「能動的」で「顕在的」な行動であり、ニーズが発生したタイミングで、広告主と生活者がコミュニケーションを行うことが可能だ。後述す

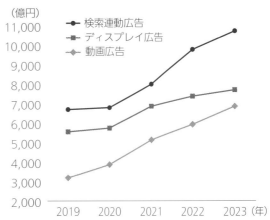

広告種別の金額推移

出所：CCI／電通／電通デジタル／セプテーニ「日本の広告費 インターネット広告媒体費 詳細分析」を基に作成

るサードパーティクッキーの利用規制によって、自社で収集したファーストパーティデータの重要性が高まっている。今後、自社サイトに見込客を導く検索連動広告は、デジタルマーケティングの進展とともに、一層需要が拡大していくと見られている。

■ 高成長が続く動画広告

「日本の広告費 インターネット広告媒体費 詳細分析」によれば、動画広告は、23年も前年比で15%以上の高成長となり、ディスプレイ広告に迫る市場規模になってきた。

ターゲティングが可能で、訴求力の高い動画広告に対する広告主のニーズは高い。日経広告研究所の「広告主動態調査2024年版」によれば、テレビCMと動画広告の予算を一体化している大手広告主は52.2%に達した。媒体利用率では、動画広告はバナー広告の31.6%を上回る57.2%となっている。「日本の広告費 インターネット広告媒体費 詳細分析」やサイバーエージェントとデジタルインファクトが24年2月に発表した「国内動画広告市場予測」では、24年以降も動画広告は10%以上の成長を続けていくと予想する。動画広告が検索連動広告とともにインターネット広告市場の成長を牽引していく構図が明確になっている。

■ 多様化する動画広告メディア

動画広告分野では、YouTube 一強とも言える状況が続いてきたが、新たなサービスの成長によって、動画広告メディアの多様化も進んできた。前述の「広告主動態調査 2024 年版」によれば、大手広告主の動画広告利用率は、YouTube78.6％、Instagram59.4％、X（旧 Twitter）50.9％、TVer49.1％、TikTok28.6％、ABEMA20.1％となっている。YouTube 以外の動画広告の出稿も拡大しているとの見方が一般的だ。

TVer、ABEMA は、21 年の東京オリンピック、22 年のサッカーのワールドカップ・カタール大会を機に利用者数が拡大したことを起点に、テレビと同等の広告審査による安心・安全な広告媒体であることから、広告メディアとしての存在感が増している。

また、TikTok に代表されるスマホに特化した縦型動画も、若年層だけでなく全世代での利用が拡大し、広告メディアとしての利用も進んだ。前述のサイバーエージェントとデジタルインファクトの国内動画広告市場調査によれば、23 年の縦型動画広告の市場は 526 億円、前年比 56.3％増と、成長が加速している。

テレビリモコンやネット接続デバイスの動画サービスへのダイレクトボタン

写真提供：ソニー、アマゾンジャパン

■ コネクテッド TV への注目が高まる

インターネットに接続したコネクテッド TV でのネット動画視聴は、大画面・有音での視聴、複数の人が同時に見る共視聴など、スマホに比べて、相対的に高い広告効果が得られると評価されており、広告主の期待も高い。家電各社も、ネット動画の視聴増加を前提とした商品開発を進めている。リモコンにある動画配信サービスのロゴが入ったダイレクトボタンを押せば、動画をすぐ見ることができるテレビも増えている。

サイバーエージェントとデジタルインファクトの 23 年の国内動画広告市場調査によれば、デバイス別に市場規模を見た場合、スマホ向け動画広告は 5048 億円で前年比 9.7％増。コネクテッド TV 向けは 740 億円、前年比 37.0％増で、市場規模にはまだ差があるものの、相対的に高い伸び率となった。ビデオリサーチの ACR/ex（エーシーアール・エクス：全国 7 地区、24 年 4 － 6 月）によれば、コネクテッド TV の普及率は 61.3％ となっている。年々拡大しており、有力な広告メディアとして成長が期待されている。

また、22 年 11 月から、Netflix は日本でも広告付き廉価版視聴プランの提供を開始した。利用者の莫大な視聴データを保有する動画配信大手が取り組む、有料サブスクリプションと広告という、いわば「新聞型」サービスが、ユーザーと広告主企業から支持されるのか、今後の動向が注目される。

■ 拡大するリテールメディア市場

EC 事業者や流通企業が持つ顧客 ID に紐づいた購買データを活用した広告メディア事業、いわゆるリテールメディアビジネスへ参入する食品スーパー、コンビニエンスストア、家電量販店、ドラッグストアなどが相次いでいる。

なお、『広告白書 23 － 24 年版』では、リテールメディアを「店舗を持つ小売企業に設置されたデジタルサイネージに配信される広告および小売企業が運営する、各種オンラインメ

ディア広告」としたCARTA HOLDINGSの定義に合わせていたが、同社が定義を変更し、EC事業者が提供するオンラインメディア広告を含むことになったため、本年度版からこれに従って、日経広告研究所でも定義を変更する。

Amazonの23年の全世界広告売上は、469億600万ドル、7兆359億円（1ドル＝150円換算）で、前年に比べて24.3%増加した（Amazonの24年2月1日発表決算資料）。日本最大手の楽天の広告売上は2065億円で、前年比12.9%増（楽天の24年2月14日発表決算資料）という結果から見ても、リテールメディアは世界的な高成長分野だ。

リテールメディアでは、広告閲覧から購買に至るまでの顧客行動を一元的に把握、分析することができる。これにより、広告投資の費用対効果を可視化できるため、デジタルマーケティングの進展を背景に出稿企業が増加している。日経広告研究所の「広告主動態調査2024年版」によれば、BtoC企業の38.8%がリテールメディアへの出稿を行っている（ただし同調査では店舗のサイネージへの出稿は除いている）。

CARTA HOLDINGSとデジタルインファクトのリテールメディア広告市場の調査によれば、23年の市場規模は3625億円、前年比22%増、うちEC事業者が3405億円、店舗事業者が220億円と推計している。27年の市場規模は1兆円近くになるとの見通しだ。

顧客IDを利用した広告メディアビジネスへの参入は、幅広い企業に広がっている。21年の銀行法改正で他業種への参入が認められた銀行業界では、大手銀行だけでなく、地方銀行も相次いで広告業への参入を発表している。また、航空会社や宅配サービスなど、大規模な顧客データベースを持つ企業も広告事業を開始している。現時点

では、広告メディアとして必要な広告在庫量や営業組織を単体で持つ企業は限られているものの、複数の企業による購買データのネットワーク化、ユーザーの受容度が高い広告手法の開発も進められており、新たなビジネスモデルが生まれる可能性も大きい。次項で取り上げるサードパーティクッキーの利用規制の影響もあり、リテールメディアは今後ますます注目される広告メディアになっていくと見られている。

■ **新たなメディアとして注目される音声広告**

インターネット広告の新たな領域として、radiko（ラジコ）やSpotifyデジタル音声広告への注目も高まっている。完全ワイヤレスイヤホンの普及をきっかけに、通勤途中や運動中など音声メディアの利用が増加している。音声広告は、ほかのサービスとメディア利用時間を取り合うことが少なく、パーソナルなメッセージを届けることができるとされる。MMD（モバイルマーケティングデータ）研究所が18～69歳の男女7000人を対象に行った「イヤホン・ヘッドホンに関する調査」（23年3月実施）によれば、22年段階での完全ワイヤレスイヤホンの所有率は34.2%で、今後も増えていくと見られる。新たなデバイス普及が新しい広告手段を生み出している。

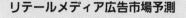

リテールメディア広告市場予測

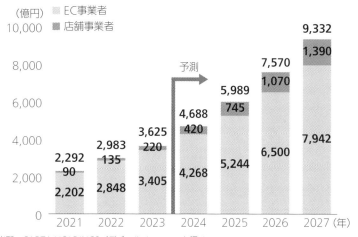

出所：CARTA HOLDINGS／デジタルインファクト調べ

サードパーティクッキー利用制限をめぐる動向

■ サードパーティクッキーとは

クッキーは、ブラウザにインターネット閲覧履歴を保存する仕組みである。同じサイトへその都度ログイン情報入力する手間を省いたり、EC内の買い物カートに購入を検討している商品を保存しておいたりすることなどを可能にしている。ユーザーのブラウザを識別して、ターゲティング広告の配信や、サイトの閲覧履歴、バナークリックや商品購入のデータ計測などに使われるトラッキングデータである。

クッキーには、ユーザーが閲覧したサイトが発行する「ファーストパーティクッキー」と、広告主や広告配信企業などの第三者が発行する「サードパーティクッキー」がある。

■ 個人情報利用規制の広がり

18年に欧州委員会がEU一般データ保護規則（GDPR）、20年には米国カリフォルニア州が消費者プライバシー法（CCPA）を施行した。これらの規制では、インターネットの閲覧情報は「個人情報」と定義され、サードパーティクッキーの利用には、明示的な方法によってユーザーの事前同意を得ることが必要になった。

日本でも、22年4月に改正個人情報保護法

iOSのIDFAの許諾画面

"●●"が他社のAppやWebサイトを横断してあなたのアクティビティをトラッキングすることを許可しますか？

許可いただくと、●●アプリで表示される広告が、あなたの興味関心により合ったものになります。

Appにトラッキングしないように要求

許可

注：サービス名部分等は修正

あが施行され、インターネット閲覧履歴は「個人関連情報」とされ、第三者への提供によって個人を特定することが可能な場合には、事前の同意が義務付けられている。

■ アップルはサードパーティクッキーを廃止、Googleは廃止を断念

このような動きに対応して、Appleは20年から自社ブラウザSafariでのサードパーティクッキーの受け入れを完全に廃止した。

一方Googleは、20年にChromeブラウザでのサードパーティクッキーを22年に廃止すると発表していたが、延期を繰り返していた。そして24年7月22日に自社ブログで、「サードパーティCookieを廃止する代わりに、Chromeに新しい機能を導入し、ユーザーがウェブ閲覧全体に適用される情報に基づいた選択を行い、いつでもその選択を変更できるようにする」と発表し、これまでの方針を撤回した（Google Japan Blog 24年7月22日「ウェブ向けプライバシーサンドボックスの新しいアプローチ」より抜粋）。この発表の時点では、Chromeに導入される新しい機能の詳細は、発表されていない。

■ 低い閲覧データの利用許諾率

Appleは、21年4月にリリースしたiOS 14.5から、アプリ提供者に端末識別子IDFA利用の事前確認を義務付けた。IDFAは、サイトを横断した広告配信や効果計測に使われる端末識別データで、iOS14.5以前は、ユーザー自身が設定変更をしない限り、アプリから第三者に送られていた。

ドイツAdjust社の調査では、23年第一四半期の日本におけるIDFA利用許諾率は22%となっており（同社ブログより：https://www.adjust.com/blog/app-tracking-transparency-opt-in-rates/）、サードパー

ティクッキーについてもIDFA同様に、広告配信や計測で利用することが、これまで以上に困難になっていく可能性がある。

■ サードパーティクッキーの利用制限の影響

サードパーティクッキーの利用制限は、サイトやプラットフォーム、デバイスを横断した行動を追うことができなくなるため、インターネット広告において、以下の4分野で大きな影響があると見られている。

①サイトを横断したユーザーデータ収集・分析、広告効果測定

②自社サイトを来訪者へのターゲティング広告の配信（リターゲティング広告）

③様々なデータ計測が困難になりターゲティング広告の精度低下

④広告単価の低下によるサイト運営者の広告収益悪化

■ プライバシー保護に対応した取り組み

サードパーティクッキー利用制限への対応には、3つの流れがある。

①人単位ではないターゲティング

人単位ではなく、広告枠でターゲティングを行う方法。例えばAIが、自動車トラブルのコンテンツは、新車の広告掲載には適さないが、自動車保険には適した広告枠と判断して、広告を配信するような仕組みだ。

②集団単位のターゲティング

同じような属性や嗜好を持つ人々を1つのグループとしてターゲティングを行う方法。

Google提唱するTopicsAPIは、Chromeブラウザ側で、ユーザーの興味関心を推定して、ターゲティング対象となる集団を組成して広告を配信する仕組みだ。

③同意許諾を行い、人単位の方法を維持

広告配信やデジタルマーケティング施策を行うために、データクリーンルームと呼ばれるプライバシーを確保したシステム環境で、大手プラットフォームのファーストパーティデータと、適切な許諾を取得した企業IDとの連携も行われている。基本的に個別のプラットフォームごとのシステム要件に合わせて、個別にデータ連携を行うことが必要だが、22年に電通と電通デジタルが複数の大手プラットフォーマーのデータ活用を一元的に管理し、ソリューション提供するTOBIRASをリリースするなど、統合運用に向けたプロダクトも登場した。

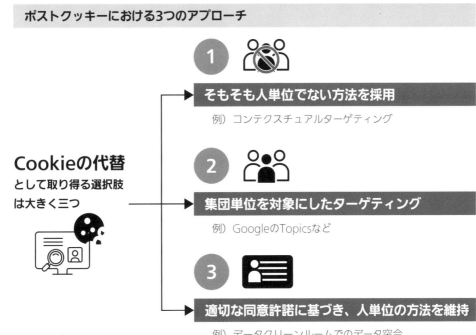

ポストクッキーにおける3つのアプローチ

Cookieの代替
として取り得る選択肢
は大きく三つ

1 そもそも人単位でない方法を採用
例）コンテクスチュアルターゲティング

2 集団単位を対象にしたターゲティング
例）GoogleのTopicsなど

3 適切な同意許諾に基づき、人単位の方法を維持
例）データクリーンルームでのデータ突合

出所：ウェブ電通報を一部改変

このほかにも、サイト運営者が利用者から同意を得て、取得したメールアドレスなどのファーストパーティデータをハッシュ化（不規則な文字列に置換する処理）した上で、サードパーティクッキーに代わる共通広告IDを生成して、ターゲティングに使用する取り組みなども進められている。

プライバシーを守りながら、人単位のターゲティングを続けるためには、ユーザーの同意を含め、様々なハードルを超える必要がある。このため、個社で大量の許諾済みファーストパーティデータを保有し、AIを活用して精度の高いターゲティングを提供している大手プラットフォームに広告出稿が集まる傾向も強まっている。

AIの活用の現状と展望

■ インターネット広告を支えるAI

インターネット広告の誕生とともに、膨大な量のユーザー行動や広告配信のデータが収集、蓄積されるようになった。これらのビッグデータを分析することで、より効果的な広告配信の可能性が広がったが、専門人材の不足、人による分析精度と提供スピードの限界などの課題に直面していた。一方2000年代以降、機械学習やディープラーニングなどのAI技術が飛躍的に進歩し、膨大な量のデータの高速処理が可能になった。これを受けて、大手プラットフォームを中心にAIの導入が急速に進み、インターネット広告の運用の自動化、最適化に大きく寄与することになった。

AIによる自動化・最適化ツールは、インターネット広告の運用から効果測定まで、主に4つの領域で活用されている。
①ターゲティング精度の向上　より精緻なターゲティングの提供
②広告配信の最適化　入札価格やクリエイティブの配信などの最適化
③広告効果の最大化　広告配信後のコンバージョンなどを分析し、最適な改善策を実行
④レポーティングの自動作成　データ収集、分析の自動化で省力化と迅速化を実現

このようなAIによる広告運用の進化は、インターネット広告の費用対効果の向上に寄与し、さらなる市場成長を牽引することになった。

■ 生成AIを使った広告出稿自動化への動き

生成AIは、広告出稿、運用の自動化をさらに発展させている。21年にGoogleがP-Max（Paformance Max）、22年にはMetaがASC（Meta Audience Network Automated Campaigns）などの生成AIを活用した自動広告出稿・運用ソリューションの提供を開始した。これらのソリューションでは、生成AIがユーザーの行動を分析し、リアルタイムでターゲティング層を生成する。同時にプラットフォーム上のディスプレー広告、動画広告、テキスト広告などのフォーマットに合わせたクリエイティブを自動生成して、最適化した広告配信を行う。先に述べた4つの領域を統合して、同時にクリエイティブのパーソナライズを併せて行うものだ。

インターネット広告業界関係者からは、P-MaxやMetaのASCは、日々進化しており、「人が介入するとかえってパフォーマンスが落ちる場合もある」との評価も聞かれる。生成AIによって広告の自動化がさらに進んでいくことは確実だ。

一方、生成AIによる広告の自動化は、運用プロセスで何が行われているのかを正確に知ることができず、ブラックボックス化する。これによって、広告の露出回数やクリック率などの指標の取得が困難になったり、ユーザーの意思決定のプロセスに関わるメディアへの評価が難しくなったりすることもあり得る。

■ 生成AIに求められる新たなルール

　これまで見てきたように、生成AIは広告の
あり方も大きく変えようとしている一方で、新
たなルールの確立が急務になっている。生成
AIが収集するデータの著作権、とりわけ広告
分野では、広告クリエイティブのデータ学習に
おける権利処理や、広告のパーソナライズ化に
必要な個人情報の学習において、情報流出のリ
スクをどのように防ぐかも大きなテーマである。
またAIが生成する膨大な数のクリエイティブ
の品質維持と、悪用防止への取り組みも欠かせ
ない。SNS上の虚偽広告の増加は、生成AIを
使って多くの言語で虚偽広告を大量につくるこ
とが極めて容易になったことが背景にある。広
告分野でも、AIに対する人間の向き合い方が
問われている。

不正行為への取り組み

■ ユーザー保護規制の動き

　プライバシー規制では、個人情報保護法に加
えて、23年6月に改正された電気通信事業法
で、検索サービス、SNS事業者、ニュースサ
イト等のWebサイト・アプリ運営事業者に対
して、インターネット閲覧・利用データの外部
送信について、利用者への通知・公表が義務付
けられた。

　広告表示・表現については、23年10月に景
品表示法が改正され、規制が追加された。ステ
ルスマーケティングは、主にSNSや各種のレ
ビュー投稿で行われることが多く、事実上イン
ターネット上の行為を対象としている

■ アドフラウドへの対応

　アドフラウドとは、クリック数やインプレッ
ション数の偽装・水増しや、広告を不正な方法
で掲載して、広告費を詐取することである。ア
ドフラウドにおいては、企業やブランドの価値
を毀損する恐れのある違法コンテンツの中に広
告が掲載されることも多い。21年に日本アド
バタイザーズ協会、日本広告業協会、日本イン
タラクティブ広告協会は、デジタル広告品質認
証機構（JICDAQ）を設立し、「アドフラウド
を含む無効配信の除外」と「広告掲載先品質に
伴うブランドセーフティの確保」を取り組みの
目標として活動を進めている。JICDAQでは、
アドフラウド防止やブランドセーフティのため
の取り組みなどに独自の基準を設けて、これを
満たす事業者の認定を進めるとともに、登録ア
ドバタイザーにJICDAQ品質認証事業者に対
して広告を発注するよう要請を行っている。ア
ドフラウド対策ツールを提供するSpider
Labsの調査では、日本の23年におけるアド
フラウドの被害額を1677億円と推定しており、
22年調査に比べ25.6%も増加している。世界
でも被害額の大きい市場の1つとされ、広告費
の損害だけでなく、企業やブランドの価値を毀
損するため、対策は急務だ。

■ 急がれる虚偽広告への対応

　近年、SNS上での著名人の画像や実際の広
告、企業サイト、メディアを複製した虚偽情報
が巧妙化し、被害が拡大している。SNSプ
ラットフォーム各社も、虚偽広告の検出や削除、
広告掲載基準の強化などを進めている。イン
ターネット広告は、誰でも簡単に広告を制作・
出稿が可能な方向へ進化しているため、いたち
ごっこのような状況が続いている。

　虚偽広告は、消費者被害と同時に、騙られた
著名人、メディア、企業のみならず、広告全体
の価値を毀損する許されない行為である。

　プラットフォーム側の対策強化とともに、法
規制の強化、国際的な監視ネットワークなどの
取り組みが急務となっている。

（北村裕一）

3 テレビ

幅広い層に対して認知を獲得できるメディア

▶ テレビスクリーンのインターネット接続が進み視聴が多様化。動画配信市場が拡大

▶ 民放各社は「個人視聴率」や「コア視聴率」を重視して番組づくりを強化

▶ タイム広告、スポット広告、SAS、TVer 以外の選択肢として、運用型の「アドリーチマックス」に期待

場所、時間、デバイスを問わない視聴が進む

■ デジタル時代に見直されるテレビの価値

テレビ広告の特長は、顧客だけでなく、「商品やサービスを知らない、もしくは興味・関心がない」生活者にもリーチすることが可能で、認知を拡大できることにある。多くの人に一度に届くことで、リーチを獲得できる。新商品発売などの際には、現在でも多く活用されている。

また、認知から購買までの購買行動プロセスの間に、インターネットとの親和性がある。デジタル化が進んだ現在でも、広告主にとってテレビ広告の価値は依然として高く、広告媒体としての価値が見直されている。デジタル機器の普及もあって、場所や時間、デバイスを問わない「個人視聴」へと視聴形態が変わりつつある。

以前は「一家に1台」テレビがあり、それを家族全員で視聴するという形態だったが、現在では家に複数のテレビがあったり、1台もなかったりすることもある。

また、テレビ受信機で常に地上波テレビを見ているわけではない。「第2章1 メディア利用行動の変化」によると、テレビのネット接続が増えており、「テレビスクリーンのインターネット化」が加速している。そのため、様々な配信サービスの利用が伸長している。Netflixや YouTube などの動画配信サービスを利用する生活者の行動が増えている。

テレビ受信機でネットのコンテンツを視聴するコネクテッド TV の普及も進んでいる。同時配信が可能になった TVer での視聴も増加。「見逃し視聴サービスによるテレビ番組視聴」も急速に伸びている。テレビ受信機でのリアルタイムの視聴は減っているものの、場所や時間、デバイスを問わない視聴形態が浸透している。

■ 高年齢層だけでなく若年層の視聴も広がる

こういった視聴の多様化による実態を捉えるため、ビデオリサーチは2016年10月から関東地区の900世帯（当時）を対象に、放送時のリアルタイム視聴に加え、タイムシフト視聴の調査を始めた。そして、リアルタイムとタイムシフトいずれかでの視聴を示す「総合視聴率」提供を開始した。録画による視聴を捉えることは、視聴形態の多様化に対応するための第一歩

世帯視聴率と個人視聴率の違い

● ある番組を視聴している人
○ ある番組を視聴していない人

世帯視聴率＝3世帯÷5世帯＝60％
個人視聴率＝6人÷12人＝50％

となった。20年4月からは、視聴率調査の大幅リニューアルとして、全地区において「365日毎日測定」「PM（ピープルメーター）化（個人視聴率測定）」「タイムシフト視聴測定」を実施。個人視聴率を本格導入しており、この枠組みの中でBS／CS放送の視聴測定も可能となり、テレビ視聴率のさらなる精緻化に取り組んだ。関東2700世帯、関西1200世帯、名古屋600世帯、北部九州・札幌400世帯、その他仙台・広島など200世帯をはじめ、全国32地区で調査を行っている。

「世帯視聴率」と「個人視聴率」の違いについて概念図を用いて説明する。世帯視聴率の定義は、「テレビ所有世帯のうち、どれくらいの世帯がテレビをつけていたか」を示す割合で、個人視聴率は「世帯内の4歳以上の中で、誰がどのくらいテレビを視聴したか」を示す割合で

ある。世帯視聴率と個人視聴率の違いを示した図を見ると、5世帯の中でテレビを見ている人がいる世帯は3世帯だ。一方、12人中テレビを見ている人は6人だ。世帯視聴率は60％で、個人視聴率では50％となる。数字だけを見ると、個人視聴率は世帯視聴率より少なくなってしまうが、広告出稿のためのターゲティングに向いており、広告主にとってマーケティング的に価値が高い。

テレビ局も個人視聴率を重視する傾向が出てきた。特に、日本テレビは、13〜49歳を「コアターゲット層」と呼び、若年層を取り込んでいこうとしている。若年層をターゲットとした広告を企業が出稿しやすい環境づくりを進めている。若年層は、推している有名人をネットやテレビ、ラジオなど様々な媒体で見る傾向がある。こういったことをコンテンツ制作に生かしており、個人視聴率も好調だ。ほかのテレビ局では、TBSも4〜49歳を「新ファミリーコア」、フジテレビも13〜49歳を「キー特性」と呼び重視。視聴データを広告主に提供している。一方、テレビ朝日は13〜59歳を「ファミリーターゲット」と呼び、世帯視聴率も重視している。

視聴者の属性や生活意識、行動のデータ、広

2023年　年間個人視聴率上位番組　（上位10番組、関東地区）

順位	番組名	番組平均個人視聴率（%）	番組平均世帯視聴率（%）	放送日
1	2023ワールドベースボールクラシック　日本×イタリア	31.2	48.0	3/16
2	WBC2023第2戦　日本×韓国	28.9	44.4	3/10
3	2023ワールドベースボールクラシック1次ラウンド　日本×チェコ	28.7	43.1	3/11
3	2023ワールドベースボールクラシック1次ラウンド　日本×オーストラリア	28.7	43.2	3/12
5	報道ステーション	27.9	43.6	3/16
6	WBC2023開幕戦　日本×中国	27.1	41.9	3/9
7	WBC2023準決勝　日本×メキシコ	26.8	42.5	3/21
8	サタデーステーション	24.4	38.2	3/11
9	WBC2023決勝　日本×アメリカ	24.3	42.4	3/22
10	第74回NHK紅白歌合戦（第二部）	23.5	31.9	12/31

注：2023年1月1日〜12月31日に放送された15分以上の番組が対象
出所：ビデオリサーチ調べ（ビデオリサーチの許諾を得て掲載）

2023年　全国推計視聴人数上位番組　（上位10番組、全国）

順位	番組名	平均視聴人数（万人）	到達人数（万人）	放送日
1	2023ワールドベースボールクラシック　日本×イタリア	3863.8	5926.1	3/16
2	2023ワールドベースボールクラシック1次ラウンド　日本×チェコ	3449.0	5582.4	3/11
2	2023ワールドベースボールクラシック1次ラウンド　日本×オーストラリア	3449.0	5831.3	3/12
4	報道ステーション	3389.7	5191.3	3/16
5	第74回NHK紅白歌合戦（第二部）	3030.6	5638.3	12/31
6	WBC2023第2戦　日本×韓国	3022.3	6305.4	3/10
7	2023ワールドベースボールクラシック決勝　日本×アメリカ	2951.2	4966.1	3/22
8	サタデーステーション	2927.5	4337.9	3/11
9	WBC2023開幕戦　日本×中国	2880.1	6080.2	3/9
10	第74回NHK紅白歌合戦（第一部）	2795.6	5015.7	12/31

注：2023年1月1日〜12月31日に放送された15分以上の番組が対象、総合視聴率を基に算出
出所：ビデオリサーチ調べ（ビデオリサーチの許諾を得て掲載）

告主のターゲットが見ている時間帯などのデータ活用が、テレビ局では進んでいる。

■ 個人視聴率が高いスポーツ番組

23年の個人視聴率の上位10番組のランキング（ビデオリサーチ調べ）を見ると、紅白歌合戦を除き、野球のワールドベースボールクラシック（WBC）と、その試合の中継を行った「報道ステーション」「サタデーステーション」であった。スポーツを録画でなくリアルタイムで見たいという視聴者の意識が表れている。

最近、広告主が重視している指標に、ビデオリサーチの「平均視聴人数」と「到達人数」がある。

「平均視聴人数」は、その番組の放送時間を通じて、平均でどれだけの人が視聴していたのかを推計した値だ。全国32地区の個人全体4歳以上の視聴率を、推計人口数と掛け合わせて推計している。

一方、「到達人数」は、個人全体4歳以上における1分以上の番組視聴を"見た"と定義し、その番組をどれだけの人が視聴したのかを推計した値だ。全国32地区の個人全体4歳以上の到達率を、推計人口数と掛け合わせて推計する。どれくらいの人に番組が見られたのか、視聴の広がりを把握することができる。

23年1〜12月の推計視聴人数の上位10番組ランキングでは、ワールドベースボールクラシック（WBC）が上位の大半を占めていた（前記のように「報道ステーション」「サタデーステーション」含む）。人気のあるスポーツコンテンツは、実際に視聴している人数が多く、広告媒体としての価値も非常に高い。

18年4月から、関東地区においてテレビのスポット広告取引で使う指標が改定された。現在、個人全体視聴率をベースにしている「P＋C7」が取引に使用されている。「P」はリアルタイム番組平均視聴率、「C7」は放送後7日以内に再生されたCM枠部分での「延べタイムシフト視聴率」を指す。世帯視聴率から個人視聴率への流れに沿っており、タイムシフト視聴率も考慮に入れたことが大きな変化だ。20年4月のビデオリサーチの全地区個人視聴率計測開始により、この体制は整った。このように、スポット広告取引の指標が時代に即した形に変化し、浸透してきている。

■ 23年度の注目度1位は日曜劇場「VIVANT」

REVISIOは、最先端の人体認識技術を活用し、「質」のデータを測定している。「注目度」は、テレビの前にいる人のうち、テレビ画面に

2023年度　番組の注目度ランキング（コア視聴層：男女13〜49歳）

順位	番組名	開始時間	曜日	放送局	推定世帯視聴率（%）	注目度（%）
1	VIVANT	21:00	日	TBS	14.3	69.1
2	テレビアニメ「鬼滅の刃」刀鍛冶の里編	23:15	日	フジテレビ	7.2	65.6
3	ラストマン-全盲の捜査官-	21:00	日	TBS	11.5	64.7
4	トリリオンゲーム	22:00	金	TBS	5.0	64.2
5	最高の教師 1年後、私は生徒に■された	22:00	土	日本テレビ	6.1	63.7
6	水曜日のダウンタウン	22:00	水	TBS	6.1	63.2
7	下剋上球児	21:00	日	TBS	9.1	62.6
8	新空港占拠	22:00	土	日本テレビ	5.4	62.0
9	いちばんすきな花	22:00	木	フジテレビ	5.4	62.0
10	ハヤブサ消防団	21:00	木	テレビ朝日	6.5	61.8

注：REVISIOの推定世帯視聴率が5%以上で、NHKを除いた民放5局の番組を対象（放送時間が15分未満の番組は除いて集計）。小数点第2位を四捨五入。
　　同名番組の平均を掲載
出所：REVISIO調べ

2023年度　CMクリエイティブスコア（Cスコア）ランキング　（コア視聴層：男女13〜49歳）

順位	企業名	CM名	秒数	Cスコア
1	アイフル	アイフル「ミニパト女将」篇	30	127
2	アコム	アコム「侍ビッグ3〜決戦」篇	30	126
3	日清食品	完全メシ「完全なるバランス」篇	30	123
4	任天堂	帰ってきた 名探偵ピカチュウ「変装は探偵の基本だからな」篇	30	120
5	新生フィナンシャル	レイク「HOT LIMIT」篇	30	119
6	花王	アタック 抗菌EX「部屋干しゾンビ臭」篇	30	118
7	日本メナード化粧品	薬用ラインズリセット「ダイヤモンドリング」篇	30	118
8	DeltaX	塾選「塾選びなら塾選」篇	30	118
9	大塚製薬	ポカリスエット「青が舞う」篇	30	117
10	新生フィナンシャル	レイク「婚活 Bタイプ」篇	30	117

注：2023年4月1日〜24年3月31日に放送された500GRP以上出稿のあったCM（15/30秒）が対象。500GRP時点のスコアを使用。Cスコアは小数点第1
　　位を四捨五入。コア視聴層である男女13〜49歳のデータを使用。
出所：REVISIO調べ

視線を向けている人の割合だ。これによって、テレビのコンテンツに注目している度合いがわかる。

　23年度の注目度ランキングでは、TBSの日曜劇場のドラマ「VIVANT」が一番高かった。推定世帯視聴率も一番高く、23年度で「最も選ばれて画面を見られた番組」と言える。トップ10で唯一ランクインしたバラエティは、「水曜日のダウンタウン」である。世帯視聴率は1桁だったものの、注目度が高い番組として、「トリリオンゲーム」「新空港占拠」「いちばんすきな花」などのドラマが挙げられる。

　「クリエイティブスコア（Cスコア）」は、「CMクリエイティブのパワー」を表す指標だ。CMにおいて人の注視を惹きつけているのは、「番組枠のパワー」と「CMクリエイティブのパワー」の両方である。Cスコアは、その中の「CMクリエイティブのパワー」を表している。23年度のランキングでは、消費者金融のCMが上位にきていた。ストーリー性があり、継続性や一貫性があるコンテンツとして見られている可能性がある。日清食品の完全メシ「完全なるバランス」篇は、右上がりに注視を獲得していたことが特徴的だった。畳みかけと急な静寂

という構成で注視を獲得していたようだ。ベスト10はすべて30秒CMだった。この理由について、REVISIOは、「30秒CMはタイム提供で使われることが多く、比較的視聴質の良い番組で放送されている。また、ストーリー性のある内容が多く、注視を得られやすいようだ」と見ている。

■ 動画配信市場の拡大により視聴が多様化

各局の今後の柱になると予想されるのが、ネットでの動画配信だ。調査会社のGEM Partnersによると、23年の定額制動画配信サービスの国内市場規模は、前年比8.2%増の5740億円と推計している。28年には、7371億円と予測している。現在、定額課金の有料動画配信サービスと、広告が入る無料動画配信サービスがある。

定額制動画配信では世界大手のNetflixが、15年9月から日本でも配信を始めている。現在190以上の国・地域で展開しており、世界では約2億人が利用している。日本での会員はコロナ禍の影響で500万人を超えた。海外ドラマや映画など、人気コンテンツが豊富であることが特徴だ。ただ、他社との競争が激化し、家庭内でのアカウント共有などもあり、会員数は頭打ちとなっている。

一方、日本テレビホールディングスは、Huluを14年に買収。日本テレビのドラマや映画、他系列の番組などを配信している。有料会員数は258万人を超えた。

フジ・メディア・ホールディングスが業界に先駆けて05年にスタートさせた「フジテレビオンデマンド（FOD）」は、有料のFODプレミアムを主力サービスと位置付け、無料の見逃し配信で利用者を拡大している。

U-NEXT（ユーネクスト）は、23年3月31日に「Paravi（パラビ）」と統合し、利用者400万人以上の国内最大の動画配信サービスとなった（23年9月時点）。見放題の作品数が約25万本あり、ほかのサービスの2倍以上もある。

テレビ朝日はKDDIとの合弁で、「TELASA（テラサ）」を20年4月にスタート。

放送局以外では、NTTドコモが「dTV」を始め、アマゾンジャパンも有料会員向けの「プライム・ビデオ」で、日本発のオリジナル作品を順次投入している。

無料動画配信サービスの代表例が、TVerとABEMAだ。すでに21年10月から先行していた日本テレビに続いて、民放の残りのキー局4社と在阪5局（讀賣テレビ、朝日放送、毎日放送、関西テレビ、テレビ大阪）が、22年4月11日にネット同時配信を開始した。各局ともTVerをプラットフォームにしており、時間帯はゴールデンタイム、プライムタイムと呼ばれる19時から23時までを中心に配信している。同時配信により、国内であれば居住エリアにかかわらず、好きな番組をリアルタイムで楽しめるようになった。また、「追っかけ再生」も可能になった。例えば、20時に始まる番組の出だしを見逃して20時8分になっていたとしても、最初から見ることができる。

TVerによって、地方局が制作する番組も注目されている。オリジナルコンテンツ（バラエティのスピンオフ企画など）や、過去の人気ドラマ、アニメなどを見ることができる。24年1月には、月間のユニークユーザー数が過去最高の3億5000万回を超えた。パリ五輪では、TVerがほぼ全競技を配信していた。地上波では放送されない種目のライブ配信も行われ、ハイライトやインタビューなどのコンテンツも充実している。TVer広告はターゲティングの設定が可能で、スキップ不可の動画広告だ。視聴完了率が高いという特徴がある。

テレビ朝日は「ABEMA」をサイバーエージェントと16年4月にスタート。オリジナルコンテンツやニュース、スポーツ、音楽など、約30チャンネルがスマートフォンやタブレット、パソコンで見られる。月額課金型のものと異なり、広告で収入を得るビジネスモデルだ。

新しい広告商品によるテレビの可能性の広がり

■ 放送日時、番組、本数を
　指定できる「SAS」

タイム広告でもスポット広告でもない「SAS（スマート・アド・セールス）」は、テレビ広告枠を15秒1本単位から購入できる広告商品だ。日付指定やポジション指定が可能なため、キャンペーンやターゲットに合う枠が購入可能だ。テレビ広告のビジネススタイルの原型は、1970年代にできたGRP（延べ視聴率）をベースにしたスポット広告のセールスが主流だった。しかし、今は視聴形態の多様化が進み、マーケティングの環境変化に適応する必要性が求められている。

「テレビ広告は大きな予算が必要で、ハードルが高い」「希望の日付が取れない」といった広告主の声は以前からあった。さらに01年頃からは、「オーディエンスデータを基に、よりターゲティングされた取引をしたい」「購買につながるような取引をしたい」などの意見が寄せられた。日本テレビが欧米のテレビ広告市場を視察したところ、GRPセールスではなく、コンテンツセールス（枠単価セールス）が主力だった。そこで、18年からASS（アドバンス・スポット・セールス）という新商品を市場に投入した。この商品の特徴は6点ある。

1点目は、ターゲットに合ったポジションを選べることだ。訴求したいターゲット層に効率的にCMを見せることができる。2点目は、広告主の限られた予算内でCMを流せることだ。15秒1本単位から購入が可能で、少ない予算でも出稿できる。3点目は、長尺のCMも割安な価格で流せること。4点目は、通常のスポット発注では購入しづらい目玉枠を手に入れられること。5点目は、希望枠を確実に購入できること。6点目は、CM素材と親和性のある枠を購入できること。CMに起用されたタレントの出演番組だけを購入することも可能だ。

その後、20年2月からはほかのテレビ局も同様の新商品を独自に導入。これを機にSASとして発展した。その際、先行してビデオリサーチが構築し、ASSで利用していた「枠ファインダ」というプラットフォームを、SASを手掛ける全テレビ局が利用した。この枠ファインダ上にはREVISIOの視聴質など様々なデータも搭載されている。また、各局が各プラットフォーム上で持つデジタル在庫の搭載も進んでいる。23年には、媒体をまたいで在庫をプランニングできる「TV×Digital Planning」という新機能も始まっている。

■ インプレッションを指標とする
　「アドリーチマックス」がサービス開始

24年度末には、日本テレビの新しい広告商品「アドリーチマックス」のサービスが始まる予定だ。「インターネット広告でできるリアルタイム運用は、テレビ広告でもできなければならない」という発想からスタートしている。ネットを通じた動画コンテンツの視聴が増加しており、地上波のテレビ広告とインターネット広告の統合的なバイイングに対応するため、広告取引の指標として「インプレッション」を採用する。広告主が指定したターゲットのインプレッションを獲得していく。これによって、テレビとデジタルの統合が加速していく。これまでインターネット広告を中心に出稿していた広告主の取り込みも期待できる。

24年12月には、セールスサイト「スグリー」がオープンする予定だ。最短5分で発注関連のすべての作業が終わるようになるため、オンラインで当日発注することも可能になる。「アドリーチマックス」の枠組みに参加を希望するほかのテレビ局も出てきており、今後広がっていく可能性が高い。タイム広告、スポット広告、SAS、TVer以外のテレビ広告の選択肢として期待される。

（村上拓也）

4 新聞

デジタル時代に再評価される新聞広告

▶ 情報が伝わりにくい時代において、安定的に届くメディア
▶ SNSでのクチコミ効果やネットとの連携による相乗効果が期待できる
▶ 読者の閲読態度から、社会課題をテーマにした広告との親和性が高い

情報過多の時代において相対的に価値が高まる

社会のデジタル化が進む中で、広告メディアの価値が見直されつつある。広告メディアの価値は、これまでターゲットに広告が届くことが重視されてきた。このため、新聞の部数や視聴率など、「届く量」が評価の基準となっていた。しかし、情報過多の時代において、広告は届くだけでは十分ではない。どのような伝わり方をするのか、伝達の質が問われている。

新聞は、読者にロイヤルユーザーが多いメディアである。紙媒体として、情報の伝わり方という点においてデジタルメディアとは異なる特徴を持つ。

社会に広く届く新聞広告は、企業が広告を出稿したという「エビデンス」をつくりやすい。このため、SNSなどによって話題にされやすく、広告の内容が新聞読者以外にも広く伝わるケースも見られる。クリエイティブの工夫次第では、メディアの利用者に届く「直接効果」だけでなく、人を介して届く「間接効果」によって、広く伝播するメディアと言える。

こうした特徴によって、新聞広告の価値が再評価され始めている。

■ 情報の質を重視する読者に安定的に届く

デジタル化の進展によって、情報が届きにくくなる中で、宅配の制度による定期購読の習慣によって、新聞広告は安定的に同じ読者に届く特徴がある。「多メディア時代における新聞広告の役割とメディア接触の動向調査」（日本新聞協会）によると、新聞の情報に毎日接触している人は、39.4％となった。週に1日以上接触する人も含めると、2人に1人が新聞の情報に接触していることになる。また、自宅で新聞を購読している人のうち、購読中の新聞を20年購読し続けている人は74.7％となり、新聞に対するロイヤルティが高い読者が多いことがわかった。同調査は、全国の15歳から79歳までの男女を対象に、2023年9月に訪問留置法で行っている。

新聞に週1日以上接触している人の平均接触時間は、平日で26.7分、休日で30.2分となる（同調査）。デジタルメディアの普及によって、倍速視聴やながら視聴など、メディアに向き合う態度が多様化し、情報が伝わりづらいメディア環境の現代においても、新聞広告は安定的に

届くメディアとして貴重な価値を持つと言える。

■ インターネットとの連携により高まる価値

同調査では、新聞とインターネットのメディアに対する評価を比較している。それによると、新聞は、「安心できる」「情報が正確で信頼性が高い」「情報が整理されている」などの評価がネットと比較して高い。一方、ネットが高い評価は、「日常生活に役立つ」「自分の視野を広げてくれる」「親しみやすい」が高く、ネットと新聞は評価の重なりが少なく、相互補完の関係にあることがわかる。

実際に、新聞接触者（週1日以上）がネットで記事や広告を見たあと、紙の新聞広告で同じ情報に触れたとき、「理解が増す」と答えた人は39.1％、「信頼性が増す」は31.5％となった。これに対し、テレビ接触者（週1日以上）がネットで記事や広告を見たあとにテレビCMを見て、「理解が増す」「信頼性が増す」と答えた割合は新聞を下回り、雑誌、ラジオについても同様の傾向が見られた。

こうしたことから、新聞とネットを組み合わせることで、情報の信頼性や理解力が高まり、広告の訴求力を高めることが期待できる。例えば、新聞広告で企業が社会に向けて活動を紹介したり、企業のビジョンを示すエビデンスをつくり、SNSなどのネットで紹介したりすることで、複合効果が期待できる。

■ 社会志向型の広告との高い親和性

新聞は、社会課題に関する記事が掲載されているメディアである。そのため、新聞読者にとって、社会課題をテーマにした広告は、閲読心理と合致した内容で、読者に共感されやすい。

「多メディア時代における新聞広告の役割とメディア接触の動向調査」（日本新聞協会）では、社会貢献に対する意識を尋ねている。「社会貢献に積極的な企業の姿勢は商品やサービスを選ぶ際の選択理由になる」は、新聞とネットを複合的に利用する人は41.5％、ネットのみを利用する人は29.8％と、11.7ポイントも違いが見られた。同様に「企業の環境対策や

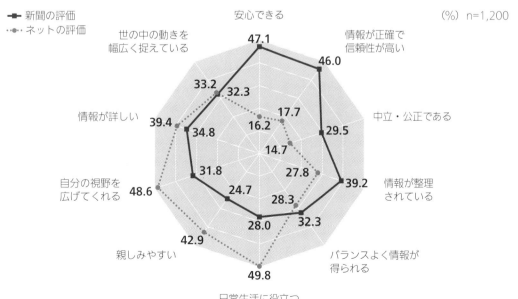

新聞とメディアの補完関係

メディアの印象・評価で重視すること

出所：「多メディア時代における新聞広告の役割とメディア接触の動向調査」（日本新聞協会）2023年9月実施

SDGs・サスティナビリティ（持続可能性）への取り組みに関心がある」は、複合的利用40.2%とネットのみ利用26.0%。「社会奉仕、ボランティア活動をしている」はネットのみ利用11.5%に対して、新聞とネットを複合的に利用する人が22.5%と高くなった。

社会に広くデリバリーされる新聞への広告掲載は、企業が、社会に向けて情報を発信したという「事実」として受け取られやすい。誰が見ているかわかりにくいネットの情報に比べて、新聞は誰に向けて情報を発信したかが見えやすく、企業の本気感や意思が伝わりやすくなる。

ネット閲覧後に同じ内容の広告を見たときの感じ方（媒体別）

■ 新聞（紙の新聞）（n=639）　　　　　■ 雑誌（紙の雑誌）（n=154）
■ テレビ（地上波、BS、CS、録画視聴）（n=1,130）　■ ラジオ（AM、FM）（n=349）

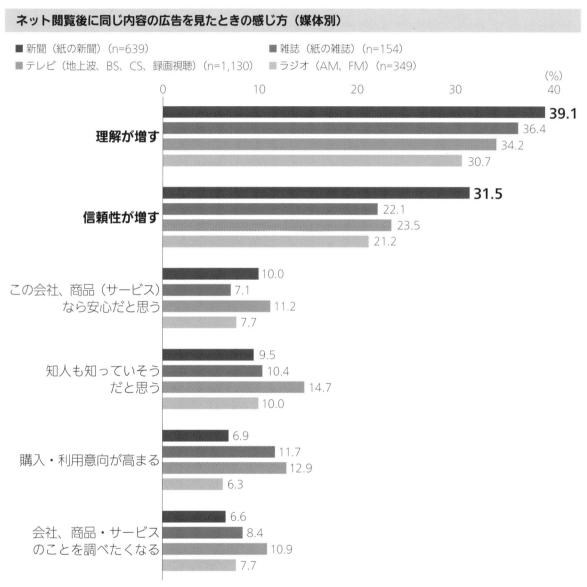

	新聞	テレビ	雑誌	ラジオ
理解が増す	39.1	36.4	34.2	30.7
信頼性が増す	31.5	22.1	23.5	21.2
この会社、商品（サービス）なら安心だと思う	10.0	7.1	11.2	7.7
知人も知っていそうだと思う	9.5	10.4	14.7	10.0
購入・利用意向が高まる	6.9	11.7	12.9	6.3
会社、商品・サービスのことを調べたくなる	6.6	8.4	10.9	7.7

出所：「多メディア時代における新聞広告の役割とメディア接触の動向調査」（日本新聞協会）2023年9月実施

進む新聞社のデジタル事業

日本新聞協会「通信各社のデジタルサービス提供状況」（24年4月、回答82社、116サービス）によると、新聞社のデジタルサービスは、有料課金・広告併用モデルが49、広告単独モデルが33、有料課金単独モデルが25、その他が9となった。

日本経済新聞電子版の有料会員数（24年7月）は、97万人となり、日本経済新聞・電子版購読数合計234万人。無料登録会員を含む電子版会員数は653万人となった。

朝日新聞デジタル有料会員数は「朝日新聞メディア指標」（24年4月）によると、30万6000人、朝日ID会員数は643万人、月間ユニークユーザー数は3279万人、LINE友だち登録数は587万人であった。

読売新聞オンラインは、「読者会員」と「一般会員」があり、読売新聞購読者は追加料金なしで「読者会員」としてコンテンツをすべて利用することができる。無料で登録できる「一般会員」は、一部コンテンツに利用制限があり、新聞を購読する「紙」の読者のためのサービスとしている。買い物に利用できるクーポンの発行や、現金や電子マネーと交換できるポイントなど、生活者に密着したサービスに特徴がある。

AIで近大生のイメージを生成

日本新聞協会が23年9月に発表した第43回新聞広告賞の大賞に、近畿大学の「上品な大学、ランク外。」が選定された。「上品な大学ランキング」でランク外となった結果を逆手に取ったコピーで注目を引きつつ、本文で社会が求める人材と近大生のイメージが一致することを伝えたこと。また、コピーに合うビジュアルを作成するため、実在する近大生の顔写真200枚をAIに学習させ、「いそうでいない近大生」の画像を生成し、そのうち6枚を選択して各紙に異なるビジュアルを掲出したこと。また、画像の生成を情報学部1年生が担当し、近大生の技術力の高さもアピールしたことが、受賞理由となった。最先端技術を駆使してブランドイメージを効果的に発信し、新聞広告の新たな可能性を切り開いた広告活動として高く評価された。

（坂井直樹）

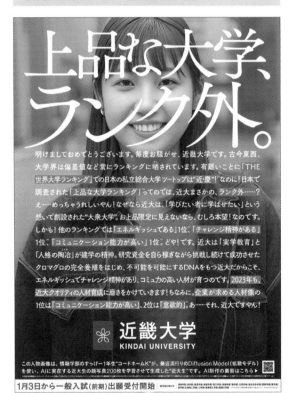

新聞広告賞2023　新聞広告大賞

5 雑誌

デジタル・コンテンツ・企画力に軸足

▶ 広告費増減率がプラスに転じる。美容雑誌広告や複合型広告が貢献

▶ イベントなど多角的な取り組みで新たなファン層を取り込む

▶ 雑誌広告の価値を可視化する動きが加速

雑誌を核にデジタルや SNS へ二次展開

雑誌広告は、読者の関心事やライフスタイルに沿った内容に合わせて掲出できるだけでなく、ビジュアルや構成、特集の組み方、紙の特質など、様々な要素で特徴を持たせて、独自の世界観をつくり出すことができる。読者層が明確で、年齢や性別、趣味嗜好も特定しやすく、ターゲットを絞って広告を届けることができるため、インターネット広告との相性も良い。さらに、デジタルメディアの購読利用が定着し、デジタル広告利用の面でも堅調な状態が続いている。

雑誌広告市場は、電通「日本の広告費2023」では前年比2.0％増（1163億円）、経済産業省「特定サービス産業動態統計調査 広告業」の2023年度の前年度比は0.1％増（417億円）となり、ともにプラスに転じた。23年年初は低調であったが、美容雑誌に掲載されている化粧品広告などが牽引するかたちで4－6月期以降復調し、通年では増加となった。

また、雑誌や出版社が持つIP（知的財産）、作家や漫画家との関係性、編集企画力といった独自色を生かして複合的な広告を展開することが増えてきた。例えば、漫画とコラボレーションしたファッション、宝飾品ブランドの雑誌広告やデジタル版での展開、動画配信サービス企業が複数の有名漫画家の描いたオリジナルイラストを用いて、雑誌媒体を核としてスポーツ誌の広告やSNSを使ったプレゼントキャンペーンを多面的に展開したケースなどが見られた。こうした展開は、多様な媒体を利用する大規模な企画となることもあり、雑誌広告市場の伸長に貢献したようだ。

各社の最新決算報告によると、必ずしも広告収入が増えているわけではないが、その場合でも事業収入やデジタル収入が伸びている。広告収入に計上されなくとも、広告会社を通して扱った版権関連の売り上げなどは、広告市場の調査統計では "広告費" に含めて扱われることがあるため、前述の調査では広告費増となったものと見られる。

■ 発行点数減るが紙面を拡充

雑誌の発行点数が減っている。女性月刊誌では、年12回出すところを合併号にして10回発行するといった例や、月刊から隔月刊へ刊行

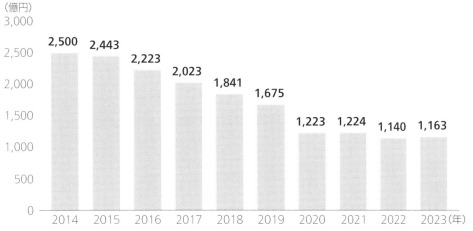

10年間の雑誌広告費の推移

（億円）

- 2014: 2,500
- 2015: 2,443
- 2016: 2,223
- 2017: 2,023
- 2018: 1,841
- 2019: 1,675
- 2020: 1,223
- 2021: 1,224
- 2022: 1,140
- 2023: 1,163

出所：電通「日本の広告費 2023」を基に作成

形態を変更するなどの例が増えている。男性誌でも、月刊誌の隔月化や年4回発行への移行により、大幅に発行点数が減っている。そのため全体の広告売上は減ることになるが、発行回数が少なくなることで紙面は充実し、1号当たりの広告売上が増えるだけでなく、読者にも注目されている。

■ 堅調に推移する雑誌デジタル

マス4媒体由来のデジタル広告費は、「日本の広告費」では「インターネット広告費」に含まれ、「特定サービス産業動態統計調査 広告業」においても調査票の記入上の注意事項から、同様の調査回答が多いと考えられる。ただ、4媒体の中でも雑誌は早くからデジタル媒体の利用進展に対応し、規模が大きいことからも、当節でふれておく。「日本の広告費2023」では「雑誌デジタル」は611億円（前年比0.2%増）と、伸び率は鈍化したが、広告費規模はトップを維持している。23年の雑誌のデジタル媒体利用は落ち着きが見られたが、前述のような出版社の企画力、コンテンツ制作力を生かした媒体横断型の展開もあった。

■ 美容雑誌は引き続き好調

減少傾向が続く雑誌において、美容雑誌は好調である。講談社の『VOCE（ヴォーチェ）』

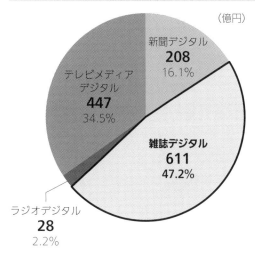

マス4媒体由来の広告費1294億円の内訳

（億円）

- テレビメディアデジタル 447 34.5%
- 新聞デジタル 208 16.1%
- 雑誌デジタル 611 47.2%
- ラジオデジタル 28 2.2%

出所：電通「日本の広告費 2023」を基に作成

は、23年下期のABCレポートで実売数7万4242部を記録し、3期連続ビューティー・コスメ誌ジャンルで実売1位となっている。各誌が美容コスメを付録につけるなどして競い合い、美容トレンドをつくっている。化粧品購入において雑誌の特性である一覧性は重要であり、Webで特定のブランドについて検索することはできても、複数ブランドを並べて比較したり、自分の肌に合わせてどれを買うか判断したりすることは難しい。そんな中、美容広告を牽引している1つに韓国コスメがある。価格が安いだけでなく品質面も評価され、日本における化粧品輸入国で22年には韓国がフランスを抜いて1位になった。コロナ禍で市場規模が完全に戻

りきっていない中、19年から毎年着実に成長し、5年間で韓国コスメの市場規模は6倍にまで拡大している。特に10代〜30代の購入率の高さが目立ち、23年の時点で10代、20代女性の3人に1人以上が韓国コスメを買っている（出所：知るギャラリーby INTAGE「好調な韓国コスメ市場　ユーザーはどこまで拡がった？」24年5月7日公開記事）。

　化粧品以外にも美顔器やドライヤーなどの美容機器の広告出稿も増加しており、美容雑誌の好調は今後も続くと思われる。

　また、ここ数年キレイになることに対しての意識が強く、日常生活に女性と同様にスキンケアに力を入れる「美容男子」が増えている。そ

のため、男性向けファッション雑誌の美容広告も活況を呈している。コーセーがモデルに米大リーグ、ロサンゼルス・ドジャースの大谷翔平選手と男子バレーボール、サントリーサンバーズの高橋藍選手を起用したこともあり、広告掲載は女性誌だけにとどまらず、男性誌にも波及している。また、集英社『MEN'S NON-NO』で年2回の別冊付録として定着している『MEN'S NON-NO BEAUTY』は、実売数や広告出稿が好調である。特に「MEN'S NON-NO 美容大賞」は読者からの注目度が高く、美容大賞受賞コスメを買うといった購買行動にもつながっている。

活況を呈するリアルイベント

　プレジデント社が刊行する食のエンターテインメントマガジン『dancyu』は、24年3月に新宿住友ビルで「dancyu祭」を開催した。12年からスタートし、10回目を迎えた今回は、会場内に50軒近い数の店が並んだ。dancyuは、本誌をはじめ、ムック、Web、SNS、約2万人の読者ファン組織「dancyu食いしん坊倶楽部」、JR東京駅構内で展開する実店舗「dancyu食堂」など、多彩な媒体、プロジェクトを通して食の楽しみや素晴らしさを提案し

ている。

　また24年3月には、集英社の美容雑誌『MAQUIA（マキア）』が主催するマキアサロンの美容イベントが、原宿駅前のイベントホールWITH HARAJUKU HALLで開催された。雑誌の中のコスメをリアルに試すことができ、ブランドの担当者や編集部員から直接説明が聞けるため、マキアインフルエンサーのほか一般参加も多数あった。

　23年7月にはマガジンハウスの食と旅の雑誌『Hanako』が、「毎日にちょっと未来の選択を」をテーマにSDGsを意識した商品や、Hanako掲載商品を扱う「Hanako Stand渋谷店」をオープンした。駅からのアクセスが抜群で、気軽に立ち寄れるセレクトショップということもあり賑わっている。

　リアルイベントは、出版社にとっては誌面やWeb以外でも広告主に媒体の付加価値をアピールすることができ、広告主にとっては狙っている層の反応を直接見ることができるというメリットがある。

dancyu祭2024

雑誌由来のWebコンテンツ価値を調査

デジタル広告費が増加する中、広告効果を測るレポートは主に、PV（Page View＝ページ閲覧者数）や、UU（Unique User＝Webサイト訪問者数）など、数値の測定が中心になっている。そこで日本雑誌協会と日本雑誌広告協会が主体となり、広告会社3社（電通、博報堂DYメディアパートナーズ、ADKマーケティング・ソリューションズ）、ビデオリサーチ、日本アドバタイザーズ協会の協力の下、各出版社がエントリーする共同調査として、第1回「M-VALUE DIGITAL（デジタル広告効果測定調査）」を実施した。この調査は、従来の「雑誌広告調査」から「本誌＋デジタル広告調査」への転換を図るためのもので、22年8月から23年2月にかけて実施し、雑誌由来のWebコンテンツについて「Webメディアの中での価値」を相対的に検証した。23年6月に調査結果を発表し、一般Webメディアと出版社Webメディアの違いを明らかにした。

情報収集の意識についての質問では、一般Webメディアのユーザーは生活に役立つ実用性のある情報を求める意識が高く、出版社Webメディアのユーザーは趣味性の高い情報を求める意識が高かった。また、情報源に対する傾向についての質問では、一般Webメディアユーザーは手早く要点を知りたい「時短思考」で接しており、出版社Webメディアのユーザーは専門性・信頼性が担保された情報を求める「共感思考」であることがわかったとしている。

さらに、出版Webメディアの広告効果として、一般Webメディアよりも、①コンテンツによる興味喚起が伴うことで、ミッドファネル（商品の購入が高まりつつある段階）効果が高い。②お試ししてみたいという意向を高め、体験促進効果が見られる。③購入・利用意向を醸成する潜在層開拓効果が高いなど、3つが期待できるとしている。

第2回の「M-VALUE DIGITAL」から、広く活用できるメディアデータを提供するため、年に1度の一斉調査を改め、広告主のメディアプランニングへ柔軟に対応できるようにエントリー方式の適時調査を採用した。また、調査仕様の最適化と業務効率化のため、エントリー費用を有料とした。第2回調査は、24年6月からエントリーを開始している。

時代に流されないシンプルで力強い広告

日本雑誌広告協会主催の第65回「日本雑誌広告賞」において、キユーピーの「キユーピーマヨネーズ」シリーズ広告が経済産業大臣賞（グランプリ）に決定した。

キユーピー マヨネーズの広告は一貫して野菜を通して同ブランドを訴求しているが、今回はハーブをテーマにしたものだ。洗練されたコピー、クオリティの高い写真を使った広告に注目が集まった。審査委員の講評では、「何十年も続いている広告なのに、コピーも写真も毎回新鮮で常に進化を続けているのが素晴らしい」「時代に流されない広告がしっかり現存しており心強い」「活字を使った広告で心に触れられる日本独特の匠の技」などとされた（画像については日本雑誌広告協会のホームページ参照。https://www.zakko.or.jp/prize#pz_s03）。

（土山誠一郎）

6 ラジオ

スマホ聴取へデバイスのシフトが進む

- ▶ パーソナリティーとリスナーとの距離感が近いことが特徴
- ▶ radiko（ラジコ）の浸透により、若者のスマホ聴取が拡大
- ▶ 広告主の活用が進む「ラジコアド」がメディアの価値を高める

ラジオ聴取と広告の現状

■ スマホ聴取へのシフトが進む

　ラジオは音という限られた情報の中で、聴取者の想像をかき立て、感動、共感といった多様な感情をもたらし、「没入感」が生まれるという特徴を持った媒体だ。また、聴取者とパーソナリティーとの距離も近い「パーソナルメディア」であり、リスナーとの「コミュニティ」も形成されている。番組中のパーソナリティーのコメントはSNSでも拡散される。時間や場所、デバイスにこだわらない聴取が進んでいる。ラジオは電波が強く、正確な情報を収集できるという点で、災害時に強いメディアでもあるが、スマートフォンでの聴取は、基地局の停電や倒壊などの影響で、インターネット回線が混雑することが予想される。

　最近オーディオアドが注目されている。オーディオアドとは、Spotify、ラジコなどの音楽のストリーミング配信や、インターネットラジオ音声メディアへのデジタル音声広告のことを指す。こういったデジタル音声メディアは、聴きたいときに聴くことができ、ユーザーに合わせて最適化されたコンテンツを発信している。

　ラジオCMの長さの基本は20秒だ。内容を理解してもらうために、テレビCM（15秒が主）より少し長めである。生活者の視覚に訴えず、聴覚のみに送ることで、想像力によるイメージ醸成に適している。また、「生コマ」（インフォマーシャル）と呼ばれる、ラジオ番組内のコーナーでパーソナリティーに商品やサービスの紹介をしてもらう広告手法がある。パーソナリティーへの支持が高いので、こういった広告は効果的である。

　ビデオリサーチの「首都圏ラジオ個人聴取率調査」（2024年2月度）の結果を見ると、1週間のうちラジオを聴いていた人は48.1%と、約半分も存在していることがわかる。ラジオは一定の層に聴取されており、依然として影響力の大きい媒体だと言える。リスナーの中での平均聴取時間（1週間累積）は11.8時間で、1日当たりでは約1時間41分だった。また、聴取場所は「自宅内」が53.4%、「車の中」と「車の中以外」を合わせた「自宅外」が46.6%と、大きな差は見られず、ラジオは自宅内外の両方で聴かれているメディアであることがわかる。

1週間のラジオ接触率（5〜29時）

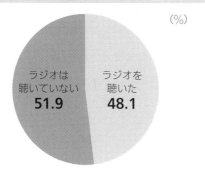

(%)

ラジオは聴いていない **51.9** / ラジオを聴いた **48.1**

出所：ビデオリサーチ「首都圏ラジオ個人聴取率調査」（2024年2月度）

聴取場所別聴取時間（分）割合

(%)

車の中以外 **17.0** / 自宅内 **53.4** / 車の中 **29.6**

出所：ビデオリサーチ「首都圏ラジオ個人聴取率調査」（2024年2月度）

全局個人聴取率（6〜24時）

(%)

	12〜19歳	20〜34歳	35〜49歳	50〜69歳
週平均	1.0	1.8	3.8	6.3
平日平均	0.9	1.8	4.1	6.4
土曜日	1.1	1.8	3.3	6.0
日曜日	1.0	1.7	3.2	5.8

出所：ビデオリサーチ「首都圏ラジオ個人聴取率調査」（2024年2月度）

ラジオコンテンツのスマホ聴取へのシフトが進んでいる。つまり、別のデバイスでの聴取だ。また、全局個人聴取率を見ると、年齢層が上がるにつれて聴取率が上がっていく傾向にある。数字には表れないが、聴取層が広がっている。

■ 24年度は「交通・レジャー」に期待

日本民間放送連盟・研究所が24年2月にまとめた「2024年度のテレビ、ラジオ営業収入見通し」によると、24年度はラジオ全体で、前年度と同じ1186億円と予測する。中短波は0.9%減、FMが1.0%増の予測。24年度予測ではタイム広告が0.6%減、スポット広告が1.9%減としている。この見通しでは、民放連会員社に対し、23年12月、アンケート調査を実施した。その中で「23年度の出稿増減業種」と「24年度出稿増を期待できる業種」を尋ねている。グラフは、「放送局から見た2024年度期待の広告出稿業種（複数回答）」である。ローカル広告では「交通・レジャー」（67局）、「エネルギー・素材・機械」（47局）、「外食・各

放送局から見た2024年度期待の広告出稿業種（複数回答）

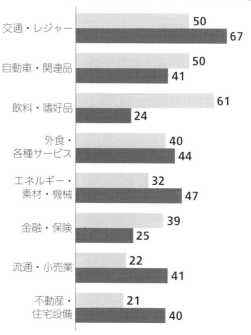

■ スポット全国広告　■ ローカル広告

注：2つの合計スコアが多い順。2023年12月実施、ラジオ局98社から回答、上位8業種
出所：日本民間放送連盟・研究所「2024年度のテレビ、ラジオ営業収入見通しアンケート調査」

種サービス」（44局）が多い。一方、スポット全国広告では「飲料・嗜好品」（61局）、次いで「交通・レジャー」「自動車・関連品」（ともに50局）が多かった。23年度のゴールデンウイークはコロナ5類移行前であった。24年度はゴールデンウイークも含め、外出が期待できることで「交通・レジャー」などの業種への期待が高いようだ。

■ 法律事務所や通販広告の企業が上位に

資料編にデータとして、「番組・スポットのCM合計秒数」の上位30社ランキング（23年度）を掲載した。関東地区の1位は中央事務所（司法書士法人）で71万4995秒。過払い金請求に関するCMであった。2位は再春館製薬所で30万7390秒、3位はベリーベスト法律事務所で28万6515秒であった。その内訳の「番組CM」でも中央事務所が13万8130秒で多かった。法律関連や通信販売のCMがランキングの上位に多く入っている。

ラジオ聴取者拡大に寄与するラジコ

■ 聴取者の約3割が30代以下

地上波ラジオ放送をインターネット経由で配信する「radiko」には、民放ラジオ加盟局99局が参加している（24年8月現在）。民放99局とNHKラジオ第1、NHK-FM、放送大学のラジオ放送を提供している。

放送中の番組を聴取できるだけでなく、過去1週間以内の番組聴取が可能だ。また、プレミアム会員（有料）になると、エリアを越えて聴くことのできる「エリアフリー」のサービスが利用可能である。放送後1週間に限り、聴きたい番組をいつでも聴ける「タイムフリー」のサービスもある。

24年2月時点で、月間ユニークユーザー数は約900万人、1日当たりの平均ユニークユーザー数も約185万人で推移している。有料のプレミアム会員数は100万人を超える。

ラジコの目的は4つある。1つ目は、都市部をはじめとした高層ビルやマンションの増加、家庭内の電子機器化、離島、諸外国との混信などによる難聴取エリアを解消すること。2つ目は、身近にあるスマホなどのデバイスを通じて、手軽にラジオが聴ける環境を整備し、ラジオリスナーを拡大すること。3つ目は、ラジオを聴いて育っていない若年層へのアプローチを行い、未来のラジオリスナーを育てること。4つ目は、ラジオ放送局が1つのプラットフォームをつくり、ラジオをPRすることだ。

「第16回ラジコユーザーアンケート調査」（9万6851サンプル、24年3〜4月）の結果から、ユーザーの属性や聴取状況について見てみる。

性別は男性が58.6%、女性が41.4%。年代別では50代が最も多く27.1%で、平均年齢は47.4歳だ。30代以下の若い

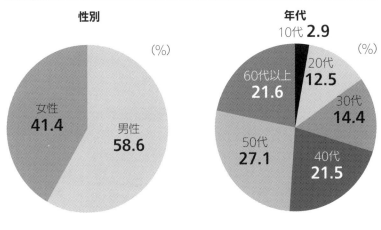

ラジコユーザーの属性と聴取状況

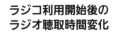

性別 （%）

女性 41.4
男性 58.6

年代 （%）

10代 2.9
20代 12.5
30代 14.4
40代 21.5
50代 27.1
60代以上 21.6

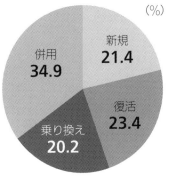

ラジコ利用開始後の ラジオ聴取時間変化 （%）

新規 21.4
併用 34.9
復活 23.4
乗り換え 20.2

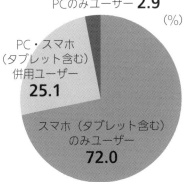

聴取機器（組み合わせ） （%）

PCのみユーザー 2.9
PC・スマホ（タブレット含む）併用ユーザー 25.1
スマホ（タブレット含む）のみユーザー 72.0

出所：「第16回ラジコユーザーアンケート調査」（2024年3〜4月）

世代も約3割存在する。「受信機や周波数もわからず、ラジオを知らずに育った」世代にもラジオ聴取が浸透してきた。「ラジコ利用開始後のラジオ聴取時間変化」では、「新規」（ラジコを利用し始めてから聴くようになった）が21.4%、「復活」（ラジコを利用し始めてから再び聴くようになった）が23.4%だった。合計約5割の人が「ラジコがきっかけでラジオを聴くようになった」と言える。また、「聴取機器（組み合わせ）」では、「スマホ（タブレット含む）のみユーザー」が72.0%と一番高かった。「PC・スマホ（タブレット含む）併用ユーザー」が25.1%で、9割以上の人がスマホで聴いていることがわかった。

■ **ターゲティング配信を
　広告主が活用**

　ラジコアドは、リスナーの属性や聴取傾向に応じ、リスナーごとに最適な音声広告を配信している。24年3月時点で500以上の広告主が活用した。概念図のように、ラジコユーザーの属性や興味・関心、位置情報などを利用したターゲティングが可能となり、一人ひとり個別に差し替えて配信できる。これまでの聴取ログ（番組の好み）やアプリ利用履歴、会員属性データ、ユーザーアンケートデータなどを基に、広告配信のための「ラジコDMP」を構築した。

　ラジコアドには4つの特徴がある。1つ目は、ラジオ番組放送中に違和感なく、ユーザーに自然な形で広告を配信しているため、スキップされにくいことだ。2つ目は、認知だけにとどまらず、ブランドに対する好意や興味・関心、利用意向の醸成にも高い効果を発揮している。3つ目は、民放連加盟ラジオ局で著名なパーソナリティーが語りかける、信頼のおけるコンテンツのみに広告配信ができる。4つ目は、音声広告は動画広告やディスプレイ広告に比べて「記憶に残る」「信頼性がある」「ストレスが少ない」といった点で優位性があることだ。

　ターゲティングされたCMを聴取したユーザーの行動（サイト来訪、店舗来店等）や、商品の購買につながったのかのデータを広告主から求められる中、ラジコではブランドリフト調査や、位置情報を活用した来店計測など、広告効果を可視化するメニューを提供している。

　24年4月からは、ラジコポッドキャストを番組単位で企業に協賛してもらう「ラジコ・ブランデッド・ポッドキャスト」という新しい広告商品を提供している。ポッドキャストの番組単位で企業の協賛ができるようになった。

　ラジコアドは、ラジオ広告の新たな収益となり、ラジオの広告媒体としての価値を上げる広告商品として期待されている。

（村上拓也）

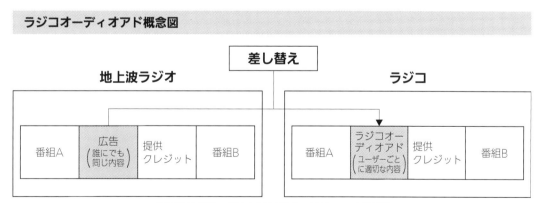

ラジコオーディオアド概念図

※属性や興味・関心に応じてターゲティングが可能
地上波と異なる広告を配信

7 OOH（屋外、交通）

デジタル化で新たな価値

▶ 人流回帰により、交通、屋外広告市場ともに回復基調が続く
▶ 都心部の大型サイネージの需要が拡大し、新規設置も増加
▶ デジタル化、ネットワーク化が新たな可能性をもたらす

OOH（Out of Home）メディアは、屋外広告と交通広告を併せたものを指す。生活者の家の外に設置され、行動導線上で接する（個人が所有する情報端末以外の）メディアである。

コロナ禍を経て、広告・マーケティング分野で「体験価値」に対する注目が高まっている中で、OOHはデジタル化によって新たな価値を生み始めている。

OOH 各広告の特徴

屋外広告は、街中の建物の壁面や屋上、道路沿いなど、屋外に掲出される広告の総称である。大型ビジョン、看板、ポスター、建物の壁面、またトラックやアドバルーン、飛行船など多様なフォーマットがある。

屋外広告は、一般的な広告表示に対する法規制だけでなく、各地方自治体が制定する都市景観に関する条例で規制を受ける。例えば東京都は、2024年6月からトラックの荷台に派手な色使いや過度な発光を伴う広告宣伝車の通行を規制している。繁華街の大型ビジョンは、視覚的にインパクトのあるクリエイティブ表現によって、幅広い層へリーチし、日常的に同じ場所を通行する人々に対して、高いフリクエンシーを確保することができる。また、特定の場所に絞った展開ができるため、地域の特色、特性に合わせた販促活動などにも有効である。

交通広告は、屋外広告の中で、電車、地下鉄、駅構内、空港など、交通機関とその構内の生活者の移動空間に掲出される広告である。多くの人々が日常生活の中で利用する交通機関に掲出されるため、幅広い層に到達させることが可能で、高い接触頻度を安定して確保できる。また、駅や路線、時間帯によって利用者の属性が異なるため、広告の目的に合わせたターゲティングを行うことも可能である。大都市のターミナルでは大手広告主のリーチ拡大のためのキャンペーン、生活圏の駅やバスの停留所では店舗などの地域に密着したプロモーションなど、広告の形態は多様性に富んでいる。近年、列車やバス自体を「広告」メディア化する「車内ジャック（車内のすべての広告を1社で買い切るかたちの広告）」や、車体ラッピング広告なども提供されている。

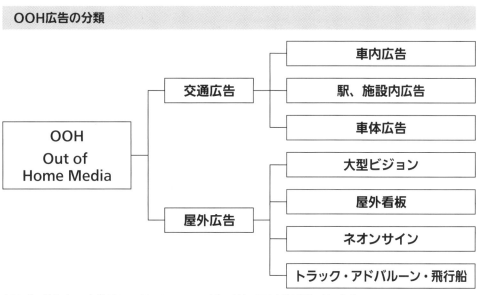

OOH広告の分類

- OOH Out of Home Media
  - 交通広告
    - 車内広告
    - 駅、施設内広告
    - 車体広告
  - 屋外広告
    - 大型ビジョン
    - 屋外看板
    - ネオンサイン
    - トラック・アドバルーン・飛行船

出所：波田浩之（2007）『新版この1冊ですべてわかる広告の基本』日本実業出版社を基に作成

■ 屋外広告と交通広告の複合化

近年、大都市圏のターミナルを中核とした大型再開発が数多く進められ、ターミナル駅と周辺の街区が一体的に整備されている。複合型の大型商業施設が次々とオープンし、人々の導線上に大型ビジョンの設置が相次いでいる。大型ビジョンは、収益手段としての広告媒体というだけでなく、その施設や地域のランドマーク、モニュメントとしての役割も果たす。モニュメント化は、人々の注目を集めるきっかけともなり、広告媒体として、多面的な価値の向上に寄与するという好循環を起こすことも見込まれている。ターミナルと繁華街を一体化する都市再開発の進展によって、駅から街区までの導線が

シームレスに接続される。広告媒体としての屋外広告と交通広告は、一体化が進んでいると見ることもできよう。

■ 2023年のOOH市場

OOHは20年以降のコロナ禍の直撃を受け、厳しい状況にあったが、人流の回帰によって回復基調に入ってきた。

電通の「日本の広告費2023」によれば、23年の屋外広告費は、2865億円（前年比1.5％増）、交通広告費は、1473億円（同8.3％増）となり、2年連続で前年を超えた。

電通では、屋外広告、交通広告ともに、ラグジュアリーブランド、エンターテインメント、

話題性のある車両ラッピング広告

大津市、大津市大河ドラマ「光る君へ」活用推進協議会、西日本旅客鉄道の連携の下、石山詣の様子をラッピングした列車「びわこおおつ 紫式部とれいん」

屋外広告費の推移

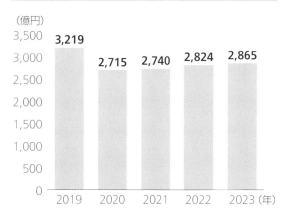

（億円）

年	金額
2019	3,219
2020	2,715
2021	2,740
2022	2,824
2023	2,865

出所：電通「日本の広告費2023」を基に作成

交通広告費の推移

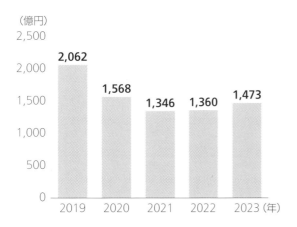

（億円）

年	金額
2019	2,062
2020	1,568
2021	1,346
2022	1,360
2023	1,473

出所：電通「日本の広告費 2023」を基に作成

JR東日本の上野広小路ビジョン

L字型に湾曲したスクリーンでは、インパクトの強い3D映像の放映が可能になった

飲料、アパレルなど幅広い業種の出稿によって、都市部を中心に繁華街や駅構内などの大型看板やサイネージが堅調に推移したとしている。特に、テレビやデジタルで到達しにくい若年層向けの商材での広告需要が高まっていることをその要因として挙げている。インパクトの強い繁華街の大型OOHを使ったキャンペーンは、他メディアで取り上げられるケースも多く、SNSでの拡散力も強い。こうした特性をふまえて、SNSでの拡散を主眼においたOOHの活用事例も増えている。

交通広告においては、鉄道駅構内の大型広告に加えて、車両広告への回帰も進み、各種のデジタルサイネージの需要も高まった。タクシー広告は、ディスプレーの大型化、配信コンテンツの拡充などの取り組みが進展し、広告媒体のジャンルとして定着してきたと、「日本の広告費」では評価している。

■ **アフターコロナにおける人流の動向**

インテージがNTTドコモの携帯電話の位置情報から推計した人流は、平日14:00台における23年12月の東京主要4駅（新宿、渋谷、東京、池袋）の利用者数は、コロナ前の20年1月の91.2%になっている（インテージ「知るギャラリー」24年2月6日公開記事）。人流の回復は進んでいるものの、在宅勤務が一定程度定着していること、少子高齢化や温暖化による酷暑などの要因も含めて、人流の拡大で媒体価値が高まることは難しくなる。このため、OOHメディアはデジタル化や大型化などを通じた新たな価値の創造が求められている。

両国駅の「猿桜」大型モニュメント

SNSで全国に拡散され、「全国区」のPRに

デジタル OOH の展開

スマートフォンの普及率が90%を超え、人々の生活、仕事における中核的な情報メディアになったことによって、OOHメディアも例外なく大きな影響を受けた。列車内では人々の視線はスマホに集中し、中吊りや窓上広告への注目率が低下した。また、街中の看板広告などが果たしていた役割は、地図アプリなどが代替しつつある。その一方で、イベントやコンサート、旅行などの「コト消費」の高まりによって、デジタルでは提供できない「体験価値」に対する注目が集まっている。この意味でOOHメディアは、デジタル化によって、リアルな体験とデジタル情報空間の接点として、新たな価値を生み出している。

■ 交通広告のデジタルコンテンツ化

JR東日本、大手私鉄など首都圏の主要路線では、ほぼすべての車両の乗降ドア上に液晶ディスプレー（電車内ビジョン）が設置され、「電車内ビジョン広告」としての活用が進んでいる。全国のJR、私鉄、地下鉄でも、ディスプレー広告枠が増加している。

電車内ビジョンは、頭上に設置され、混雑時でも視認性が高いこと、路線を特定して毎日電車を利用する乗客に繰り返し訴求できるといった車内広告の特長に加えて、動画広告が天気予報やニュースなどの情報性の高いコンテンツとともに配信されるため、高い注目率が期待できる。

JR東日本では、このような車内広告のネットワーク動画配信プラットフォーム化に加えて、山手線の各車両や主要駅に、ビーコンと呼ばれるID情報を含む信号発信機を設置して、スマホユーザーのアプリを通じて位置情報を特定する仕組み（Jビーコン）も提供している。こ

の仕組みを利用して、電車内ビジョンで時間帯ごとに異なるプロモーション動画を配信し、想定ターゲット層に合わせたクーポンを配信するような、車内広告とインターネット広告を融合した施策も可能だ。またJR東日本企画は、24年4月1日から、首都圏の主要10路線とゆりかもめの約5万台の車内ビジョンを配信プラットフォームとしたTRAIN TVを「開局」した。TRAIN TVでは新しい時代の生活密着メディアを標榜し、テレビ品質のオリジナル動画コンテンツの放映を中心に、TikTokなどとの連動企画を展開しながら、新たな情報メディアとしてのポジショニングと独自の広告価値の創造を目指している。

タクシー広告では、大都市圏を中心にディスプレーの大型化、精細化が進み、広告媒体としての視聴品質が向上している。タクシーの高頻度利用者には、高所得層やビジネスリーダー層などが多く、BtoB商材などの広告媒体として活用が進んでいる。タクシー広告は、乗客が同じ広告を何度も視聴する可能性が高いため、純広告だけでは、忌避感を招きかねない。このような状況への対応として、TRAIN TVと同様、情報価値の高いコンテンツ提供を進め、それらのコンテンツとタイアップした広告企画を強化する取り組みも進められている。また、タクシー各社では、配車の効率化、支払いのキャッ

JR東日本の主要路線のまど上チャンネル

電車内ビジョンの窓上への設置も進んでいる

GROWTHの15.6インチのタクシーサイネージ

シュレス化に加えて、ターゲティング広告による収益拡大を目的に、タクシーアプリの普及を急いでいる。許諾を取ったアプリ利用者の属性や行動に合わせたターゲティング広告を配信することも可能になっている。

■ ネットワーク対応が進む屋外広告

先に述べたように、スマホの普及によって、いわゆる街の看板などの屋外広告は、地図アプリやSNSのアカウントなどに取って代わるようになった。電通の「日本の広告費2023」では、現在の屋外広告の市場を牽引しているのは、大都市の繁華街に設置された野外ビジョンなどの大型のOOH媒体と、デジタルネットワークに接続したDOOH（デジタルOOH：デジタルサイネージを活用したOOH媒体）であり、特にネットワーク型のDOOHが、「位置情報データを活用して、定量的な評価を基に広告配信ができる認知系媒体として徐々に定着し、大手広告主を含む多様な業種での活用が進んだ」と評価している。

■ 広告配信プラットフォーム化するDOOH

NTTドコモ、電通グループ、博報堂DYメディアパートナーズを株主とするLIVE BOARDは、日本国内の主要都市において、屋外、屋内、駅、電車内に合計6万4500面のデジタルサイネージをネットワーク化し、DOOHの配信プラットフォームを提供している。同社では、NTTドコモが保有する位置情報や各種会員データを使ったターゲティングセグメントに基づいて、ネットワーク化したDOOHに広告配信を行うことが可能だ。配信エリアの特定だけでなく、配信時間帯、想定ターゲットへのリーチ、また天気や気温などに合わせたクリエイティブの出し分けなど、「ターゲットのモーメントを捉えた広告配信が可能」になっているとしている。また広告料金は、NTTドコモが算出したVAC（Visibility Adjusted Contact：DOOHの視認可能エリアにいて、進行方向や障害物の有無を加味してDOOHを見ることが可能な人の中で、広告を見た確率を掛けて算出した想定広告視認者数）

DOOHはネットワーク化が進む

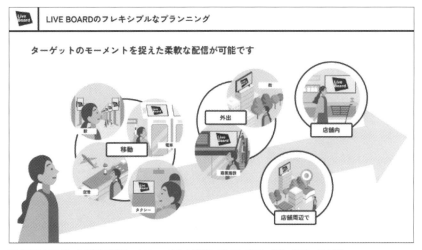

LIVE BOARDは、DOOHのプラットフォーム化を推進している（同社メディアデータより）

のインプレッション数を基に設定している。

これによって、テレビCMやインターネット広告と統合したメディアプランの作成が可能だ。

ネットワーク化したDOOHは、OOH広告をインターネット広告同様の「運用型」へ変えようとしている。

デジタルサイネージ広告市場の動向

ここまで屋外広告と交通広告に分けてOOH広告のデジタルシフトの状況を見てきた。最後に、デジタルサイネージ市場の動向をまとめる。

23年12月にCARTA HOLDINGSとデジタルインファクトは、日本におけるデジタルサイネージ市場調査を公表した。

同調査では、デジタルサイネージを、交通、商業施設・店舗、屋外、その他（映画館、マンションロビーやエレベーター内ディスプレー）の4分野に分類している。23年の市場規模は801億円で、内訳は交通が全体の49.8%、商業施設・店舗が21.4%、屋外が17.0%、その他は11.9%となっている。

同報告書では、デジタルサイネージ市場は、全体としてコロナ禍の影響から脱却し、新たな成長期に入ったとの認識が示されており、27年には、23年比で174%増の1396億円に達すると予測している。今後は、交通、屋外、商業施設に加えて、マンションやエレベーター、ゴルフカートや公共施設など、人々の生活空間に様々なかたちで、ネットワーク化されたデジタルサイネージが設置されることによって、市場全体が拡大していくと見ている。

（二瓶正也）

デジタルサイネージ広告市場推計

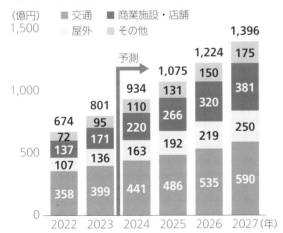

（億円）　■交通　■商業施設・店舗
1,500　　■屋外　■その他

	2022	2023	2024	2025	2026	2027（年）
合計	674	801	934	1,075	1,224	1,396
その他	72	95	110	131	150	175
屋外	137	171	220	266	320	381
商業施設・店舗	107	136	163	192	219	250
交通	358	399	441	486	535	590

予測

出所：CARTA HOLDINGS調べ

ファミリーマート店内のデジタルサイネージ

リテールメディアへの注目が高まる中で、店舗での広告配信が成長分野に

エレベーター内の投影型サイネージ

GRAND

様々な移動導線にも、広告配信の可能性が広がる

8 折込

地域性と即効性で優位、ネットとの連携重要に

▶ 2023年度は前年度比5.8%減。全体の退潮局面続くも外食・宅配などサービス業に潜在成長力

▶ 用紙代には引き続き懸念。地域性・即効性などの特性生かし、ネットと効果補完する連携が一段と重要に

▶ ブランディングへの活用に可能性。サイズ・地域など常識超える企画も登場、新たな工夫・挑戦に期待

コロナ禍後の新局面、活性化へ道探る

■ "地元" "家族" に強み

　販促手法として新聞などの刊行物とともに各世帯に配布する折込広告は大正期に始まったとされるが、他の広告媒体にない特徴ゆえに「ネット時代」の今なお、その存在感を維持している。キーワードは「地元」「家族」「保存と共有」で、いずれも他の広告媒体にない「アナログならではの強み」だと言える。

　折込広告の最大の強みは、ターゲティング性の高さだろう。基本的に新聞などの販売店単位で、カバーエリアを限定して発行されることから、特売・値引きほかのキャンペーン情報を、商圏内の顧客に効率よく届けられる。「地元」密着の広告効果を期待できるわけだ。

　さらに、新聞という媒体に付帯されることの効果も大きい。新聞離れが指摘されて久しいが、50歳代以上の購読率はなお7割を超えるという民間推計もある。2人以上の世帯、いわゆるファミリー層の購読率も底堅く推移しており、女性や子ども向けの情報伝達力、つまり「家族」への訴求力は大きい。店舗が独自に制作・頒布するチラシと異なり、折込広告は折込広告基準に則った審査を経て新聞とともに届けられるので、受け手にとって信頼性の高い情報だと認識されることも大きな武器になる。

　紙というアナログゆえの利点もある。「保存・共有」の容易さだ。ご近所の商店街の便利マップや、セール情報などの広告を捨てずに取っておいて、家族や夫婦で購入を検討するときの資料にする、というようなケースは、どこの家庭でも決して珍しくないはずだ。

　後述するが、折込広告はその訴求効果についても、ネットと異なる「強み」がある。新たな利用法を工夫する動きも生まれており、100年を超える歴史を経て次代へ向けた進化が期待されている。

■ 足元減少、サービス業には潜在性

　足元では折込広告出稿の退潮傾向がうかがえる。日本新聞折込広告業協会（J-NOA）によると、2023年度（23年4月〜24年3月）に全国で配布された1世帯当たりの折込広告は3521.9枚で、前年度比5.8%減となった。コロナ禍の打撃を受けた20年度の水準は上回っ

ているが、10年代以降の減少基調は変わらない。1世帯当たり月平均の配布数を見ると、前年度実績を上回った月はなかった。

この趨勢は全国共通に表れている。地域別1世帯当たりの年間折込枚数を見ると、北関東、首都圏、中部が他地域に比べて多い構図は変わらないが、前年度比で増加した地域はなかった。

理由としては、長期化する円安と原料高を背景にした物価高騰が挙げられよう。人々の物品購入意欲が減退、用紙代の値上がりも追い打ちをかける形で販促活動が鈍くなったと推察できる。

一方、業種別の状況では「退潮」一色でない"風景"も見えてくる。23年度の全国主要業種別の1世帯当たり年間折込数では、「流通」「不動産」など従来の折込広告の主軸だった業種に代わり、「サービス業」が前年度比1.5%増を記録した。

J-NOAの調査は流通、サービス業、教育・教養、金融・保険、不動産、メーカー、その他、通販の8分類で実施している。その中で、サービス業には外食や宅配、医療・介護などの業界が含まれている。サービス業の折込広告増加には、コロナ禍後の行動制限の緩和や人々の外出意欲の高まりで、旅行業が活況を呈したことが寄与している模様だ。

またここ2年間で、買取業の折込が急増していることが大きな特徴となっている。サービス業は、今後の折込広告の主力を担う存在となる可能性も予感させる。

地域別1世帯当たり年間折込枚数（2023年度）

出所：日本新聞折込広告業協会「年間新聞折込広告出稿統計調査REPORT【全国版】」

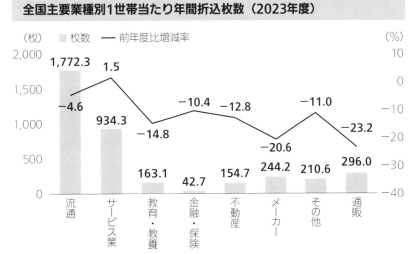

全国主要業種別1世帯当たり年間折込枚数（2023年度）

注：「通販」は掲載商品について、その販売形態が通信販売であるものを別途集計した参考値
出所：日本新聞折込広告業協会「年間新聞折込広告出稿統計調査REPORT【全国版】」

■ 用紙代は不安定要因、動向注視を

もっとも、すでに折込広告制作への「圧迫要因」となっている用紙代高騰は、今後も懸念材料となる。22年1月〜23年2月で4回の値上げを経た用紙代は、ウクライナ戦争による世界物流の閉塞長期化による原料高で、下降に転じる気配が見られないためだ。

流通業の場合、折込広告（チラシ含む）制作費の約7割を用紙代が占めると言われている。食品スーパーなどは、各店舗で年間の販促費の枠が決まっているケースが多い。用紙代が上がれば、その分だけ配布枚数を減らさざるを得ない。用紙の価格動向は折込枚数の増減に直結する構図にあり、今後も推移を注視する必要があろう。

コンテンツ進化、工夫と挑戦に期待

■「短期の折込」「持続のネット」

　1990年代から日本でも本格展開が始まったネット広告は、広告費ベースで09年には新聞を、19年にはテレビを、さらに21年にはラジオ・雑誌を含めたマスコミ4媒体合計も抜き去り、不動のトップの地位を確立。広告界の主戦場はネットの独り舞台という観すらあるのだが、そこに「しかし…」と異論を挟みたくなるような分析がある。

　読売新聞グループ本社、東急エージェンシーなど6社で構成するリテールアド・コンソーシアム（retailadconsortium.jp）は19〜21年にかけ、3件の商品について折込、ネットそれぞれの広告投下の前後3週間の広告効果を測定、比較した。結果を見ると、3件すべてで広告投下週の折込による売り上げ増がネットを上回っているのだ。

　半面、ネット広告は投下翌週の効果の失速が折込より小さいことも明らかになった。つまり、消費者行動に影響を及ぼす「プライミング効果」が2週間程度の短期では折込、長期ではネットで優位に働くことが検証された形と言える。

　さらに、双方を併用した場合は3件とも投下週（短期）、翌週（長期）ともに効果が拡大する傾向も出ている。折込広告に商材・店舗の広告や情報ページのリンクを掲載するなどネットと連携し、広告効果の「即効性」「持続性」を両立する。退潮局面からの反転と活性化に向けては、その“共創戦略”が今まで以上に重要性を増しそうだ。

■ブランディングへの活用に期待

　紙というアナログ素材ならではの保存性、一覧性などの特徴と、新聞という媒体に由来する情報の信頼性を併せれば、折込広告のコンテンツには記録、資料としての価値も付加することができる。そこに着目すれば、商材や安売りなど販促情報だけでなく、折込を通じてブランディング情報を地元に訴求するという道も考え

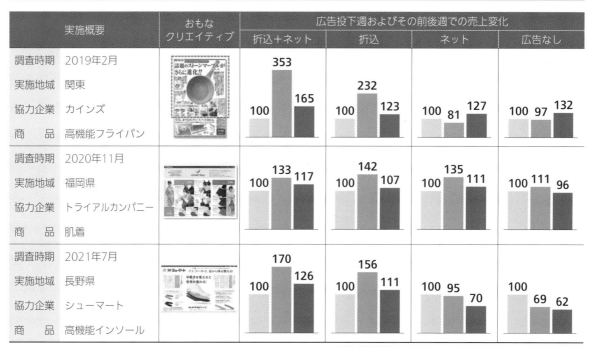

広告効果測定調査の概要と結果

実施概要		おもなクリエイティブ	広告投下週およびその前後週での売上変化			
			折込＋ネット	折込	ネット	広告なし
調査時期	2019年2月		100 / 353 / 165	100 / 232 / 123	100 / 81 / 127	100 / 97 / 132
実施地域	関東					
協力企業	カインズ					
商品	高機能フライパン					
調査時期	2020年11月		100 / 133 / 117	100 / 142 / 107	100 / 135 / 111	100 / 111 / 96
実施地域	福岡県					
協力企業	トライアルカンパニー					
商品	肌着					
調査時期	2021年7月		100 / 170 / 126	100 / 156 / 111	100 / 95 / 70	100 / 69 / 62
実施地域	長野県					
協力企業	シューマート					
商品	高機能インソール					

注：棒グラフは、広告投下前週を100とした増減
出所：リテールアド・コンソーシアムのホームページより

■広告投下前週（100）　■広告投下週　■広告投下翌週

られそうだ。

　例えば、会社や地域のランドマークとなっているような施設、商店街の周年などの節目を捉え、沿革や地域課題への取り組みと実績、今後の事業計画などを発信したらどうだろうか。地元民も知らない「へえ」を届けられれば、その折込は恐らく「資料」として保存され、遡及的に繰り返し閲覧・引用され、会社や商店街の顧客開拓や誘客につながるブランドの確立効果を期待できるだろう。

■ 三陸鉄道、都内へ発信

　地域のブランディングを視野に入れ、折込広告の様々な特性を最大限に生かした情報発信を試みる事例も登場している。リテールアド・コンソーシアムが岩手県の三陸鉄道とともに24年5月のゴールデンウィーク（GW）を前に制作した折込は、その象徴と言えるだろう。

　同鉄道の開業40年を期し、体験試乗イベントと地元産品の販売情報を掲載したもので、まず新聞8ページ分というサイズがインパクトを与える。折込広告は新聞内の広告と違い、サイズ制限がないことも特徴の1つだが、ここまでの特大版はほかに類を見ない。

　カラー両面印刷で、表面ではリアス式海岸を走る列車の"雄姿"を全面展開。裏面は路線図

折込広告8つの特長

新聞と一緒に家の中まで届く広告
新聞折込広告は主に新聞の朝刊に挟んだ形で購読世帯に届けられるので、1日の活動を始める前に家庭の中で手に取って見られる広告です。

エリア設定が自由にできるのでムダが無い
お店周りへの少数配布から全国一斉配布まで、広告範囲を柔軟に設定できます。告知したい地域にぴったりあった配布エリアが選べます。

訴求内容に合わせて自由なサイズが選べる
B5以下からB1以上までサイズは自由、冊子形式の配布もOK。伝えたい内容やボリュームに合わせ情報を伝えることができます。
※B3片面は新聞広告の15段、両面で30段に相当する広告面です。

アイデア次第で保管性アップ
メニューやカレンダーの形式は使いたい情報を手元に残し、保管性を高めます。また、保管性が高く、来店するきっかけを高めるクーポンは、広告の効果を検証できます。

売り上げに繋げるアクションも得意
店舗や施設への集客施策のほか、通信販売ではウェブサイトや電話・はがき注文への入り口としての役割も担っており、新聞折込広告から、売りにつながるアクションが生まれます。

SNSとの連携もOK
検索ワードやQRコードでSNSや自社ウェブサイトと連携させましょう。新聞折込広告を入口にしたプロモーションの展開ができます。

クリエイティブのA／Bテストも可能
スプリット印刷によって複数イメージの広告を同じタイミングで配布することが可能。通信販売などキービジュアルの違いによる反響の差を確認できます。

安心安全の掲載基準
新聞折込広告は新聞と一緒に購読者宅へ届けられる広告です。広告主のブランドを棄損することのないよう、新聞折込広告基準に満たない広告は取り扱いません。

出所：日本新聞折込広告業協会「新聞折込広告ハンドブック」を基に作成

に加え、「さんてつグルメ便」と題した地元特産品のお取り寄せ情報を、すべて二次元コード付きで載せた。路線図には各駅と周辺地域について、簡単な旅行ガイドにもなるような「ひと言トリビア」的な情報解説もついている。

だが何より“規格外”と言えるのは、この折込を三陸地域でなく、高級住宅地として知られる東京の世田谷区などで頒布したことだ。いわゆる富裕層を訴求ターゲットに据え、50歳以上、年収1000万円以上の読者の占有率が高い地区を抽出し、計10万部を配った。「グルメ便」で飲食店舗でなく地元産品の製造会社を取り上げたのも、東京の需要喚起という狙いによるものだったわけだ。

効果は上々で、東京都内にある岩手県のアンテナショップの来客数は折込配布後に増加。路線図につけた地域解説で三陸旅行に関心を持ったという読者の声もあり、単に特産物販売の促進にとどまらず、地域全体のブランド価値向上につながったと見られている。この折込を見て、同種の企画を検討する企業から問い合わせもあるという。

人々の価値観や暮らしが大きく変わる中、生活に密着した折込広告も「進化」のときを迎えているのかもしれない。その可能性を広げる様々なアイディアや工夫、挑戦が生まれてくることを期待したい。

（吉野蔵一）

三陸鉄道パノラマチラシ

表

裏

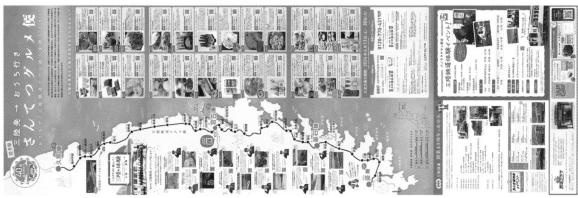

第 **5** 章

広告クリエイティブの動き

1 クリエイティブの潮流

「インクルージョン」「ウェルネス」「ユーモア」で考察

▶ 潮流の根幹は「DE&I」「純粋なコミュニケーション」「オーセンティシティ」

▶ パーパス型施策は本格的な実践フェーズに。ヘルス&ウェルネス施策にも注目が集まる

▶ 広告表現自体が多様化する中で「ユーモア」を再評価する機運も生じつつある

現代広告クリエイティブを3つの視座から分析する

　2022年度版および2023-24年版の本書第5章「クリエイティブの潮流」では、主に次の3つの視点から、20年代のクリエイティブ潮流を分析した。「①DE&Iとパーパス」「②純粋なコミュニケーションの時代」「③広告表現におけるオーセンティシティとは？」である。今回もこの3つの視座をベースに、トレンドや事例を分析していきたい。

　この視座からトレンドを分析することの重要性は2022年度版に詳述している。簡潔に振り返るなら次の前提に基づくものだ。「DE&I（ダイバーシティ・エクイティ&インクルージョン＝多様性・公正と包摂）」の理念の下、ブランドのパーパス（社会的存在意義）が問われるようになった現代の広告。その表現には、オーセンティシティ（真正性）が求められる。

　このテーゼの背景にあるのは、社会の急速なデジタル化だ。インターネットやSNSの浸透によって、双方向のやりとり（純粋なコミュニケーション）が常態化するにつれ、企業による"一方的な発信"は信用されづらくなり、身勝手なメッセージはブランド価値を毀損しかねない。

　メディアと技術、そして人々の価値観の多様化が進む中で、「広告」の概念は大きく拡張している。SNSなどでは個人や企業によるあらゆるコミュニケーションが横並びになる情報環境でもある。広告のクリエイティブには、公共性が求められるようになり、より積極的に社会メッセージを発信したり、ソーシャルグッドな取り組みを行う企業も増えてきた。こうした根幹（トレンドの潮流）に変化はないため、本年のトレンド分析も上記の視座から執筆する。

　グローバルなシーンにおいては、広告マインドの根幹におけるアップデートは15年前頃から顕著になってきたものだが、この数年、ようやく我が国の広告表現にも本格的にインストール（浸透）され始めた感もある。

　一方、トレンドの表層は常に流動的だ。社会課題の解決を志向する施策群へのカウンターとして、エンタテインメントとしての広告表現を再評価する兆しも生まれている。そこで今回は、「ユーモア」の切り口からも事例を紹介したい。加えて生成AIやその他の先端テクノロジーが

広告に与える影響については、引き続き注目する必要があるだろう。メディアおよび技術とクリエイティブは常に密接な関係性がある。メディアや技術（容れ物）が変化すると、クリエイティブ（中身）もおのずと変化せざるを得ない。

　本稿ではおおよそこの1年半（24年5月まで）に実施された施策に、こういった要素がどのようにインストールされているのかを考察する。セレクトの客観性を担保するため、題材とする事例はACCをはじめ、主に日本のクリエイティブアワード（23年）の受賞施策からピックアップしたが、直近半年の施策に関しては、22年のアワードの対象期間外であるため、世間的な話題性に筆者なりの視点も加えて選出している。

ジェンダーと障がいのインクルージョン

■ ケーススタディ①：リクルート『ゼクシィ』／創刊30周年キャンペーン「あなたが幸せなら、それでいい。」（OOHほか）

『ゼクシィ』と言えば結婚情報誌の草分け的存在である。23年に創刊30周年を迎えた同誌は、「あなたが幸せなら、それでいい。」をキャッチフレーズに様々な発信を展開した。

　中でも年末に渋谷駅界隈で実施したOOHキャンペーンでは、結婚している男女カップルのほか、同性カップルや事実婚カップルら、いわゆる法律婚にとらわれない"結婚"のあり方を実践する8組を広告モデルに起用して話題となった。今の時代、様々な形の結婚があってよい。こうしたメッセージの中に、法整備が進まない社会に対する問題提起を読み取ることもできるだろう。

　クリエイティブを見てみよう。ビジュアルはシンプルである。親密な様子のカップルたちのモノクロのツーショット写真をレイアウトし、キャッチフレーズとボディコピーを配したものだ。

22年度版の本書で詳述したように、伝えたいことをギュッと凝縮した上での「シンプル」な表現は、情報過多な現代の広告クリエイティブに強く求められる要素だ。「あなたが幸せなら、それでいい。」というキャッチフレーズや、「誰がなんと言おうと、いいのです。幸せの決定権は、いつだって自分にあるのだから。」と呼びかけるボディコピーも、DE&I時代のマインドに寄り添うかのような表現になっている。

　この企画には広告主の意思はもちろん、顧客（読者）の思いも反映されているようだ。『ゼクシィ』では23年4月発売号で、事実婚にフォーカスする特集をリリースしたところ、大きな反響があったという。

　同誌を運営するリクルートは同年6月、日本における婚姻の平等（同性婚の法制化）に賛同する企業を可視化するためのキャンペーン「Business for Marriage Equality」（BME）への賛同を表明している。キャンペーンの表層には表れていないが、企業によるこういった社会的意思表明は、広告表現にも影響してくる。

ビジネスへの良い影響も見逃せない。『ゼクシィ』（22年12月発売号）の実売部数は過去最高を更新するなど、好調だという。グローバル企業30社グループ「Open for Business」が発表したレポートでは、「多様性のある包摂的な社会は、ビジネスや経済によい影響を与える」とされている。社会的グッド（Good）と持続可能な成長（Growth）の両立は目下、多くの企業にとっての課題となっている。

参考資料：「ゼクシィ、同性カップルを初めて広告起用。創刊30年、渋谷駅に大型看板」（BUSINESS INSIDER／2023年12月1日）https://www.businessinsider.jp/post-279241
「ゼクシィ、雑誌不況・婚姻減でも好調 30周年で部数最高」（日経新聞電子版「日経MJ」／2024年1月28日）https://www.nikkei.com/article/DGXZQOUC118DK0R10C24A1000000/
Open for Business 公式サイト https://open-for-business.org/

■ ケーススタディ②：ACジャパン／聞こえてきた声（テレビCMほか）

ACジャパンのキャンペーンでは、2023-24年版でも言及した「寛容ラップ」が話題になったが、この1年くらいテレビを中心に耳にすることが増えた「聞こえてきた声」も考えさせられるものがある。

これもシンプルな顔つきのCMだ。住宅やオフィス街、食卓、教室など日常のひとコマを漫画風に描いた絵に、「はいは～い 今行くねー」「我が社の経営方針を発表します」「ご飯だよー」「将来の夢はパイロットです」といった吹き出しが淡々と表示されていくのみ。

静かなCMでもある。上記のシーンに音楽やナレーションはなく、子どもの泣き声や聴衆のざわめき、食材を炒める音など環境音（SE）のみ。

だが、この"シンプルさ"が効いている。多くの場合、CMは冒頭から最後の1秒まで、音楽やセリフなどの音声情報がぎっしり詰め込まれているため、こうした余白のある映像が流れるとかえって気になるものだ。

そして「なんだろう？」と思いながら画面を追っていったところで、ようやくナレーション。「聞こえてきたのは、男性の声ですか？ 女性の声ですか？」。そこで視聴者はハッとなる。セリフの内容から想像して、心の中で勝手に男性や女性の声を充てていたことに気付く。

ここ20年でジェンダーイコーリティの理念は、日本社会にもずいぶん浸透してきたが、それでもバイアスには根深いものがある。このCMはその事実を言葉で説明することなく浮かび上がらせる。説教ではなく説得するのが、クリエイティブの技術だ。

協力：ACジャパン

■ ケーススタディ③：ヘラルボニー／1・31 異彩の日（駅貼りポスター）

ヘラルボニーは「異彩を、放て。」をミッションに、「福祉を起点に新たな文化を創る」を標榜する企業。主に知的障害のある国内外の作家の描く2000点以上のアートデータのライセンスを管理し、アート作品をネクタイやハンカチなど、ライフスタイルブランド「HERALBONY」や企業とのコラボレーションなどの事業を展開する。

同社では、知的障害をその人の"異彩"（強烈な個性）と捉えているようだ。そして1月31日を「異彩（いさい）の日」として様々なアクションを打ち出している。23年には「鳥肌が立つ、確定申告がある。」というキャッチフレーズのポスターを、東京メトロ駅構内3カ所とヘラルボニー本社のある盛岡市（JR東日本

盛岡駅）の計4カ所に掲出した。

このポスターはキャッチコピーからして異彩を放っている。「鳥肌が立つ、確定申告」とは？　通行人の気を引きやすいキャッチだ。気になってボディコピーを読むと、次のような経緯が紹介されている。

ヘラルボニーと契約する一人の作家の両親から良い知らせがもたらされた。「息子が扶養の基準を超えて、確定申告することに」なったという。それは同社の事業の成長と今後の可能性を示すものでもある。ボディコピーではそんなエピソードを紹介した上で、ヘラルボニーの存在意義をエモーショナルに伝えていた。一部、引用してみたい。

「強い個性があるからこそ、描ける世界がある。障害があるからこそ、歩める人生がある。そう信じて走り続けてきた。確定申告の連絡を受けた時、思わず鳥肌が立った。これは、ただの確定申告じゃない。世界の前進を教えてくれる、確定申告だから。きっと、世界はもっと鮮やかに塗り変えられる。作家の異彩と、わたしたちのアイデアで、障害のある人の可能性を、生き方を、未来を、描いていくんだ。」

ポスターのビジュアルもインパクトがある。ポスターの左側には無記入の確定申告書を、右側には契約作家の作品をあしらった。お堅いイメージの税務書類と自由奔放な印象を与える力強いアート。大胆な対比である。

計4カ所と出稿量は極めてミニマムだが、国税庁へとつながる東京メトロ千代田線・霞ケ関駅に掲出するなど、狙いを定めて出稿スペース選定を行ったようだ。ポスターは話題を喚起し、「2023 63rd ACC TOKYO CREATIVITY AWARDS」では、総理大臣賞／ACCグランプリを受賞している。

参考資料：「ヘラルボニー、ACC TOKYO CREATIVITY AWARDS にて、『1・31 異彩の日』が PR 部門・総務大臣賞／ACC グランプリを受賞」（PR TIMES／2023年 11 月 1 日）https://prtimes.jp/main/html/rd/p/000000234.000039365.html

■ ケーススタディ④：ヤマハ／だれでも第九（イベント）

AIを活用した施策として、ヤマハによる「だれでも第九」を紹介したい。筆者自身、クリエイティブ・スーパーバイザーとして関与した事例ではあるが、現状、日本においてはAIを活用した施策が思いのほか少なく、本プロジェクトは国内外におけるクリエイティブアワードで受賞していることもあり（ギャラクシー賞選奨、NY フェスティバル銅賞）、客観的に見てセレクトする意義があると判断した。

「だれでも第九」は障がいを持つ3人のアマチュアピアニストが、プロのオーケストラ（横浜シンフォニエッタ）・合唱団（東京混声合唱団）と、ベートーヴェンによる交響曲第九番の第1～第4楽章までを通しで合奏するコンサートの試みである。

3人のピアニストの障がいはそれぞれ異なり、車椅子に腰かけ右手の指1本だけでピアノを弾く奏者、ベッドに横たわった状態で手の甲を用いて弾く奏者もいる。ピアニストらは個別にアレンジされた楽譜を演奏するが、どれだけ練習を重ねたとしても、どうしても弾けないフレーズが出てしまう。そのパートのみを「だれでもピアノ」（ヤマハと東京藝術大学による共同開発）と名付けられた AI システムが、自動伴奏でサポートする。打弦の強弱も含めて、まるでその人自身の演奏であるかのように、ピアニストたちに寄り添いながら音を"同期"させると

ころが技術面での特長である。

　言葉にすると簡単なことのようだが、実現までの道のりは容易ではなかった。半年以上に及ぶ練習の中で、「だれでもピアノ」は膨大なデータを学習、ピアニストたちとともに成長していった。「情熱があれば、だれでも音楽家。」のキャッチフレーズを掲げる本施策では、障がいを持つアマチュアのピアニストがプロの音楽家たちと全力でハーモニーを生み出し、第4楽章「歓喜の歌」も含めて本格感のある第九をオーディエンスに届けることを目標とした。ベートーヴェンの「第九」には、平和や社会包摂（インクルージョン）のメッセージが秘められており、日本の師走の風物詩でもある。その観点からの選曲だった。

　もうひとつ重要なのは、この演奏会がヤマハの掲げる「Make Waves」というブランドプロミスを体現するものだったところだ。これは「音楽が生み出す真の感動を波のように広げていく」という趣旨の理念。コンサートは23年12月21日、サントリーホールで開催された。ネットでの生配信も含めて共鳴の輪を生み出し、多くのニュース番組やオンライン記事で紹介された。

参考資料：「だれでも第九」公式サイト https://www.yamaha.com/ja/stories/culture/the-9th/ 「『障がいをもつ女性ピアニスト』3人の挑戦　人工知能が支えるかつてない『第九』」（AERAdot.／2023年12月18日）https://dot.asahi.com/articles/-/209078?page=1

「ヘルス＆ウェルネス」を向上させる技術とサービスが"広告"になる

■ ケーススタディ⑤：塩野義製薬×ピクシーダストテクノロジーズ／ガンマ波サウンド（テック＆ラジオ）

　ここからは「ヘルス＆ウェルネス」をテーマとした2つの施策を紹介したい。ここで言う「健康」は、単に身体的なそれにとどまらない。精神的な健やかさや幸福感、生活の質（クオリティ・オブ・ライフ）なども含まれる。いわゆる「ウェルビーイング（Well-Being）」に含まれる概念でもあり、これは「DE&I」と同様、各ブランドのマーケティング施策においても重視されるようになっている。

　「人生100年」と言われる時代。平均寿命の延びは歓迎すべきことだが、高齢化社会には新たな課題が生み出される。そのひとつが認知症患者の増加だ。その課題にアプローチしている施策もある。「ガンマ波サウンド」がそのひとつ

だ。同プロジェクトのサイトでは、施策の趣旨をこのように説明している。

　「いまだ有効な予防策や対抗策が見つかっていない認知症は、超高齢社会における大きな課題。塩野義製薬とピクシーダストテクノロジーズが共同開発した『ガンマ波サウンド』は、ガンマ波変調技術を駆使して、音がなるあらゆる場所を認知機能ケアできる場所へ変えることで、認知症問題の解決に挑む取り組みです」

　ガンマ波とは意識や知覚に関連付けられる脳波のパターンの一種。アルファ波がリラックス時に発生し、ベータ波が覚醒時に発生するように、ガンマ波は人が何かに集中しているときに発生すると言われている。この脳波は人が周波数40Hz（ヘルツ）の「音」や「光」の刺激を受けると出やすいというレポートがあり、これがアルツハイマー型認知症のケアに有効という研究も発表されている。

また、アクセンチュア ソング傘下のクリエイティブ・エージェンシー Droga5 Tokyo が参画し、日常生活に「ガンマ波サウンド」を取り入れることで認知機能ケアを広げられないかと、テレビやラジオ、インターネットなどのメディアのみならず、高齢者施設から駅、スーパーなどの生活スペースに、ガンマ波変調技術を活用して生み出される 40Hz 音を広めていこうとしている。24 年 1 月には「ガンマ波サウンド天気予報」（文化放送）がレギュラー番組化された。イオンモールやルネサンスなど商業施設やスポーツジムでの導入事例も増えている。

もちろん、現在、認知症に対して決定的な予防法や治療法が見つかっているわけではない。しかし、広告の観点から見た場合、ブランドがこうした先進的技術の開発や普及を後押しすることは、高齢化社会への姿勢を伝える製薬会社のコミュニケーションとしても有効だと考えられる。

健康課題への新たな技術開発をマーケティングの文脈において活用する施策は世界的なトレンドでもある。世界最大級のクリエイティブの祭典「カンヌライオンズ」でも、ヘルス＆ウェルネス部門を中心に、こうした施策を多く見ることができる。24 年はモバイルでの通話時の声のデータをサンプルとして、2 型糖尿病の診断を行おうとする施策「VOICE 2 DIABETES（糖尿病への声）」が高く評価されていた。

参考資料：音で、認知症に挑め。GAMMA WAVE SOUND（公式サイト）https://www.project. gammawavesound.com/

■ ケーススタディ⑥：グッドバトン／病児保育室予約サービス「あずかるこちゃん」（オンラインサービス）

人が肉体的、精神的、社会的に満たされた状態（ウェルビーイング）の実現のためには、高齢化への対策はもちろん、子育てのしやすさも重要な課題となる。「それぞれの子育てを歓迎する社会へ」をビジョンに掲げるグッドバトンは、病児保育室の検索・予約サービスなどの事業を展開している。

病児保育室とは、病気やケガのため幼児、児童が通園・通学できず、仕事などの事情で保護者による家庭でのケアが困難なケースに、医療機関に併設されたスペースで一時的に子どもを預かる制度だ。共働き家庭が増え、一人親世帯も増加する時代において、これは有益なサービスと言えそうだ。

一方で課題も存在する。内閣府の調査によると、「全国の病児保育室の利用率は約 30%」にとどまっているという。これは制度が周知されていないことと、利用者登録の際に求められる書類の持参、電話予約の面倒さなど、手続きの複雑さも要因と考えられる。

そこでグッドバトンがリリースしたのがオンラインサービス「あずかるこちゃん」だ。このサービスに登録すると、保護者は「いつでも簡単に LINE や Web から病児保育室を検索、予約が可能」になる。23 年 12 月時点で 182 施設、10 自治体に導入されており、登録幼児・児童数が 10 万人、累計予約数が 30 万件を突破している。

病児保育室の手続きのハードルを下げる DX

117

（デジタルトランスフォーメーション）化の取り組みとも言えるが、「あずかるこちゃん」の意義はそれだけにとどまらない。新たな自治体が導入するたびに便利なサービスが周知され、地域にこの制度の存在を知る人が増えていく。つまり、病児保育室の"広告塔"としての役割も果たしている。この取り組みは「ACC TOKYO CREATIVITY AWARDS 2023」のクリエイティブイノベーション部門においてグランプリを受賞した。

参考資料：グッドバトン公式サイト https://goodbaton.jp/

再評価されるユーモアとその秘訣

世界の潮流から少し出遅れた感も否めないとはいえ、10年代後半から、日本の広告産業においても「DE&I」や「ウェルビーイング」の理念が次第に重視されるようになり、社会的存在意義としての「パーパス」を策定する企業も増えた。それに伴い広告の"社会化"と"グッド化"が浸透し始めている。これは「サステナブル」を目標に掲げる21世紀のビジネス活動における必然の動き、いわば時代精神の反映とも言えるだろう。

一方で、そこに課題がないわけではない。"社会化"された広告のクリエイティブを分析すると、その印象は生真面目な顔つきになりやすい。環境や人権に最大限の配慮をした上でつくられる表現は、ときに味気なく映る。広告表現には、受け手の気持ちを引きつける"エンタテインメント"としての側面もあり、正しいメッセージを発信したり、社会的に意義あるアクションを行いさえすれば施策として効果的かと問われれば、必ずしも理想通りにいくわけでもない。

カンヌライオンズなど世界のシーンに目を向けると、20年代に入ったあたりから「パーパス疲れ（purpose fatigue）」の言葉がよく聞かれるようになった。つまり、優等生としての振る舞いに疲弊してしまうブランドもある。

世界的インフレの影響も大きい。物価上昇により、人々の関心はブランドの社会的意義よりコストパフォーマンスに向かいやすくなっている。こうしたこともあり欧米圏では、広告の持つ娯楽性や表現におけるユーモアを再評価する動きが顕著になり始めた。同様のことは我が国でも生じる可能性があり、トピックとして今後、フォーカスが当たるかもしれない。

■ ケーススタディ⑦：大日本除虫菊／KINCHO Kingdomシリーズ全5回（ラジオCM）

キンチョウと言えば「笑い」をブランド共感のトリガーに変換してきた日本のブランドの代表格だろう。ここで挙げる「KINCHO Kingdomシリーズ」は80秒×計5話のラジオキャンペーン。架空の"金鳥王国"を舞台にしたストーリー仕立てのショートコントで、「金鳥の渦巻」「キンチョール」「虫コナーズプレミアム」といった主力商品の誕生秘話から宣伝の苦労などのエピソードまで面白おかしく伝えている。

「妻のサジェスチョンで蚊取り線香を渦巻き型にすることを決めた創業者が、それを忘れて己の独自アイデアであるかのように振る舞い、即座に妻から突っこまれる」「AIに仕事を奪われそうになったCM制作者がなす術（すべ）なく開き直る」など、個々のコンテや台詞回しも面白いが、演出の上で効果的なのは、各エピソードの良いタイミングでインサートされるインドのボリウッド映画風の音楽だ。あまりにも大袈裟な歌が人をおのずと爆笑へと誘う。

筆者はかつて雑誌『広告批評』においてキンチョウのCMにフォーカスする特集号を企画したことがあり（KINCHO120年／05年10月

号)、その際に1960年代以降の同社テレビCMアーカイブを繰り返し視聴したが、それから20年近く経過した現在もそのユーモアのDNAは健在であるようだ。今回のラジオCMを聴いてもわかるように、キンチョウのクリエイティブの根底にあるのは、他者ではなく己を下げる精神である。だからこそ誰かを無闇に傷つけることなく、ユーモア路線を続けられるのかもしれない。

「KINCHO Kingdom Episode3 No mosquito」80″

N：KINCHO Kingdom episode3 No mosquito

SE：ダーン

M：(♪ボリウッド音楽の妙なる調べ)

N：金鳥王国の傍を流れる土佐堀川の源流を下り、山の中腹辺りの洞窟に、宣伝部族「アドー族」は暮らしていた。

男1：兄い。私たちの仕事も、AIに奪われてしまうのでしょうか。

男2：どうした弟。

男1：「蚊がいなくなるスプレーの宣伝策を」と、チャットで聞いたら、もう、一瞬で..。

男2：蚊は、飛んでいる時間よりも、壁や天井にとまっている時間がはるかに長いことも？

男1：知ってました。

男2：だからワンプッシュで薬剤が壁や天井に付着して、待ち伏せ効果で蚊がいなくなることも？

男1：はい、そこ完璧に。クリア。

男2：ま..AIが得意なことは..たくさんある。では、人間にしか、できないことは、なんだ。

男1：え..。

男2：「何も思いつかない無駄な時間さえ、楽しめること」だ。

男1：はっ..兄ちゃん！

M：(♪ 哀愁漂う歌) ムダーナジカン ツミアゲェィーテー ボクーラハ ヒラメェィクゥ ムダーナカイワ カワシティィテー ソレハ キューニ オモイツゥク〜 ニンゲン〜

N：ワンプッシュで、蚊がいなくなるスプレー。使用上の注意をよく読んで正しくお使いください。

■ ケーススタディ⑧：赤城乳業／ガリガリ君「当たりつきやめるのをやめました。」（新聞ほか）

アイスクリーム商品の「ガリガリ君」も、ユーモアを生かしたコミュニケーションが得意なブランドと言えるだろう。16年に「値上げ」を行った際にオンエアした、社屋の前にズラリと整列した社長と社員たちが頭を下げるテレビCMは、巷で大いに話題となった。10円の値上げを実直に詫びる素朴なアプローチが、多くの視聴者にとって誠実かつ微笑ましいジョークと受け止められたようだ。

23年春に展開した「当たりつきやめるのをやめました。」もガリガリ君らしいキャンペーンだった。新聞のコピーを読むと冒頭にこのように書かれている。「ガリガリ君の当たりスティック。残念だけど、これをやめてしまおうかという話し合いがありました。きっかけはコロナ禍です。」。パンデミックの最中に高まった公衆衛生への配慮が、お店に当たり棒を持ち込んで商品と交換する仕組みを見直す契機となったのだろう。その後「ほとんどやめるというところまで」話が進んだようだが、赤城乳業の企業理念である「あそびましょ。」に立ち返った結果、「やめるのをやめたい」と考え直したという。

ユーモア（Humor）はヒューマニティ（Humanity）と地続きになっている。ここで言うヒューマニティは、ブランドの人格（Personality）のことでもある。

（河尻亨一）

2 カンヌライオンズ2024 ──日本の受賞作より

日本独自のカルチャーをビジュアルに"翻訳"

▶ 例年同様、デザインやクラフト領域に強みを発揮

▶ 人事戦略にまでコミットした施策が金賞を受賞

▶ 国際クリエイティビティ競争力の強化は依然課題

2024年のカンヌライオンズでは、計30の公式部門に、世界92の国と地域から2万6753点のエントリーがあり、グランプリ・金・銀・銅を合わせて841点の受賞作が選出された。トータルでの受賞率は約3.1%となる（23年は総エントリー：2万6992点／受賞数：874点／受賞率：約3.2%）。

日本からの総エントリーは433点。受賞数は11点だった。1つの施策（キャンペーンやプロジェクト）が複数の部門、あるいは同一部門内で複数受賞しているケースもあるため、受賞した施策数そのものは8となる。受賞率は約2.5%（23年は総エントリー：494点／受賞数：19点［グランプリ：1／金：7／銀：3／銅：8］／受賞施策数：10／受賞率：約3.8%）。

23年は健闘が見られた日本勢だが、24年の国（Market by Country）としての成績は低調と言えそうだ。エントリー数も22年の540点から494点（23年）、433点（24年）と年々10%ほど減少する傾向にある。クリエイティビティの領域から見た国際競争力は決して高いとは言い難く、これを今後どのように強化していくかは各ブランドやエージェンシー、プロダクションの枠を超えたマーケティング業界

全体の課題だと筆者は考える。

一方、こうした状況の中でも受賞を果たした施策は、グローバルに通用する高度なアイディアやエグゼキューション（表現も含めた実行力）、リザルト（成果）を備えている。ここでは金賞と銀賞を獲得した3つの施策「NO SMILES」（日本マクドナルド）、「DAYS OF HIRAYAMA PERFECT DAYS OFFICIAL SITE」（映画「PERFECT DAYS」）、「REACH FOR THE SUMMIT」（高等学校相撲金沢大会）について解説したい。

受賞作を検証すると、デザイン（グラフィックやWebにおけるクラフト性の高さ）はこれまで同様、日本の強みだということがわかるが、同時に単に丹念で精緻なものづくりの技術をアピールしたものではなく、日本独自のカルチャーを"ビジュアル翻訳"することに成功した施策が評価されていることに注目したい。ここに国際舞台で評価されるためのヒントがある。

唯一金賞を受賞した「NO SMILES」（日本マクドナルド）は、人気の女性インフルエンサーを起用して楽曲をリリース（コンテンツ制作）するだけでなく、従業員のマニュアル改善（人事戦略）にまでコミットしていた。

Z世代が働きやすい職場をクリエイトするために

■NO SMILES（日本マクドナルド）

ソーシャルインフルエンサー部門：金賞

ラジオ＆オーディオ部門／エンタテインメント・
ライオンズ・フォー・ミュージック部門：銅賞

「0円スマイル」は日本マクドナルドの独自のカルチャーであり、笑顔での無償奉仕は日本人のおもてなし文化を象徴するようなサービスでもある。しかし、誕生から約40年を経て、このサービスにも変化を求める声があるようだ。

カンヌライオンズに提出されている公式ブリーフ（施策解説文）によると、「日本におけるマクドナルドの店舗数は約3000。全スタッフの約6割をZ世代が占めるが、少子化が進む日本ではクルーが年々減少し、慢性的な人手不足に悩まされていた」という。

そして「0円スマイル」のサービスは、若者たちがマクドナルドで働くことへの1つのハードルとなっていた。インターネット上には、客が悪ふざけでクルーに「無償のスマイル」を強要し、困惑する姿を撮影した動画も多数シェアされている。カスタマーハラスメントが問題視される昨今、こうした行為も就労へのハードルを上げている。

そこで日本マクドナルドは、「笑わない」ことで有名な人気の女性インフルエンサーを起用し、「無理に笑わなくてもいい」「自然体で仕事をすればいい」といったメッセージを伝える楽曲「スマイルあげない」（ミュージックビデオ）をリリース。マスメディアを通じた情報に懐疑的とされるZ世代にリーチするため、YouTubeやTikTok、Instagramのストーリーなどでのバイラルを図った。全国のマクドナルドの店内BGMとしても活用、マクドナルドでしか体験できないAR（拡張現実）ライブイベントも実施している。

楽曲を広めただけではない。同社はアルバイトの採用基準やマニュアルも見直し、より働きやすい職場づくりに尽力した。「笑顔で働く（Work with your smile）」から「自分らしく働く（Work with your style）」への転換だ。一連の取り組みの結果、クルーの採用数は日本での創業50年で過去最多となる10万人超えを達成したという。

第5章 広告クリエイティブの動き

2 カンヌライオンズ2024──日本の受賞作より

もう１つの映画体験を公式サイトにデザインする

■ DAYS OF HIRAYAMA PERFECT DAYS OFFICIAL SITE（PERFECT DAYS）

デザイン部門：銀賞

デジタルクラフト部門：銅賞

第76回カンヌ国際映画祭で最優秀男優賞受賞、第96回アカデミー賞では国際長編賞にノミネートされるなど、世界的な評価を獲得した映画「PERFECT DAYS」の公式サイト。同サイトでは「映画にならなかった、平山の353日」として、主人公のトイレ清掃員の日常の記録を、サウンド付きのスクロールブックとして公開している。

このスクロールブックのインターフェースには、ユニークな体験がデザインされている。スマートフォンやパソコンでページを触ると、タッチやカーソルの動きに応じてインターフェースが波のように揺らめき、テキストや背景ビジュアル、サウンドまで変化する。公式ブリーフによると、「見る者を現実から次第に別世界へと没入させていく」狙いがあるという。

リーディングタイムの中で移ろいを見せるテキストのデザイン（タイポグラフィー）や、モノクローム写真を用いて公園の木々や風景、東京の街並みや空を映す背景ビジュアルが美しいが、サウンドも入念につくりこまれている。「文字の動きや位置に合わせて最大117個の音声ファイルを再生するシステムを開発し、ユーザーのあらゆる操作に反応する調和のとれたサウンドミックスを可能に」した。

こうしたUI（ユーザーインターフェース）・UX（ユーザーエクスペリエンス）のデザインにより、作品を鑑賞する前でも後でも楽しめる、もう１つの映画体験を提供している。劇場公開から3カ月後、Webサイトは217万ページビュー、78万ユーザーを記録した。

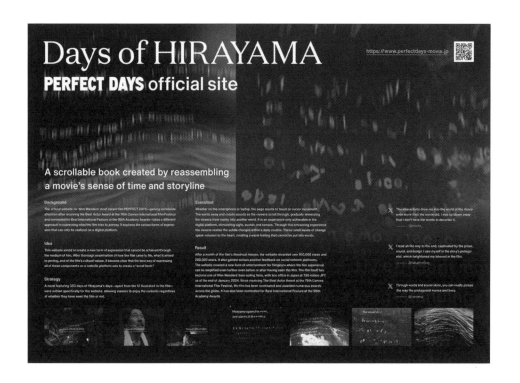

高校相撲の頂上決戦を"山"に見立てた

■ REACH FOR THE SUMMIT（高等学校相撲金沢大会）

インダストリークラフト部門：銀賞

高等学校相撲金沢大会は、高校相撲の最高峰の舞台として、頂点を目指す選手たちが全国から集う。パンデミックの影響や相撲場の改修工事が重なり、23年は4年ぶりの観客入りでの現地開催となった。その告知ビジュアルでは、ぶつかり合う力士の姿をクローズアップで捉えて"山"に見立てた。

カンヌライオンズに提出されるエントリー用ボードでは、「あえて躍動感を排除し、一瞬の勝負の静寂を撮ることにした。この静寂が、圧倒的な迫力と存在感、時間の重みを感じさせる」「水墨画のように霧に覆われた高山をイメージしたモノクロームの写真が、頂上決戦の緊張感を表現している」と説明している。ビジュアルは大会会場に掲出されたほか、新聞広告も出稿。来場者数は前回比約25％増の約1万人に達した。

（河尻亨一）

3 広告定点観測に見る クリエイティブの最新動向

「コロナ5類移行」を機に、行動促進型広告が増加

▶ SNS で拡散されることを企図した広告が目立つ

▶ 広告での生成 AI の活用が話題となった

▶ 多様な考えを持つ人々を肯定する広告表現が目立った

顧客志向－行動促進型広告が目立つ

日経広告研究所では、「時代の変化に広告のメッセージがどのように対応したのか」という視点で、実務者や研究者に役立てていただくため、代表的な広告事例を記録したいと考えた。そこで、2020 年に「広告定点観測プロジェクト」をスタート。研究主査である千葉商科大学松本大吾教授を中心に、大東文化大学五十嵐正毅教授、所員3名の計5名で研究を進めている。広告実務や研究の知見を持った約50 名の選定委員に「印象に残った広告」3点を、半年に1度尋ねている。そして、選ばれた広告の内容の傾向を把握するために、「顧客志向型」－「社会志向型」と「心理変容型」－「行動促進型」の2軸で構成される4類型に分類・整理している。

「顧客志向－心理変容型」メッセージとは、顧客のベネフィットにつながる価値観への理解・共感を期待したものだ。企業の想いや姿勢をステークホルダーに訴求している。「顧客志向－行動促進型」メッセージとは、顧客のベネフィットにつながる具体的行動・手段の採用を

促すものだ。「社会志向－心理変容型」メッセージとは、社会のベネフィットにつながる価値観への理解・共感を期待している。「社会志向－行動促進型」メッセージとは、社会のベネフィットにつながる具体的行動・手段の採用を促すものだ。

23 年度は、5月に「コロナ5 類移行」があり、生活者の動きが活発化。複数想起された広告も「顧客志向－行動促進型」広告が多かった。なお調査からは、23 年度における傾向がいくつか見られた。まず、SNS で拡散されることを企図した広告が目立っていた。次に、生成AI を活用した広告が見られるようになり、話題となった。そして、ダイバーシティの時代にふさわしく、多様な考えを持つ人々を肯定する広告表現が目立った。

本稿では、この3つの傾向に当てはまる広告事例について取材した。社会の状況や生活者・企業の価値観の変化により、広告クリエイティブも変わっていく。今後も広告コミュニケーションのトレンドを注視していきたい。

事例1　ヒガシマル醤油　　──関西でお馴染みのCMを歌えるOOH広告

ヒガシマル醤油は、23年12月25日から31日まで、「うどんスープ」のOOH広告を出稿した。「日本一深い地下鉄駅」である、都営地下鉄大江戸線の六本木駅内の改札からホームまでの長いエスカレーター横などに、ポスターとして掲出した。

同社は「関西人は歌える広告」というコピーを使って、販売促進のためだけでなく、SNSによる拡散も狙った。この広告は、生活者の行動に結びつく、「顧客志向　行動促進型」広告の事例と言える。

■ 関西では馴染みあるCMの歌詞を掲出

同社の「うどんスープ」は、24年で発売60年を迎えるロングセラー商品だ。関西では、テレビCMのキャラクターや音楽、歌詞などを多くの人が認知している。このOOH広告では、エスカレーターを進むごとに歌詞が進み、歌を知っている人なら口ずさみたくなるような仕掛けになっていた。広告定点観測プロジェクトの選定委員からも、「エスカレーターに乗りながら、一定のリズムでポスターを目で追うことによって、CMソングが『脳内再生』されるという仕掛けになっている」というコメントがあった。

具体的な広告のコピーは、「関西人は歌える広告→」から始まり、「きつね」「月見」「天ぷら」「お肉」「鍋焼き」「ヒガシマル」「うどんうどんうどんスープ」「うー!うー!」と「西日本バージョンのCMソング歌詞」が続いていた。

また、関西でのうどんにまつわる「あるある」をイラストとともに紹介する「ヒガシマル醤油　東京で関西うどんあるある」という内容の広告も掲出している。こういった「あるある」の内容は、生活者の共感につながりやすい。

「寒い年末に、からだも心も温まる『うどんスープ』のことを思い出していただきたいという想いから、広告を企画した。テレビCMをご存じの方だけでなく、ご存じない関東の方にも楽しんでいただきたかった」(同社)。

広告掲出後、SNSでは「懐かしすぎる」「心の中で歌った」「ヒガシマルが六本木駅をジャックした」など、ポジティブな投稿がたくさん見られた。年末の広告掲出期間だけでなく、24年1月にかけても話題になったことで、メディア露出も非常に多くなった。

また、投稿の中には「ヒガシマル」というワードも多く見られた。同社は、広告が関西以外での社名認知向上にも寄与したと考えている。

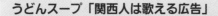

うどんスープ「関西人は歌える広告」

　23年度は生成AIを使った広告がいくつか見られるようになった。伊藤園の、お〜いお茶カテキン緑茶「未来を変えるのは、今!」篇のテレビCMもその1つである。

　「本商品を、未来のために今から飲んでいただきたいという思いを伝えるときに、短いCMの演出として、1人の女性の今の自分と30年後の未来を表現する際に、AIタレントを起用することが最適だと考え、採用することになった」(同社)。

■「健康的」「活動的」「進歩的」を　テーマに人物設定

　「商品のメインターゲットは、男性・30代だった。AIタレントは、『健康的』『活動的』『進歩的』を人物像のテーマとして設定。最終的に女性タレントのほうが注目してもらえると思った。もともとAIを活用しようという発想はなかったのだが、広告会社と社内で議論した上で、AIタレントの起用を決めた」(同社)。

　広告クリエイティブでは、現在と30年後の自分を比較し、美しく健康的に年齢を重ねていく姿を描いている。「美しい未来をつくるために今からカテキン緑茶を飲んでほしい」ということを訴求。

　同社として、広告にAIを使うのは初めてだったので、顔の修整のやり取りは制作会社とかなり行った。結局、1000以上生成して顔を決めている。手探りの状態で進めたので、時間と費用は結構かかったようだ。

　出稿後には、「これはAIなんだ」という驚きの投稿がSNSで多かったようだ。同社はテレビCMの中でAIタレントの起用を一切伝えていなかったが、ホームページには掲載しており、ここからSNS上に情報が広がったようだ。この広告は、生活者の情報拡散という行動に結びついた「顧客志向－行動促進型」広告の事例だと言える。

　「テレビ番組や新聞、雑誌など、多くの取材依頼をいただいた。AIの広告を話題にしていただいたことによって、商品の認知度は上がったと考えている」(同社)。

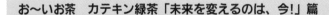

お〜いお茶　カテキン緑茶「未来を変えるのは、今!」篇

事例3　カネボウ化粧品
——美ではなく、「希望」を発信

カネボウ化粧品のプレステージブランド「KANEBO」は、24年1月1日から、「I HOPE.希望の口紅」篇のテレビCMを流した。「直接的な機能を伝えるのではなく、そこに込めた『希望』を発信することを心がけた」（同社）という。ブランド構築を狙った「顧客志向－心理変容型」広告の事例と言える。

同社は、「ルージュはお客様が化粧の力を非常に感じる商品だ。疲れているときに、お気に入りのコスメが自分の味方をしてくれる。自由の象徴であるルージュを引く行為が、自分に力を与えてくれるという認識を持っている」と考えた。

そこで「生命感ラスティングルージュ」という新しい価値を提案。色が落ちないだけでなく、魅力や生命感が続く「カネボウ　ルージュスターヴァイブラント」を開発した。その際、「口紅とは何だろう」「口紅が提供できる新しい価値は何だろう」といったことについて徹底的に議論した。「口紅がその人の唇そのものになり、ルージュを引くと堂々と発言することができる」「考え方や人生にまで関わることができる」といった想いが商品に込められている。

■ ブランドステートメントの伝達と　プロモーションが狙い

同社には、ブランドステートメントを広告に込めるという狙いがあった。

「見た目を美しくすることだけが、化粧だろうか。違う。化粧には、力がある。気持ちを、行動を、人生までをも動かす大きな力がある。自分の未来は変えられる。その自信が、世界を変える熱量となる。希望がないと言われる時代。一人ひとりの中に希望を見つけ、引き出し、高めてゆく。それが、これからのわたしたちの使命。KANEBOは、美ではな

く希望を語るブランドへ。I HOPE.」というのが同社のブランドステートメントである。ブランドメンバーは常にこのブランドステートメントを考えながら、ブランドづくりを推進して、コミュニケーションを行っている。

今回のCMは、ブランドステートメントの伝達と口紅のプロモーションが目的だった。口紅が引き出す「生命力」のモチーフとして、「食べる」行為を描いている。口紅を塗ることは食べることと同じくらい、エネルギーを引き出すものでありたいという思いを込めている。また、「生命感」が溢れている8人の出演者に対して同社は、「好きな食べ物」や「自分らしくいられる場所」などを事前アンケートで尋ねた。出演者にはCMの企画に対して非常に共感してもらったそうだ。その結果、ロケーションを設定しただけで、ほとんど演出を加えていない映像が出来上がった。

広告掲載後、インターネットの検索では、「カネボウ　リップ」「カネボウ　CM」などが非常に増えた。SNSでは、「CMがすごく好き」「CMからパワーをもらった」「感動して泣いた」「口紅を使ってみたくなった」という声やポジティブな反応が多く見られた。同社は広告の手応えを感じている。また、売上が発売初日だけで初月販売計画の230%を達成。購買にもしっかり結びついた。　　　（村上拓也）

KANEBO「I HOPE.希望の口紅」

4 各種広告賞

社会課題の解決を目指した広告の受賞が目立つ

　広告賞は、当該期間における、その分野の代表的な広告事例と言えよう。様々な広告賞の審査結果を見ていくことで、当該期間の広告の傾向を把握することができる。媒体社や広告会社、業界団体などが主催する広告賞は数多く存在する。本稿では、2023年に審査結果が発表された広告賞から、代表的な事例について紹介する。また、「資料編」には、日本国内における主要広告賞の結果をまとめた。

　時代によって広告は変化しており、広告賞を審査するポイントも変わってくるだろう。広告賞はメディアごとに審査するものと、すべてのメディアの広告の中から審査するものとがある。前者は、テレビや新聞などメディアの特性に合わせた審査が必要になる。後者は、媒体特性よりも、コンテンツの内容やクリエイターの活動を評価するものである。本稿では、受賞した広告事例の中から3点をご紹介する。社会課題の解決を目指した広告や、AIを使って制作した広告などが目立った。

事例1　大塚製薬　カロリーメイト　──非日常を3年間過ごした受験生にエール

　大塚製薬カロリーメイトのテレビCM「狭い広い世界で」篇は、広告電通賞などを受賞した。同社は、カロリーメイトのシリーズCMを12年から始め、今回が9作品目だ。

　「カロリーメイトは、バランスの良い栄養を提供することで日々の健康に寄り添うブランドとして、1983年から発売している。栄養は人の活動の土台であるということを広告で伝えた

いと考えている。受験という目標に向かって努力しているときに、カロリーメイトが支えるという機能価値がCMの発想のスタートで、毎年その年にしか描けない等身大の受験生の姿を描いている」（同社）。

　この年の受験生は、高校に入学してからの3年間ずっとコロナ禍だった。「例年にも増して、受験生のリアルな姿を捉え、誠実に応援したい気持ちが強かった」（同社）という。

　同社は、実際の大学生と高校生へのアンケートやインタビューを行い、その年にしか描けない受験生とは何かと考えた。

　「受験勉強の方法が、コロナ禍で大きく変化していたことがインタビューからわかった。それまで、受験勉強中はスマートフォンを触って

はいけないという風潮だったが、この世代はスマホを有効的に活用しながら受験勉強に励んでいた。例えば、友達と音声通話をつないで勉強すると、相手が参考書などをめくる音などが聞こえて、やる気が出るようだ。そこで、スマホ視点の縦型フレームで受験生を応援するという広告を制作することになった」（同社）。

結果的に、スマホ視点でのCMに斬新さが感じられたようだ。広告表現についての反響が大きく、SNSでも話題になった。この年のリアルな受験生を描くことができ、受験という狭い広い世界を駆け抜ける受験生たちへCMでエールを送ることができた。

事例2　ニッポン放送 —— 実際に白杖で歩いている音をリアルに表現

ニッポン放送のラジオ・チャリティ・ミュージックソン白杖体験篇は、「JAA賞グランプリ ラジオ広告部門・経済産業大臣賞」やACC賞などを受賞した。

「ラジオ・チャリティ・ミュージックソン」は、目の不自由な方が安心して街を歩けるように「音の出る信号機」を設置する募金を集めるチャリティ・キャンペーンだ。75年から毎年行われている。

「今回の広告によってラジオ・チャリティ・ミュージックソンを少しでも知っていただき、協力していただきたかった。制作する上で、ユ

「ラジオ・チャリティ・ミュージックソン白杖体験篇」120秒

ナレーション（N）：目の不自由な方が使っている白い杖、白杖。視覚障害のある人達は、白杖を使ってどのように歩いているのでしょうか？　ラジオで少し体験してみましょう。可能であれば、目を閉じながら聞いてみてください。それでは、白杖を左右に振りながら歩いてみましょう。

効果音（SE）：（白杖を左右に叩く）カン、カン、カン、カン

N：この音は、白杖で地面を確認する音。路面の状態や段差を確認することができます。

SE：（障害物にあたる）カン、カン、カーン！

N：おや、何か障害物に当たったようですね。どうやら金属製のポールのようです。白杖のおかげで、障害物を見つけることができました。

SE：（右側で壁にあたる）カン、カン、カン、カン、カツ、カン、カツ、カン

N：先ほどとはちょっと違う音がするのに気づきましたか？　実は右側には、壁があるんです。壁を叩きながら歩くことで、壁伝いに真っ直ぐ歩くこともできます。

SE：（点字ブロックにあたる）カン、カン、カタカタ、カタカタ

N：これは、白杖で点字ブロックを確認する音。この前には横断歩道があるようです。

SE：（車が走る音）

N：音の出る信号機が設置されていない場合、車の音を頼りにして渡るしかありません。この横断歩道には、音の出る信号機が設置されているのでしょうか？

SE：ポポ！ポポ！ポポ！

N：よーく、耳を澄まして聞いてみてください。何か音がするのに気づきましたか？　実は、音の出る信号機があることを知らせるために、信号機の押ボタンからは小さな音が流れているんです。それではボタンを押してみましょう。

SE：（音の出る信号機）ピピピ

N：音の出る信号機があると、安心して渡ることができますね。

音楽（M）：〜♪ 信号機のとうりゃんせ

N：音のチカラで、誰もが安心して過ごせるために。ニッポン放送は「ラジオ・チャリティ・ミュージックソン」を通じて、音の出る信号機を贈る活動を続けています。

ニバーサル・デザインに詳しく、番組にご出演いただいていた、慶應義塾大学経済学部中野泰志教授（心理学）にご相談した。視覚障がい者の団体の方も紹介していただき、白杖を使っている方が歩いているところを実際に見学させていただいた」（同社）。

広告は、「実際に白杖を持って街を歩いている方が、どういう感覚で歩いているのかを音声だけで表現してみたい」という発想から生まれた。ヘッドホンでラジオを聴くと、本当に自分が持っている杖の音のように聞こえてくるような、リアリティがあるラジオCMに仕上がった。

募金の集まり具合も良く、「音の出る信号機」は23年時点で3406基設置された。首都圏の5基に1基は、これまでのキャンペーンで設置されたという成果も出ている。

事例3　近畿大学 ―――「いそうでいない近大生」をAIが生成

近畿大学の「上品な大学、ランク外。」というコピーの広告が新聞広告賞大賞に選ばれた。23年1月3、4日に、全国紙やスポーツ紙の大阪本社版に掲載されている。

世の中には様々な大学ランキングがある。その中で、同大学は「エネルギッシュである」「チャレンジ精神がある」「コミュニケーション能力が高い」などの項目で1位に入っていた。英国の「THE世界大学ランキング」でも、日本の私立総合大学では、近大と慶應義塾大学がツートップという結果だった。しかし、「進学ブランド力調査2022」（リクルート進学総研調べ）では、同大学は「上品な大学」の項目でランク外という事実があった。

「ランキングで高評価をいただいていたものと、企業が求める人材像が一致しているという事実をお伝えしたかったのだが、あえてランク外のものをコピーに使うことで目立たせようとした。実在の学生の顔の上に『ランク外』とは書けず、AIでつくった学生を登場させるという発想になった」（同大学）。

実在する近大生の顔写真200枚をAIに学習させ、「いそうでいない近大生」のビジュアルを情報学部の1年生（当時）が生成した。「出来上がった画像はどれも想像以上の出来で1枚に絞れなかった。6枚を選び、媒体ごとにビジュアルを変えて掲載することになった」（同大学）。

新聞紙面では語り尽くせないことも多かったので、広告にQRコードを付けてサイトに誘導し、裏話を詳しく説明している。

新聞広告の掲載後、SNSへの投稿が非常に多くなり、メディアにもポジティブに取り上げられた。同大学は、「ビジュアルとコピーが相まったことで高い評価をいただけたと思う」と、新聞広告の手応えを感じている。

（村上拓也）

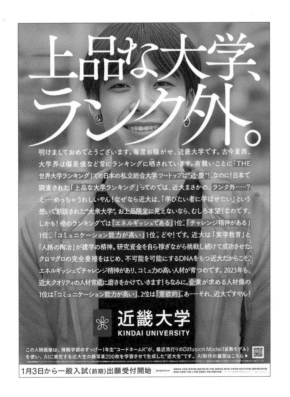

第 **6** 章

広告研究と関連図書

1 2023年の広告・マーケティング研究

経済的・社会的要素が共存共栄する視点が重要に

▶ InstagramやTikTokの有効性や効果など、Z世代を対象としたコミュニケーション戦略やSNS戦略の研究が見られた

▶ 企業の経済的な価値だけでなく、社会的な価値の実現のための戦略を意識したパーパス経営を冠した論文が見られた

▶ 生活者行動や買い物意識の変化、新たに出現したセグメンテーションなど、パンデミックの影響を検討する研究が盛んに行われた

研究の抽出と分類方法

ここで総覧する諸研究は、2023年を通じて全国の主要大学が刊行した紀要や、関連諸学会が発刊した学会誌、さらに民間の研究諸機関の機関誌等に掲載された学術論文や研究ノートを中心に収集したものである。ただし、23年に出版された単行本や、学会誌などに掲載された書評は含まれていない。原則として、日本語で執筆され、日本国内で発表された論文をリストしているが、近年では日本国内の学会誌や大学紀要に英論文が掲載される場合や、国内の学会が英論文専門の学会誌を発刊している場合があり、こうした条件に該当するものについては、英論文であっても一覧表の中に含めている。大学紀要については、22年までは日本商業学会の会員名簿から学会員の所属する大学（約300強）をリストアップしていたが、今回は日本全国の大学すべて（約800弱）を対象として、国立情報学研究所の提供する論文・雑誌記事データベースおよび、各大学が提供する学術情報リポジトリを活用し、論文を抽出してリストした。そのため、前回に比べて収録している論文数が増加しているが、このことに加え、コロナ禍を経て研究活動が本格的に再開され、公刊される論文数が総じて増加していることも指摘できる。近年では、紙媒体ではなく電子媒体で刊行されている大学紀要が増えており、発行日と公開日の間に時差がある場合もあるが、ここでは発行日が23年と記載されているものを取り上げている。こうして選出された論文を分野ごとにまとめたリストを、p.139からの［2023年の広告・マーケティング研究一覧］に示している。

このリストは、【A】マーケティング総論、マーケティング戦略論、マーケティング・マネジメント関連の研究、【B】広告、プロモーション戦略、コミュニケーション戦略、クチコミ、SNS関連の研究、【C】プロダクト戦略（製品開発、イノベーション、ブランド、サービス）、プライス戦略関連の研究、【D】チャネル戦略、物流（サプライチェーン・マネジメント、ロジスティクス）関連の研究、【E】商業・流通（小売・卸・ECを含む）関連の研究、【F】消費者行動、消費文化論・消費論関連の研究、【G】国際市場、グローバル・マーケティング関連の

研究、【H】観光、非営利組織のマーケティング関連の研究、【I】地域活性化および地域ブランディングに関連する研究、【J】マーケティングのマクロ環境（法制度、環境・社会問題など）への取り組み、マーケティング史に関連する研究という 10 のジャンルに振り分けられている。それぞれのジャンルの特徴や選択基準については、以下の通りである。

■ 各ジャンルの特徴と選択基準

【A】「マーケティング総論、マーケティング戦略論、マーケティング・マネジメント関連の研究」は、マーケティング研究全体の枠組みや方法・技法に関する研究、マーケティング戦略の基礎概念に関する理論的・実践的研究を中心に選択している。また、近年では、マーケティングとマネジメントの両研究が近接しているためマネジメント関連の研究もリストしている。これは経営戦略論や組織論の領域に及び量的にも膨大であるので、ここでは近年マーケティング研究で応用されることが多い、組織や知識、組織文化、経営理念、ケイパビリティといった概念に関連する研究を中心に選択している。マーケティング・ミックスの各要素に区分することが困難であるような、特定の産業に関する理論的・実践的な研究や、総括的なマーケティング理論に関する分析も、このジャンルに含めている。

【B】「広告、プロモーション戦略、コミュニケーション戦略、クチコミ、SNS 関連の研究」は、マーケティング・ミックス（4Ps）の構成要素の 1 つであるプロモーション（Promotion）戦略に関わる研究で、マスメディアを通じた広告に加え、クチコミやソーシャル・ネットワーキング・サービス（SNS）を活用した広告もこの分類に含めている。さらに、販売促進・営業活動や企業内および企業間コミュニケーション、そして広くコミュニケーション一般に関わる研究もこのジャンルに含んでいる。

【C】「プロダクト戦略（製品開発、イノベー

ション、ブランド、サービス）、プライス戦略関連の研究」は、文字通りマーケティング・ミックスの製品（Product）戦略および価格（Price）戦略に関わる研究を含んでいる。製品開発やイノベーション、パッケージ・デザインなどの研究に加え、1980 年代以降高まりを見せているブランド研究もここに分類している。また、特定の製品の市場分析も、この分類の中に含んでいる。製品そのものに付与されるブランドの研究に加え、近年注目されている「ブランド・コミュニティ」といった、製品やブランドを愛顧する消費者同士の結びつきに関する研究もここに配置している。「ブランド」に関する研究の中では、「地域ブランド」も頻出するキーワードであるが、これは地域振興や地域活性化といった問題と密接に関係しており、こうした領域に関心のある読者にとってはジャンル C に分類するよりも、地域振興に関する箇所にリストしたほうがよいと考え、ジャンル I に記載している。そして、流通業者による商標であるプライベート・ブランド（PB）については、小売業の領域に関係しているため、ジャンル E に分類している。さらに、近年注目が集められているインターナル・ブランディングについては、製品それ自体のブランドというよりは、そのブランドを伝達するメッセンジャーとしての従業員の役割に着目している点で、組織論に近いものであると判断し、総論的なマーケティング研究に比較的近いものとして、ジャンル A に分類をしている。

また、伝統的な有形財のマーケティングとは異なり、無形財を対象とするサービス領域のマーケティングに関する研究については、製品戦略としてのサービスというような文脈も含まれることがあるため、今回はこの分類の中に収めている。

価格戦略の研究は、伝統的に価格に対する消費者の反応や製品の価格付けをめぐる方法を中心的なテーマとしているが、近年のキャッシュレス決済の推進を背景に、電子マネーに関する

研究もジャンルCに含んでいる。

【D】「チャネル戦略、物流（サプライチェーン・マネジメント、ロジスティクス）関連の研究」では、マーケティング・ミックスのうちチャネル（Place）戦略を中心に分類している。チャネル戦略の主眼は、製造業者による流通チャネルの選択や管理に置かれてきたため、製造業者による流通チャネルのマネジメントに関する研究が選択されている。近年では、インターネット販売の発展やスマートフォンおよびSNSの普及などを背景に、小売業者が主導して複数のチャネルをシームレスに活用するオムニチャネルの実践が展開されている。チャネル・マネジメントにおいて、商流の管理だけではなく物流の効率化が求められ、こうした問題についてはサプライチェーン・マネジメントに関する論題の下で研究が進められている。チャネル戦略はこうした構造的変化の中で捉えられる必要があり、従来の商流を中心としたチャネル研究と、物流を中心としたサプライチェーン・マネジメントやロジスティクスの研究が接近してきていると言えよう。こうした問題意識から、伝統的な製造業者のリーダーシップの下で行われるチャネル管理にとどまらず、サプライチェーン・マネジメントや物流全般に関する研究もこのジャンルの中に含めている。

【E】「商業・流通（小売・卸・ECを含む）関連の研究」では、小売業者や卸売業者といった流通業者または商業者を主体として捉え、その活動に関する研究を中心に選択している。物流やサプライチェーン・マネジメントに関する研究をこのジャンルに含めることも可能であるが、ジャンルDで示したような問題意識に加え、ジャンル間のリストの量的なバランスも考慮して、ここには含めなかった。またAmazonのようなEC（電子商取引）サイトを運営する会社は、必ずしも小売事業だけを行っているわけではないので、小売業者と言うよりはプラットフォーマーとして分類されるべきであるかもしれないが、近年の小売市場におけるECサイトのインパクトの大きさを勘案して、この小売業の分類の中に含めている。

【F】「消費者行動、消費文化論・消費論関連の研究」では、消費者行動に関する定量的な研究に加え、消費者の集合としての市場分析や普及過程に関する研究、また消費行動を文化的・社会的な文脈から捉えようとする消費文化論や消費論も含めている。クチコミという現象は、SNSを通じて拡散されることから、広告に関連するジャンルBに含めるべきであるかもしれないが、消費者間での情報のやり取りや、消費者がいかに情報を発信するかという点に注目している場合、消費者行動自体が対象とされていると判断して、このジャンルに分類している。また、環境志向のエシカル消費は、環境問題への取り組みを主題とするジャンルJに分類することも可能かと思われるが、消費者の意識を強調しているという場合は、ジャンルFに配置している。

【G】「国際市場、グローバル・マーケティング関連の研究」は、日本企業や海外企業の国際市場におけるマーケティング戦略の展開および企業活動の国際比較に関する論文を中心として選択した。この分類では、主体を製造業者に限定せず、小売業やサービス業、さらにはアニメなどのコンテンツ産業についても、グローバル展開という文脈の下で議論されている場合は、このジャンルに分類している。また、海外市場におけるマーケティング活動を対象としているような研究についても、このジャンルの中に含めている。

【H】「観光、非営利組織のマーケティング関連の研究」では、観光に力点が置かれているものを選択している。観光業に関する研究は、地域振興と結びついていることがあるが、地域振興や地域活性化を強調するものはジャンルIに分類している。

また、非営利組織のマーケティングは、今回は量的に少数であったが、前回と同様にこの分類の中に収めている。

【I】「地域活性化および地域ブランディングに関連する研究」は、前回の分類では法制度や環境問題に関するマクロ環境問題と一緒に収めていたが、非常に量的な拡大が著しく、独立した領域として取り扱ったほうがジャンル間のバランスが適切であると考え、そのように区分した。地域活性化や地域ブランディングについて言えば、ブランド研究を分類したジャンルCに含むことも可能であるかもしれないが、一連の研究は地域活性化に主眼を置いたものであると考えられるので、このジャンルに分類している。また、近年では観光と地域活性化を結びつけるような研究が多く見られ、その両者を必ずしも区分することが容易でない場合もあるが、観光に言及していても研究の主眼が地域活性化や地域再生にあると考えられる場合は、このジャンルに含めている。

【J】「マーケティングのマクロ環境（法制度、環境・社会問題など）への取り組み、マーケティング史に関連する研究」は、商業政策や流通政策に関わる関連法規の研究や、ソーシャル・マーケティングおよびCSR（企業の社会的責任）の根幹をなす環境・社会問題への取り組みに関わる研究、そしてマーケティングの歴史的な研究を収録している。

以上の分類を基に23年の研究一覧を作成したが、例えばエシカル消費という表現を論題に含んでいる論文でも、主題が小売業の企業対応であれば小売に、消費行動としてエシカル消費の実態を解明することを目的としていれば消費者行動の分類に入れている。そのため、同じ学術雑誌や紀要の中で、統一テーマによって組まれた特集論文であっても、あるものは小売に、あるものは消費者行動に分類するかたちで、そ

の論文の主題に合わせて適宜配置を変えている。

選択した論文の各分野への振り分けが不適切であったり、分類区分が著者の意図に適合していなかったりという場合もあるかもしれないが、ここでは上述のような分類基準に従って整理を試みた。また、著者名の読み方が確認できた場合はそれに沿って五十音順に配列したが、正確な読み方であるか判断が困難なケースが多いことから、読み方が不明な場合は、大変失礼を承知ながらも、日本における常用漢字の音読みにおいて配列した。著者名の読み方が不正確で配列が正しくない場合があるかもしれないが、この点はご容赦願いたい。英論文については、日本語と英語の記載が並存することで読者に混乱を招く恐れを懸念したが、英語表記の著者名の読み方の音により、五十音順に従い配列している。

大学紀要に関しては、多くの学部を有している大学の場合、調査対象が無限に拡大することを避けるため、主に経営学系、商学系の学部に限定しており、マーケティングや流通の隣接科学領域であっても、必ずしも社会学・心理学系の学部の紀要は対象になっていない場合があるが、これについては、論文の抽出において極めて労働集約的な作業方法をとっているという事情を斟酌していただき、お許しいただきたい。また、あくまでもタイトルと抄録の内容から判断をして区分していることから、分類や表記において不十分な点が多々あるかと思われるが、この点についても、あくまでも筆者による仮説的な分類にすぎないとご理解いただき、ご海容いただきたい。この一覧を通じてマーケティング研究の動向や構造の概観はつかめるものと思われるため、読者の関心に即して、このリストが活用されることを期待したい。

2023年の研究の動向

このリストに含まれる論文等は23年1〜12月の間に公刊されたもので、収録された成果の総数は846篇である。ジャンル別の内訳は、【A】173篇、【B】41篇、【C】71篇、【D】52篇、【E】93篇、【F】77篇、【G】58篇、【H】100篇、【I】78篇、【J】103篇である。

【A】マーケティング総論、マーケティング戦略論、マーケティング・マネジメント関連の研究に関しては、「両利きの経営」をタイトルに冠した論文が散見された。これは、主力事業の深化と新規事業の探索の両面を同時に追求することを強調する理論であり、これを対象とした理論的研究や、概念を援用した実践的研究などが行われている。またもう1つの傾向として、中小企業を対象とした研究が多く見られたことも特徴として挙げられるであろう。既述の両利きの経営に加え、人材育成やDX（デジタルトランスフォーメーション）、経営理念の浸透など、多岐にわたる研究テーマが中小企業を対象として行われていることが見て取れる。加えて、ダイナミック・ケイパビリティを冠した研究も多く見られた。特にパンデミックを境に、様々な社会や経済の仕組みに急速な変革が生じていることを背景に、変化に対応する組織能力であるダイナミック・ケイパビリティへの関心は今後ますます高まっていくかもしれない。そして、経営資源の中でも「ヒト」の価値を重要視し、それを最大限に引き出し企業価値の向上につなげようという考え方の下で「人的資本経営」に注目が集まっており、これをタイトルに冠した研究も増加している傾向が見て取れる。また、エコシステムもキーワードとして重要性を増していくことが予想される。分業と協業を基礎として、様々な経済的・社会的要素の共存共栄を実現しようとするエコシステムの視点は、コロナ禍を経て現出した消費者のライフスタイルや消費者行動に関わる新たな問題の解決に糸口を与えてくれるかもしれない。

【B】広告、プロモーション戦略、コミュニケーション戦略、クチコミ、SNS関連の研究においては、Z世代を対象としたコミュニケーション戦略やSNS戦略が見られる。InstagramやTikTokといった具体的なアプリケーションの、有効性や効果について検討が進められていることが垣間見られる。また、Z世代は環境や社会問題、多様性の価値観など、様々な問題について幼少期から教育を受けているということから、社会貢献や環境意識などが高いという傾向があると言われている。またSDGsの普及も相まって、近年では広告やコミュニケーションにおける社会志向型メッセージの重要性が高まっている。こうしたテーマについて、ソーシャルコミュニケーションというようなテーマで論じる研究も散見された。また、企業が経済的価値にとどまらず、社会的価値の実現ということも視野に入れた戦略立案が求められ、企業の存在価値を根幹から問うパーパス経営への強調も、これを冠したタイトルが見受けられることから推察される。

【C】プロダクト戦略（製品開発、イノベーション、ブランド、サービス）、プライス戦略関連の研究では、【A】で言及したエコシステムの考え方を、サービス領域で応用したような研究が見られることが指摘されよう。サービスは、サービス提供者と顧客との間における価値共創が重要であることは以前から指摘されてきたことであるが、ユーザーとのインタラクションのあり方、従業員同士の連携や分業、さらには、そのサービスが社会に広く浸透することによって新たなルールや制度、コンテクストが生み出されるということも含め、様々な要素が有機的に結びついて作用していると言える。サービスをエコシステムという観点からデザインし、サービスイノベーションを起こしていくかということが問われている。サービス・エコシステムは、今後ますます注目される概念になること

が予想され、こうしたタイトルを冠した研究が散見されるということは、この潮流を先取りするものだと思われる。またサービスに関しては、ホテルや飲食業のようなサービス産業におけるパンデミックの影響について考察する研究も散見される。

　価格問題については、パンデミックの影響による消費者物価指数の変化のようなテーマが新たな問題として挙げられている。加えて、コロナ禍を経て普及が増加したキャッシュレス決済方法などもテーマとして見ることができる。価格問題に関する別の文脈は、世界各地で勃発した軍事衝突や民族紛争などを受け、国際物流の遅滞や停止を背景に、物価高騰に関する分析が行われていることがうかがえる。

　【D】チャネル戦略、物流（サプライチェーン・マネジメント、ロジスティクス）関連の研究では、22年に引き続き、物流の2024年問題に関わる特集号などが組まれ、この問題を取り扱う研究が多く見られた。24年4月より働き方改革関連法が新たに施行され、トラックドライバーの時間外労働の上限規制がなされたことを背景に、モノの輸送能力が不足するということが問題視されている。物流業界における就業構造の分析や物流の自動化や共同化など、この問題の解決に向けた様々な効率化の方策が検討されている。特に宅配事業における小口配送市場では、ラストワンマイル配送はパンデミックを境にECが拡大したことによって取扱量が増加しており、物流におけるこの区域の物流サービスのあり方に関する議論が行われている。これに加えて、グリーン物流などESG（環境・社会・企業統治）と物流に関するトピックも今日的な論点として提示されている。

　【E】商業・流通（小売・卸・ECを含む）関連の研究では、DXを活用した流通テクノロジーのイノベーションや、国内におけるECや国境を超えたECに関連するトピックも散見される。また、こうしたバーチャル上の商業活動が増加している一方で、体験型のストアの価値を再考するポップアップストアに関する研究も見られることは興味深い。リアル店舗しか存在しなかった時代においては、ポップアップストアは単なるプロモーション手段の1つとしてしか扱われなかったかもしれないが、ECの普及が高まるにつれて、バーチャル店舗では実現できないリアルな体験を実現する場として、ポップアップストアの新たな価値が再評価されていることがうかがえる。さらに、農産物流通に関する研究も多く見られ、直売所における直販や、デジタル化、中間商業の排除を含む流通の効率化などに関するトピックも確認された。

　【F】消費者行動、消費文化論・消費論関連の研究に関しては、Z世代に加えて、高齢化社会の進展を背景に、シニア市場の動向に関する研究が見られたことが特徴的な点であると思われる。また、アイドルやポップカルチャーなどコンテンツビジネスに関連するトピックも多く見られた。推し活もまた、その市場規模を拡大する消費活動として、ますます注目が集められるだろう。さらに、コロナ禍を境にした生活者行動、買い物意識の変化、新たに出現したセグメンテーションなど、パンデミックが消費者行動に与えた影響を検討する研究も盛んに行われている。コロナ禍に関する研究が一番多く見られたのは、このジャンルであった。一方で、サーキュラーエコノミーへの関心から、エシカル消費に関連する論題も散見され、今後、こうした社会志向の消費者行動が増加することが予想される。

　【G】国際市場、グローバル・マーケティング関連の研究に関しては、自動車、ゲーム、食品、薬品、サービス、小売およびECなど、幅広い産業領域にわたる研究が確認された。また、進出先の現地企業と本国との関係性や、サプライヤーとの取引関係など、組織関係について議論されている。そして、対象となる国については、欧米諸国やアジア、アフリカなど、非常に幅広いターゲットが確認された。

　【H】観光、非営利組織のマーケティング関

連の研究では、コロナ禍を境に注目を集めるようになったオンラインによるバーチャルツーリズムや、それにおけるVR（仮想現実）の活用などが新たな論題として出現したことが指摘できよう。また、障がいを抱える人々や高齢者に加えて、妊産婦や乳幼児を連れた家族など、何かしらの不自由やバリアを感じている人たちが気兼ねなく参加できる旅行の実現を目指す、インクルーシブツーリズム、またはユニバーサルツーリズムは、今後ますます取り組みが期待される領域であり、こうした新たな論題も散見された。さらにポストコロナの時代を迎え、インバウンドの増加も注目を集めており、パンデミック以前にすでに問題となっていた旅行客の激増によるオーバーツーリズムに関する研究も確認された。ITやデジタル技術を活用して、より効果的に消費者を誘導する方法としてのスマートツーリズムというトピックも見られ、これがオーバーツーリズムを解決する潜在的な可能性を有しているかもしれない。そのほか、観光の対象の拡大を反映して、アニメツーリズム、ルーラルツーリズム、アートツーリズム、グリーンツーリズム、ネイチャーツーリズム、医療ツーリズムなど、多様なツーリズムのあり方が議論されており、観光の領域における研究対象の広がりがうかがえる。

【I】地域活性化および地域ブランディングに関連する研究については、大学と地域といった産学連携をテーマに掲げる研究が見られ、重要性を高めていることがうかがえた。地域企業との連携や、スポーツと地域の関わりもまた、地域創生の重要な論点として議論されている。地域活性化を目的とした、ご当地キャラクターや地域ブランドを掲げた特産物の開発や販売なども、多くの研究が確認される。インバウンドの増加に伴い、観光と地域活性化に関する研究も

ますます多く行われることであろう。さらに、内発的な地域資源の開発や活用においてSDGsの視点から考察する研究も多く見られた。

【J】マーケティングのマクロ環境（法制度、環境・社会問題など）への取り組み、マーケティング史に関連する研究に関しては、歴史研究の対象は非常に幅広く、マーケティング史学会の学会誌を中心に様々なトピックの論題が扱われている。そのほか、マクロ環境に関しては、環境や社会問題の解決を事業創造につなげるという視点から行われる研究が多く見られる。高齢化に伴う買い物難民問題と、その解決の糸口としての移動販売もその1つである。加えて、消費者問題や消費者教育と、フードロスの問題を結びつけたような研究も確認された。この問題に加え、ファッション産業における廃棄問題に関する論題も見られた。ファストファッションの流行により衣服の大量消費が実現した一方で、売れ残りの衣服が大量廃棄されていることや、非常に短い使用期間ののちに廃棄されていることなど、ファッション産業における廃棄の問題が顕在化している。フードロスや衣服の廃棄は消費者自身の意識改革を必要とするが、それだけでは解決は難しく、供給側の企業行動の変容が必須である。もはやCSRは義務ではなく、社会課題の解決が企業の事業の出発点と認識され、CSV（共有価値の創造）が企業の行動指針の中心に据えられている時代であるが、他方でまだフードロスや衣服の大量廃棄など、解決されるべき問題が山積していることも事実である。SDGsの時代ではあるが、まだまだ理想と現実の矛盾は存在しており、こうしたマクロ環境への企業活動のインパクトに関する研究は、今後ますます増加し、その重要性が高まることが予想される。

（戸田裕美子）

2023 年の広告・マーケティング研究一覧

【A】マーケティング総論、マーケティング戦略論、マーケティング・マネジメント関連の研究

- 青井浩「マネジメント・フォーラム：新しい文化を醸成し、共感ベースの知識創造型企業に生まれ変わる（丸井グループ）」（インタビュアー：伊藤邦雄）『一橋ビジネスレビュー』〔一橋大学イノベーション研究センター〕第71巻第1号、pp.146-155.
- 赤尾充哉「ダイナミック・ケイパビリティ論の焦点は何か―学説の系譜に基づく考察」『三田商学研究』〔慶應義塾大学出版会〕第66巻第5号、pp.151-167.
- 赤尾充哉「ネルソン＝ウィンターの進化経済学が組織理論に与えた影響」『現代経営経済研究』〔東洋学園大学〕第6巻第1号、pp.51-82.
- 秋吉一輝、浅田磨里、荒川翼、伊東芽衣耶、鈴木萌々香「日本企業におけるプロ経営者の実証研究―『不確実な時代』の経営トップの在り方を探る」『白鷗ビジネスレビュー』〔白鷗大学ビジネス開発研究所〕第32巻第2号、pp.77-87.
- 朝山絵美「組織の両利きを促進するミドル・マネジメントの役割とその作用の研究」『組織科学』〔組織学会〕第57巻第2号、pp.19-33.
- 芦澤成光「戦略策定プロセスにおけるデザイン（Design）視点の意味」『玉川大学経営学部紀要』〔玉川大学〕第33号、pp.1-14.
- 芦澤成光「北陸3県の優れた中小企業の戦略とコミュニケーション方法の特徴（1）」『玉川大学経営学部紀要』〔玉川大学〕第34号、pp.1-20.
- 足立裕介「事業環境によって経営理念浸透の影響は異なるか?―組織目標に及ぼす影響の程度に関する実証分析」『熊本学園商学論集』〔熊本学園大学商学会〕第28巻第1号、pp.1-24.
- 阿濱志保里「コロナ禍における音楽業界への影響に関する研究―2020年の新聞記事をもとに」『経済科学研究』〔広島修道大学ひろしま未来協創センター〕第27巻第1号、pp.33-44.
- 安部伸哉「萩藩の米市場における投機取引と大坂相場情報の利用―『岸本平八郎大坂米相場贋状一件』を中心として」『經濟學研究』〔九州大学経済学会〕第90巻第1号、pp.1-23.
- 阿部川勝義「フードビジネスにおける経営理念・経営戦略・経営システムの策定―ワークデザインにおける目的展開とシステム設計の応用」『名古屋文理大学紀要』〔名古屋文理大学〕第23巻、pp.65-73.
- 粟屋仁美「再資源化ビジネスのダイナミズム―ダイナミック・ケイパビリティのフレームワークを活用したミクロ的解明」『三田商学研究』〔慶應義塾大学出版会〕第66巻第5号、pp.169-183.
- 飯田悠司「産業変革の起業家たち（14）成功へのショートカットは素直な学びから」（インタビュアー：青島矢一、藤原雅俊）『一橋ビジネスレビュー』〔一橋大学イノベーション研究センター〕第70巻第4号、pp.120-128.
- 井川佳実「中小企業の知識移転を促進する境界活動のマネジメント」『經濟論叢』〔京都大学経済学会〕第197巻第1号、pp.35-50.
- 井坂康志「ドラッカーと日本的経営―コミュニティ、社会、知覚を中心に」『ものつくり大学紀要』〔ものつくり大学〕第12号、pp.33-40.
- 石川伊吹「Penrose-based DCに向かって―DC論研究の今後の方向性と実践的インプリケーション」『三田商学研究』〔慶應義塾大学出版会〕第66巻第5号、pp.185-196.
- 石坂庸祐「ビジネスモデル・イノベーション論の構図」『九州共立大学研究紀要』〔九州共立大学紀要委員会〕第13巻第2号、pp.91-102.
- 伊藤邦雄「人的資本経営のパラダイム転換」『一橋ビジネスレビュー』〔一橋大学イノベーション研究センター〕第71巻第1号、pp.8-27.
- 伊藤克容「『両利きの経営』を実現するマネジメント・コントロール手法に関する考察」『成蹊大学経済経営論集』〔成蹊大学経済経営学会〕第54巻第2号、pp.45-67.
- 井上徹「WEDGWOODのマネジメントとデザインの関係に関する一考察―19世紀の共同経営者を中心に」『甲南経営研究』〔甲南大学経営学会〕第63巻第3・4号、pp.15-33.
- 井上達彦、近藤祐大「投資家に評価されるビジネスモデル」『一橋ビジネスレビュー』〔一橋大学イノベーション研究センター〕第71巻第2号、pp.74-88.
- 岩尾俊兵、加藤木絢美「社会的変化としての働き方改革へのダイナミック・ケイパビリティの発揮条件―SCSK、はるやまホールディングス、大日本印刷の比較事例分析」『三田商学研究』〔慶應義塾大学出版会〕第66巻第5号、pp.109-124.

- 植木真理子「日本自動車企業におけるDX戦略—CASEやMaaSへの取り組みの現状と課題」『拓殖大学経営経理研究』〔拓殖大学経営経理研究所〕第123巻、pp.27-35.

- 牛島辰男「コインシュランスの組織的含意—WilliamsonのM型組織論を手掛かりとして」『三田商学研究』〔慶應義塾大学出版会〕第66巻第5号、pp.51-61.

- 内田大輔、孫康勇、上杉高志、高橋裕典「ビジネス・ケース：味の素ファンデーション—ソーシャルビジネスで挑む子供の栄養改善」『一橋ビジネスレビュー』〔一橋大学イノベーション研究センター〕第70巻第4号、pp.170-183.

- 宇野舞「ビジネス・ケース：ジーニーラボ 小規模ITサービス企業が推進する間接材購買取引の標準化」『一橋ビジネスレビュー』〔一橋大学イノベーション研究センター〕第71巻第3号、pp.136-149.

- 梅木眞「自動車産業における制度的優位の確立—SUBARUの事例を中心に」『流通経済大学論集』〔流通経済大学経済学部〕第58巻第2号、pp.113-126.

- 恵志章夫「産業変革の起業家たち（15）勤怠管理を起点にしたクラウドサービスを通じて日本の労働生産性向上に寄与する」（インタビュアー：青島矢一、藤原雅俊）『一橋ビジネスレビュー』〔一橋大学イノベーション研究センター〕第71巻第1号、pp.110-116.

- 江藤学「標準化を活用したルール作りとビジネスへの活用—規格は成長して標準になる」『一橋ビジネスレビュー』〔一橋大学イノベーション研究センター〕第71巻第3号、pp.62-74.

- 遠藤誠二、小林孝「DX時代のマーケティング—YAMAHA社DX7のケースから」『東海大学紀要. 政治経済学部』〔東海大学政治経済学部〕第55巻、pp.61-72.

- 王英燕「組織アイデンティティ・ワークのマネジメント—パラドキシカルな視点を導入」『三田商学研究』〔慶應義塾大学出版会〕第66巻第5号、pp.63-76.

- 大﨑孝徳「プレミアム・マス・マーケティングの可能性—伯方塩業の事例を中心として」『香川大学経済論叢』〔香川大学経済学会〕第96巻第2号、pp.3-21.

- 大薗恵美「第22回ポーター賞受賞企業に学ぶ」『一橋ビジネスレビュー』〔一橋大学イノベーション研究センター〕第70巻第4号、pp.194-203.

- 大淵和憲「伝統工芸産業におけるコロナ禍や事業承継を巡る実態調査分析—九州地方の伝統工芸産地を対象とした質問紙調査より」『九州産業大学伝統みらい研究センター論集』〔九州産業大学伝統みらい研究センター編集委員会〕第6号、pp.1-14.

- 大淵和憲「伝統工芸産地における意識・実態調査の経年的分析とその構造化に向けて」『九州産業大学伝統みらい研究センター論集』〔九州産業大学伝統みらい研究センター編集委員会〕第6号、pp.51-58.

- 小沢和彦「ダイナミック・ケイパビリティと組織変革」『三田商学研究』〔慶應義塾大学出版会〕第66巻第5号、pp.125-136.

- 落合孝文、小泉誠、宮田洋輔「民間のルール形成におけるかかわり方の変化—プロトタイプ制作研究所の展望」『一橋ビジネスレビュー』〔一橋大学イノベーション研究センター〕第71巻第3号、pp.48-61.

- 小野恭裕「『教育DX』による『「学び」型の変化』と『企業の経営的視点』—フィジカルとデジタルの融合による『学び型』と『経営的アプローチ』の研究」『消費経済研究』〔日本消費経済学会〕第12号、pp.136-150.

- 小野浩「なぜ人的資本の投資が必要なのか?」『一橋ビジネスレビュー』〔一橋大学イノベーション研究センター〕第71巻第1号、pp.28-41.

- 風岡宗人、角谷嘉則「コミュニティビジネスによる主体形成と組織間の位相—南丹市美山町鶴ヶ岡地区を事例として」『桃山学院大学経済経営論集』〔桃山学院大学総合研究所〕第64巻第4号、pp.417-452.

- 糟谷崇「スタートアップ・エコシステムにおけるダイナミック・ケイパビリティの概念化」『三田商学研究』〔慶應義塾大学出版会〕第66巻第5号、pp.197-203.

- 糟谷昌志、布川博士「世界経済の変化とビジネスモデル・イノベーションの相互作用に関する研究」『宮城大学研究ジャーナル』〔宮城大学〕第3巻第1号、pp.94-100.

- 加藤敦宣「研究開発組織における知識創造に関する考察—TMSアプローチに基づく知見」『成城大学社会イノベーション研究』〔成城大学社会イノベーション学会〕第18巻第2号、pp.75-87.

- KATO, Kosuke、YAMAMOTO Junko、KOBAYASHI Hiroaki「Understanding Research Trends and Topics on Organic Agriculture based on Scientific Literature in Social Science」『フードシステム研究』〔日本フードシステム学会〕第29巻4号、pp.237-242.

- 金山茂雄「企業のIT戦略—ITの活用事例から」『拓殖大学経営経理研究』〔拓殖大学経営経理研究所〕第123巻、pp.37-49.

- 軽部大、橘樹、宮澤優輝、アヴィマニュ・ダッタ「ビジネス・ケース：セイコーエプソン—革新的腕時計『スプリングドライブ』はいかに開発・事業化されたか」『一橋ビジネスレビュー』〔一橋大学イノベーション研究センター〕第

70巻第4号、pp.152-169.

- 川崎保弘「日本の"長寿企業"について―『清酒製造業』に関する予備的考察」『現代ビジネス研究所紀要』〔昭和女子大学現代ビジネス研究所〕第8巻、pp.1-13.

- 川名喜之「経営倫理研究における規範的アプローチと経験的アプローチを巡る歴史的展開―『実践としての経営倫理（研究）』再考」『経済経営研究』〔東京都立大学大学院経営学研究科経済経営学会〕第5巻、pp.1-20.

- 河原大、福沢康弘「eスポーツを活用した新たなビジネスの可能性―『VILLA KOSHIDO ODORI』を事例とした考察」『北海道情報大学紀要』〔北海道情報大学〕第35巻、pp.55-65.

- 木佐森健司「組織の境界と人間―戦略的選択をめぐる理論的課題」『高千穂論叢』〔高千穂大学高千穂学会〕第57巻第3・4号、pp.29-44.

- 北浦さおり「日本国内における被服消費の縮小とその要因の分析」『シティライフ学研究』〔宇都宮共和大学シティライフ学部〕第24巻、pp.44-65.

- 北村友宏「日本における鉄道事業の存続問題とその対策」『同志社商学』〔同志社大学商学会〕第75巻第3号、pp.397-407.

- 木下耕二、郭智雄「M&A組織能力の解明―中小企業の労働生産性向上を目指して」『産業経営研究所報』〔九州産業大学産業経営研究所〕第55号、pp.1-17.

- 木村圭吾「進化論的学説史研究における認識進歩の評価基準に係る再考」『マーケティング史研究』〔マーケティング史学会〕第2巻第1号、pp.68-86.

- 久保田昌宏、山下貴子「医療機器および医療材料製造業におけるビジネス・エコシステムの構築―サスティナブル・プラットフォーム・モデルの提言」『マーケティングレビュー』〔日本マーケティング学会〕第4巻第1号、pp.42-50.

- 九里徳泰「人的資本経営に関する一考察」『社会起業研究』〔相模女子大学専門職大学院社会起業研究科〕第3巻、pp.59-86.

- 黒澤佳子「中小企業における女性後継者の特性と事業成長要因―女性起業家との比較分析」『秀明大学紀要』〔秀明大学〕第20巻、pp.9-21.

- 桑田敬太郎「経営学におけるエコシステムの分類―科学技術イノベーションの分析に向けて」『総合政策論叢』〔島根県立大学総合政策学会〕第45巻、pp.75-94.

- 小阪玄次郎、遠藤貴宏、坪山雄樹「ビジネス・ケース：マクアケ―クラウドファンディングを超えたビジネスモデルの構築」『一橋ビジネスレビュー』〔一橋大学イノベーション研究センター〕第71巻第2号、pp.120-135.

- 児玉直美「職場におけるジェンダーギャップとマネジメントプラクティス」『一橋ビジネスレビュー』〔一橋大学イノベーション研究センター〕第71巻第1号、pp.56-67.

- 小仲健太郎、恩藏直人「気象データで新たなビジネスモデルを生み出す―日本気象協会の商品需要予測事業」『マーケティングジャーナル』〔日本マーケティング学会〕第42巻第3号、pp.81-87.

- 小林哲也「ホンダの自動車部品取引構造と戦略に関する考察」『城西大学大学院研究年報』〔城西大学大学院経済学研究科〕第36巻、pp.79-95.

- 小林英幸「文殊の知恵を導くには―ダイナミックケイパビリティを発揮するダイバーシティ経営」『SBI大学院大学紀要』〔SBI大学院大学〕第10号、pp.30-38.

- 近藤光「日本のクリエイティブ産業企業の成長戦略―セガサミーのケース」『千葉経済論叢』〔千葉経済大学〕第68号、pp.281-300.

- 坂井恵「経営者の意思決定にかかるアカウンタビリティ―組織の共通目的の価値的側面との関わりを中心として」『千葉商大論叢』〔千葉商科大学国府台学会〕第61巻第2号、pp.21-42.

- 阪上富貴子「中小企業女性経営者の起業動機とライフイベントとの関係」『太成学院大学紀要』〔太成学院大学〕第24巻第42号、pp.13-24.

- 榊原研互「ドイツ経営経済学における学問の境界問題―シュライエグの所説を中心に」『三田商学研究』〔慶應義塾大学出版会〕第66巻第5号、pp.19-29.

- 桜井駿「規制改革、ルールメイキングにおけるエコシステムの役割」『一橋ビジネスレビュー』〔一橋大学イノベーション研究センター〕第71巻第3号、pp.38-47.

- 櫻井光行「STPの起源―いかにマーケティング戦略を教えるか」『尚美学園大学スポーツマネジメント研究紀要』〔尚美学園大学スポーツマネジメント学部〕第6巻、pp.39-51.

- 佐藤和「文化の次元と組織運営」『三田商学研究』〔慶應義塾大学出版会〕第66巻第5号、pp.77-92.

- 沢井実「1910〜30年代における大連機械製作所の経営展開」『アカデミア. 社会科学編』〔南山大学〕第25号、pp.247-264.

- 柴田明「ドイツのファミリービジネスにおける財団の役割に関する研究―準備的考察」『三田商学研究』〔慶應義塾大

学出版会〕第66巻第4号、pp.75-86.

● 柴田明「企業倫理をめぐる2つの学説の検討—『不条理』と『ジレンマ構造』の共通点と相違点」『三田商学研究』〔慶應義塾大学出版会〕第66巻第5号、pp.93-108.

● 島西智行「『人的資本経営』と人的資源管理—『人材版伊藤レポート』からの示唆」『一橋ビジネスレビュー』〔一橋大学イノベーション研究センター〕第71巻第1号、pp.42-55.

● 島西智行「今求められる戦略人事のアップデート」『一橋ビジネスレビュー』〔一橋大学イノベーション研究センター〕第71巻第2号、pp.98-105.

● 島貫智行「経営戦略と人材マネジメントの連動」『一橋ビジネスレビュー』〔一橋大学イノベーション研究センター〕第71巻第3号、pp.76-84.

● 庄司真人「市場志向と価値共創」『消費経済研究』〔日本消費経済学会〕第12号、pp.3-13.

● 白石弘幸「オープンファクトリーの戦略的意義と機能—概念的整理」『中央学院大学商経論叢』〔中央学院大学商学部〕第38巻第1号、pp.19-39.

● 鈴木智子、王国堅、沙辰「ビジネス・ケース：パナソニックホールディングス—センター・オブ・エクセレンスとしての中国事業」『一橋ビジネスレビュー』〔一橋大学イノベーション研究センター〕第71巻第2号、pp.136-148.

● 徐誠敏、李美善「創業100年の信頼の歴史から見る『オルバヘルスケアホールディングス』の『戦略的インターナル・ブランディング』における促進要因に関する研究」『経済経営論集』〔名古屋経済大学経済・経営研究会〕第31巻第1号、pp.39-51.

● 関根孝「新たなマーケティングの動き」『専修商学論集』〔専修大学学会〕第116巻、pp.69-87.

● 髙田英亮「ビッグデータの4Vが企業成果に及ぼす影響」『三田商学研究』〔慶應義塾大学出版会〕第66巻第3号、pp.195-206.

● 高橋昭夫「インターナル・マーケティング研究の現状と課題」『明治大学社会科学研究所紀要』〔明治大学社会科学研究所〕第62巻第1号、pp.76-97.

● 髙橋和宏、犬飼知徳、千葉智之、田中公子、生稲史彦「ビジネス・ケース：リクルート—『ホットペッパービューティー』による美容業界の変革」『一橋ビジネスレビュー』〔一橋大学イノベーション研究センター〕第71巻第1号、pp.118-129.

● 髙橋宏承「組織文化の自己組織化とその頑健性」『千葉大学経済研究』〔千葉大学経済学会〕第38巻第1・2号、pp.13-42.

● 高橋秀直「事業承継と両利き経営に関する予備的考察」『北九州市立大学マネジメント論集』〔北九州市立大学大学院マネジメント研究科〕第16号、pp.11-22.

● 武谷慧悟、古川裕康、芳賀悠基「『企業イメージ研究会』のねらいと現在地—コーポレート・パーソナリティ指標『エッセンシャル5』の開発と活用（特集 過去20年間のデータから見た企業イメージを形成する5つの要素）」『日経広告研究所報』〔日経広告研究所〕第330号、pp.6-13.

● 武田寛「経営理念と投資行動」『北九州市立大学マネジメント論集』〔北九州市立大学大学院マネジメント研究科〕第16号、pp.23-40.

● 多湖雅博、田中利正「中小企業における経営理念の課題と対策」『地域協働研究ジャーナル』〔京都文教大学地域協働研究教育センター〕第2巻、pp.23-40.

● 城譲「パブリックアフェアーズによるルール形成の支援活動—電動キックボードの社会実装を事例として」『一橋ビジネスレビュー』〔一橋大学イノベーション研究センター〕第71巻第3号、pp.24-37.

● 田中智晃、岡村斉能「楽器業界におけるシニアマーケティングの未来—シニアアンサンブル・オーケストラの試み」『東京経大学会誌（経営学）』〔東京経済大学経営学会〕第318巻、pp.89-108.

● 谷川寿朗「株式会社の自律性について」『三田商学研究』〔慶應義塾大学出版会〕第66巻第5号、pp.205-219.

● 谷口和弘「サステナビリティ経営の小田原モデル（Ⅱ）」『三田商学研究』〔慶應義塾大学出版会〕第66巻第2号、pp.13-27.

● 谷口和弘、市川泰憲、Fruin, W. Mark「シグマにおける異端経営の系譜（Ⅱ）—二代目・山木和人への焦点」『三田商学研究』〔慶應義塾大学出版会〕第66巻第2号、pp.25-40.

● 谷口正一郎「企業家による組織化を捉える方法論的探究—William B. Gartner の企業家概念再考とプラグマティズムに基づいた理論的視座の検討」『経済経営研究』〔東京都立大学大学院経営学研究科経済経営学会〕第5巻、pp.67-82.

● 田野宏「本の近代期における外来野菜の導入過程と主産地形成との関わり（Ⅱ）—北海道のタマネギ生産地域を事例に」『千葉商大紀要』〔千葉商科大学国府台学会〕第60巻第3号、pp.55-75.

● 玉塚元一「マネジメント・フォーラム：ロッテホールディングス—日韓を掛け算してシナジーを発揮し、グローバル

を目指す」（インタビュアー：米倉誠一郎、カン・ビョンウ）『一橋ビジネスレビュー』〔一橋大学イノベーション研究センター〕第70巻第4号、pp.184-193.

- 田原慎介、串田ゆか、本間利道「保険薬局の『かかりつけ薬剤師』普及に関する経営学的課題の検討」『経営経済』〔大阪経済大学中小企業・経営研究所〕第59号、pp.11-26.

- 千葉郁太郎「地方におけるアニメーション制作会社の経営戦略—京都府宇治市における企業を事例に」『地域協働研究ジャーナル』〔京都文教大学地域協働研究教育センター〕第2巻、pp.93-109.

- 周炫宗「失敗からの組織学習と競争優位の構築に関する一考察—㈱SKハイニックスの事例研究」『商学集志』〔日本大学商学部〕第93巻第1・2号、pp.25-45.

- 張嘉怡「ビジネス・ケース：SCSK—合併企業の経営と成長」『一橋ビジネスレビュー』〔一橋大学イノベーション研究センター〕第71巻第2号、pp.152-165.

- 辻智佐子、辻俊一、渡辺昇一「デジタル時代における映像マスメディアの経営環境変化と制度改革に関する一考察（前編）」『城西大学経営紀要』〔城西大学経営学部〕第19巻、pp.1-34.

- 手塚公登、小山明宏「現代の『日本的経営』論（7）」『學習院大學經濟論集』〔学習院大学経済学会〕第59巻第4号、pp.351-385.

- 手塚公登、小山明宏「現代の『日本的経営』論（8）」『學習院大學經濟論集』〔学習院大学経済学会〕第60巻第1号、pp.35-56.

- 手塚公登、小山明宏「現代の『日本的経営』論（9）」『學習院大學經濟論集』〔学習院大学経済学会〕第60巻第2号、pp.143-157.

- 十河政則「マネジメント・フォーラム：ダイキン工業—技術とルール作りの掛け算で、グローバルに市場を切り開く」（インタビュアー：米倉誠一郎、江藤学）『一橋ビジネスレビュー』〔一橋大学イノベーション研究センター〕第71巻第3号、pp.150-159.

- 十名直喜「経営哲学の探求と創造—『サステナビリティの経営哲学』出版記念学長対談の視座」『SBI大学院大学紀要』〔SBI大学院大学〕第10号、pp.108-132.

- 長島剛、松本祐一、二川正浩、松田大「地域の中小企業人材育成マーケット創造研究（1）」『経営・情報研究：多摩大学研究紀要』〔多摩大学経営情報学部〕第27巻、pp.235-238.

- 永野寛子「ダイナミック・ケイパビリティ論における批判的議論」『三田商学研究』〔慶應義塾大学出版会〕第66巻第5号、pp.221-230.

- 長濱弥守郎、鳥取部真己「従業員エンゲージメントに基づく経営改革—特別養護老人ホームAでの調査に基づいて」『北九州市立大学マネジメント論集』〔北九州市立大学大学院マネジメント研究科〕第16号、pp.107-145.

- 名倉真史「中小企業のためのDX、IoT活用事例」『中小企業支援研究』〔千葉商科大学経済研究所中小企業研究・支援機構〕第10巻、pp.47-50.

- 粘逸彦「市場形成についての概念研究」『山梨学院大学経営学論集』〔山梨学院大学経営学部編集委員会〕第4号、pp.27-36.

- 西浦尚夫「地域中小製造企業の経営革新着眼点に関する一考察—㈱伊藤製作所、㈱スエヒロEPMを事例として」『四日市大学論集』〔四日市大学〕第35巻第2号、pp.209-225.

- 西釜義勝「資源ベース戦略論の暫定的分析視角—組織能力の類型化と研究枠組みの提示」『大阪成蹊大学紀要』〔大阪成蹊大学〕第9巻、pp.169-179.

- 西谷勢至子「S.G. Winterにとってのダイナミック・ケイパビリティ概念」『三田商学研究』〔慶應義塾大学出版会〕第66巻第5号、pp.231-245.

- 庭本佳子「DCのミクロ的基礎としてのHRM—資源柔軟性と調整柔軟性に注目して」『三田商学研究』〔慶應義塾大学出版会〕第66巻第5号、pp.247-261.

- 野中郁次郎、野間幹晴、川田弓子「『二項動態経営』実践論」『一橋ビジネスレビュー』〔一橋大学イノベーション研究センター〕第70巻第4号、pp.96-119.

- 芳賀悠基、恩藏直人「テクノロジーの活用による価値あるマーケティング・データの創出—REVISIO株式会社を例として」『マーケティングジャーナル』〔日本マーケティング学会〕第42巻第4号、pp.87-96.

- 橋村政哉「健康経営の実践が職場にもたらす効果についての仮説試論」『HIU健康科学ジャーナル』〔広島国際大学健康科学部〕第2号、pp.1-10.

- 橋本倫明「日本的ダイナミック・ケイパビリティ経営の確立に向けて—ダイナミック・ケイパビリティ経営の多様性に着目して」『三田商学研究』〔慶應義塾大学出版会〕第66巻第5号、pp.263-277.

- 長谷川英伸「大企業と中小企業の企業間取引—効率性と競争優位」『玉川大学経営学部紀要』〔玉川大学〕第33号、pp.15-27.

- 蜂巣旭「公営企業の境界—水道事業の民間委託に関する組織の経済学アプローチ」『三田商学研究』〔慶應義塾大学出版会〕第66巻第5号、pp.279-291.
- 服部泰宏「米国企業との比較に見る日本企業の採用課題」『一橋ビジネスレビュー』〔一橋大学イノベーション研究センター〕第71巻第1号、pp.68-84.
- 服部泰宏、谷口悦子、金井文宏「ビジネス・ケース：日本航空—進化する意識改革」『一橋ビジネスレビュー』〔一橋大学イノベーション研究センター〕第71巻第3号、pp.94-110.
- 羽生田慶介「ルール形成のプロセスにおけるマネタイズの道筋—標準化・規制対応の『兵站』強化こそ日本産業界の急務」『一橋ビジネスレビュー』〔一橋大学イノベーション研究センター〕第71巻第3号、pp.6-23.
- 林倬史、菰田文男「米国IT多国籍企業のグローバル技術知識創造システムと技術開発分野—GoogleとIBMの特許分析を中心に」『立教ビジネスレビュー』〔立教経営学会〕第16巻、pp.23-43.
- 平田博紀「起業意思と企業家志向性の関係」『経営論集』〔文京学院大学総合研究所〕第32巻第1号、pp.101-111.
- 福井直人「日本的経営論にかんする国内の研究動向—2000年以降の学術研究図書を題材として」『神戸学院大学経営学論集』〔神戸学院大学経営学会〕第20巻第1号、pp.67-88.
- 藤本倫史、中村和裕、井手吉成佳「組織形態の異なるプロスポーツ組織のマネジメント—広島地域の事例によるケーススタディ」『福山大学経済学論集』〔福山大学経済学研究会〕第47巻、pp.18-28.
- 細沼藹芳「組織変革とダイバーシティ経営の推進—ハイアール社の組織変革の事例を中心に」『SBI大学院大学紀要』〔SBI大学院大学〕第10号、pp.39-56.
- 堀口哲生「チーフ・マーケティング・オフィサーについての研究の展開と課題」『三田商学研究』〔慶應義塾大学出版会〕第66巻第3号、pp.319-327.
- 牧良明「1960年代の日本自動車産業における半導体技術の導入過程」『経営研究』〔大阪公立大学経営学会〕第74巻第1号、pp.11-29.
- 松尾洋治、余漢燮、菊池一夫「オルダーソン著『マーケティング行動と経営者行為』の再検討—マネジリアルな視点からの整合的解釈に向けて」『マーケティング史研究』〔マーケティング史学会〕第2巻第1号、pp.51-67.
- 松本陽一「日本のエレクトロニクス企業における撤退を通じた資源の再配置」『三田商学研究』〔慶應義塾大学出版会〕第66巻第5号、pp.137-149.
- 水野一郎「新しい資本主義と人本主義経営—さくら住宅を事例として」『關西大學商學論集』〔關西大學商學會〕第68巻第1号、pp.43-60.
- 水野学、中川充、石田大典「『あいまいな問題』と『解決』を支援するしくみ—DMM.make Akibaを事例として」『マーケティングジャーナル』〔日本マーケティング学会〕第43巻第2号、pp.18-29.
- 南知惠子「マーケット・シェイピング戦略—概念的特徴と市場における成果」『国民経済雑誌』〔神戸大学経済経営学会〕第227巻第6号、pp.15-28.
- 宮崎純一「Jリーグのマーケティング動向に関する考察—本学寄附講座資料からの事例報告」『青山経営論集』〔青山学院大学経営学会〕第57巻第4号、pp.1-68.
- 森俊也「成熟企業のトップマネジメント—『私の経営』から『私たちの経営』化が重要では?」『BULLETIN OF NAGANO UNIVERSITY』〔長野大学〕第45巻第2号、pp.33-46.
- 森泰規「組織成果を示唆するクリエイティビティ」『マーケティングレビュー』〔日本マーケティング学会〕第4巻第1号、pp.11-17.
- 森光高大「水産経営における収益性測定についての一考察—漁業の収益性に関する文献レビューに基づいて」『西南学院大学商学論集』〔西南学院大学学術研究所〕第69巻第3・4号、pp.213-225.
- 矢島格「協同組織金融機関の中央金融機関の組織に関する一考察—取引コスト理論による分析」『三田商学研究』〔慶應義塾大学出版会〕第66巻第5号、pp.293-307.
- 山内裕、鉄川弘樹、平山照峰「ビジネス・ケース：ソニー—CMOSイメージセンサーの開発」『一橋ビジネスレビュー』〔一橋大学イノベーション研究センター〕第71巻第2号、pp.106-118.
- 山岡隆志「広告アゴラ：企業戦略としてのカスタマー・アドボカシー志向」『日経広告研究所報』〔日経広告研究所〕第331号、pp.48-49.
- 山口和宣「日本の製薬企業の考察—日本はなぜコロナワクチンで負けたのか?」『SBI大学院大学紀要』〔SBI大学院大学〕第10号、pp.171-196.
- 山口裕之、阿部智和「ビジネスモデルの継続的かつ逸脱的な変化」『組織科学』〔組織学会〕第57巻第2号、pp.67-80.
- 山口光男「事業定義からみる価値づくり経営—松浦機械製作所の事例から」『ふくい地域経済研究』〔福井県立大学地域経済研究所〕第36号、pp.147-170.

- 山口光男「中小企業の経営過程にみる両利きの経営―清川メッキ工業株式会社の事例から」『福井県立大学経済経営研究』〔福井県立大学経済学部〕第45号、pp.69-88.
- 山口みどり「エフェクチュエーションによる戦略策定プロセスの再考（1）―キーエンスの事例分析」『東京経大学会誌（経営学）』〔東京経済大学経営学会〕第318巻、pp.169-186.
- 山口みどり「エフェクチュエーションによる戦略策定プロセスの再考（2）―キーエンスの事例分析」『東京経大学会誌（経営学）』〔東京経済大学経営学会〕第320巻、pp.149-176.
- 結城祥「ポジショニングは製品差別化に貢献するか？」『流通研究』〔日本商業学会〕第26巻第1号、pp.1-16.
- 行平真也「民間事業者が撤退した離島航路事業の公営への経営移管について―大分県津久見市保戸島航路を対象として」『九州産業大学地域共創学会誌』〔九州産業大学地域共創学会〕第10号、pp.89-100.
- 百合岡雅博「新潟県内の中小企業における企業連携に関する実態と課題」『地域連携研究：長岡大学地域連携研究センター年報』〔長岡大学地域連携研究センター〕第33巻第10号、pp.79-104.
- 百合本安彦「産業変革の起業家たち（17）独立系ベンチャーキャピタルとして 日本発のスタートアップを世界へ」（インタビュアー：青島矢一、藤原雅俊）『一橋ビジネスレビュー』〔一橋大学イノベーション研究センター〕第71巻第3号、pp.86-93.
- 楊英賢、小川長「自動車メーカーにおける両利きの経営の実現―トヨタの事例研究から」『尾道市立大学経済情報論集』〔尾道市立大学経済情報学部〕第23巻第1号、pp.29-61.
- 横田一貴「発明者の組織間移動」『組織科学』〔組織学会〕第57巻第2号、pp.79-89.
- 吉岡（小林）徹「イノベーションマネジメントの定石（9）産学連携のマネジメント」『一橋ビジネスレビュー』〔一橋大学イノベーション研究センター〕第70巻第4号、pp.142-150.
- 吉岡（小林）徹「イノベーションマネジメントの定石（10［最終回］）イノベーションから収益を得る組織的基盤」『一橋ビジネスレビュー』〔一橋大学イノベーション研究センター〕第71巻第1号、pp.100-107.
- 吉田和江「日本企業の柔軟経営―ダイナミック・ケイパビリティ分析」『三田商学研究』〔慶應義塾大学出版会〕第66巻第5号、pp.309-323.
- 吉田聖崇、青島矢一「ビジネス・ケース：Akatsuki Ventures―経営理念の実現を目指したCVC投資」『一橋ビジネスレビュー』〔一橋大学イノベーション研究センター〕第71巻第1号、pp.130-142.
- 吉田満梨「エフェクチュエーションによる新市場創造（4）『対象に価値を見出す人々』の創出による市場機会の創造」『一橋ビジネスレビュー』〔一橋大学イノベーション研究センター〕第70巻第4号、pp.130-140.
- 吉田満梨「エフェクチュエーションによる新市場創造（5［最終回］）非予測的コントロールの論理」『一橋ビジネスレビュー』〔一橋大学イノベーション研究センター〕第71巻第1号、pp.86-99.
- 吉田満梨、二宮麻里、三井雄一、大田康博「パートナーとの協働を通じた起業家の目的形成―株式会社ヌーラボの事例研究」『マーケティングジャーナル』〔日本マーケティング学会〕第43巻第2号、pp.30-41.
- 吉野英樹「産業変革の起業家たち（16）『火の次の発明』を人類に 核融合で実現する究極のエネルギー」（インタビュアー：青島矢一、藤原雅俊）『一橋ビジネスレビュー』〔一橋大学イノベーション研究センター〕第71巻第2号、pp.90-97.
- 米満良平、西川英彦「企業の共創の進化―HOPPIN' GARAGEの挑戦」『マーケティングジャーナル』〔日本マーケティング学会〕第43巻第2号、pp.101-110.
- 六間口壮吾、湧井正明、古賀美里、伊藤智一、関口通江、岡重文「ビジネスシーンにおいて価値創造の問いを立てるための方法論」『グロービス経営大学院紀要』〔グロービス経営大学院大学〕第2巻、pp.30-41.
- 脇拓也「ダイナミック・ケイパビリティを用いた組織不正防止のためのガバナンス・内部統制・企業倫理の強化について」『三田商学研究』〔慶應義塾大学出版会〕第66巻第5号、pp.325-340.
- 脇拓也「日本における経営倫理の浸透とその課題―行動倫理学の視点から見た日本の経営不正防止に関する考察」『獨協経済』〔獨協大学経済学部〕第116号、pp.21-36.
- 涌田幸宏「ダイナミック・ケイパビリティと制度的多元性―実践主導型DCの提唱」『三田商学研究』〔慶應義塾大学出版会〕第66巻第5号、pp.341-359.
- 鷲尾和紀「文化マーケティングの構成要素―先行研究の検討と研究課題」『高千穂論叢』〔高千穂大学高千穂学会〕第57巻第3・4号、pp.73-98.
- 渡部博文「コープ共済のライフプランニング活動の原点―1990年代の保障の見直しムーブメント」『生活協同組合研究』〔生協総合研究所〕第575巻、pp.45-54.
- 渡部直樹「Dynamic capabilityをめぐる基本的な議論について―Schumpeter仮説、不条理と合理性、PFI論と補完性について」『三田商学研究』〔慶應義塾大学出版会〕第66巻第5号、pp.31-49.
- 渡辺康夫「動物病院の自律型グループ経営」『ビジネス・ブレークスルー大学レビュー』〔ビジネス・ブレークスルー

大学〕第9巻第1号、pp.67-80.

【B】 広告、プロモーション戦略、コミュニケーション戦略、クチコミ、SNS関連の研究

- 石崎徹「インタビュー：これからの広告研究と日本広告学会（特集 広告研究の現在とこれから）」『日経広告研究所報』〔日経広告研究所〕第327号、pp.3-7.
- 石崎徹「日本型広告表現に関する研究序説」『専修経営学論集』〔専修大学経営学会〕第115巻、pp.3-13.
- 井上綾野「広告アゴラ：Z世代におけるSDGsコミュニケーションの受容性」『日経広告研究所報』〔日経広告研究所〕第330号、pp.38-39.
- 井上綾野「広告における社会志向型メッセージを伝える意義（特集 広告に見る社会志向型メッセージ）」『日経広告研究所報』〔日経広告研究所〕第331号、pp.22-23.
- 井上友也「Instagramのコミュニケーションの役割と使用方法についての探索的調査―社会的／情報的ベネフィットと処理流暢性の視点からのInstagramの機能の分類」『大学院研究年報. 商学研究科篇』〔中央大学研究年報編集委員会〕第52号、pp.225-237.
- 圓丸哲麻「広告アゴラ：『リテールブランドらしさ』基点の大型小売店のコミュニケーション」『日経広告研究所報』〔日経広告研究所〕第329号、pp.58-59.
- 小野晃典、小野雅琴「消費者の製品評価に与える広告音楽の効果―制御焦点理論による新曲 vs. 定番曲の検討」『三田商学研究』〔慶應義塾大学出版会〕第66巻第3号、pp.117-131.
- 笠松良彦「『ベストパーパス・プラクティス』とは（特集 パーパス経営と企業コミュニケーション）」『日経広告研究所報』〔日経広告研究所〕第328号、pp.28-29.
- 川北眞紀子、薗部靖史「メディアとしてのアートプレイス―芸術支援のパブリック・リレーションズにおける役割」『マーケティングジャーナル』〔日本マーケティング学会〕第42巻第4号、pp.27-38.
- 木原勝也「国内での『広告学』研究と教育のルーツをさぐる―美術・産業心理学・商学実務、3源流の分岐と交錯」『日経広告研究所報』〔日経広告研究所〕第330号、pp.18-25.
- 久保田貴文「グルメレビューサイトにおける口コミ内容の地域比較」『経営・情報研究：多摩大学研究紀要 多摩大学経営情報学部』〔多摩大学経営情報学部〕第27巻、pp.145-148.
- 小々馬敦「パーパスとソーシャル・コミュニケーションのこれから―大学生の投票から見えてきた新たな企業の選択眼（特集 パーパス経営と企業コミュニケーション）」『日経広告研究所報』〔日経広告研究所〕第328号、pp.30-33.
- 坂井利康「TikTokの広告コミュニケーション効果・行動効果の研究―心理的・行動的側面に着目した消費者行動モデル」『消費経済研究』〔日本消費経済学会〕第12号、pp.43-55.
- 坂井直樹「変化する生活者と広告研究（特集 広告研究の現在とこれから）」『日経広告研究所報』〔日経広告研究所〕第327号、pp.30-31.
- 坂井直樹「5つの組織形態から見た広告コミュニケーションの統合と戦略（第47回「広告主動態調査」報告）」『日経広告研究所報』〔日経広告研究所〕第329号、pp.3-7.
- 砂川知子、松田憲「インフルエンサーの投稿が受け手に与える影響―Instagram上での美容医療情報について」『北九州市立大学マネジメント論集』〔北九州市立大学大学院マネジメント研究科〕第16号、pp.73-106.
- 薗部靖史「広告アゴラ：コーポレート・コミュニケーションにおけるアートプレイスの活用」『日経広告研究所報』〔日経広告研究所〕第328号、pp.44-45.
- 高松宏弥「ベンチャー起業家は広告人に何を求めるのか？（7）『知識製造業』を通じて科学や研究をもっと自由にする―リバネス代表取締役社長CKO井上浄氏に聞く」『日経広告研究所報』〔日経広告研究所〕第327号、pp.44-47.
- 高松宏弥「ベンチャー起業家は広告人に何を求めるのか？（8）大手企業の内側から社会にイノベーションを創出する―三井不動産BASE Q運営責任者光村圭一郎氏に聞く」『日経広告研究所報』〔日経広告研究所〕第328号、pp.38-41.
- 高松宏弥「ベンチャー起業家は広告人に何を求めるのか？（9）創発性を高めることで学びの裾野を広げる―学びデザイン代表取締役社長荒木博行氏に聞く」『日経広告研究所報』〔日経広告研究所〕第330号、pp.32-35.
- 高松宏弥「ベンチャー起業家は広告人に何を求めるのか？（10）NPOの広告活用を通して社会創発を実現する―ドットジェイピー理事長佐藤大吾氏に聞く」『日経広告研究所報』〔日経広告研究所〕第331号、pp.42-45.
- 竹内裕二「地域活動におけるSNSを活用したイベント告知の一考察―市民主体イベントを事例としたSNSとSNS以外の広報比較」『下関市立大学論集』〔下関市立大学学会〕第67巻第2号、pp.35-50.
- 土山誠一郎「ブランド構築活動強化の動きと特性（第47回「広告主動態調査」報告）」『日経広告研究所報』〔日経広告研究所〕第329号、pp.8-13.
- 中野雅之、村上義明「屋外広告の1impの価値を測る―調査結果からポテンシャル指標の有効性を探る」『日経広告研

究所報』〔日経広告研究所〕第330号、pp.26-31.

- 長谷川直哉「広告で社会志向型メッセージを訴求することがなぜ重要なのか（特集 広告に見る社会志向型メッセージ 第3回）」『日経広告研究所報』〔日経広告研究所〕第328号、pp.20-21.
- 原田優也「ソーシャルメディア時代の情報発信プロセスにおけるZ世代の顧客エンゲージメントとシェアリング行動意図」『産業総合研究』〔沖縄国際大学総合研究機構産業総合研究所〕第31号、pp.57-70.
- 髭白晃宜「SNSコンテンツ利用にみるZ世代の消費行動のありかた」『産業総合研究』〔沖縄国際大学総合研究機構産業総合研究所〕第32号、pp.1-13.
- 細谷功次「起業家のセールス行動に関する文献レビュー—起業家のセールス成功モデルの構築に向けて」『商学研究科紀要』〔早稲田大学大学院商学研究科〕第97巻、pp.25-41.
- 松本大吾、五十嵐正毅、坂井直樹「広告定点観測（第5回調査報告）—2022年9月から半年間の広告をレビューする」『日経広告研究所報』〔日経広告研究所〕第328号、pp.2-17.
- 松本大吾、五十嵐正毅、坂井直樹「広告定点観測（第6回調査報告）—2023年3月から半年間の広告をレビューする」『日経広告研究所報』〔日経広告研究所〕第331号、pp.2-19.
- 麻里久「ソーシャルメディアマーケティング研究の現状と今後の方向性」『マーケティングジャーナル』〔日本マーケティング学会〕第43巻第2号、pp.70-77.
- 丸岡吉人「広告アゴラ：情報環境構築に向かってマーコム戦略を統合せよ」『日経広告研究所報』〔日経広告研究所〕第327号、pp.50-51.
- 水野由多加「哲学者の言及した『広告』（2）—広告原理への序説的考察・その予備的検討」『関西大学社会学部紀要』〔関西大学社会学部〕第54巻第2号、pp.23-46.
- 水野由多加「『アドフラウド』に関する広告研究としての議論」『関西大学社会学部紀要』〔関西大学社会学部〕第55巻第1号、pp.41-53.
- 水野由多加「ネーミングは広告である—ネーミングライツの意義と公共性」『都市問題』〔後藤・安田記念東京都市研究所〕第114巻第1号、pp.54-63.
- 水野由多加「B to B企業のネーミングライツ—5つの施設事例からその意味を探る」『B to B communications』〔日本BtoB広告協会〕11月号、pp.2-11.
- 峰滝和典「航空会社の口コミと満足度に関するデータ解析」『商経学叢』〔近畿大学商経学会〕第69巻第3号、pp.169-179.
- 閔庚炫「店内広告に対する知覚動機が広告評価および購買行動に与える影響」『佐賀大学経済論集』〔佐賀大学経済学会〕第55巻第3・4号、pp.23-38.
- 吉田正寛「テレビCMの『ターゲット最適』に投資すべき予算を可視化する試み」『日経広告研究所報』〔日経広告研究所〕第327号、pp.36-43.
- 吉田正寛「テレビ×デジタル最適出稿予算配分分析の新たな手法の構築」『日経広告研究所報』〔日経広告研究所〕第329号、pp.48-55.
- 吉田正寛「データで見る広告メディア別の1接点当たりの効果差」『日経広告研究所報』〔日経広告研究所〕第331号、pp.34-41.

【C】プロダクト戦略（製品開発、イノベーション、ブランド、サービス）、プライス戦略関連の研究

- 胡怡「共創サービスの失敗と顧客反応との関係性」『広島経済大学経済研究論集』〔広島経済大学経済学会〕第46巻第2号、pp.33-37.
- 池田満寿次「コロナ下、物価高—激変が続く環境下での『買い物意識』の変化と注目ポイント」『流通情報』〔流通経済研究所〕第561号、pp.14-23.
- 磯貝浩久、秋山大輔、萩原悟一「スポーツのニューロマーケティング—スポーツ中継視聴者の企業広告の認知と感情の評価」『産業経営研究所報』〔九州産業大学産業経営研究所〕第55号、pp.19-25.
- 岩崎邦彦「中小企業のブランドづくり」『中小企業支援研究』〔千葉商科大学経済研究所中小企業研究・支援機構〕第10巻、pp.2-7.
- 上原彰公「リブランディング戦略に関する事例研究—熊本城のブランド再構築」『産業総合研究』〔沖縄国際大学総合研究機構産業総合研究所〕第31号、pp.23-42.
- 袁福之、郭文慧「D2C化粧品ブランドのキャズム越えのマーケティング戦略—KOLとKOCによるスモールマス市場の開拓」『城西国際大学紀要』〔城西国際大学〕第31巻第5号、pp.1-17.
- 大下剛「産業組織論に基づく宅配便市場における価格設定に関する考察」『消費経済研究』〔日本消費経済学会〕第12号、pp.67-79.

- 落合和昭「ホテルの事業性向上に資する実績評価の考察」『長崎国際大学論叢』〔長崎国際大学研究センター〕第23巻、pp.33-46.
- 折笠俊輔「農産物・食品の値上げのマーケティング―適切な価格転嫁を目指して」『流通情報』〔流通経済研究所〕第560号、pp.33-43.
- 恩藏直人、藪野美芽、須永努「画家の発想から導かれる製品開発におけるアート志向」『早稲田商學』〔早稲田商学同好会〕第465巻、pp.1-46.
- 陰山孔貴「第二の製品コンセプト価値の創造―製品開発・市場への定着プロセス」『關西大學商學論集』〔關西大學商學會〕第68巻第3号、pp.1-20.
- 陰山孔貴、竹内竜介「多様な製品の継続的な開発―製品開発の足場に着目した研究」『關西大學商學論集』〔關西大學商學會〕第68巻第1号、pp.1-20.
- 片山富弘「脱コモディティ化戦略の差異に関する考察」『流通科学研究』〔中村学園大学流通科学部〕第23巻第1号、pp.1-9.
- 加藤拓巳「商品・サービスのコンセプトを基点とするブランドマネジメント」『明大商學論叢』〔明治大学商学研究所〕第105巻第3号、pp.121-138.
- 金綱基志「多国籍企業の海外での研究開発に国内での研究開発ネットワークが与える影響―トヨタ自動車のケース」『南山経営研究』〔南山大学経営学会〕第37巻第3号、pp.243-260.
- 鎌田修全「『県オリジナル品種』を用いた製品差別化戦略の展開とその課題―長野県リンゴ産地の取組みを事例として」『流通』〔日本流通学会〕第53号、pp.1-13.
- 亀岡京子「起業家と熟練した企業家の連携による製品イノベーション―アントレプレナーシップによる社会課題解決の理由とプロセス」『東海大学紀要. 政治経済学部』〔東海大学政治経済学部〕第55巻、pp.73-88.
- 唐沢龍也「サービス・エコシステムに関するシステマティック・レビュー」『経営・教養論集』〔関東学院大学経営学会〕第3巻、pp.1-17.
- 河股久司「価格リスト上における製品価格と背景色の明度の一致が消費者の態度に与える影響」『JSMDレビュー』〔日本商業学会〕第7巻第1号、pp.1-7.
- 木村勇樹、伊藤暢宏「COVID-19パンデミック下の価格変化と市場のレジリエンスの検討―たまねぎの非対称価格伝達分析」『フードシステム研究』〔日本フードシステム学会〕第29巻4号、pp.177-182.
- 久我尚子「物価高進行下の消費者意識」『流通情報』〔流通経済研究所〕第560号、pp.24-32.
- 國田圭作「ブランド経験概念へのメタファー研究の活用―身体に基盤化された認知の視点から」『嘉悦大学研究論集』〔嘉悦大学研究論集編集委員会〕第65巻第2号、pp.1-25.
- 栗木契、佐々木一郎、吉田満梨「トヨタのKINTOが生み出す人とクルマの新しい関係」『マーケティングジャーナル』〔日本マーケティング学会〕第43巻第2号、pp.111-119.
- 小磯明「製薬企業におけるイノベーションと企業業績との関係性」『立教ビジネスデザイン研究』〔立教大学大学院ビジネスデザイン研究科〕第20巻、pp.29-44.
- 近藤公彦「製品ブランド、企業ブランド、地域ブランドの相互作用とダイナミズム―石屋製菓株式会社のケース研究」『マーケティングジャーナル』〔日本マーケティング学会〕第43巻第2号、pp.6-17.
- 近藤浩之「カスタマーレビューがブランド力の高い製品の売上に及ぼす影響についての再吟味―質的比較分析（QCA）」『東京経大学会誌（経営学）』〔東京経済大学経営学会〕第318巻、pp.75-87.
- 三枝富博「リーダーの戦略：イトーヨーカ堂取締役会長／日本チェーンストア協会会長　お客様にありがとうと言っていただくための"人づくり"」（聞き手：加藤弘貴、渡辺達朗）『流通情報』〔流通経済研究所〕第560号、pp.54-61.
- 酒井麻衣子「健康関連サービスにおける健康行動理論の応用可能性」『商学論纂』〔中央大学商学研究会〕第64巻第5・6号、pp.63-102.
- 庄司真人「価値創造とサービス・イノベーション―エコシステムにおけるアクターの役割を中心に」『明大商學論叢』〔明治大学商学研究所〕第105巻第4号、pp.57-70.
- 徐彬如、侯利娟「サービス・プロフィット・チェーン―文献レビューと今後の展望」『九州産業大学商経論叢』〔九州産業大学商学会〕第64巻第1号、pp.19-32.
- 徐彬如、馬駿「サービス風土と従業員満足がサービス品質に与える影響―HLMに基づいた比較分析」『富大経済論集』〔富山大学経済学部〕第68巻第2・3号、pp.303-323.
- 鄭潤澈「購買履歴に応じた価格差別戦略―水平的製品差別化の2期間モデル」『三田商学研究』〔慶應義塾大学出版会〕第66巻第3号、pp.175-193.
- 須賀涼太「製造業のサービス化研究におけるサービス・ケイパビリティに関する文献レビュー」『京都マネジメント・

レビュー』〔京都産業大学マネジメント研究会〕第43巻、pp.55-73.

- 鈴木仁里「オープン化された新製品開発プロジェクトにおける『両利きのリーダーシップ』の有効性についての理論的考察―日本企業の組織的知識創造プロセスとの親和性」『明大商學論叢』〔明治大学商学研究所〕第105巻第1号、pp.47-66.

- 髙井愛子、長井美有紀「サステナブル化粧品に関連する認証と生物多様性の関わり」『福井大学教育・人文社会系部門紀要』〔福井大学教育・人文社会系部門〕第7巻、pp.113-132.

- 高橋周平「消費者のスーパーマーケットにおける価格の記憶と許容」『流通情報』〔流通経済研究所〕第560号、pp.44-53.

- 田部井信芳「物価問題と日本経済」『シティライフ学研究』〔宇都宮共和大学シティライフ学部〕第24巻、pp.109-114.

- 玉井由樹「購入型クラウドファンディングへの支援者の意図を探る―共感か、購入か」『都市経営：福山市立大学都市経営学部紀要』〔福山市立大学都市経営学部〕第16巻、pp.31-40.

- 内藤旭惠、小西英行「多摩地域をブランド化する商品開発に関する研究」『経営・情報研究：多摩大学研究紀要』〔多摩大学経営情報学部〕第27号、pp.243-246.

- 中谷京子「産業のサービス業化への対応に関する一考察―感情労働の視点から」『中小企業支援研究』〔千葉商科大学経済研究所中小企業研究・支援機構〕第10巻、pp.24-29.

- 趙梓岩「COVID-19パンデミックは消費者物価指数にどのような影響を与えたか?―中国からの証拠」『商学討究』〔小樽商科大学〕第73巻第4号、pp.187-210.

- 鶴見裕之「DXによるキャッシュレス決済比率向上の社会的意義―DXの道は経済の変革に通ずる」『流通情報』〔流通経済研究所〕第562号、pp.29-40.

- 渡慶次力生、若林勝史「農産物価格の一年先予測における状態空間モデルの適用可能性」『フードシステム研究』〔日本フードシステム学会〕第29巻4号、pp.213-218.

- 仲川直毅「国産牛肉の差別化に関する一考察―黒毛和牛に焦点を当てて」『中京学院大学紀要』〔中京学院大学〕第2巻第1号、pp.13-30.

- 仲川直毅、古田成志、伊藤宏支「国産牛肉の銘柄化に関する事例研究―鹿児島黒牛に焦点を当てて」『中京学院大学紀要』〔中京学院大学〕第2巻第1号、pp.31-41.

- 新山陽子、杉中淳、大住あづさ、吉松亨「フランスEgalim法、EgalimⅡ法に見る生産コストを考慮した価格形成―法にみる仕組み、実施に向けた議論、日本の課題」『フードシステム研究』〔日本フードシステム学会〕第30巻2号、pp.37-52.

- 西山桂子「ホテル業界とAirbnbの競合関係―コミュニティハブへと転換をはかるグローバルホテルチェーンの課題」『杏林大学外国語学部紀要』〔杏林大学外国語学部〕第35巻、pp.119-131.

- 松崎太亮、滋野英憲、辻正次「地域中小企業のイノベーション過程への新型コロナの影響―PSM-DID分析」『経済文化研究所年報』〔神戸国際大学経済文化研究所〕第32号、pp.35-50.

- 濱岡豊「製品開発に関する調査2022-16年間の変化傾向と単純集計の結果」『三田商学研究』〔慶應義塾大学出版会〕第66巻第2号、pp.101-131.

- 芳賀悠基「マーケティング分野における価格公平感研究の傾向と変遷」『マーケティングジャーナル』〔日本マーケティング学会〕第43巻第2号、pp.54-62.

- 春木屋慶輔「衣服のプロダクトデザインの役割とマーチャンダイジングの考察」『文化ファッション大学院大学紀要論文集：ファッションビジネス研究』〔文化学園文化ファッション大学院大学〕第8号、pp.91-107.

- 日高義浩「飲食店における配膳ロボットの評価に関する考察」『鹿児島経済論集』〔鹿児島国際大学経済学部学会〕第64巻第2号、pp.111-119.

- 比留川ありさ、西川英彦、米満良平「ユーザーによるサービス創造―約1,100件ものユーザーのアイデアを実現するmineoのクラウドソーシング」『マーケティングジャーナル』〔日本マーケティング学会〕第43巻第1号、pp.83-91.

- 廣瀬元「コーヒー販売におけるデジタルマーケティング―地元ロースターにおける活用例を考察」『金城紀要』〔金城大学短期大学部紀要編集委員会〕第47号、pp.57-63.

- 藤原雅俊、青島矢一「ビジネス・ケース：FLOSFIA―α型酸化ガリウム半導体のイノベーション」『一橋ビジネスレビュー』〔一橋大学イノベーション研究センター〕第71巻第3号、pp.112-132.

- 船戸誠一郎「コロナ禍におけるビジネスホテルの実態分析―東京都の事例を中心として」『オホーツク産業経営論集』〔東京農業大学産業経営学会〕第31巻第2号、pp.15-27.

- 古屋核「コロナ禍における都道府県別外食需要の分析―緊急事態宣言の対象外地域への影響を中心に」『経済論集』〔大東文化大学経済学会〕第118巻、pp.91-112.

- 外薗智史「近年のコメ価格変動と流通経路」『エコノミクス』〔九州産業大学経済学会〕第27巻第2号、pp.51-62.
- 堀川新吾「イノベーター理論とキャズムに関する考察」『名城論叢』〔名城大学〕第23巻第3・4号、pp.35-57.
- 日向浩幸「地域ブランドの競争戦略に関する研究—有田みかん産地を事例として」『羽衣国際大学現代社会学部研究紀要』〔羽衣国際大学現代社会学〕第12号、pp.17-27.
- 本條晴一郎「サービス・ウィズ・ケアー『北欧、暮らしの道具店』のケース・スタディ・リサーチ」『マーケティングジャーナル』〔日本マーケティング学会〕第43巻第2号、pp.42-53.
- 間島羽奈子「公立図書館のサービス品質に関する探索的研究」『マーケティングジャーナル』〔日本マーケティング学会〕第43巻第2号、pp.78-89.
- 松原日出人「日本の喫茶店およびカフェ市場の展開と主要企業の戦略（1）」『中京経営研究』〔中京大学経営学会〕第33巻第1号、pp.1-13.
- 三坂昇司「食品パッケージのリニューアルにおけるバーチャルリアリティ活用事例と有効性の検討」『流通情報』〔流通経済研究所〕第562号、pp.55-64.
- 森田香帆、元木悟、鈴木海斗「販売形態が異なるミニトマトにおける購入意向と適正価格に関する研究—PSM分析による検証」『フードシステム研究』〔日本フードシステム学会〕第29巻4号、pp.195-200.
- 宮下裕「消費財における値上げの構造と生活者行動」『流通情報』〔流通経済研究所〕第560号、pp.10-23.
- 山矢和輝「サービス組織のBI成功要因とBIの効果に関する実証的研究レビュー」『帝京経済学研究』〔帝京大学経済学会〕第57巻第1号、pp.29-38.
- 柳京旼、立本博文「標準化におけるイノベーション活動の促進」『組織科学』〔組織学会〕第57巻第2号、pp.93-112.
- 楊小萌「コミュニティにおける価値共創の実現について—Bilibili社から見る」『帝京大学大学院経済学年誌』〔帝京大学大学院経済学研究科大学院生研究会〕第31号、pp.45-86.
- 李相典「デスティネーション・ブランド・エクスペリエンスに関する理論的考察」『地域産業論叢』〔沖縄国際大学大学院地域産業研究科〕第18巻、pp.1-20.
- 渡邉裕也「企業内リードユーザーによるイノベーション—小売店舗販売員との共創による新製品開発」『マーケティングレビュー』〔日本マーケティング学会〕第4巻第1号、pp.18-40.

【D】チャネル戦略、物流（サプライチェーン・マネジメント、ロジスティクス）関連の研究

- 浅井希和子「外資系物流企業の組織制度と従業員の行動—外資系物流企業X社のケース・スタディ」『園田学園女子大学論文集』〔園田学園女子大学〕第57号、pp.197-215.
- 麻生佐智世「物流センターの自動化に関する研究（前半）物流サービスにおける柔軟性と自動化の関係」『物流問題研究』〔流通経済大学物流科学研究所〕第74号、pp.133-142.
- 石川裕、中野幹久「サプライチェーンの仕事—食品メーカーの商品開発」『京都マネジメント・レビュー』〔京都産業大学マネジメント研究会〕第42巻、pp.189-208.
- 井上祐介「物流の現況と見通し」『流通情報』〔流通経済研究所〕第560号、pp.4-9.
- 臼井靖彦「貨物自動車運送業における近未来の在り方について」『朝日大学大学院経営学研究科紀要』〔朝日大学大学院経営学研究科〕第23号、pp.46-51.
- 臼井靖彦、土井義夫「トラック運送事業でのWebアプリ化を通じた法令遵守支援」『朝日大学大学院経営学研究科紀要』〔朝日大学大学院経営学研究科〕第23号、pp.11-19.
- 内山智裕「日系商社による穀物調達行動の実態と課題—北米に着目して」『フードシステム研究』〔日本フードシステム学会〕第30巻3号、pp.149-157.
- 浦松亮輔「瀬戸内麦推進協議会の立ち上げの意義と国産麦の生産拡大への影響」『フードシステム研究』〔日本フードシステム学会〕第30巻2号、pp.95-101.
- 黄磊、小池宏「グローバル・サプライチェーン・ネットワークのレジリエンスと事前対応戦略」『国民経済雑誌』〔神戸大学経済経営学会〕第227巻第3号、pp.1-23.
- 大下剛「オムニチャネル小売業の新展開と持続可能な物流」『物流問題研究』〔流通経済大学物流科学研究所〕第74号、pp.33-37.
- 大類雄司、矢野裕児「ESGファイナンスと物流・鉄道輸送—グリーン、トランジション、インパクトの最新事情—ロジスティクス×社会システム研究会#7」『物流問題研究』〔流通経済大学物流科学研究所〕第74号、pp.88-89.
- 小川智由「ロジスティクス及びサプライチェーンの発展からみるW．オルダーソンの功績とOBS概念の再評価」『明治大学社会科学研究所紀要』〔明治大学社会科学研究所〕第62巻第1号、pp.17-32.
- 小澤茂樹、宮武宏輔、味水佑毅「ラストマイルの輸送主体に関する基礎的考察」『物流問題研究』〔流通経済大学物流

科学研究所〕第74号、pp.116-125.

● 小野裕二「オムニチャネルにおけるBOPIS（buy online pick-up in store）―既存研究の現状と今後の課題」『三田商学研究』〔慶應義塾大学出版会〕第66巻第3号、pp.225-244.

● 郭晨熙「中国におけるグリーン物流発展のためのSWOT分析と戦略的な選択」『大阪産業大学経営論集』〔大阪産業大学学会〕第25巻第1号、pp.69-77.

● 久保知一「製造業者による卸売統合と2つの新制度派アプローチ―取引費用論と組織能力論」『三田商学研究』〔慶應義塾大学出版会〕第66巻第3号、pp.245-256.

● 小泉達治、三石誠司「リスク・不確実性が増大する世界食料市場とフードシステム―食料の安定的な調達に向けて」『フードシステム研究』〔日本フードシステム学会〕第30巻3号、pp.129-133.

● 洪京和「新型コロナウイルス感染拡大がネット販売企業の売上に与えた影響」『物流問題研究』〔流通経済大学物流科学研究所〕第74号、pp.69-75.

● 洪京和「物流業の就業構造に関する分析」『物流問題研究』〔流通経済大学物流科学研究所〕第74号、pp.126-132.

● 佐々木純一郎「東北地方のアパレル産業の企業家、ファクトリーブランド、そしてSCMの適正化―佐藤繊維株式会社、株式会社サンライン、岩手モリヤ株式会社」『中小企業季報』〔大阪経済大学中小企業・経営研究所〕第2-4号、pp.33-50.

● 謝冉、宮崎卓朗「中国における化粧品専門店チェーンの成長とメーカーのチャネル戦略―上海の化粧品市場を対象に」『佐賀大学経済論集』〔佐賀大学経済学会〕第55巻第3・4号、pp.1-22.

● 秦小紅「中国におけるオムニチャネル小売研究の現状と課題―リサーチクエスチョンの探索と国際比較に向けて」『明大商學論叢』〔明治大学商学研究所〕第105巻第3号、pp.61-79.

● 鈴木道範「過疎地の物流調査 結果概要」『物流問題研究』〔流通経済大学物流科学研究所〕第74号、pp.143-153.

● 関根久子「小麦の国際的な生産性格差、取引方法の比較分析から国産小麦の増産の可能性を探る」『フードシステム研究』〔日本フードシステム学会〕第30巻2号、pp.73-80.

● 高﨑春華「コーヒーのサプライチェーンにおける構造的課題―EUのコーヒー市場を事例に」『人文・社会科学論集』〔東洋英和女学院大学〕第40巻、pp.95-114.

● 田口光弘「大豆の国内生産・需要動向からみた国産大豆利用拡大のための課題」『フードシステム研究』〔日本フードシステム学会〕第30巻2号、pp.81-88.

● 竹内正実「鉄道・航空小荷物から航空貨物へ」『明大商學論叢』〔明治大学商学研究所〕第105巻第4号、pp.119-135.

● 土井義夫、中垣勝臣「2024年問題からみた改善基準告示の経緯―トラック運転者の労働時間等の改善基準の視点から」『朝日大学経営論集』〔朝日大学経営学会〕第37巻、pp.95-105.

● 中塚昭宏、松本卓夫「日配品の需要予測手法に関する事例研究―多重比較法を移動平均法の変数選択に活用した需要予測手法」『フードシステム研究』〔日本フードシステム学会〕第30巻3号、pp.103-117.

● 中野幹久、松山一紀「サプライチェーンにおける個人レベルの行動研究に関する枠組みの提案」『京都マネジメント・レビュー』〔京都産業大学マネジメント研究会〕第43巻、pp.23-41.

● 野口敬夫「製粉産業及び飼料産業における企業行動と安定供給に向けた課題」『フードシステム研究』〔日本フードシステム学会〕第30巻3号、pp.134-148.

● 野尻達郎「物流サービスの購買に関する研究（後半）荷主企業の競争戦略と物流事業者の選択基準」『物流問題研究』〔流通経済大学物流科学研究所〕第74号、pp.100-115.

● 橋本雅隆「物流現場の改善を起点としたサプライチェーン改革」『明大商學論叢』〔明治大学商学研究所〕第105巻第3号、pp.81-96.

● 橋本雅隆、斉藤博之、永野眞、野村裕「定温ボックス混載輸送に関する実証研究」『明大商學論叢』〔明治大学商学研究所〕第105巻第4号、pp.71-85.

● 長谷川晃一、矢野裕児「複雑化・不安定化する世界とデジタルサプライチェーン―ロジスティクス×社会システム研究会#6」『物流問題研究』〔流通経済大学物流科学研究所〕第74号、pp.76-87.

● 長谷川雅行「ラストマイル配送における最新の動向」『物流問題研究』〔流通経済大学物流科学研究所〕第74号、pp.44-50.

● 濵満久「フード・サプライチェーンにおける個別的な取引関係の構築（下）」『名古屋学院大学論集. 社会科学篇』〔名古屋学院大学総合研究所〕第60巻第1・2号、pp.105-117.

● 東野亨「消費者のライフスタイル変化と食品スーパーのサプライチェーンの構築」『大阪商業大学論集』〔大阪商業大学商経学会〕第18巻第3号、pp.67-80.

● MATSUOKA, Tamami、MIYASAKA Juro「Optimising Food Distribution at a Food Bank」『フード

システム研究』〔日本フードシステム学会〕第30巻1号、pp.2-14.

- 松川公司、竹内睦、中野雅司「サプライチェーン・ロジスティクス最適化を実現する包括的・体系的理論と組織教育」『明大商學論叢』〔明治大学商学研究所〕第105巻第4号、pp.149-157.
- 中山茂「個人向けECにおける『機能的価値』と『情緒的価値』」『物流問題研究』〔流通経済大学物流科学研究所〕第74号、pp.64-68.
- 町田一兵「物販系EC市場の拡大に伴う小口宅配市場の構造的変化に関する一考察」『明大商學論叢』〔明治大学商学研究所〕第105巻第4号、pp.103-117.
- 宮下真一「消費財産業のサプライチェーン・マネジメントにおける港湾DXの課題」『關西大學商學論集』〔關西大學商學會〕第68巻第1号、pp.61-71.
- 宮川高彰「貨物自動車運送事業にかかる法制度と現状」『朝日大学大学院経営学研究科紀要』〔朝日大学大学院経営学研究科〕第23号、pp.42-46.
- 宮武宏輔「消費者向け食品通販サービスにおける配送施策に関する考察」『物流問題研究』〔流通経済大学物流科学研究所〕第74号、pp.38-43.
- 籾山朋輝「物流の2024年問題が食品小売業態ロジスティクスに与える影響に関する考察」『高千穂論叢』〔高千穂大学高千穂学会〕第58巻第1・2号、pp.75-97.
- 八木浩平、高田晋史、船津崇、松原豊彦「輸入菜種のフードシステムの構造論的分析」『フードシステム研究』〔日本フードシステム学会〕第30巻3号、pp.163-177.
- 由井琢也「全農の海外からの穀物・油糧種子等の安定調達の取り組みと課題」『フードシステム研究』〔日本フードシステム学会〕第30巻第3号、pp.158-162.
- 結城祥「新製品のコモディティ化と流通業者の品揃え行動―exit-voice理論に基づく分析と実務的示唆」『三田商学研究』〔慶應義塾大学出版会〕第66巻第3号、pp.269-286.
- 吉田行郷、辻村英之「緊迫する世界の穀物需要事情の麦・大豆のフードシステムに与える影響と国産麦・大豆の生産拡大の可能性」『フードシステム研究』〔日本フードシステム学会〕第30巻2号、pp.69-72.
- 吉原良一「製粉業にとっての国内産小麦の意義と生産拡大への期待と課題」『フードシステム研究』〔日本フードシステム学会〕第30巻2号、pp.89-94.
- 若林智樹「EC物販拡大で直面する課題『宅配の新たな担い手』を考える」『物流問題研究』〔流通経済大学物流科学研究所〕第74号、pp.51-56.

【E】商業・流通（小売・卸・ECを含む）関連の研究

- 東英和「小売業における人的資源キャパシティの共有による生産性向上施策について―TPSとわが国チェーンストア理論から」『高崎商科大学紀要』〔高崎商科大学メディアセンター〕第38号、pp.1-10.
- 池澤威郎「ショッピングセンターにおける効果的なインキュベーション・システム―新静岡セノバ『起業のつばさプロジェクト』の事例」『阪南論集. 社会科学編』〔阪南大学学会〕第58巻第2号、pp.55-73.
- 石原武政「なぜ東京に小売市場が定着しなかったのか（上）」『流通情報』〔流通経済研究所〕第561号、pp.48-57.
- 石原武政「なぜ東京に小売市場が定着しなかったのか（下）」『流通情報』〔流通経済研究所〕第562号、pp.65-73.
- 石淵順也「『にぎわい』の科学」『流通情報』〔流通経済研究所〕第562号、pp.74-75.
- 逸見光次郎「小売DX＝オムニチャネル―CX、EXを高め、SCMの流れを良くし、継続的な利益を上げるために」『流通』〔日本流通学会〕第52号、pp.27-37.
- 牛場智「課題解決型学習による商店街活性化への一考察―松崎町ロマンシール協同組合を事例に」『静岡大学経済研究』〔静岡大学人文社会科学部〕第27巻第3号、pp.31-43.
- 閻湜、渡辺達朗「中国における生鮮食品流通の変容―改革開放後の国営商店と供銷合作社からスーパーマーケットまで」『マーケティング史研究』〔マーケティング史学会〕第2巻第2号、pp.176-194.
- 王清、大島一二「日本における農産物電子商取引の新動向と課題―新型コロナウイルスの感染拡大下の消費者アンケート調査を中心に」『桃山学院大学経済経営論集』〔桃山学院大学総合研究所〕第65巻第1号、pp.29-44.
- 大久保恒夫「リーダーの戦略：（株）西友の小売マーケティングの現状とこれから」（聞き手：中村博）『流通情報』〔流通経済研究所〕第565号、pp.50-59.
- 大野尚弘「PB戦略論の構築に向けて（2）」『金沢学院大学紀要』〔金沢学院大学〕第21号、pp.1-11.
- 大藪和雄「香川県の商業の特徴」『研究紀要』〔高松大学・高松短期大学〕第80巻、pp.79-123.
- 岡嶋裕史、中村博「対談：Web3と小売業の未来」『流通情報』〔流通経済研究所〕第562号、pp.41-54.
- 岡田一範「ドラッグストア業態内分化に関する一考察―商品構成比の観点から」『消費経済研究』〔日本消費経済学会〕第12号、pp.56-66.

- 岡本数彦「小売店舗の需要予測データを軸としたサプライチェーンの適正化」『流通情報』〔流通経済研究所〕第564号、pp.2-21.
- 岡山武史「小売ブランドアーキテクチャーに関する再考察―小売イノベーションに向けて」『商経学叢』〔近畿大学商経学会〕第70巻第1号、pp.183-198.
- 岡山武史「流通テクノロジーが小売企業のイノベーションと顧客体験に与える影響」『商経学叢』〔近畿大学商経学会〕第70巻第3号、pp.71-90.
- 岡山武史、朱洪双、武学穎、浦上拓也「流通分野における電子商取引の拡大―中国における実証分析のレビュー」『商経学叢』〔近畿大学商経学会〕第70巻第2号、pp.407-427.
- 折笠俊輔「食のサプライチェーンのDX動向とスマートフードチェーン」『流通情報』〔流通経済研究所〕第564号、pp.4-12.
- 柿尾正之「日本におけるEC通販の特質と課題」『物流問題研究』〔流通経済大学物流科学研究所〕第74号、pp.22-26.
- 加藤拓「小売経営論における立地選定と出店戦略の現状と課題―理論と実務の融合を目指して」『杏林社会科学研究』〔杏林大学社会科学学会〕第39巻第1号、pp.49-64.
- 加藤弘之「新型コロナウイルス禍が小売販売額に与えた影響に関する考察」『尚美学園大学総合政策研究紀要』〔尚美学園大学総合政策学部〕第39巻、pp.36-48.
- 金澤敦史「ポップアップ・ストアに関する探索的研究」『経営管理研究所紀要』〔愛知学院大学経営管理研究所〕第30号、pp.1-6.
- 金子能呼「切花流通における農産物直売所の機能」『松本大学研究紀要』〔松本大学〕第21巻、pp.95-105.
- 神谷渉「米国における小売業態の進化」『流通情報』〔流通経済研究所〕第561号、pp.39-47.
- 川端基夫「店舗型リユース業のビジネスモデル特性」『商学論究』〔関西学院大学商学研究会〕第71巻第1号、pp.123-153.
- 付凱林、松田祐也、宋澤江「松本駅前商業空間における商業機能の変容―公園通りを事例に」『地域研究年報』〔筑波大学人文地理学・地誌学研究会〕第45巻、pp.105-122.
- 木島豊希「食品小売市場における小売業態構造の現状分析と将来予測―『流研ロングタームフォーキャスト2023』の概要」『流通情報』〔流通経済研究所〕第561号、pp.24-31.
- 金弘錫「日本における百貨店のマーケティング戦略に関する研究」『高崎商科大学紀要』〔高崎商科大学メディアセンター〕第38号、pp.127-136.
- 金成洙「卸売流通を動かす仕組み―卸売の役割とアマゾンのBtoB事業について」『専修経営学論集』〔専修大学経営学会〕第115巻、pp.49-66.
- 木村太郎、長谷川泰洋「愛知県における生きものブランド米の流通可能性に関する研究」『名古屋産業大学論集』〔名古屋産業大学〕第39号、pp.71-73.
- 久保康彦「現代流通を取引編成原理から考える意義について」『相模女子大学紀要』〔相模女子大学〕第86巻、pp.47-52.
- 小平明「総合商社とサブライセンシー企業によるファッションライセンスビジネスの新たな枠組み―商権の安定化と地位の確保に向けた組織間関係の調整プロセス」『帝京大学短期大学紀要』〔帝京大学短期大学〕第43巻、pp.27-52.
- 後藤亜希子「コロナ下での食品スーパーの業績についての検討」『流通情報』〔流通経済研究所〕第561号、pp.32-38.
- 近藤公彦「DX時代の流通イノベーション―ビジネスモデルのシフトチェンジ」『流通』〔日本流通学会〕第52号、pp.15-22.
- 坂田博美「行商に特徴的な顧客関係の検討―既存研究レビューに基づいて」『富大経済論集』〔富山大学経済学部〕第68巻第2・3号、pp.269-302.
- 佐々木聡「流通EDI企業成立の経営史的研究―株式会社プラネットの事例を中心に」『明治大学社会科学研究所紀要』〔明治大学社会科学研究所〕第62巻第1号、pp.135-164.
- 蒋辛未、崔相鐵「産業集積の持続・変革における商人的変革者の役割―中国徐州市沙集鎮のタオバオ村の事例分析を通して」『山梨学院大学経営学論集』〔山梨学院大学経営学部編集委員会〕第4号、pp.9-25.
- 島田真「日本の消費生活協同組合と社会的排除―組合員の新たな主体化を可能にする経営理念の検討」『経営研究』〔大阪公立大学経営学会〕第74巻第1号、pp.31-51.
- 白鳥和生「流通と消費の展望と課題」『流通』〔日本流通学会〕第52号、pp.23-25.
- 秦小紅、菊池一夫「顧客視点に基づいたオムニチャネル化のメカニズム―セレクトショップ・ビームスの取り組み」『流通』〔日本流通学会〕第53号、pp.31-47.

- 金艷華「医薬品卸売業の多角化事業展開の経済効果に関する研究─4大卸の経営データ分析」『羽衣国際大学現代社会学部研究紀要』〔羽衣国際大学現代社会学〕第12号、pp.43-62.
- 鈴木一正「小売業の事例からスーパーマーケットにおけるDXの今後を考える」『流通情報』〔流通経済研究所〕第562号、pp.16-28.
- 住谷宏「チェーンストアに個店経営を定着させるための必要条件」『経営論集』〔東洋大学経営学部〕第101巻、pp.1-19.
- 高山隆司「EC通販の歴史と新たな展開について」『物流問題研究』〔流通経済大学物流科学研究所〕第74号、pp.27-32.
- 高良守「越境ECに関する課題と課題解決最適化アルゴリズム」『経済環境研究』〔沖縄国際大学総合研究機構沖縄経済環境研究所〕第12巻、pp.1-17.
- 瀧波慶信「地方経済を支える中小企業─中小酒蔵を例に」『北洋大学紀要』〔北洋大学〕第2号、pp.41-51.
- 武田裕紀「青果物物流の課題と対応」『流通情報』〔流通経済研究所〕第563号、pp.4-16.
- 田口冬樹「ウォルマートにおける西友の位置づけ（ポジショニング）の変化について」『専修経営学論集』〔専修大学経営学会〕第115巻、pp.95-127.
- 田代英男「農産物の物流効率化に向けたパレット輸送の推進」『流通情報』〔流通経済研究所〕第563号、pp.34-44.
- 田代英男「RFIDを活用した加工食品流通の効率化の方向性」『流通情報』〔流通経済研究所〕第564号、pp.31-41.
- 谷内正往「戦後『御用聞き』に関する一考察─1957年頃、灘市民生活協同組合の事例」『大阪商業大学論集』〔大阪商業大学商経学会〕第19巻第1号、pp.45-62.
- 谷津恭輔「インタビュー：低温食品物流の取り組み」（聞き手：田代英男）『流通情報』〔流通経済研究所〕第563号、pp.27-33.
- 田村馨「ソリューション優先のビジネスにいま何が問われているのか」『福岡大学商学論叢』〔福岡大学研究推進部〕第68巻第1号、pp.23-50.
- 田村馨「小商圏小売業態の共進的な競合関係に関する考察─流通近代化論をドラッグストアに着目して批判する」『福岡大学商学論叢』〔福岡大学研究推進部〕第68巻第2・3号、pp.67-93.
- 田村馨「家電量販店はいまでも流通近代化の優等生なのか─統計データで紐解く家電量販店の現状」『福岡大学商学論叢』〔福岡大学研究推進部〕第68巻第2・3号、pp.95-144.
- 田村彰浩「我が国におけるネットショッピングの状況と小売業」『流通情報』〔流通経済研究所〕第561号、pp.4-12.
- 寺嶋正尚、菊池一夫、山木敬史「吉祥寺におけるポップアップ・ストアの出店理由に関する研究」『消費経済研究』〔日本消費経済学会〕第12号、pp.124-135.
- 土井義夫、岡本征也「物流企業におけるピクトグラムの活用に関する研究」『朝日大学大学院経営学研究科紀要』〔朝日大学大学院経営学研究科〕第23号、pp.1-9.
- 戸田裕美子「西友におけるOMO戦略と質販店構想の接点」『流通問題』〔流通問題研究協会〕第59巻第1号、pp.7-13.
- 中垣勝臣、土井義夫「JR貨物における情報システムの変遷─当時のシステム担当者の見解を中心として」『朝日大学経営論集』〔朝日大学経営学会〕第37巻、pp.47-65.
- 中田和則「『SDGs』と北海道内企業・地域の実践事例」『北洋大学紀要』〔北洋大学〕第2号、pp.129-142.
- 中谷安男「良品計画の経営危機時におけるデザイン経営の構築─松井忠三元会長の戦略」『経済志林』〔法政大学経済学部学会〕第90巻第3・4号、pp.49-73.
- 中谷安男「良品計画の土着化と個店経営戦略─新潟県直江津と北海道函館のケーススタディ」『経済志林』〔法政大学経済学部学会〕第90巻第3・4号、pp.123-153.
- 中村博「S字カーブにみる小売業態の衰退と店舗DX」『流通情報』〔流通経済研究所〕第562号、pp.4-15.
- 西川みな美「チェーン店舗の地理的集中は店舗成果を高めるのか─ドミナント出店の有効性に関する実証研究」『帝京経済学研究』〔帝京大学経済学会〕第57巻第1号、pp.39-50.
- 畑憲司「食品流通におけるデジタル化の動向─三菱商事によるバリューチェーン戦略の新展開」『流通』〔日本流通学会〕第53号、pp. 67-77.
- 羽田大樹「体験型ストアb8taが提唱する新しい価値─リアル店舗における売上以外のマーケティング価値を創出」『流通』〔日本流通学会〕第52号、pp.39-48.
- 平岩英治「事業協同組合における成功要因に関する研究─ケース・スタディ・リサーチをベースとしたインターナル・マーケティングの視点から」『北陸学院大学・北陸学院大学短期大学部研究紀要』〔北陸学院大学・北陸学院大学短期大学〕第16号、pp.101-110.
- 平悠佑、植杉大「関西圏の物流に関するネットワーク分析─将来的なドローン輸送の発展を想定したシミュレーショ

ンと考察」『摂南経済研究』〔摂南大学経済学部〕第13巻第1・2号、pp.1-16.

- 福田敦「商店街におけるSDGsの戦略統合に向けた展望」『関東学院大学経済経営研究所年報』〔関東学院大学経済経営研究所〕第45巻、pp.1-23.
- 本藤貴康「ドラッグストアにおけるストア・ロイヤルティ要因としての出産育児イベント」『東京経大学会誌（経営学)』〔東京経済大学経営学会〕第318巻、pp.21-34.
- 松浦努「家畜市場における馬喰（家畜商）の活動実態に関する流通経済学的考察―北海道森町の事例研究を中心として」『季刊北海学園大学経済論集』〔北海学園大学経済学会〕第71巻第3号、pp.1-35.
- 見浪知信「両大戦間期における輸出拡大と外国商社―『外商市場圏』再考」『桃山学院大学経済経営論集』〔桃山学院大学総合研究所〕第65巻第1号、pp.67-96.
- 三村優美子「人と人を繋ぐ信頼の農産物流通―幸せを運ぶ『やさいバス』」『流通問題』〔流通問題研究協会〕第59巻第1号、pp.14-20.
- 宮﨑崇将、二宮章浩「ライフスタイルの変化に合わせた地域産直流通の構築―クックパッドマートを事例に」『追手門学院大学ベンチャービジネス・レビュー』〔追手門学院大学ベンチャービジネス研究所〕第15巻、pp.21-29.
- 宮﨑卓朗「中小小売業者の社会的機能について」『佐賀大学経済論集』〔佐賀大学経済学会〕第56巻第1号、pp.1-24.
- 望月洋志「日本におけるリテールメディアの取り組み方」『流通情報』〔流通経済研究所〕第564号、pp.22-30.
- 籾山朋輝「コンビニエンスストアの業態展開に関する一考察」『高千穂論叢』〔高千穂大学高千穂学会〕第57巻第3・4号、pp.99-135.
- 森岡耕作「革新的な小売技術としてのサービス・ロボット―ショッピング生産性の概念拡張」『三田商学研究』〔慶應義塾大学出版会〕第66巻第3号、pp.287-299.
- 薬師寺哲郎、辻岡桃歌、森美紀「新型コロナウィルス感染症の食品卸売業への影響と対応―九州地域の食品卸売業に対するアンケート調査から」『中村学園大学・中村学園大学短期大学部研究紀要』〔中村学園大学短期大学部〕第55号、pp.121-126.
- 矢野尚幸「食品小売業における決済手段の現状と今後の方向性」『玉川大学経営学部紀要』〔玉川大学〕第35号、pp.57-79.
- 矢野裕児「農産物物流の課題と展望」『流通情報』〔流通経済研究所〕第563号、pp.17-26.
- 山本裕、諸國敬「スマートシティ機能設計の模索について―選果物流通を事例として」『長崎県立大学論集. 経営学部・地域創造学部』〔長崎県立大学〕第57巻第2号、pp.1-17.
- 山本裕子「販売店契約における優越的地位の濫用―流通業者の販売能力を超える仕入れの強制について」『大東法学』〔大東文化大学法政学会〕第32巻第2号、pp.59-82.
- 山本莉央、岩﨑博論「量り売り小売店における価値共創プロセス―食品小売業を対象として」『マーケティングレビュー』〔日本マーケティング学会〕第4巻第1号、pp.33-41.
- 楊歓、大島一二「農業・農村における農産物直売所の機能と課題―JA松本ハイランドを事例として」『桃山学院大学経済経営論集』〔桃山学院大学総合研究所〕第64巻第3号、pp.17-36.
- 楊歓、大島一二「都市地域における農産物直売所の機能と課題―JA大阪中河内の農産物直売所事業を事例として」『桃山学院大学経済経営論集』〔桃山学院大学総合研究所〕第65巻第1号、pp.1-27.
- 楊樂華「製造小売企業の垂直統合モデル（SPA）の形成過程と国際展開―ユニクロの事例研究」『周南公立大学総合研究所紀要』〔周南公立大学総合研究所〕第1巻、pp.161-170.
- 楊正光「PB 商品に関する先行研究について（後半）」『作大論集』〔作新学院大学・作新学院大学女子短期大学部〕第17号、pp.179-200.
- 吉間めぐみ「『物流の2024年問題』にみる農産物物流で置き去りにされている落とし穴―ドライバーに蓄積する専門的なナレッジ消滅の危機」『流通情報』〔流通経済研究所〕第563号、pp.45-56.
- 劉沛然「流通システムの理論的分析枠組みの再検討―二次流通の現象から考える」『青山社会科学紀要』〔青山学院大学大学院経済学・経営学二研究科〕第52巻第1号、pp.39-75.
- 羅書坤、矢野泉「農産物流通における中間商業の排除」『修道商学』〔広島修道大学ひろしま未来協創センター〕第63巻第2号、pp.29-64.

【F】消費者行動、消費文化論・消費論関連の研究

- 有賀敦紀「パッケージデザインに基づく重さの推定と知覚」『マーケティングジャーナル』〔日本マーケティング学会〕第42巻第3号、pp.18-26.
- 石田真貴「アイディアスクリーニングにおけるマーケターの消費者選好の予測―フォールスコンセンサス効果を回避するための個人選好の抑制」『マーケティングジャーナル』〔日本マーケティング学会〕第43巻第1号、pp.66-74.

- 井関紗代「コントロール欲求の個人差が音楽配信サービスへの心理的所有感に及ぼす影響―利用頻度の調整効果に着目して」『マーケティングジャーナル』〔日本マーケティング学会〕第43巻第1号、pp.42-52.
- 井関紗代、北神慎司「コントロール感の操作に基づくコントロール欲求が心理的所有感に与える影響の検討」『消費者行動研究』〔日本消費者行動研究学会〕第29号第1-2号、pp.27-38.
- 磯田友里子、工藤玲、恩藏直人「シニア市場の多様性分析―未来展望と将来自己連続性の観点から」『マーケティングジャーナル』〔日本マーケティング学会〕第42巻第4号、pp.75-86.
- 井上淳子「無意識的思考の優位性―意思決定の質とクリエイティビティに関わる研究のレビュー」『成蹊大学経済経営論集』〔成蹊大学経済経営学会〕第54巻第1号、pp.85-109.
- 井上淳子、上田泰「アイドルに対するファンの心理的所有感とその影響について―他のファンへの意識とウェルビーイングへの効果」『マーケティングジャーナル』〔日本マーケティング学会〕第43巻第1号、pp.18-28.
- 井上綾野「Z世代の倫理的購買とSDGsコミュニケーションの受容性」『三田商学研究』〔慶應義塾大学出版会〕第66巻第3号、pp.257-267.
- 岩本博幸「アニマルウェルフェア畜産物に対する消費者評価とその規定因」『フードシステム研究』〔日本フードシステム学会〕第29巻4号、pp.201-206.
- 上田泰、井上淳子「推し活意識が幸福感に及ぼす影響―推しの心理的所有感の媒介的作用」『成蹊大学経済経営論集』〔成蹊大学経済経営学会〕第54巻第1号、pp.47-64.
- 上原彰公「消費者アフィニティがエンゲージメントに与える影響―熊本城を事例に」『産業総合研究』〔沖縄国際大学総合研究機構産業総合研究所〕第32号、pp.29-34.
- 内田成「ソーシャルメディアと衒示的消費―衒示的消費とZ世代」『高崎商科大学紀要』〔高崎商科大学メディアセンター〕第38号、pp.205-215.
- 宇都宮涼、中谷朋昭、中嶋康博「新型コロナウィルス感染症緊急事態宣言が食料消費に与えた影響―消費者購買履歴データを用いた分析」『フードシステム研究』〔日本フードシステム学会〕第29巻4号、pp.183-188.
- 江島賢一郎「人流の変化―コロナ前後の生活者行動とインバウンド需要」『流通情報』〔流通経済研究所〕第565号、pp.40-49.
- 遠藤ありす、石井裕明、外川太郎、竹内駿「映像認識AIを用いた実店舗の消費者行動分析―デジタルサイネージの効果検証」『マーケティングレビュー』〔日本マーケティング学会〕第4巻第1号、pp.25-32.
- 呉崧源「ライブコマースにおけるカスタマー・エンゲージメントの影響要因に関する考察」『流通』〔日本流通学会〕第53号、pp.15-29.
- 王怡人、金丸輝康「中小製造企業の情報発信の実態に関する質問票調査の結果」『琉球大学経営研究』〔琉球大学国際地域創造学部経営プログラム〕第3号、pp.62-77.
- 王怡人、金丸輝康「中小製造企業に対する消費者のネット口コミ状況の質問票調査の結果」『琉球大学経営研究』〔琉球大学国際地域創造学部経営プログラム〕第3号、pp.78-102.
- 大澤朗子「我が国における個人消費の動向と変化」『流通情報』〔流通経済研究所〕第565号、pp.4-13.
- 大田謙一郎「サロンヘアケア市場における美容師の役割と顧客のブランド・ロイヤルティに及ぼす影響―株式会社ミルボンの事例を基に」『東アジア評論』〔長崎県立大学東アジア研究所〕第15巻、pp.1-14.
- 大淵和憲「九州の伝統的工芸品の認知・関心度や購入経験を軸とした消費者意識調査分析」『九州産業大学伝統みらい研究センター論集』〔九州産業大学伝統みらい研究センター編集委員会〕第6号、pp.15-36.
- 小具龍史、熊谷信司「COVID-19の影響を考慮した新しい消費者セグメンテーションに関する探索的研究」『消費者行動研究』〔日本消費者行動研究学会〕第29号第1-2号、pp.49-74.
- 落原大治「マーケティングにおける消費者インスピレーションの役割」『マーケティングジャーナル』〔日本マーケティング学会〕第42巻第3号、pp.72-80.
- 河股久司、守口剛「ブランド・ロゴ変更時に彩度の変化が消費者のブランド態度に与える影響」『マーケティングジャーナル』〔日本マーケティング学会〕第42巻第3号、pp.39-50.
- 神田正樹「消費者エンゲージメントの促進要因と阻害要因―混合研究法アプローチ」『消費経済研究』〔日本消費経済学会〕第12号、pp.151-163.
- 菅野佐織「マーケティングにおける心理的所有感の研究―近年の研究のレビューを中心に」『マーケティングジャーナル』〔日本マーケティング学会〕第43巻第1号、pp.7-17.
- 北澤涼平「集団的心理的所有感―マーケティング研究への応用可能性」『マーケティングジャーナル』〔日本マーケティング学会〕第42巻第4号、pp.51-57.
- 北澤涼平、小野晃典「コンテンツビジネスの消費者としてのファン・マニア・オタク」『マーケティングジャーナル』〔日本マーケティング学会〕第43巻第1号、pp.29-41.

● 金春姫「多文化時代におけるポップカルチャーと消費行動―包括的分析フレームワークの構築に向けて」『マーケティングジャーナル』〔日本マーケティング学会〕第42巻第4号、pp.6-15.

● 權純鎬、河股久司、須田孝徳「電子媒体の画面接触が決済サービスのコントロール感と心理的所有感に及ぼす影響」『マーケティングジャーナル』〔日本マーケティング学会〕第42巻第3号、pp.51-62.

● 厳秀延「消費者ボイコットの理解―理論的視点と実証的結果のレビュー」『立命館経営学』〔立命館大学経営学会〕第62巻第3号、pp.61-83.

● 佐藤敏久「消費者とDTC企業の関係構築プロセスにおける『参加』の概念化とその影響―消費者の行動的側面の状況把握と重要性」『明大商學論叢』〔明治大学商学研究所〕第105巻第3号、pp.1-22.

● 里村卓也「視線研究とアテンション・ベースト・マーケティング」『流通情報』〔流通経済研究所〕第565号、pp.60-70.

● 里村卓也「消費者の選択行動モデルにおける最近の展開」『三田商学研究』〔慶應義塾大学出版会〕第66巻第3号、pp.133-143.

● 清水聰「コロナ前後での消費者の生活変化」『三田商学研究』〔慶應義塾大学出版会〕第66巻第3号、pp.99-115.

● 白井美由里「コア顧客はブランドの垂直的ライン拡張をどのように評価するのか?」『三田商学研究』〔慶應義塾大学出版会〕第66巻第3号、pp.145-158.

● 邢璐、大石太郎「ブラインド試験によるミカン養殖マダイの刺身の嗜好型官能評価―被験者および試料属性に基づく比較」『フードシステム研究』〔日本フードシステム学会〕第29巻4号、pp.225-230.

● 水師裕「日本におけるエシカル消費の社会構造的実態に関する理論的検討」『国士舘大学経営論叢』〔国士舘大学経営学会〕第13巻第2号、pp.119-133.

● 鈴木雄高「新型コロナウィルス感染症の流通下における消費者の購買行動と買物意識の変化―『ショッパー・マインド定点調査（2020年1月〜2023年7月）』より」『流通情報』〔流通経済研究所〕第565号、pp.14-31.

● 田口裕基、白土由佳、寺嶋正尚「ソーシャルメディアにみるパクチー消費に関する時系列的考察」『消費経済研究』〔日本消費経済学会〕第12号、pp.87-99.

● 田嶋元一、山﨑泰弘「購買データからみたコロナの流行と収束による食品購買の変化」『流通情報』〔流通経済研究所〕第565号、pp.32-39.

● 多田伶、勝又壮太「消費者思考モード尺度の作成」『消費者行動研究』〔日本消費者行動研究学会〕第29巻第1-2号、pp.1-26.

● 谷本和也「コロナ禍における消費者のライフログ提供に関する許容の変化」『消費経済研究』〔日本消費経済学会〕第12号、pp.113-123.

● TIAN, Yu.、SAKURAI Seiichi「Study on Customers' Repeat Purchase Attitude of Chinese Food Delivery」『フードシステム研究』〔日本フードシステム学会〕第29巻4号、pp.165-170.

● 張テイテイ「ネットショップにおける暗示的動きを表す静止画が消費者行動に与える影響」『経営論集』〔東洋大学経営学部〕第101巻、pp.563.

● 張婧、梁庭昌「COVID-19環境下におけるサービス経験の感情的要因―感情種類による影響の探索的・実証的研究」『マーケティングレビュー』〔日本マーケティング学会〕第4巻第1号、pp.51-58.

● 土田尚弘「CSRの消費者知覚についての研究レビュー」『麗澤大学紀要』〔麗澤大学〕第106巻、pp.65-72.

● 外川拓、磯田友里子、鈴木凌、恩藏直人「顧客の名字がブランド選択に及ぼす影響―視覚情報としての文字に着目して」『マーケティングジャーナル』〔日本マーケティング学会〕第42巻第3号、pp.27-38.

● 長尾真弓、廣政幸生、井上賢哉「都市におけるジビエ消費の実態と消費意向に関する分析―首都圏の飲食店を対象に」『フードシステム研究』〔日本フードシステム学会〕第29巻4号、pp.219-224.

● 西大輔「企業活動に関する透明性と消費者行動」『拓殖大学経営経理研究』〔拓殖大学経営経理研究所〕第123巻、pp.61-71.

● 西本章宏、勝又壮太郎「消費者のメンタルアカウンティングにおける心理的所有感の価値拡大効果―決済手段が選択可能な状況下でのWTPとWTAの測定と分析」『マーケティングジャーナル』〔日本マーケティング学会〕第43巻第1号、pp.53-65.

● 二宮麻里「サーキュラーエコノミー考―消費者欲求はどこまで変化したのか」『流通情報』〔流通経済研究所〕第563号、pp.70-71.

● NOMURA, Takuya「The dilemma between ownership and sequential acquisition: when materialistic consumers participate in the sharing economy of tangible goods」『流通』〔日本流通学会〕第53号、pp.49-66.

● 野村拓也「近年における消費環境の変化を背景とする物質主義に関する議論の整理」『マーケティングジャーナル』

〔日本マーケティング学会〕第42巻第4号、pp.67-74.

- 朴宰佑、外川拓、元木康介「センサリーナッジ―感覚要因が健康的な食行動に及ぼす影響の文献レビュー」『マーケティングジャーナル』〔日本マーケティング学会〕第42巻第3号、pp.6-16.
- 原広司、佐藤圭、小林哲「ゲイン・ロスフレームが特定保健用食品の購買意思決定に及ぼす影響」『マーケティングレビュー』〔日本マーケティング学会〕第4巻第1号、pp.3-10.
- 福田怜生「消費者を対象としたマーケティングにおけるVR研究―近年の研究に関するレビュー」『マーケティングジャーナル』〔日本マーケティング学会〕第42巻第3号、pp.63-71.
- 福地駿乃助「CSRが消費者ベースのブランド・エクイティに与える影響」『三田商学研究』〔慶應義塾大学出版会〕第66巻第3号、pp.329-344.
- 坊美生子「高齢者の消費の現状」『生活協同組合研究』〔生協総合研究所〕第567巻、pp.5-14.
- 堀江康熙「近年の家計消費伸び悩みとその背景」『經濟學研究』〔九州大学経済学会〕第89巻第5／6号、pp.53-82.
- 牧和生「オタク文化における過度な消費と排他的行動の経済学」『京都橘大学研究紀要』〔京都橘大学研究紀要編集委員会〕第49号、pp.213-228.
- 松井彩子「スポーツスポンサーシップにおけるネガティブインシデントへの消費者の反応―東京五輪のスポンサー汚職に関するツイートデータを用いて」『マーケティングジャーナル』〔日本マーケティング学会〕第42巻第4号、pp.39-50.
- 松原優「ブランド・コミュニティに所属することでメンバーの人生満足は高まるのか?―プロスポーツを対象とした検証」『消費者行動研究』〔日本消費者行動研究学会〕第29巻第1-2号、pp.75-97.
- 松本竜一「アートが有する価値の考察」『千葉経済論叢』〔千葉経済大学〕第69号、pp.107-126.
- 水野誠、阿部誠、新保直樹「受信者と発信者の異質性を考慮したインフルエンサー・マーケティングにおけるシーディング戦略」『マーケティング・サイエンス』〔日本マーケティング・サイエンス学会〕第30巻第1号、pp.9-32.
- 宮澤薫、松本大吾「日本の消費者が店舗内で羞恥を感じる状況―計量テキスト分析を用いた探索的研究」『千葉商大紀要』〔千葉商科大学国府台学会〕第60巻第3号、pp.49-68.
- 森岡耕作「顧客レビューの評価分布は消費者反応に影響するのか?」『東京経大学会誌（経営学）』〔東京経済大学経営学会〕第318巻、pp.123-135.
- 森吉直子「パッケージデザインと商品陳列特性にみる消費者の商品選別プロセス」『三田商学研究』〔慶應義塾大学出版会〕第66巻第3号、pp.159-173.
- 八木浩平、李冠軍、張馨元他「上海市における日本食の消費者行動―訪日回数の影響に焦点を当てて」『フードシステム研究』〔日本フードシステム学会〕第29巻4号、pp.171-176.
- 八塩圭子「リキッド消費におけるホラーコンテンツの存在感―Z世代1200人調査から見える現状と可能性」『現代経営経済研究』〔東洋学園大学〕第6巻第1号、pp.112-136.
- 山崎暁彦「『消費者』概念について」『行政社会論集』〔福島大学行政社会学会〕第35巻第3号、pp.77-104.
- 山地理恵「消費者共創に関する―考察―子ども服の安全（JISL4129）規格策定活動の事例より」『現代ビジネス研究所紀要』〔昭和女子大学現代ビジネス研究所〕第8巻、pp.1-12.
- 矢野尚幸「コロナ禍を経たシニア層のオンラインショッピングへの意識と行動の変化」『流通情報』〔流通経済研究所〕第563号、pp.7-69.
- 吉井健「アパレルのD to Cビジネスとライブコマースに関する考察」『International Journal of Human Culture Studies』〔大妻女子大学人間生活文化研究所〕第33号、pp.94-100.
- 六嶋俊太「秘密消費の研究の整理と今後の方向性の検討―秘密内容の概念的課題の克服」『マーケティングジャーナル』〔日本マーケティング学会〕第42巻第4号、pp.58-66.
- 渡邊久晃「自然感の影響―既存研究の整理と今後の研究の方向性」『マーケティングジャーナル』〔日本マーケティング学会〕第43巻第1号、pp.75-82.
- 王珏「消費者の制御感―4つの研究潮流」『マーケティングジャーナル』〔日本マーケティング学会〕第43巻第2号、pp.63-69.

【G】国際市場、グローバル・マーケティング関連の研究

- 浅香幸枝「海外フィールドワークに関する―考察―日系企業進出が進むメキシコの事例研究」『アカデミア．社会科学編』〔南山大学〕第25号、pp.265-279.
- 安倍誠「韓国鉄鋼業のキャッチアップと日韓競争の行方」『一橋ビジネスレビュー』〔一橋大学イノベーション研究センター〕第70巻第4号、pp.24-35.
- 石川啓雅「酒造業における市場の広域・グローバル化と原料生産のローカル化―地域産業としての現代酒造業の行方

を考える」『富士大学紀要』〔富士大学学術研究会〕第56巻第1号、pp.1-13.

- 板垣博「通説と異なる事実発見の面白さ―海外日本企業の軌跡から見えてくるもの」『国際ビジネス研究』〔国際ビジネス研究学会〕第15巻第2号、pp.43-48.
- 井上荘太郎、丸山優樹、伊藤紀子ほか「インドネシア・ジャカルタ首都圏における食品購入行動―コロナ禍におけるEC消費の動向に着目して」『フードシステム研究』〔日本フードシステム学会〕第29巻4号、pp.159-164.
- 岩﨑尚人「グローバリゼーションの進化と日本企業」『成城大學經濟研究』〔成城大学経済学会〕第240号、pp.1-43.
- 魏晶玄「イノベーターとして生まれる―世界に衝撃を与えた韓国ゲーム産業」『一橋ビジネスレビュー』〔一橋大学イノベーション研究センター〕第70巻第4号、pp.68-80.
- 上田遥「フランス『食の社会学』の発展史からみた現代的課題」『フードシステム研究』〔日本フードシステム学会〕第30巻1号、pp.15-26.
- 上田遥「フランスにおける食料政策の展開―『食の貧困』政策を中心に」『フードシステム研究』〔日本フードシステム学会〕第30巻2号、pp.53-68.
- 臼井哲也「ビジネスモデル論と国際ビジネス論の架橋―戦略論の分析視角」『明大商學論叢』〔明治大学商学研究所〕第105巻第3号、pp.23-43.
- 王芸璇「中国NEV市場における日系自動車メーカーの現状と課題―PEST分析に基づいて」『大阪産業大学経営論集』〔大阪産業大学学会〕第25巻第1号、pp.17-47.
- 呉寅圭「K-POPの成功要因―ポスト植民地企業のグローカル戦略」『一橋ビジネスレビュー』〔一橋大学イノベーション研究センター〕第70巻第4号、pp.82-95.
- 呉銀澤「東アジア半導体企業の発展動向に関する研究―グローバル・サプライチェーンの観点」『園田学園女子大学論文集』〔園田学園女子大学〕第57号、pp.187-196.
- 呉贇、楊樂華「中小企業国際化の原動力―周南市三企業を事例に」『周南公立大学論叢』〔周南公立大学経済学会〕第3巻、pp.1-8.
- 金艶華、孔令建「中国における医薬品ネット販売の規制緩和と市場構造の変化」『物流問題研究』〔流通経済大学物流科学研究所〕第74号、pp.57-63.
- 具承桓「現代自動車グループの事業システム構築プロセス」『一橋ビジネスレビュー』〔一橋大学イノベーション研究センター〕第70巻第4号、pp.36-51.
- 國枝陽輔「小売企業の海外展開とM&A―マーケティング研究のレビューに基づく考察」『同志社商学』〔同志社大学商学会〕第75巻第1号、pp.125-141.
- 熊一璞「スマートホーム産業をめぐる日中の政府・企業の動向に関する比較研究」『近畿大学商学論究』〔近畿大学大学院商学研究科〕第22巻第1号、pp.1-16.
- 桑名義晴「日本における国際ビジネス研究の進展と課題―過去、現在、そして未来へ」『国際ビジネス研究』〔国際ビジネス研究学会〕第15巻第2号、pp.49-61.
- 小泉達治「電気自動車（EV）の普及が世界バイオ燃料・農産物需要に与える影響」『フードシステム研究』〔日本フードシステム学会〕第29巻4号、pp.207-212.
- 口野直隆、浜口夏帆、大島一二「日本の外食産業をめぐる経済環境の変化と海外進出」『桃山学院大学経済経営論集』〔桃山学院大学総合研究所〕第64巻第4号、pp.185-207.
- 齋藤花純、高橋未羽、和田夢加、北沢世翔「日本市場における国別ブランドイメージの実証研究―現代自動車の対日マーケティング戦略の考察」『白鷗ビジネスレビュー』〔白鷗大学ビジネス開発研究所〕第32巻第2号、pp.63-76.
- 佐伯靖雄「ASEAN諸国での自動車部品メガ・サプライヤーの機能配置―日独主要企業の比較分析」『關西大學商學論集』〔關西大學商學會〕第67巻第4号、pp.15-26.
- 季増民「海外進出企業の事業展開に伴う異文化のせめぎあい―ヤンゴン郊外進出日系企業での実態調査に基づく」『椙山女学園大学研究論集. 人文科学篇・社会科学篇・自然科学篇』〔椙山女学園大学〕第54号、pp.117-134.
- 島本健、佐藤忠彦、立本博文「企業の海外進出地域が業績に与える影響について―企業の異質性を考慮した研究」『国際ビジネス研究』〔国際ビジネス研究学会〕第15巻第1号、pp.15-25.
- 白木晟理那、首藤久人「香港における日本産いちごの輸出競争力―輸入需要体系によるアプローチ」『フードシステム研究』〔日本フードシステム学会〕第29巻4号、pp.53-68.
- 徐寧教「海外工場がマザー工場化する要因は何か―海外工場が構築した能力の活用に向けて」『国際ビジネス研究』〔国際ビジネス研究学会〕第15巻第1号、pp.41-50.
- 渋谷百代「国際ビジネスと社会発展メジャーへの招待―『境界』を越える現象を捉える」『社会科学論集』〔埼玉大学経済学会〕第168・169巻、pp.15-23.
- 椙江亮介「生産技術システム・グローバル情報システム移転のダイナミック分析―日本のものづくり企業の事例分析」

『国際ビジネス研究』〔国際ビジネス研究学会〕第15巻第1号、pp.27-40.

● 石瑾「新興国多国籍企業の国際戦略」『国際ビジネス研究』〔国際ビジネス研究学会〕第15巻第1号、pp.1-13.

● 関口和代「コロナ禍における事業継続マネジメント―上海地域の日系企業の取組み：研究ノート」『東京経大学会誌（経営学）』〔東京経済大学経営学会〕第318巻、pp.187-212.

● 玉生弘昌「ロシアと地政学」『流通問題』〔流通問題研究協会〕第59巻第1号、pp.38-39.

● 張紀潯、向雪碧「アリババと楽天の比較にみる中日両国電子商取引の共通点と相違点」『The Josai Journal of Business Administration』〔城西大学〕第19巻第1号、pp.41-73.

● 土屋隆一郎「台湾の業界団体の運営活動における企業経営者のフリー・ライディングと集合的行動」『東京経大学会誌（経営学）』〔東京経済大学経営学会〕第320巻、pp.135-147.

● 寺本義也、内田亨「チリにおける日本企業のサケ・マス養殖事業の現状と課題」『新潟国際情報大学国際学部紀要』〔新潟国際情報大学国際学部〕第8巻、pp.111-120.

● 當間正明「韓国エネルギー産業の戦略的転換―『伝統的エネルギー』から『新・再生可能エネルギー』へ」『一橋ビジネスレビュー』〔一橋大学イノベーション研究センター〕第70巻第4号、pp.52-66.

● 鳥羽達郎「欧米流通企業の日本撤退に関する一考察―メトロキャッシュアンドキャリージャパンの事例研究」『消費経済研究』〔日本消費経済学会〕第12号、pp.164-179.

● 竇少杰「VUCA時代における中国の家族企業の苦悩と奮闘―浙江省の東星電子有限公司の例を中心に」『経営研究』〔大阪公立大学経営学会〕第74巻第3号、pp.21-41.

● 董思源、山本康貴、澤内大輔、日田アトム、近藤功庸「中国トウモロコシ作生産性の地域別貢献度分析」『フードシステム研究』〔日本フードシステム学会〕第29巻4号、pp.231-236.

● 仲地健「アジアにおける医療ツーリズムの現状と日本の展望」『産業情報論集』〔沖縄国際大学産業情報学部〕第19巻第1、2号、pp.29-37.

● 野口寛樹、中本龍市「サービス貿易の視点によるNPOの国際化の研究―『NGOデータブック』を用いた時系列的な分析」『商学論集』〔福島大学経済学会〕第91巻第3・4号、pp.13-30.

● 馬場一「国際経営研究における信頼―関係性から制度的環境へ」『明大商學論叢』〔明治大学商学研究所〕第105巻第3号、pp.45-60.

● 林尚志「海外子会社が継続的な高度化を実現するプロセスの考察―日系中小メーカー2社の中国子会社の事例から」『中小企業季報』〔大阪経済大学中小企業・経営研究所〕第2-4号、pp.51-83.

● 林尚毅「ICT多国籍企業の国際分業」『龍谷大学経営学論集』〔龍谷大学経営学会〕第62巻第3・4号、pp.61-69.

● 福澤和久、池山智也「中国5大市場における自律走行に対する消費者ニーズの比較」『経営情報科学』〔愛知工業大学経営情報科学学会〕第18巻第1号、pp.1-16.

● 星田剛「多国籍企業と現地制度の相互作用プロセス―金融サービスの国際化」『国際ビジネス研究』〔国際ビジネス研究学会〕第15巻第2号、pp.11-26.

● 本台進「インドネシア自動車市場と低価格低燃費車計画に対する日本製造業企業による評価と進出行動」『経済論集』〔大東文化大学経済学会〕第118巻、pp.113-132.

● 馬瑞潔「政府の影響下における国有企業の戦略的行動―中国国有企業のM&Aを事例に」『国際ビジネス研究』〔国際ビジネス研究学会〕第15巻第2号、pp.27-42.

● 牧野成史「世界の中の九州」『国際ビジネス研究』〔国際ビジネス研究学会〕第15巻第2号、pp.1-9.

● 松川佳洋「食文化の海外展開―オタフクソースのマレーシア進出の事例から」『広島経済大学経済研究論集』〔広島経済大学経済学会〕第46巻第1号、pp.33-43.

● 丸谷雄一郎「ショップライトに追随してきたウォルマートの南部アフリカ小売市場における現地化戦略」『東京経大学会誌（経営学）』〔東京経済大学経営学会〕第318巻、pp.35-58.

● 李新建、劉宏博「中国家族企業の従業員満足の影響要因に関する実証研究」『東洋学園大学紀要』〔東洋学園大学〕第31巻、pp.194-212.

● 閻冰、大島一二「ベトナム進出日系自動車部品メーカーの直面する課題と対応―M社の事例を中心に」『桃山学院大学経済経営論集』〔桃山学院大学総合研究所〕第64巻第4号、pp.137-164.

● 吉岡英美「韓国半導体産業の発展と産業政策の役割」『一橋ビジネスレビュー』〔一橋大学イノベーション研究センター〕第70巻第4号、pp.8-22.

● 米倉穣「『資源ベース論』を基軸にした中小企業の国際化戦略の分析―G社の20年間の持続的競争優位の追求」『びわ湖経済論集』〔滋賀大学大学院経済経営研究会〕第20巻第2号、pp.13-33.

● 李建儒「国際的な戦略的提携における知識経営」『国際ビジネス研究』〔国際ビジネス研究学会〕第15巻第1号、pp.51-63.

- 梁煥娥、大島一二「日本タオル企業のグローバル展開と現地メーカーの対応―中国からベトナム等への生産拠点の移転を中心に」『桃山学院大学経済経営論集』〔桃山学院大学総合研究所〕第65巻第4号、pp.55-79.
- 阮毅力、大島一二「中国における食品安全管理体系の形成と環境保全型農業―中国の食品安全追跡システムを中心に」『桃山学院大学経済経営論集』〔桃山学院大学総合研究所〕第65巻第4号、pp.81-116.

【H】観光、非営利組織のマーケティング関連の研究

- 天野宏司「アニメ・ツーリズムの可能性―アニメ・マンホール蓋に描かれたアニメ作品」『駿河台大学論叢』〔駿河台大学総合研究所〕第65号、pp.61-72.
- 安藤真澄「中部圏のインバウンド観光再考―ポストコロナ期におけるアジア圏からの旅行者の志向性の変化について」『東邦学誌』〔愛知東邦大学〕第52巻第2号、pp.13-47.
- 池口功晃「地域産業構造と観光政策の視座―北九州市を事例として」『西南女学院大学紀要』〔西南女学院大学〕第27巻、pp.39-53.
- 石田理沙、眞島沙奈、吉田道代「デジタルゲームファンのツーリズム―刀剣乱舞プレイヤーの観光行動と動機」『観光学』〔和歌山大学観光学会〕第29巻、pp.29-38.
- 市原猛志「観光資源としてのくまもと花博―二度の都市緑化フェアの比較に基づくイベント機能の変遷と市街地の活用」『熊本学園商学論集』〔熊本学園大学商学会〕第27巻第2号、pp.1-22.
- 犬塚篤「満足ミラー効果の再検証―鏡に映し出されたものは、従業員の満足かそれとも行動か」『JSMDレビュー』〔日本商業学会〕第7巻第2号、pp.9-16.
- 岩井千春「国際比較による苦情対応の意識分析―日米英の接客業経験者を対象とした質問紙調査」『日本国際観光学会論文集』〔日本国際観光学会〕第30巻、pp.7-16.
- 上村明「発達障害者の海外旅行時における障壁について―海外旅行傷害保険契約の状況からの考察」『日本観光学会誌』〔日本観光学会〕第64巻、pp.61-69.
- 禹錫鳳、千相哲「日本の観光立国政策の成果―韓国の観光振興の観点から」『九州産業大学地域共創学会誌』〔九州産業大学地域共創学会〕第10号、pp.1-13.
- 内田彩、山中左衛子、徳江順一郎「近代ホテルにおける『和風』の変遷とその様相」『日本国際観光学会論文集』〔日本国際観光学会〕第30巻、pp.39-49.
- 遠藤伸明「欧州の航空会社・空港会社における女性取締役登用のインセンティブ」『日本国際観光学会論文集』〔日本国際観光学会〕第30巻、pp.51-58.
- 大方優子「旅行者エンゲージメントの態度形成に影響を与える要因」『九州産業大学地域共創学会誌』〔九州産業大学地域共創学会〕第10号、pp.15-27.
- 大塚良治「鉄道資産の『テーマパーク化』を基盤とした観光振興と鉄道活性化」『江戸川大学紀要』〔江戸川大学〕第33号、pp.117-132.
- 大橋昭一「ザ・グランドツアーから現代的ツーリズムの生成へ―近代的ツーリズムの進展過程の研究」『観光学』〔和歌山大学観光学会〕第28巻、pp.13-25.
- 大橋昭一「スピリチュアル・ツーリズムをめぐる近年の諸論調―スピリチュアル性と観光性との関連を中心に」『観光学』〔和歌山大学観光学会〕第29巻、pp.15-27.
- 小野晃典、小野雅琴「位置情報連動型ゲームを用いたO2Oデスティネーション・マーケティング―『駅メモ!―ステーションメモリーズ!』」『マーケティングジャーナル』〔日本マーケティング学会〕第43巻第2号、pp.90-100.
- 小野健吉「歴史的庭園を主体としたガーデンツーリズムの提案―奈良県と愛媛県を事例として」『観光学』〔和歌山大学観光学会〕第28巻、pp.27-38.
- 小原篤次「日本の旅行会社の経営戦略の転換」『東アジア評論』〔長崎県立大学東アジア研究所〕第15巻、pp.39-48.
- 小原満春「沖縄の土産品における文脈価値に関する一考察」『産業総合研究』〔沖縄国際大学総合研究機構産業総合研究所〕第32号、pp.15-28.
- 小原満春「ワーケーションのプッシュ動機に関する研究―仕事動機と休暇動機の検討」『日本国際観光学会論文集』〔日本国際観光学会〕第30巻、pp.59-66.
- 片山達貴、大江靖雄「農家レストラン名称の東西比較分析」『日本観光学会誌』〔日本観光学会〕第64巻、pp.24-32.
- 角本伸晃「観光とご当地グルメの地理空間データ分析」『経営総合科学』〔愛知大学経営総合科学研究所〕第119号、pp.95-117.
- 加藤弓枝「名古屋の名所―歌枕とコンテンツ・ツーリズム」『人間文化研究所年報』〔名古屋市立大学人間文化研究所〕第18号、pp.11-14.
- 神谷達夫「NSSにより取得した位置情報と調査表による観光者の行動分析―NSS情報無線伝送システムの応用」『日

本観光学会誌』〔日本観光学会〕第64巻、pp.50-60.

● 亀井省吾、城裕昭、鈴木宏幸、三好祐輔「地域における起業支援事業の評価手法に関する試論—クラウドファンディングの利活用を通じて」『福知山公立大学研究紀要』〔福知山公立大学〕第7巻第1号、pp.65-77.

● 河合美香「観光ビジネス開発の新たなアプローチに対する考察」『明星大学経営学研究紀要』〔明星大学経営学部経営学科研究紀要編集委員会〕第20号、pp.39-52.

● 河田浩昭「テーマパークの認知的・感情的イメージの来訪者ロイヤルティ形成に及ぼす影響に関する考察」『日本国際観光学会論文集』〔日本国際観光学会〕第30巻、pp.17-26.

● 河村英和「『ビュー』や『レーク』が付くホテル名の日欧比較—1960〜70年代日本のホテル屋号（3）」『跡見学園女子大学マネジメント学部紀要』〔跡見学園女子大学〕第36号、pp.53-70.

● 神田達哉「企業と関係性の質へ影響をおよぼす顧客経験価値に関する考察—旅行業のリアル店舗におけるオフラインコミュニケーションに着目して」『日本国際観光学会論文集』〔日本国際観光学会〕第30巻、pp.27-37.

● 神林明弘「協議会運営の課題の整理—中心市街地活性化協議会を例に」『オイコノミカ』〔名古屋市立大学経済学会〕第58巻第1号、pp.55-71.

● グエンヴァン，ドアン、富山栄子、浅野浩美、グエンタイン，ホアイ「エコツーリズムの目的地選択に影響を与える要因に関する研究—ベトナムでのアンケート調査結果による重回帰分析」『事業創造大学院大学紀要』〔事業創造大学院大学〕第14巻第1号、pp.1-15.

● 郭一博、中山徹「上田市・金沢市と七尾市・南砺市・唐津市の巡礼ノートから見るアニメツーリズム」『家政学研究』〔奈良女子大学家政学会〕第70巻第1・2号、pp.41-52.

● 倉本啓之、井出明「白米千枚田における持続可能な観光についての一考察」『日本観光学会誌』〔日本観光学会〕第64巻、pp.13-23.

● 小泉亮汰、遠藤柊一「小川町におけるメディアミックスによる観光プロモーションの取り組み」『地域と大学：城西大学・城西短期大学地域連携センター紀要』〔城西大学・城西短期大学地域連携センター〕第3号、pp.84-85.

● 洪鉉寿「戦前期日本の企業関連病院の生成に関する経営研究の可能性」『経営研究』〔大阪公立大学経営学会〕第74巻第2号、pp.1-14.

● 寇露「インバウンド観光客とデスティネーションロイヤリティに関する一考察」『日本国際観光学会論文集』〔日本国際観光学会〕第30巻、pp.119-127.

● 幸田亮一「ワイマール期ドイツにおける労働者ツーリズム」『産業経営研究』〔熊本学園大学付属産業経営研究所〕第42号、pp.47-65.

● 五艘みどり、國井大輔、平形和世、山田耕生「ルーラルツーリズム推進組織の持続的運営に向けた組織間連携のあり方—オーストリアにおける聞き取り調査をもとに」『観光研究』〔日本観光研究学会〕第35巻第1号、pp.79-86.

● 小村弘「歴史的市街地である『ならまち』の再生—カフェ、雑貨店、飲食店の出店と町屋の利用」『日本観光学会誌』〔日本観光学会〕第64巻、pp.42-49.

● 酒井新一郎「日本のインバウンド観光における動向分析」『神戸海星女子学院大学研究紀要』〔神戸海星女子学院大学研究委員会〕第62号、pp.1-9.

● 榊原直樹「スマートツーリズムにおけるアクセシビリティの課題—プロトタイプによるスマートツーリズムのアクセシビリティの実証実験」『清泉女学院大学人間学部研究紀要』〔清泉女学院大学人間学部〕第20号、pp.125-137.

● 牲川波都季「グリーン・ツーリズム運営農家はなぜ他者を迎え入れるのか—C、D、E、F、G家の場合」『総合政策研究』〔関西学院大学総合政策学部研究会〕第67号、pp.127-142.

● 桜井篤「体験型観光プラン造成時における『物語化』についての一考察」『千葉経済論叢』〔千葉経済大学〕第68号、pp.117-136.

● 桜田照雄「日本におけるスキーリゾート形成への一考察」『阪南論集．社会科学編』〔阪南大学学会〕第59巻第1号、pp.57-81.

● 佐々木詠香、渡邉一成「持続可能な図書館運営に求められる新たな機能について—社会関係資本形成を考慮した図書館運営の検討」『都市経営：福山市立大学都市経営学部紀要』〔福山市立大学都市経営学部〕第15巻、pp.65-78.

● 澤田幸輝、小柴恵一、関戸麻友、木川剛志、尾久土正己「揺れ動くツーリズム・リアリティ—バーチャルツーリズムの現状とその展望」『観光学』〔和歌山大学観光学会〕第28巻、pp.53-63.

● 周枟瀚、阿部康久「改革開放初期の中国における観光業振興と地域的背景—広西チワン族自治区桂林市の事例を中心に」『地球社会統合科学』〔九州大学大学院地球社会統合科学府〕第30巻第1号、pp.15-27.

● 蒋沈凱「中国大運河杭州段の歴史文化地区における観光の現状と課題」『観光学論集』〔長崎国際大学国際観光学会編集委員会〕第18巻、pp.23-33.

● 尻無濱芳崇「非営利組織の経営組織化に関する研究の展望」『山形大学紀要．社会科学』〔山形大学〕第53巻第2号、

pp.31-44.

- 鈴木晃志郎、松井陽史「ユーザー生成コンテンツを活用した日本人と外国人の観光行動分析—世界文化遺産の村、白川郷を事例に」『日本観光学会誌』〔日本観光学会〕第64巻、pp.1-12.
- 鈴木美樹、朱逸雯、仁平尊明「顧客満足の観点からみたオンラインツアーの強み」『日本国際観光学会論文集』〔日本国際観光学会〕第30巻、pp.67-74.
- 鈴木里奈「観光目的地としての『故郷』—故郷概念の変遷と真正性」『観光研究』〔日本観光研究学会〕第35巻第1号、pp.5-15.
- 鈴木涼太郎、花井友美、金振晩「観光客はおみやげに何を求めているのか?—Web調査による基本要素の抽出」『観光研究』〔日本観光研究学会〕第35巻第1号、pp.65-78.
- 徐康勲、徐恩之、山中逸郎「地方大学のブランドイメージポジショニング—広島県内の大学オンライン口コミの対応分析を中心に」『修道商学』〔広島修道大学ひろしま未来協創センター〕第64巻第1号、pp.19-64.
- 髙木厚次、松田憲「VR（バーチャルリアリティ）技術は観光地マーケティングに有用な手段であるか」『北九州市立大学マネジメント論集』〔北九州市立大学大学院マネジメント研究科〕第16号、pp.107-145.
- 髙田宏、徳江順一郎「大阪のホテル史—歴史的な迎賓館ホテルを中心として」『日本国際観光学会論文集』〔日本国際観光学会〕第30巻、pp.75-82.
- 高畑重勝「コロナ禍後の観光振興に果たすべきDMOの役割—京都市観光協会（DMO KYOTO）の事例から」『京都産業学』〔龍谷大学大学院経営学研究科付置機関京都産業学センター〕第21号、pp.101-114.
- 高畑重勝「京都市におけるオーバーツーリズムへの対応—対策に取り組む『地域の中間団体』の事例から」『京都産業学』〔龍谷大学大学院経営学研究科付置機関京都産業学センター〕第21号、pp.115-128.
- 竹内敏彦「インクルーシブツーリズムの概念を含む、ユニバーサルツーリズムのさらなる概念提示」『日本国際観光学会論文集』〔日本国際観光学会〕第30巻、pp.111-118.
- 竹田文雄「ポストコロナ期に向かう海外パッケージツアーのメタモルフォーゼについての一考察」『長崎国際大学論叢』〔長崎国際大学研究センター〕第23巻、pp.61-70.
- 竹田文雄、徳吉剛「九州・長崎IRの誘致と国際観光人材の育成に関する一考察」『長崎国際大学教育基盤センター紀要』〔長崎国際大学教育基盤センター〕第6巻、pp.57-65.
- 田代雅彦、樋口千尋「動物による観光振興—日本犬の事例から」『九州産業大学地域共創学会誌』〔九州産業大学地域共創学会〕第11号、pp.15-38.
- 塚本正文「富山県の自転車観光政策とその評価」『環境創造』〔大東文化大学環境創造学会〕第30巻、pp.15-27.
- 崔載弦「観光の構造的問題とオーバーツーリズムの概念に関する研究—利害関係者の観点の相違を事例に」『日本国際観光学会論文集』〔日本国際観光学会〕第30巻、pp.103-110.
- 辻有美子「新しい内発的発展論からみたワイナリーによる地域活性化と観光振興の可能性—愛媛県今治市大三島のプロジェクトを事例に」『総合観光研究』〔総合観光学会〕第21巻、pp.19-32.
- 土屋正臣「戦後日本における『文化』と『観光』の位置関係の変容—『文化観光』を手掛かりとして」『城西現代政策研究』〔城西大学現代政策学部〕第16巻第2号、pp.59-70.
- 富川久美子「竹原市の観光政策と口コミデータの内容分析にみる大久野島観光施策の課題」『修道商学』〔広島修道大学ひろしま未来協創センター〕第64巻第1号、pp.21-33.
- 永谷颯太郎「コンテンツツーリズムによる地域振興—アニメ『ゾンビランドサガ』を事例として」『観光学論集』〔長崎国際大学国際観光学会編集委員会〕第18巻、pp.75-82.
- 新津研一「インバウンド観光再始動—今なにをなすべきか」『流通問題』〔流通問題研究協会〕第59巻第1号、pp.2-6.
- 西尾建、柿島あかね「潜在的訪日外国人旅行者の世代別分析—コロナ禍における外国人旅行者を対象とした訪日旅行に対する意識調査から」『日本国際観光学会論文集』〔日本国際観光学会〕第30巻、pp.83-93.
- 西野孝徳「GoToトラベル事業の取組から見える地域の観光関連事業者の動向」『現代ビジネス研究所紀要』〔昭和女子大学現代ビジネス研究所〕第8巻、pp.1-7.
- 橋本駿、上野裕介「石川県における人流ビッグデータを用いた新型コロナウィルス流行下での観光客の動向分析」『石川県立大学研究紀要』〔石川県立大学〕第6号、pp.27-34.
- 羽田利久「低関与な旅行者の旅行情報源に関する一考察」『日本国際観光学会論文集』〔日本国際観光学会〕第30巻、pp.95-101.
- 平塚力「大学経営研究の分析枠組みに関する一考察（1）—社会学的新制度論の有効性を中心に」『総合社会学部研究紀要』〔京都文教大学総合社会学部〕第24巻、pp.63-85.
- 平塚力「大学経営研究の分析枠組みに関する一考察（2）—社会学的新制度論の有効性を中心に」『総合社会学部研究

紀要』〔京都文教大学総合社会学部〕第24巻、pp.87-111.

●藤井秀登「ヘリテージ・ツーリズムにおける場所の史的構造と経験―ヨーク英国国立鉄道博物館を事例に」『明大商學論叢』〔明治大学商学研究所〕第105巻第1号、pp.11-30.

●古本泰之「日本の高原型観光地における美術館の集積をアート・ツーリズムへと展開する上での課題―静岡県伊東市伊豆高原地域を事例とした試論」『杏林大学外国語学部紀要』〔杏林大学外国語学部〕第35巻、pp.107-117.

●堀越聡太、大江靖雄「コンテンツツーリズムの地域社会への心理的・経済的効果―アニメ作品を舞台にした埼玉県秩父市を対象として」『日本観光学会誌』〔日本観光学会〕第64巻、pp.33-41.

●本田正明「糸島におけるガストロノミーツーリズムの構造―観光産業の変遷過程を踏まえて」『九州産業大学地域共創学会誌』〔九州産業大学地域共創学会〕第10号、pp.49-64.

●馬嫚、大島一二「農村観光の満足度を高める方策に関する研究―観光客を対象としたアンケート調査を中心に」『桃山学院大学経済経営論集』〔桃山学院大学総合研究所〕第64巻第3号、pp.1-16.

●馬嫚、大島一二「都市と農村の交流における農村観光の役割―広西チワン族自治区南寧市の事例を中心に」『桃山学院大学経済経営論集』〔桃山学院大学総合研究所〕第64巻第4号、pp.335-352.

●前嶋了二「新気候体制下の観光のあり方の変化に関する考察―GSTCによる持続可能な観光指標（STI）と我が国への導入」『流通科学研究』〔中村学園大学流通科学部〕第23巻第1号、pp.35-50.

●前田武彦「ニューツーリズムにおける『自然』―アフターコロナのネイチャー・リゾート」『神戸国際大学紀要』〔神戸国際大学学術研究会〕第106号、pp.21-31.

●松田法子「宮津の芸者町・新浜の空間史と建築」『観光研究』〔日本観光研究学会〕第35巻第1号、pp.53-64.

●水谷知生、平侑子「近世以降の宮島のシカと人との関係―野生生物観光の観点から」『観光研究』〔日本観光研究学会〕第35巻第1号、pp.35-52.

●宮国薫子「SDGsと観光の関係―沖縄県北部、世界自然遺産地域（やんばる）における電気バス・エコツーリズム」『琉球大学経営研究』〔琉球大学国際地域創造学部経営プログラム〕第3号、pp.38-54.

●宮崎純一「社会連携拠点としての大学総合型地域スポーツクラブ―スポーツ庁・UNIVAS『大学スポーツ資源を活用した地域振興モデル創出事業』報告」『青山経営論集』〔青山学院大学経営学会〕第58巻第1号、pp.21-44.

●宮崎純一「大学総合型地域スポーツクラブのマネジメント―社会課題解決に果たすスポーツの役割」『青山経営論集』〔青山学院大学経営学会〕第58巻第2号、pp.1, 3-24.

●森田正隆「日本赤十字社の経営研究（1）―人道支援機関と4つの"きょうどう"」『明治学院大学経済研究』〔明治学院大学経済学会〕第165巻、pp.85-100.

●安田純子「観光学と家政学との接点―家政学からのアプローチ」『総合観光研究』〔総合観光学会〕第21巻、pp.33-44.

●安本宗春「鉄道遺産の観光活用―大井川鐵道を事例として」『追手門学院大学ベンチャービジネス・レビュー』〔追手門学院大学ベンチャービジネス研究所〕第15巻、pp.31-40.

●簗取萌、酒井健「組織化するプロフェッショナリズム―病院組織の比較事例分析」『組織科学』〔組織学会〕第56巻第3号、pp.46-62.

●山岸紫「工芸観光における体験・交流の商品化」『観光研究』〔日本観光研究学会〕第35巻第1号、pp.17-33.

●山崎真之「新聞広告にみる観光地与論島のイメージ」『和洋女子大学紀要』〔和洋女子大学〕第64巻、pp.121-132.

●山本桂輔、鈴木富之「日光・霧降高原におけるペンション集積地域の存続要因」『地域デザイン科学：宇都宮大学地域デザイン科学部研究紀要』〔宇都宮大学地域デザイン科学部〕第13号、pp.1-18.

●除本理史、林美帆、藤原園子「公害学習とツーリズム―岡山県倉敷市水島地区の取り組み事例」『経営研究』〔大阪公立大学経営学会〕第74巻第2号、pp.1-14.

●吉田卓史「大学スポーツにおける組織マネジメントに関する一考察」『福山大学経済学論集』〔福山大学経済学研究会〕第47巻、pp.1-17.

●米田公則「観光・メディア・地域」『椙山女学園大学研究論集. 人文科学篇・社会科学篇・自然科学篇』〔椙山女学園大学〕第54号、pp.105-115.

●米田迪「日本の医療ツーリズムの国際化―地域資源をウェルネスツーリズム資源へ」『金城紀要』〔金城大学短期大学部紀要編集委員会〕第47号、pp.25-33.

●渡部友一郎「新型コロナウィルス感染症に対応した令和5年改正旅館業法の法的考察―感染防止対策協力要請に正当な理由なく応じない宿泊者の宿泊拒否規定創設」『観光研究』〔日本観光研究学会〕第35巻第1号、pp.87-93.

【Ⅰ】地域活性化および地域ブランディングに関連する研究

●東俊之「伝統産業地域における協働に関する一考察―組織間協働および地域協働の視点から」『京都マネジメント・レ

ビュー』〔京都産業大学マネジメント研究会〕第42巻、pp.23-41.

- 荒井壽夫「持続可能なまちづくりとSDGs—地域における内発的パートナーシップの事例研究」『彦根論叢』〔滋賀大学経済学会〕第435号、pp.48-71.
- 石川和男「『地域おこし協力隊』の任期中・任期後における課題と移住・定住政策—移住・定住を視野に入れた政策展開を中心として」『専修商学論集』〔専修大学学会〕第117巻、pp.1-23.
- 伊藤ケイ子「持続可能な中心市街地の再生への考察」『研究年報』〔富士大学地域経済文化研究所〕第26号、pp.19-36.
- 上田隆穂、竹内俊子「地域フードブランドの喫食が未訪問地域への訪問につながるか（前編）—概念モデル作成および実証研究用アンケート調査票作成のためのインタビュー調査」『學習院大學經濟論集』〔学習院大学経済学会〕第60巻第1号、pp.57-77.
- 内山達也「『小さな拠点』の視点からみた限界集落の活性化に関する考察—千葉県鴨川市清澄地区・四方木地区」『城西国際大学紀要』〔城西国際大学〕第31巻第6号、pp.25-49.
- 梅津賢一「地域資源である戸建て空き家の利活用」『北九州市立大学マネジメント論集』〔北九州市立大学大学院マネジメント研究科〕第16号、pp.41-72.
- 梅村仁「地域ブランドの向上が与える産地分業システムへの影響及び持続的成長に向けた中小企業の変容に関する実証的研究」『経営経済』〔大阪経済大学中小企業・経営研究所〕第59号、pp.45-49.
- 江﨑翠、吉川志穂、仁後亮介、島田淳巳、三堂徳孝「産学官連携による地域発展を目指した新たな郷土料理開発の取り組み（第2報）」『中村学園大学・中村学園大学短期大学部研究紀要』〔中村学園大学短期大学部〕第55号、pp.167-172.
- 王文倩、大島一二「農協の組合員組織活動による地域農業の振興—JA大阪中河内、柏原ハウスぶどう出荷組合の事例を中心に」『桃山学院大学経済経営論集』〔桃山学院大学総合研究所〕第65巻第1号、pp.45-66.
- 大石卓史「大学・地域連携の展開方策に対する地域住民の意向—連携地域産の農産物・食材の購入・利用を中心として」『フードシステム研究』〔日本フードシステム学会〕第29巻4号、pp.261-266.
- 大田謙一郎「観光まちづくりにおけるコミュニケーション戦略—福岡・長崎・佐賀の取り組み事例を基に」『長崎県立大学論集.経営学部・地域創造学部』〔長崎県立大学〕第57巻第1号、pp.1-13.
- 大野富彦「地域企業のつながりの影響モデル—CSVを参考にした持続可能な経営についての一考察」『群馬大学社会情報学部研究論集』〔群馬大学社会情報学部〕第30巻、pp.75-86.
- 大野尚弘、金丸輝康、竹村正明「地域プロスポーツチームの地域との関係性」『金沢学院大学紀要』〔金沢学院大学紀要委員会〕第21号、pp.12-22.
- 岡田晃暉、冨田裕也、王倚竹、山田尚徳、晋博山、田明宇「松本市中町商店街における商業地域構造の変容および地域の対応—商店街・まちづくり組織に着目して」『地域研究年報』〔筑波大学人文地理学・地誌学研究会〕第45巻、pp.87-104.
- 岡田知弘「地域経済の『活性化』と地域内再投資力・地域内経済循環—現代日本における地域通貨の可能性」『経済研究所 Discussion Paper』〔中央大学経済研究所〕第392巻、pp.10-23.
- 上別府隆男「地方創生とSDGs—自治体のSDGs導入決定プロセス類型化の試み」『都市経営：福山市立大学都市経営学部紀要』〔福山市立大学都市経営学部〕第16巻、pp.19-29.
- 川島啓「地域付加価値創造分析と地域産業連関分析の橋渡しに関する考察」『釧路公立大学地域研究』〔釧路公立大学地域分析研究委員会〕第32号、pp.107-116.
- 川瀬憲子「地域コモンズと環境保全による内発的発展—クラフトビールと維持可能なまちづくりに焦点を当てて」『静岡大学経済研究』〔静岡大学人文社会科学部〕第28巻第1・2号、pp.25-41.
- 北郷裕美「コミュニティ放送の経営課題—まちづくり・災害時の視点から」『大正大学公共政策学会年報』〔大正大学公共政策学会〕第4号、pp.21-31.
- 北原理雄「公共空間から街を再生する」『名古屋学院大学論集.社会科学篇』〔名古屋学院大学総合研究所〕第60巻第1・2号、pp.21-38.
- 木原禎希「地域連携における伝統野菜の活用—尼藷のスイーツ製作について」『園田学園女子大学論文集』〔園田学園女子大学〕第57号、pp.237-246.
- 許伸江「社会的課題解決に取り組む企業の連携に関する一考察—日本と韓国のソーシャル・ベンチャーの事例を中心に」『跡見学園女子大学マネジメント学部紀要』〔跡見学園女子大学〕第36号、pp.1-19.
- 窪田さと子、森岡昌子、岡本常央、渡辺純「シーベリーによる地域振興と消費者の潜在的需要」『帯広畜産大学学術研究報告』〔帯広畜産大学〕第44巻、pp.126-133.
- 木暮衣里「『戸越銀座』のブランディング—商店街からエリアへの発展」『神戸学院経済学論集』〔神戸学院大学経済学

会〕第54巻第4号、pp.85-108.

- 小林裕和「営利組織としてのDMOにおける地域課題解決の志向性―株式会社くまもとDMCと株式会社かまいしDMCを事例として」『社会起業研究』〔相模女子大学専門職大学院社会起業研究科〕第3巻、pp.19-36.

- 權五景「地域衰退の背景と対策への必要条件としての地産地消―新潟県栃尾織物産地の事例」『地域連携研究：長岡大学地域連携研究センター年報』〔長岡大学地域連携研究センター〕第33巻第10号、pp.59-78.

- 境新一「拠点連携に基づくエリアマネジメント＆プロデュースによる地域創生の検証―長野県飯綱町における存在価値向上の提案を通して」『成城経済研究』〔成城大学経済学会〕第239号、pp.47-82.

- 酒井新一郎「スポーツツーリズムによる地域活性化」『神戸海星女子学院大学研究紀要』〔神戸海星女子学院大学〕第61号、pp.7-15.

- 坂本優紀、瀧戸啓一、陳書誼、帰凱悦、鄭妤婷「長野県松本市周辺地域におけるエレキギター製造産業の展開」『地域研究年報』〔筑波大学人文地理学・地誌学研究会〕第45巻、pp.15-29.

- 佐藤律久、杉浦礼子、井澤知旦「熱田区内事業所の地域との関わり方と地域課題への関心および保有するシーズとスキル」『名古屋学院大学論集. 社会科学篇』〔名古屋学院大学総合研究所〕第59巻第3号、pp.31-65.

- 猿渡学「地域の魅力発信のためのメディアの活用研究」『地域連携センター・研究支援センター紀要』〔東北工業大学地域連携センター・研究支援センター〕第35巻第1号、pp.97-103.

- 澤端智良「企業による地域コミュニティ機能の補完的役割―自治体との包括連携協定に着目して」『茨城キリスト教大学紀要』〔茨城キリスト教大学〕第57巻、pp.105-123.

- 茂谷智博、片山富弘「地域福祉とマーケティングの視点からのコミュニティ型の移動販売に関する考察」『流通科学研究』〔中村学園大学流通科学部〕第22巻第2号、pp.1-13.

- 白須正「地方自治体の地域産業政策を考える―京都府宇治市の産業政策を例に」『龍谷政策学論集』〔龍谷大学政策学会〕第12巻第2号、pp.3-20.

- 尻無浜博幸「地域主導型構想による地域支援事業に関する商品（＝生活支援）開発研究」『地域総合研究』〔松本大学地域総合研究センター〕第24巻第1号、pp.123-125.

- 菅原育子「地域コミュニティにおけるつながりづくりとICTの活用の可能性」『生活協同組合研究』〔生協総合研究所〕第567巻、pp.32-41.

- 鈴木敦士「集団訴訟制度の今後の発展をどう考えるか」『生活協同組合研究』〔生協総合研究所〕第566巻、pp.21-28.

- 鈴木健太「小規模地域における地域文化の再生産のしくみ―北海道愛別町『あいべつ「きのこの里」フェスティバル』を事例として」『季刊北海学園大学経済論集』〔北海学園大学経済学会〕第71巻第1号、pp.1-15.

- 関谷次博「鉄道を利用した地域経済活性化の幻想とその起源―明治期における土鶴鉄道敷設をめぐって」『神戸学院経済学論集』〔神戸学院大学経済学会〕第54巻第4号、pp.1-25.

- 高橋清美「地域経済活性化と企業に関する史的研究―味噌醸造業における生産性向上のための技術開発」『浦和論叢』〔浦和大学〕第68巻、pp.31-43.

- 高橋秀明、富山栄子、岸田伸幸、秦信行「地方都市である新潟県長岡市における民間スタートアップ支援拠点のローカル＆スモールビジネスおよびスタートアップの効果的な起業支援方法の考察」『事業創造大学院大学紀要』〔事業創造大学院大学〕第14巻第1号、pp.17-31.

- 高松直紀、荻原雅也「地方創生における食文化と交流の場づくりの役割についての研究―高知新港高台開発における事業の考察Ⅰ」『研究紀要』〔大阪樟蔭女子大学〕第13巻、pp.169-180.

- 多田憲一郎「中山間地域における新たな内発的発展―岡山県西粟倉村の経済発展戦略」『地域学論集：鳥取大学地域学部紀要』〔鳥取大学地域学部〕第20巻第2号、pp.1-9.

- 車相龍「地方都市におけるインクルーシブ・ビジネスの考察―長崎県佐世保市におけるA社の事例」『長崎県立大学論集. 経営学部・地域創造学部』〔長崎県立大学〕第56巻第4号、pp.65-77.

- 張海燕「観光地域づくり法人（DMO）の役割と課題に関する一考察」『作大論集』〔作新学院大学・作新学院大学女子短期大学部〕第16号、pp.155-179.

- 趙文、大島一二「『6次産業化』による地域ブランド形成と農業振興における役割―松本ハイランド農協管内のワイナリーに着目して」『桃山学院大学経済経営論集』〔桃山学院大学総合研究所〕第64巻第4号、pp.165-184.

- 手嶋恵美「地域を巻き込む特産品の販売促進―『山川みかん 軽トラデザインギフト箱』の事例から」『流通科学研究』〔中村学園大学流通科学部〕第22巻第2号、pp.55-67.

- 内藤旭恵、古性采樹「大学生による地域のブランディングと商品開発に関する研究」『経営・情報研究：多摩大学研究紀要』〔多摩大学経営情報学部〕第27巻、pp.167-176.

- 中村智彦「産官金連携による後継経営者育成について―東京都八王子市の『はちおうじ未来塾』を事例に」『神戸国際

大学経済経営論集』〔神戸国際大学学術研究会〕第43巻第1号、pp.1-22.

- 西田陽介「持続的な地域づくりにおけるアートマネジメントの探索的検討」『岡山大学大学院社会文化科学研究科紀要』〔岡山大学大学院社会文化科学研究科〕第55巻、pp.31-44.

- 野崎和夫「消費者市民ネットとうほく設立の経緯と現在の活動」『生活協同組合研究』〔生協総合研究所〕第566巻、pp.45-51.

- 野長瀬裕二、小林基「人口減少地域の経済活性化に関する事例研究」『摂南経済研究』〔摂南大学経済学部〕第13巻第1・2号、pp.31-48.

- 橋本英重、大木裕子、古賀広志「DXによる地域デザイン構築のプロセス―北海道更別村におけるスマートシティの取り組みの事例」『情報研究：関西大学総合情報学部紀要』〔関西大学〕第57号、pp.81-101.

- 濱田俊也、新田都志子「キャラクターを活用した地域ブランディングの現在―群馬県のメディア戦略と『ぐんまちゃん』のブランド化事業」『マーケティングジャーナル』〔日本マーケティング学会〕第42巻第4号、pp.97-107.

- 林優香「北海道の食産業振興―フード塾への期待」『流通問題』〔流通問題研究協会〕第59巻第2号、pp.5-7.

- 葉山幹恭「まちバルの事業モデルと地域環境への適応―バルフェスタいばらきの事例を中心に」『追手門学院大学ベンチャービジネス・レビュー』〔追手門学院大学ベンチャービジネス研究所〕第15巻、pp.13-19.

- 平松燈「インバウンドツーリストの訪問地域の多様化による地方経済の活性化」『総合政策研究』〔関西学院大学総合政策学部研究会〕第66号、pp.13-26.

- 広瀬正剛「観光地域づくり法人（DMO）が手掛ける着地型観光事業についての研究―浜松・浜名湖ツーリズムビューローおよび『浜松・浜名湖ちょい旅ガイド』を事例として」『浜松学院大学研究論集』〔浜松学院大学〕第19号、pp.51-63.

- 馮晏、宮島裕「地域ブランドにかかわる地域主体の連携に関する一考察―地域団体商標活用に関するアンケート調査を中心に」『共栄大学研究論集』〔共栄大〕第21号、pp.65-78.

- 藤岡芳郎「価値共創による地域活性化の一考察」『消費経済研究』〔日本消費経済学会〕第12号、pp.100-112.

- 藤川遼介「コレクティブ・インパクトは日本の地域コミュニティ創造に導入できるのか」『社会起業研究』〔相模女子大学専門職大学院社会起業研究科〕第3巻、pp.37-58.

- 藤本和賀代「ファッション分野における地域貢献の取り組み―サステナブルファッションショー参加より」『徳島文理大学研究紀要』〔徳島文理大学〕第106巻、pp.51-57.

- 前田竜孝、古谷拓巳、寺崎純平他「水産物産地卸売市場の観光地化に向けた課題―松浦魚市場を事例に」『長崎県立大学論集．経営学部・地域創造学部』〔長崎県立大学〕第57巻第1号、pp.33-58.

- 松原英治「地域コミュニティビジネスと地域づくり」『九州国際大学国際・経済論集』〔九州国際大学現代ビジネス学会〕第11号、pp.87-110.

- 松本和明「歴史にみる地域活性化―明治時代の新潟県のケース」『京都マネジメント・レビュー』〔京都産業大学マネジメント研究会〕第42巻、pp.153-171.

- 三浦功「地域絶品づくりのマーケティング、北海道フード塾の10年」『流通問題』〔流通問題研究協会〕第59巻第2号、pp.8-12.

- 三村優美子「地域の生活者とともに北海道の食を支えるコープさっぽろ」『流通問題』〔流通問題研究協会〕第59巻第2号、pp.30-36.

- 宮川正裕「地域創生マネジメントによる地域活性化―富士大学における地域連携取り組みを事例として」『研究年報』〔富士大学地域経済文化研究所〕第26号、pp.3-18.

- 本島阿佐子「音楽による地方創生の試み（群馬県）―CD『音泉大国』制作報告」『研究紀要』〔国立音楽大学〕第57巻、pp.267-276.

- 森哲男「サービス産業におけるビジネス・エコシステム生成プロセスと地域資源の役割―資源の再解釈による由布院モデルの誕生とHATAGO井仙の試み」『消費経済研究』〔日本消費経済学会〕第12号、pp.17-30.

- 森崎美穂子「パンデミック下の地域的取引における価値づけの変容―伝統的産品としての京菓子を事例に」『帝京大学国際日本学研究』〔帝京大学外国語学部国際日本学科〕第1号、pp.65-88.

- 八木橋彰「地域ブランドの創造に向けたシティプロモーション―ソーシャルメディアの活用に着目して」『三田商学研究』〔慶應義塾大学出版会〕第66巻第3号、pp.301-317.

- 安野巧真、山内祥輝、春日正男「LRTが拓く地域活性化を目指す新たなまちづくりの検討とコンセプトの提案」『作大論集』〔作新学院大学・作新学院大学女子短期大学部〕第17号、pp.201-208.

- 山田陽子、岸保行、李健泳「地域型異文化間コミュニケーションにおける場所の感覚と共創―新潟県における異文化接触の例に着目して」『新潟大学経済論集』〔新潟大学経済学会〕第115巻、pp.56-76.

- 吉田哲朗「持続可能性の視点からみた地域ファミリー企業3社の紹介―パーパスやSDGsの視点を含んで」『研究年

報』〔富士大学地域経済文化研究所〕第26号、pp.37-66.

● 李良姫「観光振興を通じた地域活性化」『兵庫大学論集』〔兵庫大学〕第29号、pp.161-168.

● 渡邊洋一「百貨店の創設と近代地方都市中心市街地の構築について—仙台市中心市街地東一番丁を例として」『経営法学論集』〔東北文化学園大学経営法学部〕第2巻第1号、pp.83-127.

【J】マーケティングのマクロ環境（法制度、環境・社会問題など）への取り組み、マーケティング史に関連する研究

● 浅野礼美子「企業の環境保全に伴うコストと経済効果に関する分析」『Review of economics and information studies』〔岐阜聖徳学園大学経済情報学部紀要部会〕第23巻、pp.11-22.

● 池田潔「中小企業によるビジネス・エコシステムとその特徴」『大阪商業大学論集』〔大阪商業大学商経学会〕第19巻第1号、pp.1-16.

● 石井淳蔵「研究の思い出」『マーケティング史研究』〔マーケティング史学会〕第2巻第1号、pp.45-50.

● 石井晋「日本における電機産業の発展史（4）高度経済成長期の技術導入と主要メーカーの事業展開」『學習院大學經濟論集』〔学習院大学経済学会〕第59巻第4号、pp.351-385.

● 石井晋「日本における電機産業の発展史（5）1950−60年代における半導体事業の展開」『學習院大學經濟論集』〔学習院大学経済学会〕第60巻第1号、pp.13-34.

● 石川和男「わが国におけるミクロマーケティング研究の開拓者—市場調査を基礎とした実務界への貢献と大学教育」『マーケティング史研究』〔マーケティング史学会〕第2巻第1号、pp.24-33.

● 伊丹謙太郎「賀川豊彦の3つの時代と関東大震災」『生活協同組合研究』〔生協総合研究所〕第574巻、pp.5-13.

● 市川晃「マネジメント・フォーラム：住友林業—需要創造と供給ネットワークづくりを通じて林業のサステナブルな流れをつくる」（インタビュアー：米倉誠一郎）『一橋ビジネスレビュー』〔一橋大学イノベーション研究センター〕第71巻第2号、pp.166-175.

● 伊藤真一、松野奈都子「NPO主導のクロスセクター・コラボレーションにおけるアクターの可視化と非協力的なアクターの巻き込み」『組織科学』〔組織学会〕第57巻第2号、pp.34-49.

● 伊藤陽児「健康食品の定期購入にかかる差止訴求訴訟事案の報告と課題」『生活協同組合研究』〔生協総合研究所〕第566巻、pp.29-37.

● 上田遥「食生活支援の実態と今後の課題—『結果』から『潜在能力』の平等へ」『フードシステム研究』〔日本フードシステム学会〕第29巻4号、pp.243-248.

● 薄井和夫「わが国商業学の夜明け前」『マーケティング史研究』〔マーケティング史学会〕第2巻第1号、pp.3-23.

● 宇田理「日本のコンピュータ・ビジネスの生成と発展（1）：1950年〜1979年—富士通（株）の組織能力の形成とネットワーク的調整を中心に」『青山経営論集』〔青山学院大学経営学会〕第58巻第1号、pp.45-74.

● 瓜生原葉子「ソーシャルマーケティングに基づく新型コロナ感染症対策」『同志社商学』〔同志社大学商学会〕第74巻第6号、pp.825-868.

● 瓜生原葉子「効果的な政策の実現に対するソーシャルマーケティングの貢献」『同志社商学』〔同志社大学商学会〕第75巻第2号、pp.203-237.

● 黄耀偉、大石隆介、寺村絵里子「ESG投資・女性活躍推進指標と企業行動に関する研究動向—実証研究を中心とした文献レビュー」『明海大学経済学論集』〔明海大学経済学会〕第35巻第1号、pp.63-79.

● 大内秀二郎「1930年代東京電気の販売会社の実態について—卸売商の『排除』と『統合』」『マーケティング史研究』〔マーケティング史学会〕第2巻第2号、pp.127-146.

● 大平浩二「経営学説史の研究（4）科学史としての経営学説史研究の方法—エクスターナルアプローチ導入の試み」『明治学院大学経済研究』〔明治学院大学経済学会〕第165巻、pp.1-42.

● 大屋雄裕「消費者問題の現在と未来」『生活協同組合研究』〔生協総合研究所〕第566巻、pp.13-20.

● 大和田茂「消費組合共働社と平沢計七—亀戸事件100年からの検証」『生活協同組合研究』〔生協総合研究所〕第574巻、pp.23-31.

● 岡崎利美「非公開企業がESGに配慮した経営を要請される可能性について」『追手門学院大学ベンチャービジネス・レビュー』〔追手門学院大学ベンチャービジネス研究所〕第15巻、pp.41-47.

● 岡山朋子「コンビニエンスストアにおける食品ロス発生実態と発生抑制に係る仕入数の検証」『人間環境論集』〔大正大学人間学部人間環境学科〕第10号、pp.34-46.

● 小木紀親「マーケティングと消費者問題の関係性と消費者教育の必要性—消費者問題の解決手段としての企業における消費者教育のあり方」『東京経大学会誌（経営学）』〔東京経済大学経営学会〕第318巻、pp.59-73.

● 尾崎智子「関東大震災とボランティア—他団体と消費組合の活動を比較して」『生活協同組合研究』〔生協総合研究所〕第574巻、pp.40-46.

- 小熊仁「地方都市における買い物困難人口の推計と買い物環境改善に向けた住民の意識―群馬県高崎市の事例」『流通』〔日本流通学会〕第52号、pp.1-14.
- 小野善生「清酒製造業における革新Ⅲ―明治・大正期における清酒に関するイノベーションの史的考察」『滋賀大学経済学部研究年報』〔滋賀大学経済学部〕第30巻、pp.1-28.
- 小原久美子「現代企業の社会問題解決型事業の創造プロセスに関する一考察―ベネッセアートサイト直島の事例を中心として」『県立広島大学地域創生学部紀要』〔県立広島大学〕第2巻、pp.17-28.
- 恩田睦「渋沢栄一の社会活動と田園都市会社の事業展開」『千葉経済論叢』〔千葉経済大学〕第68号、pp.209-232.
- 薫祥哲「食品ロス問題と消費者意識―消費者属性と食品ロス認識や行動との関係分析」『南山経営研究』〔南山大学経営学会〕第38巻第1号、pp.47-67.
- 笠井雅直「戦争と企業―紡績企業の工場転用、航空機工場・試飛行場の用地確保」『名古屋学院大学論集. 社会科学篇』〔名古屋学院大学総合研究所〕第59巻第4号、pp.1-19.
- 笠井雅直「豊田喜一郎の乗用車開発製造と和田三造小論」『名古屋学院大学論集. 社会科学篇』〔名古屋学院大学総合研究所〕第60巻第1・2号、pp.205-213.
- 鍛冶博之「パチンコ関連文献からみたパチンコ産業史」『徳島文理大学研究紀要』〔徳島文理大学〕第105巻、pp.45-59
- 加藤善昌「経済学における情報と統計の活用―CSR と社会的企業の観点から」『経済情報学研究』〔姫路獨協大学経済情報学会〕第119号、pp.1-6.
- 金川一夫、手嶋竜二「新型コロナウイルス緊急事態措置が九州企業に与えた影響―西日本鉄道の事例」『九州産業大学商経論叢』〔九州産業大学商学会〕第64巻第1号、pp.1-18.
- 金山茂雄「企業の現代社会からスマート社会への移行―産業イノベーションのグローバル化とその史的展開」『二松学舎大学国際政経論集』〔二松学舎大学国際政治経済学部〕第29号、pp.17-35.
- 川原尚幸、入江賀子「情報開示とグリーンウォッシング― 現状と課題」『商経学叢』〔近畿大学商経学会〕第70巻第1号、pp.1-17.
- 北村真琴「ファッションの大量廃棄問題とマス・カスタマイゼーション研究の課題」『東京経大学会誌（経営学）』〔東京経済大学経営学会〕第318巻、pp.137-154.
- 木田世界「企業による歴史的建造物の保全と活用―企業と社会論から見た位置づけと課題」『商学討究』〔小樽商科大学〕第74巻第1号、pp.159-188.
- 黒宮亜希子「移動販売事業を通じた買い物弱者支援に関する事例研究―マックスバリュ西日本株式会社の実践を基に」『吉備国際大学保健福祉研究所研究紀要』〔吉備国際大学保健福祉研究所〕第24号、pp.17-25.
- 河野康子「適格消費者団体への支援―『認定NPO法人消費者スマイル基金』のこれまでとこれから」『生活協同組合研究』〔生協総合研究所〕第566巻、pp.52-57.
- 小嶋翔「戦前最大の生協、家庭購買組合」『生活協同組合研究』〔生協総合研究所〕第574巻、pp.32-39.
- 小谷みどり「葬送とお墓のゆくえ」『生活協同組合研究』〔生協総合研究所〕第575巻、pp.29-36.
- 小本恵照「高齢化と企業経営―フランチャイズ経営へのインプリケーション」『駒大経営研究』〔駒澤大学経営研究所〕第54巻第3・4号、pp.23-78.
- 小林甲一「福田敬太郎の経済社会思想」『名古屋学院大学論集. 社会科学篇』〔名古屋学院大学総合研究所〕第59巻第3号、pp.1-13.
- 五味紀男「日本電機産業の戦後の体験的産業史―電機産業の盛衰そして再生」『国士舘大学経営論叢』〔国士舘大学経営学会〕第12巻第2号、pp.57-73.
- 齋藤潤一「ソーシャルテックが地球の社会課題を解決する」『一橋ビジネスレビュー』〔一橋大学イノベーション研究センター〕第71巻第2号、pp.52-60.
- 斎藤嘉璋「大正デモクラシーと新興消費組合の時代」『生活協同組合研究』〔生協総合研究所〕第574巻、pp.14-22.
- 笹谷秀光「ESG時代における『SDGs経営モデル』の促進」『CUC view & vision』〔千葉商科大学総合研究センター〕第56号、pp.19-26.
- 澤田貴之「ビジネスヒストリーにおける戦略の分水嶺―陶磁器・カメラメーカーの多角化戦略とその国際比較を通じて」『名城論叢』〔名城大学〕第24巻第3号、pp.33-78.
- 下苧坪之典、眞下美紀子「持続可能な水産業を目指して―東日本大震災から12年、北三陸から世界へ」『一橋ビジネスレビュー』〔一橋大学イノベーション研究センター〕第71巻第2号、pp.24-36.
- 清水千華、勝又壮太郎「COVID-19感染拡大によるショックと社会におけるデジタル・トランスフォーメーションの認知」『組織科学』〔組織学会〕第57巻第2号、pp.63-78.
- 白石弘幸「食品生産組織の正統性訴求―八丁味噌を事例に」『中央学院大学商経論叢』〔中央学院大学商学部〕第37巻

第2号、pp.49-63.

- 白石弘幸「良き企業市民たる食品生産組織の取り組み―文化貢献と工場公開を中心に」『中央学院大学商経論叢』〔中央学院大学商学部〕第37巻第2号、pp.65-84.

- 白石弘幸「従来型CSRの限界とCSV型ビジネス」『中央学院大学商経論叢』〔中央学院大学商学部〕第38巻第1号、pp.41-53.

- 神成淳司「対話型AIの可能性」『流通情報』〔流通経済研究所〕第564号、pp.42-43.

- 鈴木純一、宮城好郎「マルチステークホルダー・アプローチに基づく福祉サービス提供主体の公益性の説明要素に関する研究」『消費経済研究』〔日本消費経済学会〕第12号、pp.31-42.

- 須永努「Better Marketing for a Better World」『流通情報』〔流通経済研究所〕第561号、pp.58-59.

- 髙橋広行、財津涼子、大山翔平「Z世代の価値観タイプの違いによる分類と理解―SDGs働き方、幸福感との関連性を中心に」『同志社商学』〔同志社大学商学会〕第75巻第2号、pp.239-267.

- 滝口沙也加、清野誠喜「食事づくりが定着するまでのプロセスの特徴と変化の要因―単独世帯の若年男性を対象とした質的研究」『フードシステム研究』〔日本フードシステム学会〕第29巻4号、pp.255-260.

- 武田至「昨今の国内外の火葬事情」『生活協同組合研究』〔生協総合研究所〕第575巻、pp.13-20.

- 田中大介「葬儀をめぐる変化と動向の諸相」『生活協同組合研究』〔生協総合研究所〕第575巻、pp.5-12.

- 谷口和弘、市川泰憲、Fruin, W. Mark「日本のカメラ産業史概観（Ⅱ）―1936-2022」『三田商学研究』〔慶應義塾大学出版会〕第66巻第2号、pp.41-57.

- 谷口和弘、市川泰憲、Fruin, W. Mark「日本のカメラ産業史概観（Ⅲ）―1936-2022」『三田商学研究』〔慶應義塾大学出版会〕第66巻第2号、pp.59-74.

- 谷口和弘、髙部大問「国家のサステナビリティと政治経済における大衆化の進展―（Ⅰ）試論」『三田商学研究』〔慶應義塾大学出版会〕第66巻第4号、pp.23-43.

- 谷口直子「環境問題をめぐる消費者の権利と責任―大学生アンケートの結果からの考察」『天理大学人権問題研究室紀要』〔天理大学人権問題研究室〕第26巻、pp.1-11.

- 谷治和文「SDGs目標12に関する日本の今後の対策についての検討」『成城大学社会イノベーション研究』〔成城大学社会イノベーション学会〕第18巻第2号、pp.115-124.

- 田村正紀「マーケティング研究の思い出」『マーケティング史研究』〔マーケティング史学会〕第2巻第1号、pp.34-44.

- 陳祥「CSRの概念的進化に関する先行研究レビュー―戦略性を持ったCSRに向けて」『九州産業大学大学院経済・ビジネス研究科経済・ビジネス研究』〔九州産業大学大学院経済・ビジネス研究科〕第15号、pp.47-68.

- 津久井稲緒「企業の社会的責任論におけるコレクティブインパクトの把握―役割責任の意味」『長崎県立大学論集．経営学部・地域創造学部』〔長崎県立大学〕第56巻第4号、pp.25-36.

- 那部智史「日本農政のパラダイムチェンジ――般農家の廃業と農福連携の台頭」『一橋ビジネスレビュー』〔一橋大学イノベーション研究センター〕第71巻第2号、pp.62-73.

- 野村比加留「日本企業のマーケティングに関する歴史的研究―マーケティング実践史研究の類型化の試み」『マーケティング史研究』〔マーケティング史学会〕第2巻第2号、pp.165-175.

- 橋本佳往「アフターコロナに求められる視点―『両利きトレードオン』から学ぶこと」『流通問題』〔流通問題研究協会〕第59巻第2号、pp.37-39.

- 濵満久「流通政策における商業まちづくり政策の位置づけ」『名古屋学院大学論集．社会科学篇』〔名古屋学院大学総合研究所〕第59巻第4号、pp.21-38.

- 阪東峻一「戦間期の企業内クラブの活動」『関東学園大学経済学紀要』〔関東学園大学〕第49巻、pp.43-60.

- 樋口晃太「M. E. Porterの競争戦略とCSVの関連」『大学院研究年報．商学研究科篇』〔中央大学研究年報編集委員会〕第52号、pp.239-256.

- 樋口晴彦「スシローの景品表示法違反事件の事例研究」『千葉商大紀要』〔千葉商科大学国府台学会〕第60巻第3号、pp.215-235.

- 日野恵美子「米国総合電気メーカーの業績と事業構成の変遷」『愛知淑徳大学論集．ビジネス学部・ビジネス研究科篇』〔愛知淑徳大学論集編集委員会〕第19号、pp.57-75.

- 日野健太「勤務先の取り組みと従業員のCSRへの理解―積極・消極的態度を測定する尺度化の試みを踏まえて」『駒大経営研究』〔駒澤大学経営研究所〕第54巻第3・4号、pp.23-78.

- 藤科智海、小沢瓦「共働き世帯の幼児期の子供の食生活―山形県のA保育園に通わせている家庭を対象に」『フードシステム研究』〔日本フードシステム学会〕第29巻4号、pp.249-254.

- 藤山孝、鈴木岳「兵庫県高齢者生活協同組合の実践―終活と共同墓を中心に」『生活協同組合研究』〔生協総合研究

所〕第575巻、pp.37-44.

● 藤原高宏、鈴木岳「いわて生活協同組合の葬祭事業—セリオの展開」『生活協同組合研究』〔生協総合研究所〕第575巻、pp.21-28.

● 藤原洋「デジタル変革とインクルーシブ指向経営」『SBI大学院大学紀要』〔SBI大学院大学〕第10号、pp.5-29.

● 増田尚「家賃債務委託契約の不当条項の使用差止めを認容した最高裁判決」『生活協同組合研究』〔生協総合研究所〕第566巻、pp.38-44.

● 松井剛「ニューヨーク市における日本料理レストランの歴史」『マーケティングジャーナル』〔日本マーケティング学会〕第42巻第4号、pp.16-26.

● 丸山正博「電子商取引に関わる流通政策の現状」『西南学院大学商学論集』〔西南学院大学学術研究所〕第69巻第3・4号、pp.65-82.

● 光澤滋朗「わが国マーケティングの生成」『マーケティング史研究』〔マーケティング史学会〕第2巻第2号、pp.112-126.

● 満薗勇「日本企業における消費者対応部門の成立と展開—ACAP（消費者関連専門家会議）との関係を中心に」『マーケティング史研究』〔マーケティング史学会〕第2巻第2号、pp.147-164.

● 峰尾美也子「まちづくり三法の再検討」『経営論集』〔東洋大学経営学部〕第101巻、pp.21-33.

● 峰滝和典、文能照之、小野顕弘、工藤松太嘉「企業のSDGsについての取組に関する実証分析」『商経学叢』〔近畿大学商経学会〕第59巻第3号、pp.151-167.

● 宮田憲一「20世紀前半ウェスチングハウス・エレクトリック社のガバナンス改革—経営者企業への転換過程と企業家精神」『経営論集』〔明治大学経営学研究所〕第70巻第1号、pp.17-35.

● 村上彩子「SDGs経営の流通について—なぜ企業のSDGsの視点が求められるのか」『流通問題』〔流通問題研究協会〕第59巻第1号、pp.21-30.

● 八木俊輔「SDGs時代におけるCSV経営の理論的研究—サステナビリティ経営の実現を目指して」『追手門経営論集』〔追手門学院大学経営学会〕第29巻第2号、pp.61-73.

● 八木力俊「セルフ・キャリアドックの手法を用いたインターナル・マーケティングの研究—就労移行支援従事者を対象として」『消費経済研究』〔日本消費経済学会〕第12号、pp.180-192.

● 柳淳也「NPOのミッション・ドリフトに抵抗する終焉化された主体—LGBTQのプライドパレード組織の事例分析」『組織科学』〔組織学会〕第56巻第3号、pp.18-31.

● 山本和彦「消費者裁判手続き特例法の見直しとその意義の再確認」『生活協同組合研究』〔生協総合研究所〕第566巻、pp.5-12.

● 山田眞次郎「新しい農業革命—都市型植物生産産業の創出」『一橋ビジネスレビュー』〔一橋大学イノベーション研究センター〕第71巻第2号、pp.8-23.

● 山下裕介「元・消費者庁長官へのヒアリング実施報告とその解説・考察—消費者行政における総合調整機能と生活者・消費者市民」『作大論集』〔作新学院大学・作新学院大学女子短期大学部〕第16号、pp.107-126.

● 吉田剛「スマート農業は日本の農業を救えるか—システムプロバイダーからみたスマート農業のポテンシャル」『一橋ビジネスレビュー』〔一橋大学イノベーション研究センター〕第71巻第2号、pp.38-51.

● 李燕、潜道文子「制度的実践によるCSRの制度化—サラヤ株式会社の事例研究」『組織科学』〔組織学会〕第56巻第3号、pp.63-78.

● 盧暁斐「企業の社会的責任（CSR）と内部統制規制—中国法を中心に」『SBI大学院大学紀要』〔SBI大学院大学〕第10号、pp.90-107.

● 若色敦子「消費者への情報提供にかかる事業者準則（一）景品表示法上の不実証広告規制」『熊本法学』〔熊本大学法学会〕第157巻、pp.1-13.

● 渡辺達朗「食品ロス及び廃棄の国際標準化」『流通情報』〔流通経済研究所〕第560号、pp.62-63.

● 王睿、曹勁「宗教文化がCSR活動に与える影響—中国企業を対象とした文献レビュー」『経営研究』〔大阪公立大学経営学会〕第74巻第1号、pp.53-65.

2 2023年発行の 広告・マーケティング関連図書

「ファンづくり」というキーワード目立つ

国立国会図書館オンラインの所蔵資料検索のシステムを利用し、2023年に発行された広告とマーケティングに関する書籍を選び出した。

具体的には、国立国会図書館分類表（NDLC）のDH411（マーケティング）からDH435（各種広告）までの分類コードと、書名にマーケティングを含むものを選出した。

これら書籍のうち、広告宣伝や広報、マーケティングなどの実務や研究に有用と思われるものをピックアップし、明らかにHow to本と思われるものなどは除いている。

また、先の選出方法に該当しないものでも、『日経広告研究所報』のブックレビューで取り上げた書籍は追加した。

件数は162冊。五十音順で、書名、著者・編者・訳者・監修者、出版社、発行月の順に並べた。『日経広告研究所報』で取り上げたものには、頭に◎をつけ、末尾に掲載号数を入れた。

『書名』著者／編者／訳者／監修者（出版社）発行月〈掲載号〉

- 『Rによるマーケティング・データ分析―基礎から応用まで　ライブラリデータ分析への招待 4』ウィラワン ドニ ダハナ、勝又壮太郎著（新世社／サイエンス社）3月
- 『「アート思考」の技術―イノベーションを実現する』長谷川一英著（同文舘出版）2月
- 『IRの基本―この1冊ですべてわかる』浜辺真紀子著（日本実業出版社）12月
- 『愛されるマーケ　嫌われるマーケ』日経クロストレンド編（日本経済新聞出版／日経BPマーケティング）3月
- 『アジア新興国マーケティング』成川哲次著（幻冬舎メディアコンサルティング／幻冬舎）9月
- 『新しい流通論』宮副謙司、内海里香著（有斐閣）3月
- 『アプリマーケティングの教科書―アプリを使ったビジネスの「ユーザー獲得」から「マネタイズ」まで』坂本達夫、内山隆著（日本実業出版社）1月
- 『アントレプレナーシップの原理と展開―企業の誕生プロセスに関する研究』高橋徳行、大驛潤、大月博司編著（千倉書房）4月
- 『異国情緒の感じ方―消費者美学の立場から』牧野圭子著（白桃書房）7月
- 『1/10,000マーケティング―ローカル・中小が日本全国に顧客を作る』大木ヒロシ著（同文舘出版）9月
- 『いつも価格設定で悩むあなたに贈る感情価格術』高橋貴子著（産業能率大学出版部）7月
- 『医療のマーケティング教科書―どうすれば選ばれる病院・医院になれるのか』岩崎邦彦著（日経BP／日経BPマーケティング）1月
- 『インターネット広告法務ハンドブック―違反・トラブルを未然に防ぐ』若松牧著（中央経済社／中央経済グループパブリッシング）1月
- 『インナーブランディングのすすめ―共感され選ばれる企業へ』鈴木誠一郎著（ビジネス教育出版社）9月
- 『Webアンケート調査設計・分析の教科書―第一線のコンサルタントがマクロミルで培った実践方法』エイトハンドレッド、渋谷智之著（翔泳社）12月
- 『ウェルビーイングで変わる！食と健康のマーケティング』藤田康人編著（日経BP／日経BPマーケティング）4月

- ●『美しく「バズる」技術―誰も教えてくれなかった本当のSNSマーケティングの教科書』青木創士著（ぱる出版）8月
- ●『売れない問題解決の公式』理央周著（日経BP／日経BPマーケティング）1月
- ●『「売れる営業」を創出するBtoBマーケティングの「型」』垣内良太著（ディスカヴァービジネスパブリッシング／ディスカヴァー・トゥエンティワン）7月
- ●『「営業」とは再現性のある科学―誰でも成果を出し続けられる「顧客実現の法則」』木下悠著（日本実業出版社）1月
- ●『映像と企画のひきだし―門外不出のプロの技に学ぶ』黒須美彦著（宣伝会議）12月
- ●『SNSマーケティング7つの鉄則』飯髙悠太、室谷良平、鈴木脩平著（日経BP／日経BPマーケティング）8月
- ◎『エフェクチュエーション―優れた起業家が実践する「5つの原則」』吉田満梨、中村龍太著（ダイヤモンド社）8月
  〈333号〉
- ●『MOpsマーケティングオペレーションの教科書―専門チームでマーケターの生産性を上げる米国発の新常識』丸井達郎、廣崎依久著（翔泳社）5月
- ●『MBA ENGLISH経営学の基礎知識と英語を身につける―マネジメント・会計・マーケティング』石井竜馬著（ベレ出版）12月
- ●『エモ消費―世代を超えたヒットの新ルール』今瀧健登著（クロスメディア・パブリッシング／インプレス）6月
- ●『俺（おい）たっが広告論―鹿児島の広告半世紀を振り返る』深尾兼好著（南方新社）4月
- ●『オウンドメディア進化論―ステークホルダーを巻き込みファンをつくる！』平山高敏著（宣伝会議）2月
- ●『お客様を幸せにする行動経済学のアプローチ―カスタマーウェルビーイングを実現するビジネス・商品・サービスをデザインする』松木一永著（すばる舎）6月
- ●『お客様目線のつくりかた―顧客視点は仕組みで生みだせる』岡本達彦著（悟空出版）8月
- ●『推しからエシカルまで応援消費がよくわかる本』水越康介、田嶋規雄著（秀和システム）11月
- ●『推し活経済―新しいマーケティングのかたち』瀬町奈々美著（リチェンジ／星雲社）12月
- ●『音楽デジタルマーケティングの教科書―ポストSNS時代のヒットの作り方』山口哲一、脇田敬著（Rittor Music）5月
- ●『オンライン・インフルエンス―ビジネスを加速させる行動科学』B・ボウタース、J・フルン著／社会行動研究会監訳／益田靖美訳（誠信書房）3月
- ●『オンラインプラットフォームの経営―ユーザー参加を促すメカニズムのデザイン』西山浩平著（白桃書房）7月
- ●『価格支配力とマーケティング』菅野誠二、千葉尚志、松岡泰之、村田真之助、川﨑稔著（クロスメディア・パブリッシング／インプレス）7月
- ●『葛西薫』葛西薫著／大迫修三監修（ADP）6月
- ●『カスタマー・アドボカシー志向―デジタル時代の顧客志向戦略』山岡隆志著（有斐閣）3月
- ●『CXクリエイティブのつくり方―認知からファンになるまで、顧客を中心にあらゆる体験をつくる最新レシピ。』電通CXクリエーティブ・センターCX推進チーム著（翔泳社）2月
- ●『カスタマーサクセス実行戦略　完全版―お客様との新しい関係だけがビジネスを新時代へ導く』山田ひさのり著（翔泳社）1月
- ●『ガストロノミー・ツーリズム―美食観光ビジネスとマーケティング戦略の設計』堀江匡平著（Independently published）3月
- ◎『感覚訴求が消費者の感情と認知に及ぼす影響―無自覚な連鎖反応のメカニズム』西井真祐子著（千倉書房）5月
  〈331号〉
- ●『感情をデザインする―ナイキで学んだマーケティング』グレッグ・ホフマン著／久保美代子訳（早川書房）7月
- ●『感性価値を高める商品開発とブランド戦略―感性商品開発の理論から事例まで』長沢伸也編著（晃洋書房）4月
- ●『企業のファンを生み出すブランディングムービー』鶴目和孝著（幻冬舎メディアコンサルティング／幻冬舎）6月
- ●『企業の魅力を最大限に引き出すワンストップ・ブランディング』乳井俊文著（幻冬舎メディアコンサルティング／幻冬舎）8月
- ●『刻んでおきたい名作コピー120選』安藤隆、一倉宏、岩崎俊一、児島令子、前田知巳、眞木準著／副田高行監修（玄光社）9月
- ●『99％の経営者は知らない中小企業のための正しいSNSマーケティング』富田竜介著（幻冬舎メディアコンサルティング／幻冬舎）12月
- ●『Googleアナリティクス4　やるべきことがわかる本―フルファネル戦略時代の新常識〜これからの解析・改善のすべて』プリンシプル著（翔泳社）6月
- ●『口ベタ企業への処方箋―企業価値を発掘するブランド戦略』有澤卓也著（幻冬舎メディアコンサルティング／幻冬舎）12月

◎『クリティカル・オーディエンス─メディア批判の社会心理学』李津娥編著／李光鎬、大坪寛子、川端美樹、鈴木万希枝、山本明、渋谷明子、志岐裕子、正木誠子著（新曜社）4月〈331号〉

●『GLOW THE PIE─パーパスと利益の二項対立を超えて、持続可能な経済を実現する』アレックス・エドマンズ著／川口大輔、霜山元、長曽崇志訳（ヒューマンバリュー）7月

●『グローバルメガトレンド10─社会課題にビジネスチャンスを探る105の視点』岸本義之著（BOW&PARTNERS／中央経済グループパブリッシング）11月

●『ケースブック SDGs経営─企業構成員を動機づける仕組み』安藤崇著（同文舘出版）3月

●『経営とは何か─ハーバード・ビジネス・レビューの100年』ハーバード・ビジネス・レビュー編集部編／DIAMONDハーバード・ビジネス・レビュー編集部訳（ダイヤモンド社）4月

●『景表法を制する者はECビジネスを制する─ステルスマーケティング広告規制を中心に徹底解説』林田学著（ダイヤモンド社）8月

●『広告白書 2023-24年版』日経広告研究所編（日経広告研究所／日経BPマーケティング）10月

●『顧客の「買いたい」をつくるKPIマーケティング』佐藤義典著（朝日新聞出版）9月

●『「顧客ロイヤルティ」丸わかり読本─ファンをつくる顧客体験の科学』渡部弘毅著（リックテレコム）11月

●『孤独とつながりの消費論─推し活・レトロ・古着・移住』三浦展著（平凡社）9月

◎『「ことば」の戦略─たった1語がすべてを変える。』ジョーナ・バーガー著／依田光江訳（ハーパーコリンズ・ジャパン）11月〈334号〉

●『これからのメディア論─メディア論を編みなおす』大久保遼著（有斐閣）1月

●『これからはじめるデジタル時代のマーケティング』向正道、宮元万菜美著（中央経済社／中央経済グループパブリッシング）9月

●『コンテンツの、コンテンツによる、コンテンツのためのマーケティング─映画・アニメ・キャラクター分析事例』辻本法子、田口順等、野澤智行、荒木長照著（大阪公立大学出版会）2月

●『サービスにおける顧客優位のマーケティング─価値共創を基軸としたダイアディック・アプローチ』今村一真著（同文舘出版）9月

●『最新デジタルマーケティング 未来ビジネス図解』水野慎也著（エムディエヌコーポレーション／インプレス）4月

●『最新マーケティングの教科書』日経クロストレンド編（日経BP／日経BPマーケティング）1月

●『先読み広報術─1500人が学んだPRメソッド』長沼史宏著（宣伝会議）7月

●『サステナビリティ・ブランディング─選ばれ続ける企業価値のつくりかた』伊佐陽介著（ダイヤモンド社）6月

◎『ジェンダーで学ぶメディア論』林香里、田中東子編（世界思想社）3月〈330号〉

●『ジェンダー目線の広告観察』小林美香著（現代書館）9月

●『持続可能な社会のための消費者行動』辻幸恵、岸脇誠著（白桃書房）9月

●『時代の空気。副田高行がつくった新聞広告100選。』副田高行著／副田高行編（玄光社）1月

●『実施する順に解説！「マーケティング」実践講座』弓削徹著（日本実業出版社）5月

●『実践カスタマーサクセス─BtoBサービス企業を舞台にした体験ストーリー』藤島誓也著（日経BP／日経BPマーケティング）1月

●『実践マーケティングデータサイエンス─ショッパー行動の探索的データ解析と機械学習モデル構築 量子AI・データサイエンス叢書』清水隆史、淺田晃佑著（学術図書出版社）3月

●『質的比較分析（QCA）─リサーチ・デザインと実践』パトリック・A・メロ著／東伸一、横山斉理訳（千倉書房）12月

●『SHIBUYA109式Z世代マーケティング─若者の「生の声」から創る』長田麻衣著（プレジデント社）3月

●『商業経営のマーケティング 増補版─理論解釈から実態分析まで』中原龍輝著（創成社）4月

●『消費社会を問い直す』貞包英之著（筑摩書房）1月

●『消費者行動の新しい分析視点─逐次選択時の購買意思決定とマーケティング』赤松直樹著（千倉書房）6月

●『消費者の向社会的行動原理─カスタマー・ハラスメント予防のためのコミュニケーション』榎澤祐一著（ひつじ書房）3月

●『消齢化社会─年齢による違いが消えていく！生き方、社会、ビジネスの未来予測』博報堂生活総合研究所著（集英社インターナショナル／集英社）8月

●『「女性たちのウェルビーイング」マーケティング─新しいビジネスをつくり出す』日野佳恵子、永田潤子著／WELLWOMANプロジェクト監修（同文舘出版）8月

●『知らないとヤバいソロ社会マーケティングの本質』荒川和久著（ぱる出版）4月

●『新マーケティング原論─「売れる戦略」のシンプルな本質』津田久資著（ダイヤモンド社）5月

- ●『新時代のマーケティング―デジタル経済を動かすキーワード』宮下雄治著（八千代出版）1月
- ●『スキルシェアのすすめ―なぜ共有がウェルビーイングを向上させるのか』青木慶著（千倉書房）9月
- ●『すっきりわかるマーケティング戦略』隈本純、村中均著（文眞堂）1月
- ●『ストーリーブランディング100の法則』川上徹也著（日本能率協会マネジメントセンター）4月
- ●『スポーツ、アート、エンターテインメントにおける効果的なスポンサーシップ』ベティーナ・コーンウェル著／佐藤晋太郎、備前嘉文訳（大修館書店）12月
- ●『スポーツクラブのための失敗しないスポーツマーケティング戦略の設計―消費者行動・市場調査・価格設定・顧客分析・スポンサー・商標ライセンス』堀江匡平著（Independently published）2月
- ●『スマホアプリはなぜ無料？―10代からのマーケティング入門』松本健太郎著（河出書房新社）1月
- ●『成果を出す広報企画のつくり方』片岡英彦著（宣伝会議）12月
- ●『成長する企業がやっている分析する広報―独自リサーチ10年以上でわかった伸びる会社、伸びない会社の違い』小島一郎著（みらいパブリッシング／星雲社）9月
- ●『世界を変えたクリエイティブ51のアイデアと戦略』dentsu CRAFTPR Laboratory著（宣伝会議）12月
- ●『世界最高峰の経営学教室 1』広野彩子編著（日経BP／日経BPマーケティング）1月
- ◎『世界の広告クリエイティブを読み解く』山本真郷、渡邉寧著（宣伝会議）6月〈333号〉
- ●『世界のラグジュアリーブランドはいま何をしているのか?』イヴ・アナニア、イザベル・ミュスニク、フィリップ・ゲヨシェ著／鈴木智子監訳／名取祥子訳（東洋経済新報社）12月
- ●『Z世代がよくわかる本―消費のカギを握る！』松村雄太著（秀和システム）9月
- ●『Z世代のリアル―私たちが共感する企業　届くマーケティング』宣伝会議編集部編（宣伝会議）1月
- ●『Z世代マーケティング見るだけノート―ニーズの見つけ方&効果的な販促がゼロからわかる！』今瀧健登著（宝島社）9月
- ●『戦略ごっこ　マーケティング以前の問題―エビデンス思考で見極める「事業成長の分岐点」』芹澤連著（日経BP／日経BPマーケティング）12月
- ●『タイパの経済学』廣瀬涼著（幻冬舎）9月
- ●『地域デザイン研究のイノベーション戦略―フィードバック装置としての多様なメソドロジーの開発　地域デザイン学会叢書10』原田保、西田小百合編著（学文社）9月
- ●『手にとるようにわかるデジタルマーケティング入門』宇都雅史著（かんき出版）3月
- ●『データドリブンマーケティングがうまくいく仕組み』吉澤浩一郎、国本智映著（クロスメディア・パブリッシング／インプレス）4月
- ◎『デジタル時代のブランド戦略』田中洋編（有斐閣）11月〈334号〉
- ●『デジタルマーケティング大全―新時代のビジネスモデルを切り拓く』進藤美希著（白桃書房）3月
- ●『デジタルマーケティングの教科書―データ資本主義時代の流通小売戦略』牧田幸裕著（東洋経済新報社）1月
- ●『デジタルマーケティング見るだけノート　新版―知識ゼロからPV数、CVR、リピート率向上を実現！』山浦直宏監修（宝島社）12月
- ●『デジタルマーケティング用語図鑑―施策の企画・分析・管理で使われる厳選キーワード256』竹内哲也著（翔泳社）12月
- ●『デジタル・メディア・ブランディング―消費生活者起点のマーケティング・コミュニケーション』山本ひとみ、大島一豊、山本誠一編著（中央経済社／中央経済グループパブリッシング）12月
- ●『デュアル・チャネル―B2Bマーケティングにおける流通戦略』石井隆太著（千倉書房）1月
- ●『テレビCMの逆襲―運用型CMで売上50億を2年で実現したテレシーCEOの実践広告論』土井健著（宣伝会議）1月
- ●『動画大全―「SNSの熱狂がビジネスの成果を生む」ショート動画時代のマーケティング100の鉄則』明石ガクト著（SBクリエイティブ）3月
- ●『〈投資家をつかむ〉IR取材対応のスキルとテクニック』板倉正幸著（中央経済社／中央経済グループパブリッシング）12月
- ●『なぜウチより、あの店が知られているのか?―ちいさなお店のブランド学』嶋野裕介、尾上永晃著（宣伝会議）4月
- ●『なぜ、高くても買ってもらえるのか―値決めに成功した27社の実践』坂本洋介著（同友館）11月
- ●『なまえデザイン―そのネーミングでビジネスが動き出す』小藥元著（宣伝会議）5月
- ◎『「2030年日本」のストーリー―武器としての社会科学・歴史・イベント』牧原出編著／安田洋祐、西田亮介、稲泉連、村井良太、饗庭伸著（東洋経済新報社）3月〈329号〉
- ●『2030年の広告ビジネス―デジタル化の次に来るビジネスモデルの大転換』横山隆治、榮枝洋文著（翔泳社）4月
- ●『日本発グローバル・ラグジュアリー・ブランド―明治〜戦前昭和のミキモトのグローバル・マーケティング史』杉林

弘仁著（碩学舎／中央経済社）12月

● 『値決めの教科書—勘と経験に頼らないプライシングの新常識』高橋嘉尋著（日経BP／日経BPマーケティング）6月

● 『農業法人の経営戦略—事業戦略とマーケティング戦略を中心に』伊藤雅之著（筑波書房）1月

● 『パーパス・ベースド・インスタグラム—本気でブランドをつくりたい人のためのインスタグラムの教科書』鄭泰玉著（PHPエディターズ・グループ）7月

● 『B to Bマーケティング　新版—DX時代の成長シナリオ』余田拓郎著（東洋経済新報社）7月

● 『ピープル・ファースト戦略—「企業」「商品」「従業員」三位一体ブランディング』矢野健一著（宣伝会議）3月

● 『ヒストリカル・ブランディング—脱コモディティ化の地域ブランド論』久保健治著（KADOKAWA）11月

● 『ひとこと化—人を動かす「短く、深い言葉」のつくり方』坂本和加著（ダイヤモンド社）2月

● 『ひとり社長ブランディング—単価を上げても選ばれ続ける』小澤歩著（日本実業出版社）5月

● 『ひとりビジネス・スモールビジネスのマーケティングと集客の教科書』増田恵美著（自由国民社）7月

● 『プライシング戦略×交渉術—実践・B2Bの値決め手法』下寛和著（日経BP／日経BPマーケティング）1月

● 『Branding経営—人的投資×管理職育成×社内外広報戦略』関野吉記著（プレジデント社）1月

● 『ブランディングの基本　新版—この1冊ですべてわかる』安原智樹著（日本実業出版社）2月

● 『ブランド・ストーリー戦略—人に伝えたくなる物語の力で「価値ある企業」へ』土屋勇磨著（マネジメント社）6月

● 『ブランド・パワー—ブランド力を数値化する「マーケティングの新指標」』木村元著（翔泳社）12月

● 『ブランド力を高める「指名検索」マーケティング—顧客の検索行動を決める、動画広告の活かしかた』田部正樹著（翔泳社）8月

● 『ブレイクスルーブランディング』長田敏希著（クロスメディア・パブリッシング／インプレス）6月

● 『便益遅延型サービスのマーケティングの方向性を探る—教育サービスと医療サービスの比較を通じて』藤村和宏編著（千倉書房）3月

● 『「変化を嫌う人」を動かす—魅力的な提案が受け入れられない4つの理由』ロレン・ノードグレン、デイヴィッド・ショ ンタル著／船木謙一監訳／川﨑千歳訳（草思社）2月

● 『マーケティング　サクッとわかるビジネス教養』阿久津聡監修（新星出版社）3月

● 『マーケティングを学んだけれど、どう使えばいいかわからない人へ』西口一希著（日本実業出版社）2月

● 『マーケティング概論』篠原淳、鄭舜玉編著（学文社）1月

● 『マーケティング思考—業績を伸ばし続けるチームが本当にやっていること』山口義宏著（翔泳社）2月

● 『マーケティングZEN』宍戸幹央、田中森士著（日本経済新聞出版／日経BPマーケティング）3月

● 『マーケティングとクリエイティブをもう一度やり直す—大人のドリル』海老原嗣生著（日経BP／日経BPマーケティング）2月

● 『マーケティングにおけるエンゲージメント—市場形成に向けた価値の共創』神田正樹著（同文舘出版）3月

◎ 『マーケティングの力—最重要概念・理論枠組み集』恩藏直人、坂下玄哲編（有斐閣）5月〈330号〉

● 『マーケティングの扉—経験を知識に変える—問—答』音部大輔著（日経BP／日経BPマーケティング）4月

● 『マイクロソフトCopilotの衝撃—生成AI時代のマーケティング』赤井誠、杉原剛、大野柊一、八木克全、長山剛著（日経BP／日経BPマーケティング）1月

● 『マイノリティ・マーケティング—少数者が社会を変える』伊藤芳浩著（筑摩書房）3月

● 『無敵のブランディングデザイン—成功事例から読み解く』デザインノート編集部編（誠文堂新光社）5月

● 『メガヒットが連発する殻を破る思考法—伝説のマーケターが語るヒット商品の作り方』和佐高志著（ダイヤモンド社）12月

● 『メディア・リミックス—デジタル文化の〈いま〉を解きほぐす』谷島貫太、松本健太郎編著（ミネルヴァ書房）11月

● 『よくわかる基礎経営学—マーケティング・経営戦略・SDGs』井上尚之著（大阪公立大学出版会）12月

● 『「欲望」の生産性—欲望と人間、そしてビジネス』上原征彦著（生産性出版）8月

● 『世の中の最適解を共に考える「問い」を立てる力—社会デザイン発想で共創する新しい「あたりまえ」』樽林佐和子、林直樹、オズマピーアール著（ディスカヴァービジネスパブリッシング／ディスカヴァー・トゥエンティワン）8月

● 『LTV（ライフタイムバリュー）の罠』垣内勇威著（日経BP／日経BPマーケティング）7月

● 『LOVED—市場を形づくり製品を定着に導くプロダクトマーケティング』マルティナ・ラウチェンコ著／横道稔訳（日本能率協会マネジメントセンター）7月

● 『リテールマーケティング入門』堂野崎衛編著／河田賢一ほか著（白桃書房）4月

◎ 『リテールメディア—小売り広告の新市場』望月洋志、中村勇介著（日経BP／日経BPマーケティング）11月〈335号〉

第 7 章

広告に関連する調査・データ

広告に関連する調査・データ

広告・コミュニケーション実務に役立つ調査やデータ

この章では広告・コミュニケーション実務に役立つ、定期的に実施・公表される調査やデータを掲載した。社会全体の動きを把握するための「マクロ統計関連」、生活者や企業の動きを把握するための「生活者の動向」や「企業の動向」、そして広告やコミュニケーションの動きを把握するための「広告の動向」「メディアの動向」の5つに分類。

■ 調査名
● 実施者名
　URL
　概要

マクロ統計関連

■ EU統計局ポータル
● ユーロ圏統計局
https://ec.europa.eu/eurostat/web/main/home
ユーロ圏のGDPや消費、投資などの経済活動に関する統計データ

■ 英国統計局ポータル
● 英国統計局
https://www.ons.gov.uk/
英国のGDPや消費、投資などの経済活動に関する統計データ

■ 家計調査
● 総務省
https://www.stat.go.jp/data/kakei/index.html
全国約9000世帯を対象に、家計の収入・支出、貯蓄・負債などを調査

■ 企業物価指数
● 日本銀行
https://www.boj.or.jp/statistics/pi/cgpi_release/index.htm
企業間で取引される財の価格を定期的に調査、基準時点（2020年）の価格を100として現在時点の価格を指数化

■ 企業向けサービス価格指数
● 日本銀行
https://www.boj.or.jp/statistics/pi/cspi_release/index.htm
企業間で取引されるサービス（広告も含む）の価格を定期的に調査、基準時点（2015年）の価格を100として現在時点の価格を指数化

■ 景気ウォッチャー調査
● 内閣府
https://www5.cao.go.jp/keizai3/watcher/watcher_menu.html
地域ごとの景気動向を調査した、景気動向判断の基礎資料

■ 経済構造実態調査
● 経済産業省
https://www.stat.go.jp/data/kkj/index.html
国内のすべての産業の付加価値等の構造とその変化の実態を把握することを目的に、「経済センサス－活動調査」実施年以外に実施。広告会社の売上高や広告媒体の掲載料などを基に、広告費を算出

■ 経済センサス－活動調査
● 総務省
https://www.stat.go.jp/data/e-census/index.html
事業および企業の経済活動の状態を明らかにし、包括的な産業構造を明らかにするための調査

■ コンビニエンスストア統計データ
● 日本フランチャイズチェーン協会
https://www.jfa-fc.or.jp/particle/320.html
消費動向を把握するために、日本チェーンストア協会に加盟するコンビニエンスストアの店舗売上高、店舗数などを集計

■ サービス産業動態統計調査
● 総務省
https://www.stat.go.jp/data/mbss/index.html
広告業などサービス産業の経済動向を把握するための調査。

「特定サービス産業動態統計調査」は 2025 年よりこちらに統合される

■ 商業販売統計
● 経済産業省
https://www.meti.go.jp/statistics/tyo/syoudou/
全国の商業を営む事業所および企業の販売活動などの動向を調査

■ 消費者物価指数
● 総務省
https://www.stat.go.jp/data/cpi/index.html
世帯が購入する財やサービスの価格等を総合した物価について、その変動を時系列的に測定

■ 消費動向指数
● 総務省
https://www.stat.go.jp/data/cti/index.html
統計局が開発中の家計調査の結果を補完する指標。消費全般の動向や、単身世帯を含む当月の世帯の平均的な消費などを測定

■ 消費動向調査
● 内閣府
https://www.esri.cao.go.jp/jp/stat/shouhi/menu_shouhi.html
今後の見通しなどについての消費者の意識や、主要耐久消費財等の保有状況などを調査した、景気動向を判断するための基礎資料

■ 全国企業短期経済観測調査
● 日本銀行
https://www.boj.or.jp/statistics/tk/index.htm
金融政策の適切な運営を目的とした、全国の企業動向を把握するための調査

■ 全国企業倒産状況
● 東京商工リサーチ
https://www.tsr-net.co.jp/news/status/
負債総額 1000 万円以上の倒産を対象とした調査

■ 全国百貨店売上高概況
● 日本百貨店協会
https://www.depart.or.jp/store_sale/
消費動向を把握するために、全国の百貨店の売り上げ状況を集計

■ チェーンストア販売統計
● 日本チェーンストア協会
https://www.jcsa.gr.jp/public/statistics.html
消費動向を把握するために、日本チェーンストア協会に加盟する会員企業の売り上げ状況を集計

■ 中国国家統計局ポータル
● 中国国家統計局
https://www.stats.gov.cn/english/
中国の GDP や消費、投資などの経済活動に関する統計データ

■ 特定サービス産業動態統計調査
● 経済産業省
https://www.meti.go.jp/statistics/tyo/tokusabido/index.html
広告業など特定のサービス産業の経済動向を把握するため

の、売上高をはじめとした各種数値を集計

■ 米国商務省ポータル
● 米国商務省
https://www.bea.gov/data/
米国の GDP や消費、生産などの経済活動に関する統計データ

■ 法人企業景気予測調査
● 内閣府、財務省
https://www.esri.cao.go.jp/jp/stat/hojin/menu_hojin.html
資本金 1000 万円以上の法人を対象に調査した、経済の現状および今後の見通しに関する基礎資料

■ 法人企業統計
● 財務省
https://www.mof.go.jp/pri/reference/ssc/index.htm
営利法人等の企業活動の実態を把握するための調査

生活者の動向

■ EC・店頭をまたぐ購買行動実態調査
● 電通デジタル
https://www.dentsudigital.co.jp/news/release/services/2023-1004-000113
認知・比較検討・購買・購買後の各フェーズにおける生活者のチャネル接触の動向を、3000 人を対象に調査

■ インターネット広告に関するアンケート調査
● マイボイスコム
https://myel.myvoice.jp/products/detail.php?product_id=30808
「MyVoice」のアンケートモニターを対象にした、インターネット広告についての調査

■ インターネット広告に関するユーザー意識調査
● 日本インタラクティブ広告協会
https://www.jiaa.org/news/release/20231017_user_chosa/
インターネット広告に関するユーザー意識調査

■ ACR/ex
● ビデオリサーチ
https://www.videor.co.jp/service/media-data/acrex.html
全国 7 地区の 1 万人強（同一サンプル）を対象に、生活者属性や商品関与、メディア接触の 3 つの視点を調査

■ SNS 利用動向に関する調査
● ICT 総研
https://ictr.co.jp/report/20220517-2.html/
生活者の SNS 利用動向についての調査

■ SDGs に関する生活者調査
● 電通 Team SDGs
https://www.dentsu.co.jp/news/release/2023/0512-010608.html
全国 10〜70 代の男女計 1400 人を対象とした、SDGs の「認知率」「認知経路」などについての調査

■ 高校生の消費生活と生活設計に関するアンケート調査
● 消費者教育支援センター、生命保険文化センター
https://www.jili.or.jp/school/questionnaire.
html
全国の高校生の消費生活と生活設計に関する実態調査

■ 国内動画配信サービス視聴動向および広告評価に関する調査
● CARTA COMMUNICATIONS（CCI）
https://www.cci.co.jp/news/2022_02_28/
0228-2/
生活者の国内動画配信サービスの視聴動向および広告の評価についての調査

■ 国民生活
● 国民生活センター
https://www.kokusen.go.jp/wko/index.html
消費者問題に関する最新情報や基礎知識を向上させるためのウェブマガジン

■ 国民生活研究
● 国民生活センター
https://www.kokusen.go.jp/research/data/
kk_pdf.html
消費者問題をはじめとする、国民生活に関する研究成果が掲載された調査研究誌

■ サステナブルな社会の実現に関する消費者意識調査
● ボストン・コンサルティング・グループ
https://www.bcg.com/ja-jp/publications/
2023/understanding-a-sustainable-society
サステナブルな社会の実現に関する生活者の意識や購買行動の変化を理解するための調査

■ 消費者意識基本調査
● 消費者庁
https://www.caa.go.jp/policies/policy/
consumer_research/research_report/
survey_002/
消費者問題の現状や求められる政策ニーズ等を把握するための、消費生活での意識や行動、消費者事故・トラブルの経験等の調査

■ 消費者白書
● 消費者庁
https://www.caa.go.jp/policies/policy/
consumer_research/white_paper/
消費者政策の実施状況と、消費者事故等に関する情報の集約と分析をまとめた白書

■ 消費生活意識調査
● 消費者庁
https://www.caa.go.jp/policies/policy/
consumer_research/research_report/
survey_003/
消費者の意識や行動、消費者トラブルの状況等の調査

■ 消費生活年報
● 国民生活センター
https://www.kokusen.go.jp/nenpou/index.
html
国民生活センターや全国の消費生活センター等に寄せられた相談情報に基づく統計、分析結果など、関連データが見られる年次報告書

■ 消費動向に関する定点調査
● クロス・マーケティング
https://www.cross-m.co.jp/report/
exp/20240521exp/
現在の消費者の暮らしの状況を、所得・消費・行動の観点で過去と比較した、景気動向判断の基礎的な調査

■ 情報通信白書
● 総務省
https://www.soumu.go.jp/johotsusintokei/
whitepaper/
日本の情報通信や関連するデジタル技術やメディア等の動向、政策の動向についてまとめた白書

■ 情報通信メディアの利用時間と情報行動に関する調査
● 総務省
https://www.soumu.go.jp/iicp/research/
results/media_usage-time.html
生活者のメディア利用に関する総括的な調査

■ 生活意識に関するアンケート調査
● 日本銀行
https://www.boj.or.jp/research/o_survey/
index.htm
生活者が現状において抱いている生活実感や、金融・経済環境の変化がもたらす生活者の意識や行動への影響を調査

■ 生活者に支持される顧客体験に関する調査
● KPMG コンサルティング
https://kpmg.com/jp/ja/home/insights/
2024/03/cu-cee-research2023.html
生活者から評価され、または求められるサービスの変化を知るための、世界のブランドが提供する顧客体験に関する調査

■ 生活者の“企業観”に関するアンケート
● 経済広報センター
https://www.kkc.or.jp/society/survey.php
社会課題の解決に取り組む企業の商品・サービスに対する購入意欲や、パーパス経営の認知度や興味・関心を持った企業理念などについての生活者調査

■ 生活定点
● 博報堂生活総合研究所
https://seikatsusoken.jp/teiten/
首都圏、阪神圏、名古屋圏の成人男女を対象に、生活者の意識や行動の変化を探るための定期的な観測調査

■ 世界の消費者意識調査
● PwC Japan グループ
https://www.pwc.com/jp/ja/knowledge/
thoughtleadership/consumer-insights-survey.
html
世界 25 の国と地域の 8975 人を対象とした、消費者の意識調査

■ 通信利用動向調査
● 総務省
https://www.soumu.go.jp/johotsusintokei/
statistics/statistics05.html
情報通信行政の施策の策定および評価のための、個人や企業による情報通信の利用動向調査

- TBS 生活 DATA ライブラリ
  - TBS ほか系列テレビ局 28 社
    https://www.jds.ne.jp/datebase01j/
    全国都市部の 13 歳以上 69 歳以下の男女約 7400 人を対象に、各種メディアの接触状況や生活意識・行動、商品の所有状況を調査

- 日本の ChatGPT 利用動向
  - 野村総合研究所
    https://www.nri.com/jp/knowledge/report/lst/2023/cc/0622_1
    生成 AI の利用状況を、年代別や業種別に調査

- 満足度・生活の質に関する調査
  - 内閣府
    https://www5.cao.go.jp/keizai2/wellbeing/manzoku/index.html
    経済社会の構造を人々の満足度（Well-being）の観点から調査、満足度や生活の質について多面的に把握可能

- よのなか調査
  - リクルート
    https://www.recruit.co.jp/newsroom/pressrelease/2024/0326_14165.html
    多様化する生活者の実態を理解し、社会構造の変化を明らかにするため、主に生活者の"行動・考え方"を調査。生成 AI をはじめとする生活者のテクノロジーに関する意識や関心の変化についても触れている

企業の動向

- SDGs に関する企業の意識調査
  - 帝国データバンク
    https://www.tdb-di.com/special-planning-survey/sp20220825.php
    企業における SDGs の取り組み状況を調査

- 企業活動基本調査
  - 経済産業省
    https://www.meti.go.jp/statistics/tyo/kikatu/index.html
    産業・経済動向の変化やそれに対応した企業活動をとらえるために調査した、通商産業施策を企画・立案するための基礎資料

- 企業行動に関するアンケート調査
  - 内閣府
    https://www.esri.cao.go.jp/jp/stat/ank/menu_ank.html
    企業活動の面から経済の実態を明らかにすることを目的に、企業の景気見通しや需要動向の見通しを調査

- 世界 CEO 意識調査
  - PwC Japan グループ
    https://www.pwc.com/jp/ja/knowledge/thoughtleadership/ceo-survey.html
    世界 105 カ国・地域の 4702 名の CEO から、世界経済の動向や、経営上のリスクとその対策などについての認識を調査。日本の CEO（179 名）の調査結果を抜粋

- 中小企業アンケート調査
  - 中小企業基盤整備機構
    https://www.smrj.go.jp/research_case/research/questionnaire/index.html
    中小企業の取り巻く環境をいち早く把握するために行う調査

- DX 推進アンケート 2023
  - 有限責任あずさ監査法人
    https://kpmg.com/jp/ja/home/media/press-releases/2023/07/dx-survey.html
    上場企業の DX 推進責任者を対象に、DX 推進の実態や DX を推進する上での課題に関して調査

- DX 白書 2023
  - 情報処理推進機構
    https://www.ipa.go.jp/publish/wp-dx/dx-2023.html
    企業の DX の取り組み状況についての調査。国内事例の分析に基づく取り組み状況の概観や、課題や求められる取り組みの方向性などについて解説

- デジタルトランスフォーメーション調査
  - 経済産業省
    https://www.meti.go.jp/policy/it_policy/investment/keiei_meigara/dx-bunseki2023.pdf
    企業の DX の推進状況について、国内上場企業を対象に現状や課題、組織など戦略を調査

- 日経企業イメージ調査
  - 日本経済新聞社、日経広告研究所
    https://www.nikkei-koken.gr.jp/publication/4450/
    ビジネスパーソンや一般個人を対象に、有力企業のイメージや評価を調査

- ブランド・ジャパン
  - 日経 BP コンサルティング
    https://consult.nikkeibp.co.jp/ccl/atcl/20240322_2/
    国内で使用されているブランドを 5 万人を超える一般生活者とビジネスパーソンが評価する、ブランド価値評価調査

- ブランド戦略サーベイ
  - 日経リサーチ
    https://service.nikkei-r.co.jp/service/bss/brand-strategy
    約 9 万人を対象とした企業ブランド調査を基に、「総合力」「浸透レベル」「企業活動の成果測定」の 3 つの観点からブランドを評価

- Best Japan Brands
  - インターブランドジャパン
    https://www.interbrandjapan.com/best_japan_brands/
    独自のブランド価値評価手法を用いてブランド価値を金額換算し、ランキング

広告の動向

■ インターネット広告市場動向
- ● CARTA COMMUNICATIONS（CCI）
  https://www.cci.co.jp/news/19872/
  国内のマーケターのアンケート回答結果と自社独自の分析ツールを基に、インターネット広告キャンペーン費用の推移等を調査

■ インターネット広告市場に関する調査
- ● 矢野経済研究所
  https://www.yano.co.jp/press-release/show/press_id/3422
  国内のインターネット広告市場を調査し、現況や参入企業の動向、および将来展望を考察

■ 折込広告出稿統計
- ● 日本新聞折込広告業協会
  https://www.j-noa.jp/category/report5
  全国のモニターが収集した折込広告について、調査内容を入力し集計

■ 広告出稿統計
- ● エム・アール・エス広告調査
  https://mrs-ads.com/statistics/
  新聞や雑誌を中心とした媒体の広告出稿量を集計

■ 広告主動態調査
- ● 日経広告研究所
  https://www.nikkei-koken.gr.jp/publication/4505/
  広告宣伝活動の考え方や予算、インターネット広告の利用状況などを、広告宣伝費ランキング上位企業を中心に調査

■ 広告費予測
- ● 日経広告研究所、日本経済研究センター
  https://www.nikkei-koken.gr.jp/research/4427/
  四半期ベースで年度ごとの広告費を、マクロ経済との関連から総額と主要媒体別で予測し、年2回発表

■ 交通広告共通指標推定モデル
- ● 日本鉄道広告協会、日本広告業協会、関東交通広告協議会
  https://www.j-jafra.jp/common/index.html
  1都3県在住の鉄道利用者300人（1素材あたり）を対象に「車両メディア」の広告効果についてインターネット調査を実施し、その結果を基に広告到達率を算出する推定モデル

■ 交通広告データ集計システム
- ● エム・アール・エス広告調査
  https://mrs-ads.com/data-system/
  関東鉄道会社11社と関西鉄道会社3社の交通広告と、六本木や表参道、原宿、新宿、渋谷、銀座および首都圏・全国にネットワーク展開する屋外広告の出稿統計データ

■ 国内動画広告の市場調査
- ● サイバーエージェント
  https://www.cyberagent.co.jp/news/detail/id=29827
  動画広告市場関係者へのヒアリング、調査主体ならびに調査機関が保有するデータ、公開情報の収集を基に、インターネットを通して配信される動画広告の年間広告出稿額

を推計し、市場規模予測を算出

■ 雑誌広告出稿動向
- ● エム・アール・エス広告調査
  https://mrs-ads.com/magazine-ad-volume/
  雑誌を対象とし、雑誌ジャンル別、商品分類別や広告主別などで広告出稿量を集計

■ CM 好感度調査
- ● CM 総合研究所
  https://www.cmdb.jp/cmlikability/surveyoutline/
  毎月2回（前期・後期）1500人ずつを対象とした、純粋想起法でのテレビCM調査。票数によりCM好感度を算出するほか、好感性向やCM銘柄の購買意向も調査

■ 新聞広告出稿動向
- ● エム・アール・エス広告調査
  https://mrs-ads.com/newspaper-ad-volume/
  全国紙や地方紙を対象とし、ジャンル別、商品分類別や広告主別などで広告出稿量を集計

■ 新聞広告データアーカイブ
- ● 日本新聞協会
  https://www.pressnet.or.jp/adarc/
  新聞広告の具体的な事例を、接触や評価のデータなどとともに掲載した新聞広告関連データ

■ 新聞広告費、新聞広告量
- ● 日本新聞協会
  https://www.pressnet.or.jp/data/advertisement/advertisement01.php
  電通広告統計のデータを基に、新聞広告の掲載料や発行ページ数を集計

■ 世界の広告費成長率予測
- ● 電通グループ
  https://www.group.dentsu.com/jp/news/release/001091.html
  世界の58市場からデータを収集し、各市場における専門的な知見を取り入れて広告費を予測

■ デジタル広告視聴率
- ● ニールセン
  https://www.netratings.co.jp/solution/DigitalAdRatings.html
  PCやモバイルなどのデジタル広告の視聴率を、テレビ視聴率と同様のリーチやGRP指標を用いて分析。あらゆるスクリーンのデジタル広告の正確な非重複リーチを計測

■ デジタルサイネージ広告市場調査
- ● CARTA HOLDINGS
  https://cartaholdings.co.jp/news/20231221_1/
  デジタルサイネージ広告関連事業者の公開データ、デジタルサイネージ広告事業にかかわる企業へのインタビュー調査を基に市場規模を予測

■ Tech Trends 2024 日本版
- ● デロイト トーマツ グループ
  https://www2.deloitte.com/jp/ja/pages/technology/articles/tsa/tech-trends.html
  最新テクノロジーの調査レポート。ディープフェイクなど広告コミュニケーションが今後対処すべき課題についても触れている

■ テレビ広告統計
　● ビデオリサーチ
　https://www.videor.co.jp/service/media-data/
　tvadstatistics.html
　テレビ CM の挿入時刻や本数、秒数、GRP（延べ視聴率）
　などを、関東・関西・名古屋の各地区ごとに、業種別、広
　告主別、銘柄別、素材別に集計

■ 電通広告統計（DAS）　広告出稿量の動向
　● 電通
　https://www.dentsu.co.jp/knowledge/
　ad_amount.html
　マス 4 媒体の広告出稿量を、月ごと・業種別などで集計

■ 日本の広告費
　● 電通
　https://www.dentsu.co.jp/news/release/
　2024/0227-010688.html
　媒体料と製作費について広告費を推計するとともに、媒体
　別や業種別に集計

■ 有力企業の広告宣伝費
　● 日経広告研究所
　https://www.nikkei-koken.gr.jp/publication/
　4128/
　有価証券報告書に記載の財務データを基に、有力企業の広
　告宣伝費を調査

■ ラジオ広告統計
　● ビデオリサーチ
　https://www.videor.co.jp/service/media-data/
　rdadstatistics.html
　ラジオ CM の本数、秒数、GRP（延べ聴取率）などを、関
　東、関西の地区ごとに、業種別、広告主別、銘柄別、素材
　別に集計

メディアの動向

■ ABC レポート
　● 日本 ABC 協会
　https://www.jabc.or.jp/abc_report.html
　新聞、雑誌、専門紙誌、フリーペーパーの発行部数のレ
　ポート。発行社が報告した部数の『発行社レポート』と、
　公査・認証した部数を掲載する『公査レポート』がある

■ MCR/ex
　● ビデオリサーチ
　https://www.videor.co.jp/service/media-data/
　mcrex.html
　全国 7 地区の 1 万人強を対象に、生活者行動や媒体接触状
　況意識などを調査

■ クリエイティブカルテ
　● ビデオリサーチ
　https://www.videor.co.jp/service/
　communication/creativekarte.html
　テレビ CM 出稿量に対する認知効率の評価や内容理解、商
　品の興味関心・好意・イメージ調査などのクリエイティブ
　指標を他社と比較するためのツール

■ 国内ソーシャルメディアマーケティングの市場動向調
　査
　● CyberBuzz
　https://www.cyberbuzz.co.jp/2022/11/
　post-1791.html
　「ソーシャルメディアマーケティング市場」と独自に定義し
　たものを、5 つのセグメントに分類し、それぞれ推計・予測

■ J-MONITOR
　● ビデオリサーチ
　https://www.j-monitor.net/
　15 社 16 紙の読者モニターによる、新聞広告の到達・反響
　調査を行うためのプラットフォーム

■ J-READ Basic（全国新聞総合調査）
　● ビデオリサーチ
　https://www.videor.co.jp/service/media-data/
　j-readbasic.html
　主要新聞約 100 紙について、全国の 15〜74 歳の男女約 1
　万人強を対象に、特定の 1 週間における閲読や購読状況を
　測定。新聞への関与度や生活行動なども調査

■ 出版指標年報
　● 全国出版協会、出版科学研究所
　https://shuppankagaku.com/booklist/
　annually/
　取次ルートを経由した書籍や雑誌の発行・販売部数などの
　統計と、その年の出版傾向をまとめた年次報告書

■ 情報メディア白書
　● 電通
　https://www.d-sol.jp/solution/a-research-for-
　information-and-media-society
　13 分野にわたる情報メディア産業について、詳細なデータ
　とグラフで詳しく業界動向を解説

■ 新聞オーディエンス調査
　● 日本新聞協会
　https://www.pressnet.or.jp/adarc/data/
　audience/report.html
　全国の 15 歳以上 79 歳以下の男女 1200 人を対象に、各メ
　ディアの接触、利用状況、評価について調査

■ 生活者のメディア利用と情報価値志向に関する調査
　● 日経広告研究所
　https://www.nikkei-koken.gr.jp/publication/
　3560/
　生活者のメディア利用を、継続利用の有無や利用頻度、利
　用目的、利用時の態度、情報行動の特徴などについて調査

■ 全国メディア意識世論調査
　● NHK 放送文化研究所
　https://www.nhk.or.jp/bunken/research/
　yoron/20230701_5.html
　全国の 16 歳以上 3600 人を対象に生活者のメディア利用や
　意識を調査

■ SOTO/ex
　● ビデオリサーチ
　https://www.videor.co.jp/service/media-data/
　sotoex.html
　全国 7 地区の 1 万人強を対象に、屋外メディアについて調
　査

■ TMT Predictions 2024 日本版
  ● デロイト トーマツ グループ
  https://www2.deloitte.com/jp/ja/pages/
  about-deloitte/articles/news-releases/
  nr20240422.html
  AI をはじめとするテクノロジーの進化と、今後のメディア
  業界を予測したレポート

■ デジタル・コンシューマ・データベース
  ● ニールセン
  https://www.netratings.co.jp/solution/
  DCD2016.html
  生活者が「どのデバイスから」「何を視聴し、どんなサービ
  スを利用」しているのかを俯瞰できる基礎調査

■ デジタルコンテンツ視聴率
  ● ニールセン
  https://www.netratings.co.jp/solution/
  dcr.html
  ウェブページやアプリでの番組やエピソード（放送回）レ
  ベルの動画視聴率と静的な（テキスト）コンテンツの視聴
  率を全数レベルで測定

■ テレビ視聴率・広告の動向―テレビ調査白書
  ● ビデオリサーチ
  https://www.videor.co.jp/service/media-data/
  tvreport.html
  テレビ視聴率調査のデータを基に、視聴率や広告出稿量に
  関する総括をした白書

■ テレビ視聴率調査
  ● ビデオリサーチ
  https://www.videor.co.jp/service/media-data/
  tvrating.html
  テレビの視聴率集計や視聴人数の把握をするための調査。
  個人視聴率調査やタイムシフト視聴率調査も実施

■ テレビ接触率―全国ペイテレビ調査
  ● ビデオリサーチ
  https://www.videor.co.jp/service/media-data/
  pay-tv.html
  全国 32 地区の CS/BS ペイテレビの視聴状況を調査。独自
  の視聴者プロフィールデータも提供可能

■ テレビ、ラジオ営業収入見通し
  ● 日本民間放送連盟研究所
  https://www.j-ba.or.jp/category/topics/
  jba106183
  会員社の次年度の営業収入を予測し、毎年 1 月末に公表

■ MAGASCENE/ex
  ● ビデオリサーチ
  https://www.videor.co.jp/service/media-data/
  magasceneex.html
  全国 7 地区の 1 万人強を対象に、約 500 の雑誌について閲
  読率などの接触指標や読者プロフィール、雑誌のイメージ
  を調査

■ メディア定点調査
  ● 博報堂 DY メディアパートナーズ
  https://mekanken.com/mediasurveys/
  生活者が日頃どのようなメディアとどのような関係性を
  持って接しているかについて、人も企業もメディアとみな
  して調査

■ メディアに関する全国世論調査
  ● 新聞通信調査会
  https://www.chosakai.gr.jp/wp/wp-content/
  themes/shinbun/asset/pdf/project/
  notification/yoron2023press.pdf
  メディアに対する信頼度を調査。特に情報入手の方法や各
  メディアの信頼度、新聞の社会的役割などの設問を継続調
  査

■ Mobile NetView（モバイルネットビュー・スマート
  フォン視聴率）
  ● ニールセン
  https://www.netratings.co.jp/solution/
  nielsen_mobile_netview.html
  調査協力モニターのスマートフォンに搭載したメーターに
  より、国内のスマホのウェブサイト訪問、アプリ利用など
  の利用動向をリアルタイムに計測

■ ラジオ個人聴取率調査
  ● ビデオリサーチ
  https://www.videor.co.jp/service/media-data/
  rdrating.html
  首都圏や関西圏、中京圏在住の 12 歳以上 69 歳以下の男女、
  各 5000 人を対象に、ラジオ聴取状況を調査

■ ラジオ 365 データ
  ● ビデオリサーチ
  https://www.videor.co.jp/service/media-data/
  rd365.html
  ラジオ個人聴取率調査のデータと、radiko が保有している
  radiko データを用いて、日々のラジオ聴取状況を推計

第 **8** 章

広告審査と関連法規

第**8**章

広告審査と関連法規

広告審査の概要

　広告審査とは、広告表現が法令や自主規制等を遵守しているか確認し、消費者被害を未然に防ぐためのものである。法律の遵守は、広告を出稿する側の事業者、広告会社、媒体社の信頼性を担保する。したがって、広告審査に携わる者だけでなく、業務に携わるすべての人が、関連法規の規制内容に対して一定の知識を持つことが求められる。広告に関する法規は、主だったものだけでも、景品表示法、特定商取引法、

医薬品医療機器等法、健康増進法、医療法、資金決済法、金融商品取引法、労働者派遣法、酒税法等が挙げられる。中でも、対象者を「何人も」とする医薬品医療機器等法、健康増進法等については、人の健康に関わるため、法に抵触した場合、広告主だけでなく、媒体社、広告会社等も処罰の対象となる。ここでは、広告を審査する際に、頻繁に参照する法律やガイドライン等の概要を説明する。

広告審査時に参照する法律等

■ 景品表示法

　景品表示法（景表法）は、正式には「不当景品類及び不当表示防止法」と言い、過大な景品類や不当な表示を規制することで、消費者の自主的かつ合理的な選択を守っている。この「不当な表示」には、「優良誤認表示」「有利誤認表示」と、一般消費者が誤認しやすいものとして、内閣総理大臣が指定する「指定告示」がある。

　2023年10月より、指定告示にステルスマーケティング（ステマ）への規制が加わり、24年6月には割引を条件に高評価を依頼した事業者に対し、初の行政処分がなされた。事業者から対価を得ている者が、第三者的な立場を装って商品やサービスの感想を紹介したり、高評価をつけたりするステマは、不当表示として禁止される。規制される「一般消費者が事業者の表示であることを判別することが困難である表示」に関して、消費者庁より運用基準が発出

されているので、広告制作の際には参照することが強く推奨される。

　また、いわゆる「NO.1」表示に関し、24年2月から3月にかけて、措置命令が相次いで出された。実際に対象の商品やサービスを利用していない者を対象とした「イメージ調査」のみで、あたかも「利用者評価NO.1」と誤認されるような表示は厳に慎みたい。

■ 特定商取引法

　「特定商取引に関する法律」は、事業者による違法・悪質な勧誘行為等を防止し、消費者の利益を守ることを目的としている。「訪問販売」「通信販売」「電話勧誘販売」「連鎖販売取引」「特定継続的役務提供」「業務提供誘引販売取引」「訪問購入」の7類型が対象である。中でも、様々な広告を通じて行われる「通信販売」では、「お試し」のつもりで安価に購入したら、実際は

定期購入契約で、2カ月目以降は大変高額だった、といった詐欺的な商法などに関するトラブルが多数報告されている。このような事態防止のため、広告の中で、定期購入である旨、支払総額、契約期間等の販売条件を正しく表示することが必須要件であることは言うまでもない。

■ 医薬品医療機器等法（薬機法）、医薬品等適正広告基準

「医薬品、医療機器等の品質、有効性及び安全性の確保等に関する法律」は、医薬品、医薬部外品、化粧品、医療機器、再生医療等製品が対象とされ、広告に関しては、「虚偽・誇大広告の禁止」や「未承認医薬品等の広告の禁止」が定められている。対象者は「何人も」であり、法に抵触すると、広告主だけでなく、媒体社、広告会社等も処罰の対象となる可能性がある。

医薬品、化粧品等を広告する際は、薬機法に基づき制定された「医薬品等適正広告基準」や「化粧品公正競争規約」等を遵守することも必要となる。特に、化粧品は表現できる「56の効能・効果」が定められており、この分野の広告業務に関わる者にとって必須の知識であろう。

また、健康食品等にも薬機法が適用される場合がある。健康食品等の広告で医薬品的な効能・効果を明示・暗示すると、それが実証されたものでなければ、景表法の不当表示および健康増進法の虚偽誇大広告として規制の対象となる。仮に表示した効能・効果が実際に得られた

としても薬機法によって「未承認の医薬品」とされて、広告は不可、となる。なお、違反をした場合には、課徴金が課される可能性もある。判断に迷う際は、保健所や都道府県の薬務担当課に事前に相談することを推奨したい。

■ 健康増進法

「健康増進法」も「何人（なんぴと）も」を対象とし、食品に関する表示をする際には、健康保持増進効果等に関し、著しく事実に相違する表示や著しく誤認させる表示は禁止される。「著しく事実に相違」等についての一律の判断は難しいが、表示の根拠となる資料等を十分に用意することが必要である。

■ 医師法・医療広告ガイドライン

昨今、オンライン診療や再生医療等、新たな診療・治療方法が出てきたこともあり、医療関連の広告審査や相談が増加傾向にある。この分野の詳細を規定するのは「医療広告ガイドライン」である。そのQ&Aや「オンライン診療の適切な実施に関する指針」等も参照することが望ましい。医療広告は、原則として「広告可能とされた事項以外は広告できない」が、患者が自ら求めて情報を入手するWebサイト等では、一定の条件下で、表示の制限が一部解除される（いわゆる「限定解除」）。このような場合でも、具体的な限定解除の要件、広告可能な事項を把握し、表示内容を検討すべきである。

広告審査協会とは

新聞・雑誌やテレビ・ラジオ等の媒体社と広告会社を会員とした公益財団法人で、1971年に設立された。以来、会員媒体社から依頼を受けた広告について、原則、出稿前に広告主に取材し、その取材内容を基に法令等に照らし合わせ、広告商品・サービス自体および広告原稿等に不備がないかを調査している。そして、官公庁や各種関係団体の協力も得ながら、広告主の

業態や商品・サービス、広告原稿に関する報告書を、会員媒体社に提出することを通じて、日々広告の品質向上と消費者保護に努めている。

なお、次ページは、04年度以降の審査件数である。広告分類によって傾向を示したのでご覧いただきたい。

（梅根千鶴）

広告審査件数

広告審査協会

（単位：件）

分類 / 年度	人事募集	代理店募集	会員募集	生徒募集	商品販売	サービス	情報通信	金融	不動産	その他	合計
2004	95	169	317	116	594	250	—	58	283	113	1,995
2005	111	156	261	93	683	224	—	91	251	119	1,989
2006	84	112	242	97	667	239	—	100	236	143	1,920
2007	64	112	265	58	563	226	—	106	193	189	1,776
2008	52	95	191	79	648	231	—	131	204	190	1,821
2009	45	89	133	64	667	227	—	105	138	121	1,589
2010	30	52	126	48	633	189	—	60	122	99	1,359
2011	21	49	116	60	623	200	—	45	92	119	1,325
2012	21	57	145	63	752	288	—	67	119	145	1,657
2013	30	57	101	42	721	257	—	50	160	140	1,558
2014	14	31	122	51	651	316	—	41	149	124	1,499
2015	7	29	109	30	582	323	—	26	124	148	1,378
2016	7	20	94	34	608	240	46	45	157	69	1,320
2017	2	10	89	40	588	309	96	55	170	68	1,427
2018	9	26	87	32	683	343	126	111	168	50	1,635
2019	12	19	87	45	615	406	91	64	125	44	1,508
2020	12	14	61	33	686	331	104	68	121	47	1,477
2021	10	23	78	42	757	360	82	59	98	37	1,546
2022	3	14	50	41	634	423	93	50	109	53	1,470
2023	4	16	76	29	687	350	76	42	97	44	1,421
前年度比（件）	1	2	26	−12	53	−73	−17	−8	−12	−9	−49
前年度比（%）	133.3	114.3	152.0	70.7	108.4	82.7	81.7	84.0	89.0	83.0	96.7

注1：審査件数には既審査を含む
注2：広告審査協会に加盟する媒体社から依頼を受け、広告の内容や表示について事前に実地調査・審査を行い、その内容を媒体社に報告する。
　　　媒体社はこれを参考に、それぞれの「広告掲載基準」あるいは「放送基準」に基づき、広告の掲載・放送の可否を独自に判断する
注3：2016年度より分類に「情報通信」を追加した

資料編

広告業の事業所数、従業者数および広告業務年間売上高

年　次		事業所数	従業者数 （人）	広告業務年間売上高 （億円）
2003年		4,234	89,086	75,359
2006年	広告代理業	4,488	90,459	69,072
	その他の広告業	2,336	39,042	18,226
2007年	広告代理業	4,443	84,461	67,625
	その他の広告業	2,304	35,848	17,965
2008年	広告代理業	5,035	90,815	68,354
	その他の広告業	2,532	36,506	18,896
2009年		9,693	145,691	92,770
2010年		9,233	133,500	83,276
2011年		9,645	124,828	59,214
2012年		11,090	134,140	89,289
2013年		9,286	123,424	80,555
2014年		9,193	119,850	78,883
2015年		9,255	127,456	76,256
2016年		9,042	118,403	84,497
2017年		8,916	117,395	84,697
2018年		8,827	138,484	83,124
2019年		8,827	151,768	102,751
2020年		8,639	126,560	99,695
2021年		9,085	121,380	83,278
2022年		8,359	—	90,533
2023年		8,376	—	75,560

注1：2009年から標本調査を導入するなどしたため、それ以前の数字との単純比較はできない
注2：18年までは特定サービス産業実態調査、19年から経済構造実態調査、
　　11年・15年・21年は経済センサス―活動調査（総務省・経済産業省）のデータであるため連続性はない

特定サービス産業動態統計調査

広告業の業務種類別売上高、事業所数、常用従業者数

	売上高合計		4媒体広告		新 聞		雑 誌		テレビ		ラジオ		屋外広告		
	百万円	前年比	百万円	前年比	百万円	前年比	百万円	前年比	百万円	前年比	百万円	前年比	百万円	前年比	
2019年	5,910,623	99.2	1,853,457	96.6	277,612	94.7	69,598	89.1	1,461,282	97.5	44,966	95.6	63,390	98.1	
2020年	5,358,309	85.9	1,586,644	85.6	225,830	81.3	46,696	67.1	1,274,432	87.2	39,686	88.3	47,919	75.6	
2021年	5,731,494	106.9	1,668,913	105.0	222,602	98.6	40,463	86.6	1,369,885	107.3	35,962	90.0	46,690	101.7	
2022年	5,668,712	98.5	1,606,041	94.6	208,660	93.2	42,969	93.9	1,319,065	94.7	35,348	95.6	54,303	112.6	
2023年	5,667,405	100.0	1,529,413	95.2	188,754	90.5	40,498	94.7	1,266,350	96.0	33,811	95.7	60,972	113.6	
構成比(%)	100.0		27.0		3.3		0.7		22.3		0.6		1.1		
2019年度	5,944,917	98.3	1,818,472	95.3	265,308	91.8	67,292	88.5	1,441,372	96.4	44,500	95.5	62,016	97.5	
2020年度	5,178,044	83.8	1,557,251	85.6	217,346	81.9	41,671	61.9	1,260,066	87.4	38,167	85.6	44,251	72.3	
2021年度	5,808,969	112.0	1,664,910	106.3	220,785	101.4	41,872	97.1	1,366,529	107.9	35,723	92.5	48,059	110.9	
2022年度	5,661,708	97.2	1,578,789	93.6	203,772	91.9	41,917	91.6	1,298,322	93.9	34,778	95.4	54,981	112.2	
2023年度	5,610,789	99.1	1,534,835	97.2	188,119	92.3	41,785	100.1	1,271,104	97.9	33,827	97.3	61,765	113.3	
2023年度															
4～6月	1,286,601	100.5	358,104	96.5	39,925	91.5	8,494	94.9	301,701	97.3	7,984	96.1	16,309	121.9	
7～9月	1,286,595	98.2	350,628	94.7	40,627	86.2	9,343	94.5	292,420	96.0	8,238	94.2	14,332	126.5	
10～12月	1,513,157	101.5	416,860	96.2	49,861	91.2	11,996	97.9	346,005	96.8	8,998	98.6	15,358	103.6	
1～3月	1,524,436	96.4	409,243	101.3	57,706	98.9	11,952	112.1	330,978	101.5	8,606	100.2	15,765	105.3	
2023年度															
4月	461,162	102.2	125,528	97.7	13,547	92.8	2,625	81.6	106,551	98.9	2,806	98.1	7,536	121.7	
5月	400,969	101.7	118,438	95.1	12,974	93.8	2,740	113.9	100,142	94.8	2,582	95.5	4,087	119.8	
6月	424,470	97.8	114,138	96.7	13,404	88.2	3,129	94.0	95,009	98.2	2,595	94.5	4,686	124.3	
7月	418,618	95.0	118,008	89.5	14,093	77.7	2,349	89.8	98,818	91.4	2,748	92.2	5,247	142.4	
8月	409,708	101.9	111,975	97.4	12,032	89.9	2,548	94.6	94,640	98.7	2,756	93.3	4,121	110.0	
9月	458,268	98.2	120,644	97.6	14,501	93.0	4,447	97.1	98,961	98.3	2,734	97.1	4,965	127.4	
10月	461,987	102.2	131,942	97.7	15,747	97.8	3,444	98.6	109,881	97.6	2,870	100.7	4,896	83.7	
11月	472,536	103.0	133,539	95.2	16,227	88.6	3,895	104.8	110,512	95.9	2,906	97.8	3,916	100.8	
12月	578,634	99.6	151,379	95.7	17,887	88.2	4,658	92.3	125,612	97.0	3,222	97.5	6,547	128.4	
1月	404,458	99.1	133,669	100.0	18,973	95.8	3,969	120.8	107,995	100.4	2,732	93.2	3,251	88.5	
2月	419,197	99.5	117,108	98.6	15,310	91.8	2,933	117.6	96,178	99.3	2,686	101.5	4,590	103.5	
3月	700,781	93.2	158,467	104.6	23,422	107.2	5,051	103.4	126,805	104.2	3,188	105.9	7,924	115.5	

注：2019年1月分、2020年1月分、2021年1月分、2022年1月分、2023年1月分より一部数値に変更が生じたため、以前の数値と不連続が生じている。
　　なお、伸び率はこれを調整している。

（前年比：%）

交通広告		折込み・ダイレクトメール		海外広告		SP・PR・催事企画		インターネット広告		その他		調査企業の当該業務を営む事業所数		常用従業者数		
百万円	前年比	百万円	前年比	百万円	前年比	百万円	前年比	百万円	前年比	百万円	前年比		前年比	人	前年比	
201,036	99.5	587,535	94.7	51,153	92.1	721,419	96.9	834,377	104.9	1,598,257	102.5	983	99.2	51,633	102.0	2019年
153,839	76.5	428,678	73.0	27,987	54.7	523,173	72.5	1,100,817	99.3	1,489,252	92.7	987	100.4	52,390	101.5	2020年
120,323	79.2	424,148	98.8	42,846	153.1	581,963	111.3	1,372,190	124.5	1,474,423	98.8	964	97.7	50,487	96.4	2021年
114,145	95.0	419,497	99.0	35,813	83.6	627,713	107.9	1,436,988	104.8	1,374,212	93.8	913	94.7	49,928	98.9	2022年
123,936	108.0	382,813	91.3	38,832	108.4	594,256	95.2	1,486,179	103.4	1,451,004	105.6	907	99.3	50,126	100.4	2023年
2.2		6.8		0.7		10.5		26.2		25.6						構成比（%）
204,273	101.8	561,841	91.8	48,852	100.3	705,482	95.0	911,580	102.5	1,632,400	103.8	979	99.2	52,209	103.2	2019年度
131,835	64.8	408,498	72.7	24,923	51.0	507,644	72.0	1,150,937	103.6	1,352,705	82.5	975	99.6	51,737	99.1	2020年度
116,784	89.5	421,842	103.2	45,813	183.8	645,622	127.3	1,402,873	121.8	1,463,066	108.2	923	94.7	49,552	95.8	2021年度
114,915	98.3	412,958	98.0	32,532	71.0	603,478	93.7	1,441,834	102.9	1,422,221	97.6	912	98.8	49,468	99.8	2022年度
129,304	112.1	371,919	90.1	37,105	114.1	537,787	89.5	1,506,687	104.5	1,431,387	100.6	901	98.8	49,903	100.9	2023年度
																2023年度
30,012	108.6	94,415	89.7	3,249	86.8	104,428	93.6	357,597	105.0	322,487	105.5	909	99.5	50,207	101.2	4〜6月
28,915	113.1	86,086	90.5	9,237	81.8	122,186	85.9	343,268	103.3	331,944	103.6	907	99.7	50,190	100.7	7〜9月
33,603	109.4	98,490	90.6	17,657	200.4	165,245	114.1	393,877	104.3	372,066	100.1	907	99.3	50,126	100.4	10〜12月
36,775	117.1	92,929	89.5	6,962	80.1	145,927	72.1	411,944	105.2	404,890	95.4	901	98.8	49,903	100.9	1〜3月
																2023年度
12,420	109.9	33,999	91.8	966	68.7	32,577	94.2	134,144	102.8	113,990	112.2	909	99.0	50,022	100.8	4月
9,040	111.4	29,750	86.3	794	162.6	33,434	105.6	113,677	108.3	91,749	106.0	909	99.1	50,040	100.9	5月
8,551	104.1	30,666	90.8	1,489	80.5	38,417	84.9	109,776	104.6	116,747	99.2	909	99.5	50,207	101.2	6月
10,596	121.5	30,836	88.2	1,005	12.4	37,407	90.9	111,567	102.2	103,952	101.0	907	99.3	50,224	101.1	7月
8,887	104.9	25,642	92.5	4,832	308.6	40,797	105.5	114,679	104.4	98,775	101.9	907	99.6	50,204	101.1	8月
9,431	112.6	29,608	91.3	3,400	206.4	43,982	70.4	117,021	103.2	129,217	107.2	907	99.7	50,190	100.7	9月
11,511	112.1	31,066	90.8	4,500	270.7	44,338	102.6	117,697	104.8	116,036	106.3	907	99.5	50,230	100.7	10月
9,604	102.2	32,734	89.2	2,710	95.5	61,780	134.0	123,090	101.5	105,163	107.3	907	99.3	50,227	100.7	11月
12,487	112.9	34,689	91.7	10,446	242.3	59,127	106.4	153,090	106.3	150,867	91.7	907	99.3	50,126	100.4	12月
10,010	107.6	31,027	90.2	560	27.3	31,942	98.5	122,012	99.6	71,988	102.5	903	99.0	50,006	100.8	1月
10,666	110.6	26,831	88.3	2,195	139.1	39,412	102.3	123,301	101.6	95,095	98.5	902	99.0	49,928	101.1	2月
16,099	129.1	35,071	89.8	4,208	83.1	74,573	56.7	166,631	112.9	237,808	92.3	901	98.8	49,903	100.9	3月

日本経済の成長と「日本の広告費」(1969〜2023年)

暦年	日本の広告費 総広告費(億円)	前年比(%)	名目国内総生産(GDP) 国内総生産(億円)	前年比(%)	実質経済成長率(%)(GDP)	名目国内総生産に対する総広告費の比率(%)
1969年	6,328	118.9	622,289	117.5	12.0	1.02
70年	7,560	119.5	733,449	117.9	10.3	1.03
71年	7,868	104.1	807,013	110.0	4.4	0.97
72年	8,782	111.6	923,944	114.5	8.4	0.95
73年	10,768	122.6	1,124,981	121.8	8.0	0.96
74年	11,695	108.6	1,342,438	119.3	−1.2	0.87
75年	12,375	105.8	1,483,271	110.5	3.1	0.83
76年	14,568	117.7	1,665,733	112.3	4.0	0.87
77年	16,427	112.8	1,856,220	111.4	4.4	0.88
78年	18,457	112.4	2,044,041	110.1	5.3	0.90
79年	21,133	114.5	2,215,466	108.4	5.5	0.95
80年	22,783	107.8	2,428,387	109.6	2.8	0.94
81年	24,657	108.2	2,610,682	107.5	4.2	0.94
82年	26,272	106.5	2,740,866	105.0	3.4	0.96
83年	27,820	105.9	2,850,583	104.0	3.1	0.98
84年	29,155	104.8	3,029,749	106.3	4.5	0.96
85年	29,829	102.3	3,254,019	107.4	6.3	0.92
86年	30,515	102.3	3,405,595	104.7	2.8	0.90
85年	35,049	—	3,254,019	107.4	6.3	1.08
86年	36,478	104.1	3,405,595	104.7	2.8	1.07
87年	39,448	108.1	3,541,702	104.0	4.1	1.11
88年	44,175	112.0	3,807,429	107.5	7.1	1.16
89年	50,715	114.8	4,101,222	107.7	5.4	1.24
90年	55,648	109.7	4,427,810	108.0	5.6	1.26
91年	57,261	102.9	4,694,218	106.0	3.3	1.22
92年	54,611	95.4	4,807,828	102.4	0.8	1.14
93年	51,273	93.9	4,837,118	100.6	0.2	1.06
94年	51,682	100.8	4,957,434	102.5	0.9	1.04
95年	54,263	105.0	5,216,135	102.1	2.6	1.04
96年	57,715	106.4	5,355,621	102.7	3.1	1.08
97年	59,961	103.9	5,435,454	101.5	1.0	1.10
98年	57,711	96.2	5,364,974	98.7	−1.3	1.08
99年	56,996	98.8	5,280,699	98.4	−0.3	1.08
2000年	61,102	107.2	5,354,177	101.4	2.8	1.14
01年	60,580	99.1	5,316,539	99.3	0.4	1.14
02年	57,032	94.1	5,244,787	98.7	0.0	1.09
03年	56,841	99.7	5,239,686	99.9	1.5	1.08
04年	58,571	103.0	5,294,009	101.0	2.2	1.11
05年	59,625	101.8	5,325,156	100.6	1.8	1.12
06年	59,954	100.6	5,351,702	100.5	1.4	1.12
05年	68,235	102.9	5,325,156	100.6	1.8	1.28
06年	69,399	101.7	5,351,702	100.5	1.4	1.30
07年	70,191	101.1	5,392,817	100.8	1.5	1.30
08年	66,926	95.3	5,278,238	97.9	−1.2	1.27
09年	59,222	88.5	4,949,384	93.8	−5.7	1.20
10年	58,427	98.7	5,055,306	102.1	4.1	1.16
11年	57,096	97.7	4,974,489	98.4	0.0	1.15
12年	58,913	103.2	5,004,747	100.6	1.4	1.18
13年	59,762	101.4	5,087,006	101.6	2.0	1.17
14年	61,522	102.9	5,188,110	102.0	0.3	1.19
15年	61,710	100.3	5,380,323	103.7	1.6	1.15
16年	62,880	101.9	5,443,646	101.2	0.8	1.16
17年	63,907	101.6	5,530,730	101.6	1.7	1.16
18年	65,300	102.2	5,566,301	100.6	0.6	1.17
19年	69,381	106.2	5,579,108	100.2	−0.4	1.24
20年	61,594	88.8	5,398,082	96.8	−4.1	1.14
21年	67,998	110.4	5,525,714	102.4	2.6	1.23
22年	71,021	104.4	5,597,101	101.3	1.0	1.27
23年	73,167	103.0	5,914,820	105.7	1.9	1.24

注1：国内総生産は内閣府「国民経済計算確報」および、1995年以降は「四半期別GDP速報」(2024年2月15日公表、1次速報)による
注2：87年に「日本の広告費」の推定範囲を85年に遡及して改定した(第1次)
注3：07年に「日本の広告費」の推定範囲を05年に遡及して改定した(第2次)

媒体別広告費(2009〜2023年)

媒体／暦年	新聞 広告費(億円)	前年比(%)	雑誌 広告費(億円)	前年比(%)	ラジオ 広告費(億円)	前年比(%)	テレビメディア 広告費(億円)	前年比(%)	地上波テレビ 広告費(億円)	前年比(%)	衛星メディア関連広告 広告費(億円)	前年比(%)	SP広告/プロモーションメディア広告 広告費(億円)	前年比(%)
2009年	6,739	81.4	3,034	74.4	1,370	88.4	—	—	17,139	89.8	709	104.9	23,162	88.2
10年	6,396	94.9	2,733	90.1	1,299	94.8	—	—	17,321	101.1	784	110.6	22,147	95.6
11年	5,990	93.7	2,542	93.0	1,247	96.0	—	—	17,237	99.5	891	113.6	21,127	95.4
12年	6,242	104.2	2,551	100.4	1,246	99.9	18,770	—	17,757	103.0	1,013	113.7	21,424	101.4
13年	6,170	98.8	2,499	98.0	1,243	99.8	19,023	101.3	17,913	100.9	1,110	109.6	21,446	100.1
14年	6,057	98.2	2,500	100.0	1,272	102.3	19,564	102.8	18,347	102.4	1,217	109.6	21,610	100.8
15年	5,679	93.8	2,443	97.7	1,254	98.6	19,323	98.8	18,088	98.6	1,235	101.5	21,417	99.1
16年	5,431	95.6	2,223	91.0	1,285	102.5	19,657	101.7	18,374	101.6	1,283	103.9	21,184	98.9
17年	5,147	94.8	2,023	91.0	1,290	100.4	19,478	99.1	18,178	98.9	1,300	101.3	20,875	98.5
18年	4,784	92.9	1,841	91.0	1,278	99.1	19,123	98.2	17,848	98.2	1,275	98.1	20,685	99.1
19年	4,547	95.0	1,675	91.0	1,260	98.6	18,612	97.3	17,345	97.2	1,267	99.4	22,239	107.5
20年	3,688	81.1	1,223	73.0	1,066	84.6	16,559	89.0	15,386	88.7	1,173	92.6	16,768	75.4
21年	3,815	103.4	1,224	100.1	1,106	103.8	18,393	111.1	17,184	111.7	1,209	103.1	16,408	97.9
22年	3,697	96.9	1,140	93.1	1,129	102.1	18,019	98.0	16,768	97.6	1,251	103.5	16,124	98.3
23年	3,512	95.0	1,163	102.0	1,139	100.9	17,347	96.3	16,095	96.0	1,252	100.1	16,676	103.4

媒体／暦年	インターネット広告 広告費(億円)	前年比(%)	媒体費 広告費(億円)	前年比(%)	制作費 広告費(億円)	前年比(%)	物販系ECプラットフォーム広告費 広告費(億円)	前年比(%)	屋外 広告費(億円)	前年比(%)	交通 広告費(億円)	前年比(%)	折込 広告費(億円)	前年比(%)
2009年	7,069	101.2	5,448	101.4	1,621	100.7			3,218	86.8	2,045	82.0	5,444	88.4
10年	7,747	109.6	6,077	111.5	1,670	103.0			3,095	96.2	1,922	94.0	5,279	97.0
11年	8,062	104.1	6,189	101.8	1,873	112.2			2,885	93.2	1,900	98.9	5,061	95.9
12年	8,680	107.7	6,629	107.1	2,051	109.5			2,995	103.8	1,975	103.9	5,165	102.1
13年	9,381	108.1	7,203	108.7	2,178	106.2			3,071	102.5	2,004	101.5	5,103	98.8
14年	10,519	112.1	8,245	114.5	2,274	104.4			3,171	103.3	2,054	102.5	4,920	96.4
15年	11,594	110.2	9,194	111.5	2,400	105.5			3,188	100.5	2,044	99.5	4,687	95.3
16年	13,100	113.0	10,378	112.9	2,722	113.4			3,194	100.2	2,003	98.0	4,450	94.9
17年	15,094	115.2	12,206	117.6	2,888	106.1			3,208	100.4	2,002	100.0	4,170	93.7
18年	17,589	116.5	14,480	118.6	3,109	107.7			3,199	99.7	2,025	101.1	3,911	93.8
19年	21,048	119.7	16,630	114.8	3,354	107.9	1,064	—	3,219	100.6	2,062	101.8	3,559	91.0
20年	22,290	105.9	17,567	105.6	3,402	101.4	1,321	124.2	2,715	84.3	1,568	76.0	2,525	70.9
21年	27,052	121.4	21,571	122.8	3,850	113.2	1,631	123.5	2,740	100.9	1,346	85.8	2,631	104.2
22年	30,912	114.3	24,801	115.0	4,203	109.2	1,908	117.0	2,824	103.1	1,360	101.0	2,652	100.8
23年	33,330	107.8	26,870	108.3	4,359	103.7	2,101	110.1	2,865	101.5	1,473	108.3	2,576	97.1

注1：テレビメディア広告費は、2014年より「地上波テレビ+衛星メディア関連」と区分し、12年に遡及して集計した
注2：インターネット広告は、18年より「マス四媒体由来のデジタル広告費」、19年より「物販系ECプラットフォーム広告費」を追加推定した
注3：「プロモーションメディア広告費」は、19年に「イベント」領域を追加推定した

媒体別広告費の構成比 (2009～2023年)

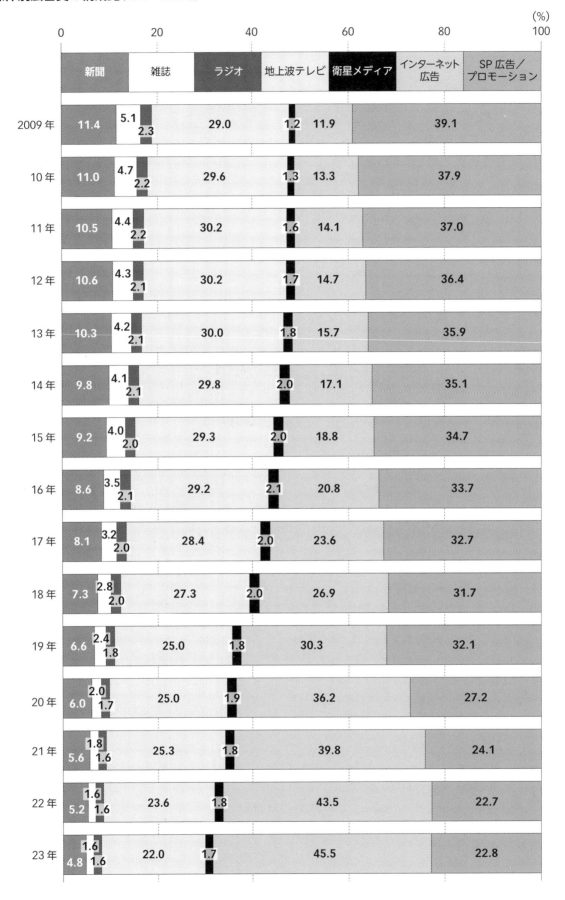

	新聞	雑誌	ラジオ	地上波テレビ	衛星メディア	インターネット広告	SP広告／プロモーション
2009年	11.4	5.1	2.3	29.0	1.2	11.9	39.1
10年	11.0	4.7	2.2	29.6	1.3	13.3	37.9
11年	10.5	4.4	2.2	30.2	1.6	14.1	37.0
12年	10.6	4.3	2.1	30.2	1.7	14.7	36.4
13年	10.3	4.2	2.1	30.0	1.8	15.7	35.9
14年	9.8	4.1	2.1	29.8	2.0	17.1	35.1
15年	9.2	4.0	2.0	29.3	2.0	18.8	34.7
16年	8.6	3.5	2.1	29.2	2.1	20.8	33.7
17年	8.1	3.2	2.0	28.4	2.0	23.6	32.7
18年	7.3	2.8	2.0	27.3	2.0	26.9	31.7
19年	6.6	2.4	1.8	25.0	1.8	30.3	32.1
20年	6.0	2.0	1.7	25.0	1.9	36.2	27.2
21年	5.6	1.8	1.6	25.3	1.8	39.8	24.1
22年	5.2	1.6	1.6	23.6	1.8	43.5	22.7
23年	4.8	1.6	1.6	22.0	1.7	45.5	22.8

業種別広告費(2019〜2023年)

〈マスコミ四媒体広告費〉※衛星メディア関連は除く

業種＼広告費	広告費(千万円)					前年比(%)				
	2019年	20年	21年	22年	23年	2019年	20年	21年	22年	23年
エネルギー・素材・機械	4,228	3,639	3,228	3,493	3,430	108.1	86.1	88.7	108.2	98.2
食　　　　　品	25,505	22,406	21,970	21,571	21,049	100.2	87.8	98.1	98.2	97.6
飲料・嗜好品	16,771	15,735	18,840	17,770	18,484	96.1	93.8	119.7	94.3	104.0
薬品・医療用品	14,411	13,590	13,863	12,885	13,260	97.2	94.3	102.0	92.9	102.9
化粧品・トイレタリー	24,029	21,384	22,524	19,922	18,288	91.4	89.0	105.3	88.4	91.8
ファッション・アクセサリー	7,536	5,357	5,213	5,436	5,128	90.2	71.1	97.3	104.3	94.3
精密機器・事務用品	2,691	1,416	1,765	1,532	1,535	85.3	52.6	124.6	86.8	100.2
家電・ＡＶ機器	4,500	3,896	4,643	4,236	3,716	94.1	86.6	119.2	91.2	87.7
自動車・関連品	13,918	10,925	9,689	8,957	7,929	99.2	78.5	88.7	92.4	88.5
家庭用品	6,158	6,031	7,033	5,816	5,767	96.2	97.9	116.6	82.7	99.2
趣味・スポーツ用品	6,680	5,950	6,776	6,526	6,325	90.9	89.1	113.9	96.3	96.9
不動産・住宅設備	11,316	9,841	11,256	11,411	11,122	93.0	87.0	114.4	101.4	97.5
出　　　　　版	6,526	5,732	6,366	6,114	5,582	95.9	87.8	111.1	96.0	91.3
情報・通信	26,563	25,234	32,703	29,698	24,365	93.2	95.0	129.6	90.8	82.0
流通・小売業	15,969	14,300	14,941	15,155	14,789	98.8	89.5	104.5	101.4	97.6
金融・保険	15,083	13,054	15,155	15,554	15,005	99.2	86.5	116.1	102.6	96.5
交通・レジャー	19,214	10,643	10,684	12,723	14,863	98.7	55.4	100.4	119.1	116.8
外食・各種サービス	13,816	12,360	13,855	15,611	16,297	98.5	89.5	112.1	112.7	104.4
官公庁・団体	3,905	4,170	4,115	4,118	3,449	129.9	106.8	98.7	100.1	83.8
教育・医療サービス・宗教	6,501	5,400	5,614	5,599	5,451	93.8	83.1	104.0	99.7	97.4
案内・その他	2,950	2,567	3,057	3,213	3,256	90.4	87.0	119.1	105.1	101.3
合　　　　　計	248,270	213,630	233,290	227,340	219,090	96.4	86.0	109.2	97.4	96.4

注：四媒体は、新聞・雑誌・ラジオ・地上波テレビ

〈新聞広告費〉

業種＼広告費	広告費(千万円)					前年比(%)				
	2019年	20年	21年	22年	23年	2019年	20年	21年	22年	23年
エネルギー・素材・機械	481	441	410	385	398	93.6	91.7	93.0	93.9	103.4
食　　　　　品	5,312	4,546	4,638	4,482	4,059	100.0	85.6	102.0	96.6	90.6
飲料・嗜好品	1,385	1,158	1,202	1,079	962	77.5	83.6	103.8	89.8	89.2
薬品・医療用品	1,787	1,647	1,863	1,641	1,847	103.4	92.2	113.1	88.1	112.6
化粧品・トイレタリー	2,235	1,977	2,214	2,012	2,082	84.2	88.5	112.0	90.9	103.5
ファッション・アクセサリー	724	668	781	781	681	70.3	92.3	116.9	100.0	87.2
精密機器・事務用品	348	234	234	265	260	90.9	67.2	100.0	113.2	98.1
家電・ＡＶ機器	192	168	190	148	111	83.8	87.5	113.1	77.9	75.0
自動車・関連品	753	522	452	380	323	95.1	69.3	86.6	84.1	85.0
家庭用品	816	770	755	604	568	95.9	94.4	98.1	80.0	94.0
趣味・スポーツ用品	856	725	710	675	469	103.3	84.7	97.9	95.1	69.5
不動産・住宅設備	2,006	1,635	1,635	1,601	1,452	93.1	81.5	100.0	97.9	90.7
出　　　　　版	4,154	3,891	3,986	3,907	3,694	95.5	93.7	102.4	98.0	94.5
情報・通信	2,509	2,706	2,607	2,393	2,132	96.0	107.9	96.3	91.8	89.1
流通・小売業	6,297	5,488	5,917	5,625	5,001	96.0	87.2	107.8	95.1	88.9
金融・保険	1,413	1,147	1,283	1,202	1,006	86.6	81.2	111.9	93.7	83.7
交通・レジャー	7,588	3,878	3,890	4,582	5,266	99.4	51.1	100.3	117.8	114.9
外食・各種サービス	1,463	1,322	1,362	1,263	1,230	96.5	90.4	103.0	92.7	97.4
官公庁・団体	1,310	1,094	1,249	1,243	1,024	119.0	83.5	114.2	99.5	82.4
教育・医療サービス・宗教	1,734	1,336	1,315	1,279	1,204	90.9	77.0	98.4	97.3	94.1
案内・その他	2,107	1,527	1,457	1,423	1,351	93.0	72.5	95.4	97.7	94.9
合　　　　　計	45,470	36,880	38,150	36,970	35,120	95.0	81.1	103.4	96.9	95.0

〈雑誌広告費〉

業種＼広告費	広告費（千万円）					前年比（％）				
	2019年	20年	21年	22年	23年	2019年	20年	21年	22年	23年
エネルギー・素材・機械	117	91	97	93	102	97.5	77.8	106.6	95.9	109.7
食　　　　　品	970	831	828	742	748	93.5	85.7	99.6	89.6	100.8
飲料・嗜好品	617	485	473	415	409	96.3	78.6	97.5	87.7	98.6
薬品・医療用品	363	281	283	234	233	83.4	77.4	100.7	82.7	99.6
化粧品・トイレタリー	2,238	1,647	1,502	1,264	1,222	89.3	73.6	91.2	84.2	96.7
ファッション・アクセサリー	4,063	2,796	2,474	2,407	2,583	89.5	68.8	88.5	97.3	107.3
精密機器・事務用品	811	530	573	559	629	96.0	65.4	108.1	97.6	112.5
家電・ＡＶ機器	391	403	501	488	466	84.8	103.1	124.3	97.4	95.5
自動車・関連品	518	410	423	355	323	89.5	79.2	103.2	83.9	91.0
家　庭　用　品	465	376	430	384	290	95.5	80.9	114.4	89.3	75.5
趣味・スポーツ用品	956	676	699	672	622	91.1	70.7	103.4	96.1	92.6
不動産・住宅設備	604	443	420	382	398	93.2	73.3	94.8	91.0	104.2
出　　　　　版	139	118	137	104	120	86.9	84.9	116.1	75.9	115.4
情　報　・　通　信	655	550	637	631	600	93.2	84.0	115.8	99.1	95.1
流　通　・　小　売　業	740	510	527	475	477	89.9	68.9	103.3	90.1	100.4
金　融　・　保　険	371	295	335	304	299	96.4	79.5	113.6	90.7	98.4
交　通　・　レジャー	1,402	810	803	893	1,077	87.1	57.8	99.1	111.2	120.6
外食・各種サービス	392	275	321	302	342	93.6	70.2	116.7	94.1	113.2
官　公　庁　・　団　体	280	204	231	208	243	102.9	72.9	113.2	90.0	116.8
教育・医療サービス・宗教	601	453	483	433	379	97.2	75.4	106.6	89.6	87.5
案　内　・　そ　の　他	57	46	63	55	68	82.6	80.7	137.0	87.3	123.6
合　　　　　計	16,750	12,230	12,240	11,400	11,630	91.0	73.0	100.1	93.1	102.0

〈ラジオ広告費〉

業種＼広告費	広告費（千万円）					前年比（％）				
	2019年	20年	21年	22年	23年	2019年	20年	21年	22年	23年
エネルギー・素材・機械	261	249	232	244	215	91.9	95.4	93.2	105.2	88.1
食　　　　　品	1,220	1,093	979	960	843	101.7	89.6	89.6	98.1	87.8
飲料・嗜好品	447	349	443	454	495	68.7	78.1	126.9	102.5	109.0
薬品・医療用品	992	760	881	739	794	99.5	76.6	115.9	83.9	107.4
化粧品・トイレタリー	338	340	450	528	478	104.6	100.6	132.4	117.3	90.5
ファッション・アクセサリー	57	36	40	49	67	103.6	63.2	111.1	122.5	136.7
精密機器・事務用品	69	64	47	40	34	77.5	92.8	73.4	85.1	85.0
家電・ＡＶ機器	79	88	108	80	85	70.5	111.4	122.7	74.1	106.3
自動車・関連品	1,100	835	813	798	746	93.1	75.9	97.4	98.2	93.5
家　庭　用　品	201	173	196	203	227	94.4	86.1	113.3	103.6	111.8
趣味・スポーツ用品	252	236	232	220	238	92.3	93.7	98.3	94.8	108.2
不動産・住宅設備	638	540	550	601	649	92.2	84.6	101.9	109.3	108.0
出　　　　　版	540	311	275	247	282	97.1	57.6	88.4	89.8	114.2
情　報　・　通　信	1,020	1,042	1,176	1,140	994	110.7	102.2	112.9	96.9	87.2
流　通　・　小　売　業	721	521	585	607	666	84.9	72.3	112.3	103.8	109.7
金　融　・　保　険	639	642	625	600	610	97.0	100.5	97.4	96.0	101.7
交　通　・　レジャー	1,106	792	747	809	855	115.6	71.6	94.3	108.3	105.7
外食・各種サービス	1,699	1,442	1,587	1,800	1,993	102.7	84.9	110.1	113.4	110.7
官　公　庁　・　団　体	740	728	686	637	658	112.5	98.4	94.2	92.9	103.3
教育・医療サービス・宗教	406	352	352	355	356	98.5	86.7	100.0	100.9	100.3
案　内　・　そ　の　他	75	67	56	179	105	174.4	89.3	83.6	319.6	58.7
合　　　　　計	12,600	10,660	11,060	11,290	11,390	98.6	84.6	103.8	102.1	100.9

〈地上波テレビ広告費〉

業種＼広告費	広告費（千万円）					前年比（%）				
	2019年	20年	21年	22年	23年	2019年	20年	21年	22年	23年
エネルギー・素材・機械	3,369	2,858	2,489	2,771	2,715	112.6	84.8	87.1	111.3	98.0
食　　　　品	18,003	15,936	15,525	15,387	15,399	100.6	88.5	97.4	99.1	100.1
飲料・嗜好品	14,322	13,743	16,722	15,822	16,618	99.6	96.0	121.7	94.6	105.0
薬品・医療用品	11,269	10,902	10,836	10,271	10,386	96.6	96.7	99.4	94.8	101.1
化粧品・トイレタリー	19,218	17,420	18,358	16,118	14,506	92.4	90.6	105.4	87.8	90.0
ファッション・アクセサリー	2,692	1,857	1,918	2,199	1,797	98.7	69.0	103.3	114.7	81.7
精密機器・事務用品	1,463	588	911	668	612	79.6	40.2	154.9	73.3	91.6
家電・ＡＶ機器	3,838	3,237	3,844	3,520	3,054	96.4	84.3	118.8	91.6	86.8
自動車・関連品	11,547	9,158	8,001	7,424	6,537	100.7	79.3	87.4	92.8	88.1
家　庭　用　品	4,676	4,712	5,652	4,625	4,682	96.5	100.8	119.9	81.8	101.2
趣味・スポーツ用品	4,616	4,313	5,135	4,959	4,996	88.8	93.4	119.1	96.6	100.7
不動産・住宅設備	8,068	7,223	8,651	8,827	8,623	93.0	89.5	119.8	102.0	97.7
出　　　　版	1,693	1,412	1,968	1,856	1,486	97.4	83.4	139.4	94.3	80.1
情　報　・　通　信	22,379	20,936	28,283	25,534	20,639	92.3	93.6	135.1	90.3	80.8
流　通　・　小　売　業	8,211	7,781	7,912	8,448	8,645	103.6	94.8	101.7	106.8	102.3
金　融　・　保　険	12,660	10,970	12,912	13,448	13,090	101.0	86.7	117.7	104.2	97.3
交　通　・　レジャー	9,118	5,163	5,244	6,439	7,665	98.4	56.6	101.6	122.8	119.0
外食・各種サービス	10,262	9,321	10,585	12,246	12,732	98.4	90.8	113.6	115.7	104.0
官　公　庁　・　団　体	1,575	2,144	1,949	2,030	1,524	161.5	136.1	90.9	104.2	75.1
教育・医療サービス・宗教	3,760	3,259	3,464	3,532	3,512	94.2	86.7	106.3	102.0	99.4
案　内　・　そ　の　他	711	927	1,481	1,556	1,732	80.1	130.4	159.8	105.1	111.3
合　　　　計	173,450	153,860	171,840	167,680	160,950	97.2	88.7	111.7	97.6	96.0

業種別広告費の構成比とマス媒体内構成比（2023年）

業種＼媒体	業種別構成比（%）					マス媒体内構成比（%）			
	新聞	雑誌	ラジオ	地上波テレビ	合計	新聞	雑誌	ラジオ	地上波テレビ
エネルギー・素材・機械	1.1	0.9	1.9	1.7	1.6	11.6	3.0	6.3	79.1
食　　　　品	11.6	6.4	7.4	9.6	9.6	19.3	3.5	4.0	73.2
飲料・嗜好品	2.7	3.5	4.3	10.3	8.4	5.2	2.2	2.7	89.9
薬品・医療用品	5.3	2.0	7.0	6.4	6.1	13.9	1.8	6.0	78.3
化粧品・トイレタリー	5.9	10.5	4.2	9.0	8.3	11.4	6.7	2.6	79.3
ファッション・アクセサリー	1.9	22.2	0.6	1.1	2.3	13.3	50.4	1.3	35.0
精密機器・事務用品	0.8	5.4	0.3	0.4	0.7	16.9	41.0	2.2	39.9
家電・ＡＶ機器	0.3	4.0	0.7	1.9	1.7	3.0	12.5	2.3	82.2
自動車・関連品	0.9	2.8	6.5	4.1	3.6	4.1	4.1	9.4	82.4
家　庭　用　品	1.6	2.5	2.0	2.9	2.6	9.9	5.0	3.9	81.2
趣味・スポーツ用品	1.3	5.3	2.1	3.1	2.9	7.4	9.8	3.8	79.0
不動産・住宅設備	4.1	3.4	5.7	5.4	5.1	13.1	3.6	5.8	77.5
出　　　　版	10.5	1.0	2.5	0.9	2.5	66.2	2.1	5.1	26.6
情　報　・　通　信	6.1	5.2	8.7	12.8	11.1	8.7	2.5	4.1	84.7
流　通　・　小　売　業	14.3	4.1	5.9	5.4	6.8	33.8	3.2	4.5	58.5
金　融　・　保　険	2.9	2.6	5.4	8.1	6.9	6.7	2.0	4.1	87.2
交　通　・　レジャー	15.0	9.3	7.5	4.8	6.8	35.4	7.2	5.8	51.6
外食・各種サービス	3.5	2.9	17.5	7.9	7.4	7.6	2.1	12.2	78.1
官　公　庁　・　団　体	2.9	2.1	5.8	0.9	1.6	29.7	7.0	19.1	44.2
教育・医療サービス・宗教	3.4	3.3	3.1	2.2	2.5	22.1	7.0	6.5	64.4
案　内　・　そ　の　他	3.9	0.6	0.9	1.1	1.5	41.5	2.1	3.2	53.2
合　　　　計	100.0	100.0	100.0	100.0	100.0	16.0	5.3	5.2	73.5

４媒体業種別広告量（2023年4月〜24年3月）

業種	新聞（115紙）実数(段)	前年比(%)	構成比(%)	雑誌（343誌）実数(頁)	前年比(%)	構成比(%)	ラジオ（東・阪10局）実数(秒)	前年比(%)	構成比(%)	テレビ 番組 実数(秒)	前年比(%)	構成比(%)	テレビ スポット 実数(秒)	前年比(%)	構成比(%)
合計	3,942,228	93.7	100.0	79,973	97.1	100.0	18,481,705	98.0	100.0	17,505,590	97.2	100.0	64,493,173	101.8	100.0
エネルギー・素材・機械	43,684	96.0	1.1	667	102.6	0.8	346,230	87.5	1.9	483,750	101.2	2.8	835,835	133.3	1.3
食品	401,779	86.2	10.2	4,227	96.8	5.3	1,349,340	88.6	7.3	1,490,635	97.0	8.5	6,605,240	106.5	10.2
飲料・嗜好品	100,161	93.2	2.5	2,534	97.7	3.2	748,635	107.7	4.1	1,644,945	102.9	9.4	5,710,995	117.7	8.9
薬品・医療用品	226,998	107.1	5.8	1,426	88.0	1.8	1,342,945	108.6	7.3	889,050	99.9	5.1	5,138,735	107.9	8.0
化粧品・トイレタリー	219,749	103.1	5.6	7,778	96.4	9.7	758,315	81.0	4.1	1,826,235	92.1	10.4	4,495,935	105.4	7.0
ファッション・アクセサリー	49,189	87.2	1.2	17,820	101.6	22.3	144,765	122.1	0.8	99,945	85.4	0.6	927,915	84.0	1.4
精密機器・事務用品	26,660	103.7	0.7	5,944	107.2	7.4	59,040	85.9	0.3	109,695	121.1	0.6	131,715	85.4	0.2
家電・AV機器	10,599	86.5	0.3	2,240	90.4	2.8	148,440	94.3	0.8	280,050	84.4	1.6	1,008,830	87.3	1.6
自動車・関連品	45,483	84.2	1.1	2,847	90.4	3.6	1,188,830	83.7	6.4	748,125	87.6	4.3	2,160,333	97.7	3.3
家庭用品	54,270	89.3	1.4	1,858	77.3	2.3	391,765	105.1	2.1	704,745	102.3	4.0	1,336,155	112.4	2.1
趣味・スポーツ用品	50,841	78.9	1.3	4,873	90.7	6.1	376,640	98.4	2.0	991,125	104.0	5.7	1,660,160	99.4	2.6
不動産・住宅設備	162,062	94.6	4.1	2,528	97.9	3.2	1,169,455	100.3	6.3	1,280,835	97.8	7.3	2,958,195	95.1	4.6
出版	450,821	95.7	11.4	1,066	96.6	1.3	396,300	100.5	2.1	224,355	91.7	1.3	819,535	95.1	1.3
情報・通信	208,513	91.5	5.3	4,541	87.8	5.7	1,471,480	86.5	8.0	1,065,075	83.7	6.1	9,550,115	91.3	14.8
流通・小売業	514,636	89.8	13.1	3,494	89.2	4.4	940,845	109.9	5.1	1,279,140	99.9	7.3	2,452,025	104.7	3.8
金融・保険	106,088	88.7	2.7	1,491	79.9	1.9	1,105,125	107.2	6.0	1,720,140	97.8	9.8	4,328,030	95.0	6.7
交通・レジャー	570,554	100.4	14.5	7,135	113.3	8.9	1,527,255	101.7	8.3	591,655	111.7	3.4	4,226,205	116.3	6.5
外食・各種サービス	155,480	91.5	3.9	2,564	104.5	3.2	3,206,075	106.3	17.3	1,449,690	100.5	8.3	6,986,705	100.6	10.8
官公庁・団体	121,708	81.5	3.1	1,554	99.6	1.9	1,088,745	98.0	5.9	45,810	87.6	0.2	952,420	77.1	1.5
教育・医療サービス・宗教	126,397	95.1	3.2	2,898	88.2	3.6	678,610	96.4	3.7	319,155	99.8	1.8	1,734,770	103.2	2.7
案内・その他	296,557	96.5	7.5	491	136.8	0.6	42,870	64.6	0.2	261,435	93.0	1.5	473,325	133.7	0.7
案内広告	87,984	89.8	2.2												

※本稿のために期間を直し、特別に集計し直したもの

媒体別広告量（2023年4月～24年3月）

新聞

	広告量（段）	前年比（%）	構成比（%）	総ページ数（頁）	前年比（%）	広告掲載率（%）	カラー広告	前年比（%）全面広告1主15段	見開広告1主30段	案内広告
合　　　　　計	3,942,228	93.7	100.0	927,704	96.2	28.6	94.4	94.4	89.1	89.8
全　国　紙	1,620,431	94.8	41.1	307,206	98.1	35.2	94.0	95.3	90.0	85.1
ブロック紙	282,725	93.8	7.2	57,080	96.4	33.0	98.4	97.2	70.7	88.0
地　方　紙	1,734,718	92.5	44.0	437,586	94.6	27.0	94.0	92.9	93.4	92.0
スポーツ紙	304,355	94.6	7.7	125,832	97.0	16.1	96.6	94.3	29.7	80.0

注：新聞の全面広告の前年比は件数による

雑誌

	広告量（頁）	前年比（%）	構成比（%）	総ページ数（頁）	前年比（%）	広告掲載率（%）
合　　　　　計	79,973	97.1	100.0	890,902	97.7	9.0
ティーン女性誌	578	99.1	0.7	11,528	95.2	5.0
ヤング女性誌	3,780	90.8	4.7	29,542	96.9	12.8
女　　性　　誌	18,190	96.9	22.8	97,898	95.0	18.6
生活実用情報誌	2,830	93.3	3.5	24,020	96.2	11.8
ミ　セ　ス　誌	4,016	101.1	5.0	26,228	102.4	15.3
育　　児　　誌	1,645	92.1	2.1	8,842	95.4	18.6
ヤング男性誌	2,746	91.3	3.4	25,976	94.9	10.6
ヤングアダルト男性誌	6,310	103.8	7.9	32,596	94.0	19.4
アダルト男性誌	4,965	95.6	6.2	59,160	95.8	8.4
男性コミック誌	1,688	97.8	2.1	238,800	99.5	0.7
一　般　週　刊　誌	6,272	91.1	7.8	70,720	94.4	8.9
番組・都市型情報誌	3,576	106.2	4.5	41,282	105.0	8.7
自　動　車　誌	2,585	98.1	3.2	21,568	99.8	12.0
ス　ポ　ー　ツ　誌	4,390	88.4	5.5	42,172	95.7	10.4
ビジネス・マネー誌	4,548	96.7	5.7	31,372	97.0	14.5
パ　ソ　コ　ン　誌	518	93.7	0.7	9,620	98.6	5.4
そ　の　他　誌	11,336	103.5	14.2	119,578	98.7	9.5

ラジオ

	広告量（本）	広告量（秒）	秒数による前年比（%）	東阪別 東京	東阪別 大阪
合計	649,406	18,481,705	98.0	96.6	99.4

テレビ

	広告量（本）	広告量（秒）	秒数による前年比（%）	東阪名別 東京	東阪名別 大阪	東阪名別 名古屋
番組	743,258	17,505,590	97.2	96.5	97.7	97.5
スポット	3,790,845	64,493,173	101.8	101.4	102.3	101.6

注：テレビのPT（番組内の広告枠）、ガイドは「スポット」に含む

【調査範囲】

新　　聞	全国主要日刊115紙［全国紙39、ブロック紙8（夕刊含む）、地方紙52、スポーツ紙16］における広告出稿段数。
雑　　誌	主要月刊・週刊343誌（ティーン女性誌8、ヤング女性誌20、女性誌54、生活実用情報誌14、ミセス誌12、育児誌15、ヤング男性誌14、ヤングアダルト男性誌20、アダルト男性誌24、男性コミック誌16、一般週刊誌12、番組・都市型情報誌22、自動車誌11、スポーツ誌15、ビジネス・マネー誌11、パソコン誌5、その他70誌）における広告出稿ページ数。
ラ　ジ　オ	東京（5局）、大阪（5局）のラジオ民放会社10局における番組CM時間数（秒）およびスポット時間数（秒）の合計。
テ　レ　ビ	東京（5局）、大阪（5局）、名古屋（5局）のテレビVHF民放会社15局における番組CM時間数（秒）およびスポット時間数（秒）。

※ DAS（電通広告統計）マクロ統計を基に作成。当統計は、DAS基本統計媒体のうち、1月時点で過去13カ月継続して採録された媒体を調査対象とし、それらを再集計した上で対前年比を算出。2024年3月度は23年4月～24年3月の期間に対象となっている媒体で集計。

世界の広告費　　　　　　　　　　　　　　　　　　電通グループ

地域別広告費

	2019年		2020年		2021年		2022年	
	広告費 (十億米ドル)	成長率 (%)	広告費 (十億米ドル)	成長率 (%)	広告費 (十億米ドル)	成長率 (%)	広告費 (十億米ドル)	成長率 (%)
世界全体 (58市場)	606.3	4.5	568.2	−6.3	679.4	19.6	701.1	8.1
米州 (北米・ラテンアメリカ)	256.4	4.9	237.0	−7.6	291.5	23.0	325.6	12.7
EMEA (ヨーロッパ・中東・その他)	135.6	4.7	127.1	−6.3	150.1	18.1	151.7	4.8
アジア・パシフィック (日本を含むアジア太平洋)	214.3	4.0	204.1	−4.7	237.8	16.5	223.8	4.2

注：2023年10月下旬までに米州、EMEA、日本を含むアジア・パシフィックの58市場からデータを収集。各市場における専門的な知見を取り入れて作成

媒体別広告費

	2019年		2020年		2021年		2022年	
	広告費 (十億米ドル)		広告費 (十億米ドル)		広告費 (十億米ドル)		広告費 (十億米ドル)	
	成長率 (%)	シェア (%)	成長率 (%)	シェア (%)	成長率 (%)	シェア (%)	成長率 (%)	シェア (%)
世界全体	627.7		583.1		682.5		701.1	
	4.1	—	−7.1	—	17.0	—	8.1	—
デジタル	257.2		272.0		359.0		390.9	
	12.0	31.9	5.7	47.9	32.0	52.8	14.8	55.8
テレビ	193.2		171.0		186.1		175.5	
	0.4	31.9	−11.5	30.1	8.8	27.4	−0.4	25.0
新聞	42.1		33.2		32.6		29.7	
	−6.4	6.9	−21.1	5.8	−1.9	4.8	−5.2	4.2
雑誌	27.7		22.5		22.1		20.8	
	−7.2	4.6	−18.7	4.0	−1.9	3.2	−4.5	3.0
OOH	36.4		29.1		36.1		37.9	
	4.2	6.0	−20.0	5.1	23.8	5.3	11.4	5.4
ラジオ等 オーディオ	34.6		31.4		35.0		35.3	
	−0.1	5.7	−9.5	5.5	11.5	5.1	4.1	5.0
シネマ	3.5		1.4		2.0		2.6	
	11.4	0.6	−59.2	0.2	40.1	0.3	32.4	0.4

注1：世界の広告市場には、媒体の分類が難しいものも含まれているため、各媒体の合計値とは一致しない
注2：広告費は現地通貨建てで提供され、2023年10月の平均為替レートで米ドルに換算

インターネット利用状況（毎年3月の月間利用状況）

年 (3月)	カテゴリー	訪問者数 (千人)	総ページビュー (千ページ)	1人当たり ページビュー	総訪問時間 (千時間)	1人当たり訪問時間 (時：分：秒)
2021	家庭のパソコン	29,740	31,453,554	1,058	595,656	20：01：44
2022	家庭と職場のPC	29,899	45,569,299	1,524	891,297	29：49：02
	モバイル	87,013	170,136,698	1,955	4,140,174	47：35：26
2023	PC	39,380	44,697,106	1,135	879,449	22：20：00
	モバイル	91,619	321,393,120	3,508	6,013,267	65：38：00
2024	PC	40,083	45,398,880	1,133	859,280	21：26：00
	モバイル	93,466	310,696,210	3,508	6,573,247	70：19：40

注1：「訪問者数」は対象サイトの訪問者数を表し、会員数や登録者数ではない
注2：ニールセン デジタルコンテンツ視聴率（DCR）は、日本全国の家庭と職場に4万人、モバイル8000人の視聴率モニターを組織。
　　　インターネットの利用状況をモニターし、さらに一部の媒体からは全数でデータを取得
注3：パネルが実際に利用したウェブサイトの情報を統計手法により拡大推計し、インターネット視聴率情報として提供
注4：2023年1月にPCの集計仕様を変更し、「家庭と職場」のPC利用を屋外でのPC利用を含む「PC（全体）」に改めた。それに伴いデータの連続性が失われている
注5：23年2月にモバイルのAndroidデータ集計仕様を変更。これにより訪問時間、ページビューデータの連続性が失われている
出所：ニールセン デジタル「ニールセン デジタルコンテンツ視聴率」

カテゴリー別訪問者数（PC＋モバイルの非重複利用者数、2024年3月）　　　　（単位：千人）

1. サーチ、ポータルとコミュニティ

1	Google	84,834
2	Yahoo Japan	83,353
3	Rakuten	74,978
4	Twitter X	63,069
5	Instagram	61,697

2. 通信とインターネットサービス

1	LINE	81,627
2	Google Play	80,222
3	NTT docomo	63,865
4	Google Gmail	55,620
5	Google Account	44,694

3. エンターテインメント

1	YouTube	75,586
2	NHK	31,831
3	TVer	19,605
4	EX TV Asahi	17,589
5	ABEMA	16,539

4. ニュースと情報

1	Yahoo Japan News	50,651
2	Yahoo Japan Chiebukuro	34,808
3	Wikipedia	34,706
4	Yahoo Japan Weather	27,776
5	Google Translation	26,259

5. コンピューターと家電製品

1	Microsoft / Microsoft 365	33,203
2	Google Docs	26,760
3	Google Photos	25,724
4	Apple	20,120
5	Impress Watch	14,103

6. Eコマース

1	Amazon	69,176
2	Rakuten Ichiba Shopping	67,518
3	Rakuten Homepage	46,586
4	Rakuten Point	44,079
5	Mercari	41,249

7. 旅行

1	Google Maps	31,066
2	Yahoo Japan Maps	28,341
3	NAVITIME	20,747
4	Jalan.net	18,175
5	JR East	17,347

8. 家庭とファッション

1	tabelog.com	23,017
2	Coca-Cola	22,268
3	COOKPAD	20,847
4	McDonald's	19,652
5	Kurashiru	18,517

9. 家族とライフスタイル

1	TRILL	11,694
2	Benesse	11,078
3	Mynavi Woman	8,312
4	d Healthcare	8,084
5	EPARK Kusurinomadoguchi	7,751

10. ファイナンス

1	PayPay	55,960
2	Rakuten Pay	30,952
3	Rakuten Card	28,045
4	Sumitomo Mitsui Card	25,204
5	Rakuten Bank	24,515

11. 政府とNPO

1	CAO-JP (naikaku)	17,264
2	NTA-JP (Kokuzei)	12,742
3	Tokyo.jp	11,418
4	MHLW-JP (Kousei Roudou)	10,478
5	MIC-JP (Soumu)	5,201

12. 教育とキャリア

1	Indeed	12,117
2	Kyujin Box	7,650
3	en-japan	7,052
4	Mynavi	6,968
5	Townwork.net	6,419

13. その他企業

1	YAMATO HOLDINGS	14,620
2	Microsoft 365	13,312
3	Culture Convenience Club	10,781
4	WELCIA	7,005
5	RECRUIT	6,793

14. 自動車（オートバイ含む）

1	Goo-net	6,458
2	NISSAN	6,332
3	Yahoo Japan Autos	5,610
4	Idemitsu Kosan	5,137
5	Kuruma-news.jp	4,685

15. 行事・ギフト

1	Yamato Transport	23,461
2	Japan Post	22,782
3	Sagawa Express	11,788
4	QUO CARD	4,925
5	Zexy.net	2,354

注1：サイトの名称表記は原文のまま。「訪問者数」は対象サイトの訪問者数を表し、会員数や登録者数ではない
注2：ニールセン デジタルコンテンツ視聴率（DCR）は、日本全国の家庭と職場に4万人、モバイル8000人の視聴率モニターを組織。
　　　インターネットの利用状況をモニターし、さらに一部の媒体からは全数でデータを取得
注3：パネルが実際に利用したウェブサイトの情報を統計手法により拡大推計し、インターネット視聴率情報として提供
出所：ニールセン デジタル「ニールセン デジタルコンテンツ視聴率」

サイトのブランド別訪問者数

(単位：千人)

順位	2019年3月 (家庭のパソコン)		2020年3月 (家庭のパソコン)		2021年3月 (家庭のパソコン)	
	ブランド	訪問者数	ブランド	訪問者数	ブランド	訪問者数
1	Yahoo Japan	22,004	Yahoo Japan	21,162	Yahoo Japan	18,699
2	Google	16,354	Google	15,674	Google	15,536
3	MSN/Outlook/Bing/Skype	15,233	MSN/Outlook/Bing/Skype	14,597	MSN/Outlook/Bing/Skype	13,366
4	Microsoft	12,520	YouTube	12,743	YouTube	11,863
5	YouTube	11,996	Amazon	11,249	Amazon	10,120
6	Amazon	10,672	Rakuten	10,249	Rakuten	9,978
7	Rakuten	9,981	Microsoft	6,236	Microsoft	8,362
8	OneDrive	7,944	Wikipedia	6,098	Twitter	5,918
9	Apple	6,327	FC2	5,710	Wikipedia	5,839
10	FC2	6,282	Twitter	5,605	FC2	5,245
11	Twitter	6,184	livedoor	4,494	Ameba	4,560
12	Wikipedia	6,167	Facebook	4,340	livedoor	4,439
13	Ameba	5,064	Ameba	4,114	NTT docomo	3,987
14	Facebook	4,967	goo	4,071	Facebook	3,928
15	livedoor	4,928	NTT docomo	3,790	goo	3,905
16	goo	4,830	kakaku.com	3,781	kakaku.com	3,750
17	NTT docomo	3,679	Infoseek	3,441	Rakuten Card	3,018
18	kakaku.com	3,672	NHK	3,398	NHK	2,944
19	macromill	3,482	Rakuten Card	2,960	NTA-JP (Kokuzei)	2,770
20	Naver Japan	3,407	T-SITE	2,831	@nifty	2,732

順位	2022年3月 (家庭と職場のPC＋モバイル)		2023年3月 (家庭と職場のPC＋モバイル)		2024年3月 (家庭と職場のPC＋モバイル)	
	ブランド	訪問者数	ブランド	訪問者数	ブランド	訪問者数
1	Yahoo Japan	91,313	Yahoo Japan	85,832	Google	84,834
2	Google	80,869	Google	83,927	Yahoo Japan	83,353
3	LINE	72,358	LINE	81,008	LINE	81,627
4	YouTube	70,750	YouTube	73,908	YouTube	75,586
5	Rakuten	61,685	Rakuten	70,904	Rakuten	74,978
6	Amazon	58,981	Amazon	67,841	Amazon	69,176
7	Twitter	52,147	Twitter	60,609	NTT docomo	63,865
8	NTT docomo	46,806	Instagram	59,824	Twitter X	63,069
9	Instagram	45,947	NTT docomo	55,065	Instagram	61,697
10	PayPay	38,437	PayPay	50,895	PayPay	55,960
11	Facebook	35,811	MSN/Outlook/Bing/Skype	39,286	Mercari	41,249
12	Apple	32,095	au	38,208	au	39,198
13	au	30,939	Facebook	36,785	Facebook	37,522
14	Wikipedia	30,134	Mercari	36,569	MSN/Outlook/Bing/Skype	37,240
15	T-SITE	29,026	Wikipedia	34,555	TikTok	36,239
16	MSN/Outlook/Bing/Skype	28,269	T-SITE	32,383	Wikipedia	34,706
17	Mercari	28,142	Ameba	32,372	Ameba	33,448
18	Ameba	27,791	goo	29,789	Microsoft / Microsoft 365	33,203
19	Microsoft	24,714	TikTok	29,505	SoftBank	32,791
20	goo	24,642	Microsoft	29,214	NHK	31,831

注1：2021年3月データまでは家庭のパソコンからのアクセスの訪問者数だったが、22年3月分より家庭と職場のパソコン＋モバイルの非重複利用者数とした
注2：名称表記は原文のまま。「訪問者数」は対象サイトの訪問者数を表し、会員数や登録者数ではない
注3：ニールセン デジタルコンテンツ視聴率 (DCR) は、日本全国の家庭と職場に4万人、モバイル8000人の視聴率モニターを組織。
　　　インターネットの利用状況をモニターし、さらに一部の媒体からは全数でデータを取得
注4：パネルが実際に利用したウェブサイトの情報を統計手法により拡大推計し、インターネット視聴率情報として提供
出所：ニールセン デジタル「ニールセン デジタルコンテンツ視聴率」

スマートフォンの利用状況　　　　ニールセン デジタル

iOS+Android全体の利用状況（ブランドレベル　Web+App）

	訪問者数 （千人）	総ページビュー （千ページ）	1人当たり ページビュー	総セッション 数（千回）	1人当たり セッション数	総訪問時間 （千時間）	1人当たり 訪問時間 （時：分：秒）
2020年3月	78,587	64,853,330	825	19,794,088	252	8,680,390	110：27：15
2021年3月	83,550	51,487,759	616	14,961,711	179	5,524,819	66：07：34
2022年3月	87,013	170,136,698	1,955	12,046,526	138	4,140,174	47：35：26
2023年3月	91,619	321,393,120	3,508	15,693,179	171	6,013,267	65：38：00
2024年3月	93,466	310,696,208	3,324	17,681,407	189	6,573,247	70：19：40

注1：2020年5月、ユーザーが実際に能動的に利用しないバックグラウンドでのトラフィックを利用時間に含まないように変更した。
　　　これにより、スマートフォンの利用時間が大幅に減り、同年第2四半期以前のデータとのトレンドに断絶が生じている。
　　　ただ、この変更によって利用時間は減少したが、スマートフォンの利用者数などのリーチ指標に影響はない
注2：22年1月にApple社の仕様変更により、集計方式を変更。これによりデータの傾向に大幅な変化が生じており、
　　　21年以前データとの直接比較ができなくなっている
注3：23年2月にモバイルのAndroidデータ集計の仕様を変更した。これにより訪問時間、ページビューデータの連続性が失われている

ブランド別利用者数
（iOS+Android）

Webとアプリの非重複利用者数
（ブランドレベル）

順位	2024年3月	
	ブランド名	利用者数 （千人）
1	Google	90,802
2	LINE	83,277
3	Yahoo Japan	83,254
4	YouTube	80,743
5	Rakuten	72,742
6	Amazon	65,686
7	NTT docomo	62,404
8	Twitter X	60,656
9	Instagram	60,057
10	PayPay	55,574
11	Mercari	38,952
12	au	38,117
13	Facebook	35,344
14	SoftBank	31,434
15	Wikipedia	30,504
16	Ameba	30,181
17	TikTok	29,805
18	NHK	29,218
19	T-SITE	28,453
20	Seven-Eleven Japan	27,781

ブランド別訪問者数
（Androidのみ）

Webのみの利用者数
（ブランドレベル）

2024年3月	
サイト名	訪問者数 （千人）
Google	42,296
Yahoo Japan	36,006
LINE	34,135
YouTube	32,575
Rakuten	30,820
NTT docomo	28,088
Amazon	23,489
Twitter X	17,852
Instagram	17,395
goo	15,918
Wikipedia	13,592
au	13,342
Ameba	12,725
NHK	10,696
SoftBank	10,315
Shopify	8,779
grape	8,464
Mercari	8,374
livedoor	8,256
Temu	8,208

アプリ利用者数
（Androidのみ）

（アプリケーションレベル）

2024年3月	
アプリ名	利用者数 （千人）
Google Play	44,960
Google アプリ	39,882
LINE	37,755
Gmail	32,456
YouTube	30,554
Google フォト	26,955
Google マップ	26,581
Yahoo! JAPAN	24,046
PayPay	23,910
Google ドライブ	20,183
Twitter X	17,733
楽天市場	17,630
Amazon ショッピング アプリ	16,809
Instagram	16,032
電卓 by Google Inc.	15,886
楽天PointClub	15,817
Google カレンダー	15,682
dポイントクラブ	14,255
楽天ペイ	14,119
メルカリ（メルペイ）	12,655

注：名称表記は原文のまま

スポットCMを多く利用した上位30社 (2023年4月〜24年3月／関東)

順位	広告主名	2023年度			2022年度			前年度比		
		本数(本)	秒数(秒)	広告費(万円)	本数(本)	秒数(秒)	広告費(万円)	本数(%)	秒数(%)	広告費(%)
1	サントリー	29,871	563,090	2,182,470	29,524	520,360	1,921,170	101.2	108.2	113.6
2	リクルート	29,724	452,070	1,563,954	50,709	768,780	2,638,177	58.6	58.8	59.3
3	興和	27,035	405,540	897,142	26,175	392,700	870,237	103.3	103.3	103.1
4	花王	25,976	389,925	1,245,865	21,039	317,205	1,073,478	123.5	122.9	116.1
5	アリナミン製薬	22,326	335,940	1,016,538	16,132	242,040	757,825	138.4	138.8	134.1
6	日本コカコーラ	18,002	291,360	827,301	19,760	322,275	964,300	91.1	90.4	85.8
7	日本マクドナルド	17,815	298,230	912,271	16,449	283,800	871,106	108.3	105.1	104.7
8	永谷園	16,904	253,605	648,463	13,618	210,855	543,697	124.1	120.3	119.3
9	ソフトバンク	14,364	228,510	707,348	11,513	182,445	561,461	124.8	125.2	126.0
10	キリンビール	11,448	204,840	991,006	7,741	130,345	547,663	147.9	157.2	181.0
11	資生堂	10,535	163,005	615,093	5,994	90,120	357,996	175.8	180.9	171.8
12	アサヒ飲料	10,468	157,185	472,937	5,063	80,295	254,743	206.8	195.8	185.7
13	アマゾンジャパン	10,373	196,845	918,000	9,716	192,465	875,294	106.8	102.3	104.9
14	小林製薬	9,797	147,345	456,392	10,657	160,010	493,365	91.9	92.1	92.5
15	ラクス	9,457	183,635	622,055	7,291	153,315	496,565	129.7	119.8	125.3
16	NTTドコモ	9,338	150,315	439,266	9,606	157,950	474,860	97.2	95.2	92.5
17	P&Gジャパン	9,204	182,820	628,739	5,563	113,145	408,359	165.5	161.6	154.0
18	パーソルキャリア	8,841	142,965	437,403	8,845	134,760	427,476	100.0	106.1	102.3
19	アサヒビール	8,519	195,030	833,250	8,440	157,565	682,159	100.9	123.8	122.1
20	グラクソ　スミスクライン	8,505	145,995	524,198	8,374	129,975	463,241	101.6	112.3	113.2
21	楽天グループ	8,220	123,345	467,085	9,640	145,380	545,929	85.3	84.8	85.6
22	チューリッヒ保険	8,218	123,285	296,254	6,576	98,940	231,596	125.0	124.6	127.9
23	三菱自動車工業	7,973	121,550	392,336	5,198	85,680	292,408	153.4	141.9	134.2
24	サッポロビール	7,941	119,220	418,110	4,624	69,725	235,929	171.7	171.0	177.2
25	日清食品	7,932	120,000	437,516	7,167	108,005	390,904	110.7	111.1	111.9
26	ニトリ	7,904	118,770	426,417	8,960	134,510	437,662	88.2	88.3	97.4
27	本田技研	7,451	118,860	454,452	7,596	122,325	441,888	98.1	97.2	102.8
28	明治	7,282	109,485	369,867	4,215	63,625	216,397	172.8	172.1	170.9
29	Indeed	7,247	108,780	380,539	9,467	158,145	435,658	76.6	68.8	87.3
30	Uber Japan	7,179	115,875	420,420	4,059	60,885	197,970	176.9	190.3	212.4

注1：社名表記は出典元の表記をそのまま用いている
注2：広告費は各放送局の放送広告料金を参考に算出

スポットCMを多く利用した上位30社(2023年4月〜24年3月／関西)

順位	広 告 主 名	2023年度			2022年度			前年度比		
		本数 (本)	秒数 (秒)	広告費 (万円)	本数 (本)	秒数 (秒)	広告費 (万円)	本数 (%)	秒数 (%)	広告費 (%)
1	サントリー	29,033	553,500	1,435,348	26,460	471,345	1,221,830	109.7	117.4	117.5
2	興和	27,737	416,055	645,509	26,912	403,710	618,853	103.1	103.1	104.3
3	リクルート	25,295	382,635	1,026,197	43,206	654,285	1,581,220	58.5	58.5	64.9
4	花王	24,346	365,655	916,012	16,970	255,930	668,348	143.5	142.9	137.1
5	アリナミン製薬	22,891	348,075	752,707	19,653	296,895	645,849	116.5	117.2	116.5
6	ソフトバンク	16,646	251,310	532,518	14,174	215,145	439,042	117.4	116.8	121.3
7	日本マクドナルド	14,517	242,415	568,214	11,215	192,735	471,272	129.4	125.8	120.6
8	アマゾンジャパン	12,498	236,040	683,814	10,789	215,580	633,930	115.8	109.5	107.9
9	ラクス	11,980	236,340	514,158	9,345	184,455	366,987	128.2	128.1	140.1
10	小林製薬	10,689	160,800	346,895	11,320	169,950	378,542	94.4	94.6	91.6
11	キリンビール	10,384	185,670	592,314	5,925	100,935	327,647	175.3	184.0	180.8
12	アサヒビール	10,303	238,130	633,258	10,126	185,175	491,715	101.7	128.6	128.8
13	ニトリ	9,869	148,305	341,345	8,535	128,115	277,691	115.6	115.8	122.9
14	日本コカコーラ	9,027	144,990	338,428	11,556	186,510	440,239	78.1	77.7	76.9
15	ユーエスジェイ	8,673	151,290	442,080	6,531	116,655	331,668	132.8	129.7	133.3
16	NTTドコモ	8,547	137,625	307,596	8,646	140,070	322,750	98.9	98.3	95.3
17	アサヒ飲料	8,210	123,420	280,437	5,532	87,255	196,471	148.4	141.4	142.7
18	楽天グループ	8,130	122,580	325,129	9,016	135,750	364,312	90.2	90.3	89.2
19	資生堂	8,040	124,605	333,886	4,800	72,465	198,778	167.5	172.0	168.0
20	日清食品	7,797	119,855	292,648	8,139	124,635	257,289	95.8	96.2	113.7
21	Cygames	7,599	118,305	266,378	6,644	99,660	239,363	114.4	118.7	111.3
22	パーソルキャリア	7,459	119,895	284,309	6,823	104,025	257,724	109.3	115.3	110.3
23	明治	6,878	103,260	239,192	4,360	65,790	155,699	157.8	157.0	153.6
24	キリンビバレッジ	6,566	111,330	313,789	4,157	71,220	211,973	158.0	156.3	148.0
25	日本宝くじ協会	6,556	104,505	263,158	6,592	103,020	262,641	99.5	101.4	100.2
26	三菱自動車工業	6,510	99,195	247,943	4,612	75,930	192,696	141.2	130.6	128.7
27	永谷園	6,397	95,955	205,467	6,762	107,445	210,454	94.6	89.3	97.6
28	ソニー損害保険	6,378	114,405	297,613	6,600	112,200	298,669	96.6	102.0	99.6
29	グラクソ　スミスクライン	6,065	104,040	254,454	9,473	146,475	342,412	64.0	71.0	74.3
30	P&Gジャパン	6,058	117,150	302,464	4,191	78,780	206,077	144.5	148.7	146.8

注1：社名表記は出典元の表記をそのまま用いている
注2：広告費は各放送局の放送広告料金を参考に算出

番組CMを多く利用した上位30社 (2023年4月〜24年3月／関東)

順位	広 告 主 名	2023年度			2022年度			前年度比		
		本数 (本)	秒数 (秒)	広告費 (万円)	本数 (本)	秒数 (秒)	広告費 (万円)	本数 (%)	秒数 (%)	広告費 (%)
1	P&Gジャパン	11,220	205,485	165,706	11,958	218,955	179,028	93.8	93.8	92.6
2	サントリー	8,550	200,400	163,180	7,762	176,835	135,586	110.2	113.3	120.4
3	小林製薬	6,186	92,805	72,401	4,174	62,700	55,044	148.2	148.0	131.5
4	興和	5,250	79,005	44,796	5,074	77,385	44,811	103.5	102.1	100.0
5	ニトリ	4,820	72,300	66,129	3,404	51,060	45,320	141.6	141.6	145.9
6	アサヒビール	4,602	115,215	104,087	3,997	100,485	90,980	115.1	114.7	114.4
7	ライオン	4,267	101,760	72,999	5,385	118,230	87,419	79.2	86.1	83.5
8	花王	3,388	73,845	60,268	4,520	94,605	74,249	75.0	78.1	81.2
9	キリンビール	3,167	64,380	62,331	3,059	65,100	64,425	103.5	98.9	96.7
10	ジャパネットたかた	2,885	264,995	181,225	3,098	295,515	196,127	93.1	89.7	92.4
11	日産自動車	2,754	57,315	46,655	2,542	57,450	46,305	108.3	99.8	100.8
12	ソニーミュージックエンタテインメント	2,453	45,885	19,972	2,167	41,520	18,417	113.2	110.5	108.4
13	タカラトミー	2,362	38,610	25,813	2,282	37,515	23,700	103.5	102.9	108.9
14	バンダイ	2,322	37,020	21,528	2,480	38,775	22,736	93.6	95.5	94.7
15	アパグループ	2,208	34,080	18,196	2,061	31,815	17,172	107.1	107.1	106.0
16	中央事務所	2,121	63,630	35,891	1,804	54,120	29,806	117.6	117.6	120.4
17	アリナミン製薬	2,045	30,675	18,956	2,308	34,995	23,061	88.6	87.7	82.2
18	はなさく生命保険	1,842	80,670	53,713	1,039	51,060	31,591	177.3	158.0	170.0
19	タマホーム	1,684	28,020	13,170	1,646	27,360	13,985	102.3	102.4	94.2
20	ユニチャーム	1,662	27,480	19,750	1,132	19,050	14,353	146.8	144.3	137.6
21	日本マクドナルド	1,643	33,960	28,934	2,084	41,985	36,079	78.8	80.9	80.2
22	小学館	1,637	26,040	13,891	1,538	24,570	12,733	106.4	106.0	109.1
23	ライフネット生命保険	1,634	57,435	48,146	2,565	83,310	67,529	63.7	68.9	71.3
24	トヨタ自動車	1,561	44,925	32,187	1,719	48,690	35,715	90.8	92.3	90.1
25	本田技研	1,541	26,865	21,793	1,634	27,750	22,655	94.3	96.8	96.2
26	アートネイチャー	1,510	68,610	44,388	1,540	68,850	43,426	98.1	99.7	102.2
27	世田谷自然食品	1,490	116,220	63,998	1,638	133,860	73,413	91.0	86.8	87.2
28	RIZAP	1,440	23,310	21,163	251	3,855	3,666	573.7	604.7	577.3
29	ソニー損害保険	1,414	34,920	24,570	1,943	40,200	28,648	72.8	86.9	85.8
30	ガンホーオンラインエンターテイメント	1,408	25,140	18,898	1,708	29,535	22,974	82.4	85.1	82.3

注1：社名表記は出典元の表記をそのまま用いている
注2：広告費は各放送局の放送広告料金を参考に算出

番組CMを多く利用した上位30社 (2023年4月〜24年3月／関西)

順位	広告主名	2023年度			2022年度			前年度比		
		本数(本)	秒数(秒)	広告費(万円)	本数(本)	秒数(秒)	広告費(万円)	本数(%)	秒数(%)	広告費(%)
1	P&Gジャパン	11,717	216,375	146,219	12,339	228,810	156,835	95.0	94.6	93.2
2	サントリー	8,294	182,430	132,146	7,468	157,695	109,705	111.1	115.7	120.5
3	小林製薬	5,883	88,260	59,683	4,166	62,610	46,828	141.2	141.0	127.5
4	ニトリ	4,814	72,210	55,077	3,599	53,985	39,692	133.8	133.8	138.8
5	アサヒビール	4,500	112,665	86,533	3,937	98,910	76,018	114.3	113.9	113.8
6	ライオン	4,256	101,565	63,664	5,348	117,510	75,343	79.6	86.4	84.5
7	花王	3,278	72,135	50,844	4,432	93,300	63,545	74.0	77.3	80.0
8	キリンビール	3,164	64,170	51,705	3,035	64,455	53,076	104.3	99.6	97.4
9	日産自動車	2,743	57,060	39,474	2,540	57,420	39,346	108.0	99.4	100.3
10	タカラトミー	2,330	38,130	21,050	2,281	37,500	19,501	102.1	101.7	107.9
11	興和	2,253	33,930	17,426	2,402	36,735	18,633	93.8	92.4	93.5
12	バンダイ	2,236	35,715	18,278	2,476	38,715	19,507	90.3	92.3	93.7
13	アパグループ	2,173	33,480	15,225	1,975	30,465	13,959	110.0	109.9	109.1
14	ソニーミュージックエンタテインメント	2,066	34,005	14,275	1,782	29,805	12,897	115.9	114.1	110.7
15	アリナミン製薬	2,042	30,630	16,324	2,418	36,660	20,535	84.4	83.6	79.5
16	ジャパネットたかた	1,890	124,655	79,767	2,273	153,105	93,172	83.2	81.4	85.6
17	日本経済新聞社	1,815	27,360	14,173	2,333	35,625	16,498	77.8	76.8	85.9
18	中央事務所	1,685	50,550	27,992	1,072	32,160	18,430	157.2	157.2	151.9
19	日本マクドナルド	1,616	33,465	24,185	2,078	41,880	29,535	77.8	79.9	81.9
20	ユニチャーム	1,603	26,595	15,993	1,128	18,990	12,014	142.1	140.0	133.1
21	はなさく生命保険	1,581	65,040	38,264	727	32,340	18,898	217.5	201.1	202.5
22	小学館	1,550	24,735	11,381	1,421	22,815	10,263	109.1	108.4	110.9
23	タマホーム	1,533	25,590	10,809	1,473	24,600	11,458	104.1	104.0	94.3
24	本田技研	1,513	26,430	18,414	1,545	25,965	18,659	97.9	101.8	98.7
25	ライフネット生命保険	1,507	53,370	38,150	2,159	71,310	50,206	69.8	74.8	76.0
26	トヨタ自動車	1,492	43,155	27,118	1,648	46,785	30,577	90.5	92.2	88.7
27	RIZAP	1,449	23,490	17,982	253	3,885	3,178	572.7	604.6	565.8
28	ガンホーオンラインエンターテイメント	1,407	25,125	15,357	1,702	29,445	18,706	82.7	85.3	82.1
29	スズキ	1,362	25,680	18,406	1,297	23,850	18,160	105.0	107.7	101.4
30	エディオン	1,331	21,285	11,633	1,062	21,930	11,831	125.3	97.1	98.3

注1：社名表記は出典元の表記をそのまま用いている
注2：広告費は各放送局の放送広告料金を参考に算出

番組・スポットCM合計本数の上位30社 (2023年4月～24年3月／関東)

順位	広告主名	番組・スポット合計本数(本)	番組CM			スポットCM		
			本数(本)	GRP(%)	広告費(万円)	本数(本)	GRP(%)	広告費(万円)
1	サントリー	38,421	8,550	52,562.2	163,180	29,871	110,759.4	2,182,470
2	興和	32,285	5,250	27,134.6	44,796	27,035	31,455.1	897,142
3	リクルート	30,040	316	2,003.6	4,777	29,724	95,816.3	1,563,954
4	花王	29,364	3,388	20,281.3	60,268	25,976	96,807.8	1,245,865
5	アリナミン製薬	24,371	2,045	7,883.1	18,956	22,326	67,454.4	1,016,538
6	P&Gジャパン	20,424	11,220	66,032.8	165,706	9,204	33,362.1	628,739
7	日本マクドナルド	19,458	1,643	8,407.6	28,934	17,815	49,627.1	912,271
8	日本コカコーラ	18,809	807	5,076.9	9,852	18,002	38,330.4	827,301
9	永谷園	16,944	40	173.9	520	16,904	16,210.4	648,463
10	小林製薬	15,983	6,186	34,528.6	72,401	9,797	29,127.4	456,392
11	ソフトバンク	15,598	1,234	5,755.1	21,517	14,364	40,994.6	707,348
12	キリンビール	14,615	3,167	18,380.0	62,331	11,448	45,916.1	991,006
13	アサヒビール	13,121	4,602	23,716.2	104,087	8,519	32,248.9	833,250
14	ニトリ	12,724	4,820	33,833.3	66,129	7,904	20,758.8	426,417
15	アサヒ飲料	11,145	677	4,702.8	9,789	10,468	28,602.1	472,937
16	資生堂	11,118	583	3,357.0	10,200	10,535	36,493.1	615,093
17	アマゾンジャパン	10,660	287	2,581.8	8,659	10,373	45,114.6	918,000
18	NTTドコモ	9,479	141	969.4	2,416	9,338	24,719.5	439,266
19	ラクス	9,459	2	24.6	32	9,457	32,243.3	622,055
20	グラクソ　スミスクライン	9,282	777	4,708.4	7,636	8,505	26,536.1	524,198
21	本田技研	8,992	1,541	9,581.6	21,793	7,451	30,407.2	454,452
22	パーソルキャリア	8,910	69	310.5	1,729	8,841	24,569.2	437,403
23	日清食品	8,838	906	5,576.3	23,262	7,932	22,370.2	437,516
24	明治	8,658	1,376	7,773.0	20,002	7,282	23,606.3	369,867
25	三菱自動車工業	8,539	566	2,878.2	5,810	7,973	25,929.2	392,336
26	サッポロビール	8,371	430	3,857.0	9,805	7,941	22,111.3	418,110
27	チューリッヒ保険	8,261	43	203.7	952	8,218	9,539.1	296,254
28	楽天グループ	8,242	22	92.2	230	8,220	30,588.6	467,085
29	ソニー損害保険	7,950	1,414	5,394.4	24,570	6,536	21,561.6	340,179
30	ライオン	7,868	4,267	22,911.2	72,999	3,601	8,524.6	170,745

注1:社名表記は出典元の表記をそのまま用いている
注2:広告費は各放送局の放送広告料金を参考に算出

番組・スポットCM合計本数の上位30社(2023年4月〜24年3月／関西)

順位	広 告 主 名	番組・スポット合計本数(本)	番組CM			スポットCM		
			本数(本)	GRP(%)	広告費(万円)	本数(本)	GRP(%)	広告費(万円)
1	サントリー	37,327	8,294	52,838.0	132,146	29,033	113,256.2	1,435,348
2	興和	29,990	2,253	12,751.9	17,426	27,737	42,043.4	645,509
3	花王	27,624	3,278	22,518.8	50,844	24,346	103,377.4	916,012
4	リクルート	25,591	296	1,914.0	3,962	25,295	108,884.6	1,026,197
5	アリナミン製薬	24,933	2,042	8,049.0	16,324	22,891	68,886.7	752,707
6	P&Gジャパン	17,775	11,717	74,047.0	146,219	6,058	23,608.6	302,464
7	ソフトバンク	17,594	948	5,324.4	16,112	16,646	43,515.9	532,518
8	小林製薬	16,572	5,883	36,196.9	59,683	10,689	29,105.2	346,895
9	日本マクドナルド	16,133	1,616	8,074.3	24,185	14,517	44,773.1	568,214
10	アサヒビール	14,803	4,500	24,385.2	86,533	10,303	35,173.6	633,258
11	ニトリ	14,683	4,814	34,607.5	55,077	9,869	27,738.6	341,345
12	キリンビール	13,548	3,164	18,820.3	51,705	10,384	46,901.0	592,314
13	アマゾンジャパン	12,783	285	2,621.1	7,261	12,498	53,027.0	683,814
14	ラクス	11,982	2	26.8	27	11,980	39,318.1	514,158
15	日本コカコーラ	9,837	810	5,834.1	8,818	9,027	27,165.2	338,428
16	アサヒ飲料	8,935	725	4,879.5	8,590	8,210	26,386.0	280,437
17	ユーエスジェイ	8,712	39	254.0	771	8,673	36,373.4	442,080
18	日清食品	8,701	904	6,185.9	20,041	7,797	22,913.1	292,648
19	NTTドコモ	8,681	134	810.0	2,154	8,547	26,680.9	307,596
20	資生堂	8,655	615	3,516.2	8,723	8,040	37,033.4	333,886
21	Cygames	8,560	961	747.5	6,569	7,599	18,239.8	266,378
22	明治	8,189	1,311	7,428.7	16,748	6,878	23,285.4	239,192
23	楽天グループ	8,152	22	88.9	227	8,130	30,947.5	325,129
24	パーソルキャリア	7,526	67	262.1	1,420	7,459	26,727.0	284,309
25	ソニー損害保険	7,457	1,079	3,330.3	15,572	6,378	22,776.2	297,613
26	日本宝くじ協会	7,303	747	4,720.5	11,981	6,556	23,919.7	263,158
27	ライオン	7,273	4,256	25,240.0	63,664	3,017	10,689.2	127,698
28	本田技研	7,106	1,513	9,783.6	18,414	5,593	25,601.2	254,157
29	三菱自動車工業	7,049	539	2,706.0	4,642	6,510	26,711.2	247,943
30	キリンビバレッジ	6,912	346	2,756.9	3,564	6,566	30,059.5	313,789

注1：社名表記は出典元の表記をそのまま用いている
注2：広告費は各放送局の放送広告料金を参考に算出

番組・スポットCM合計秒数の上位30銘柄 (2023年4月〜24年3月／関東)

順位	銘柄名	番組・スポット合計秒数(秒)	番組CM			スポットCM		
			秒数(秒)	GRP(%)	広告費(万円)	秒数(秒)	GRP(%)	広告費(万円)
1	マクドナルド	319,680	33,330	8,168.5	28,366	286,350	47,369.5	874,819
2	ジャパネットたかた　通信販売	282,130	264,995	11,267.1	181,225	17,135	3,141.4	56,214
3	ニトリ	191,070	72,300	33,833.3	66,129	118,770	20,758.8	426,417
4	リクルート　SUUMO製品	146,415	3,645	1,500.4	3,211	142,770	25,247.6	460,799
5	アサヒ　SUPER DRY	134,025	51,060	8,776.2	45,596	82,965	12,890.6	355,851
6	BOAT RACE振興会	126,000	5,010	1,286.6	5,114	120,990	12,719.6	415,753
7	アマゾンジャパン　アマゾンプライム	125,430	3,675	1,153.1	3,822	121,755	29,215.5	568,778
8	チューリッヒ保険　スーパー自動車保険	124,575	1,290	203.7	952	123,285	9,539.1	296,254
9	ユニクロ	124,245	12,060	2,434.2	7,905	112,185	12,259.5	377,216
10	Indeed　Indeed	119,610	10,830	1,544.8	9,088	108,780	21,684.3	380,539
11	Uber Japan　Uber Eats	117,495	1,620	402.0	1,264	115,875	25,348.2	420,420
12	ウェルスナビ	102,975	—	—	—	102,975	12,442.7	267,239
13	ソニー損害保険　自動車保険	99,765	30,345	4,715.6	21,764	69,420	13,405.7	223,727
14	ACジャパン	96,150	—	—	—	96,150	21,783.7	417,291
15	アリナミン製薬　アリナミンEXプラスα	95,325	14,655	3,768.7	9,092	80,670	18,076.9	259,001
16	はなさく生命保険　はなさく定期	90,300	70,350	6,671.6	45,939	19,950	1,199.4	64,860
17	ラクス　楽楽精算	87,750	30	24.6	32	87,720	17,282.8	297,557
18	湘南美容クリニック	85,875	60	5.4	35	85,815	9,130.4	277,882
19	ビズリーチ　ビズリーチ	83,990	13,710	1,590.1	11,851	70,280	9,922.3	306,587
20	ユニバーサルスタジオジャパン	82,365	150	58.4	158	82,215	10,094.1	336,937
21	パーソルキャリア　doda X	77,310	480	50.8	326	76,830	11,848.1	231,770
22	丸亀製麺	74,640	810	94.4	472	73,830	13,133.9	248,428
23	サントリー　ロコモア	71,805	36,180	3,054.6	15,661	35,625	3,301.5	97,550
24	明治　プロビオヨーグルトR−1	71,490	7,875	2,879.0	6,593	63,615	13,914.3	215,283
25	アマゾンジャパン	69,810	4,590	1,424.9	4,821	65,220	13,165.4	301,460
26	Cygames　ウマ娘　プリティーダービー	67,830	2,250	154.8	953	65,580	9,802.4	210,819
27	パーソルキャリア　doda	67,695	1,560	259.7	1,403	66,135	12,721.1	205,633
28	ラクス　楽楽明細	67,590	—	—	—	67,590	11,023.3	230,993
29	アムタス　めちゃコミック	67,575	180	72.3	133	67,395	15,174.7	227,954
30	アサヒ　アサヒ生ビール	65,505	25,185	4,885.3	22,635	40,320	5,308.7	170,002

注1：社名表記は出典元の表記をそのまま用いている
注2：広告費は各放送局の放送広告料金を参考に算出

番組・スポットCM合計秒数の上位30銘柄（2023年4月〜24年3月／関西）

順位	銘柄名	番組・スポット合計秒数 (秒)	番組CM			スポットCM		
			秒数 (秒)	GRP (%)	広告費 (万円)	秒数 (秒)	GRP (%)	広告費 (万円)
1	マクドナルド	265,905	32,835	7,822.8	23,703	233,070	42,943.1	546,175
2	ニトリ	220,515	72,210	34,607.5	55,077	148,305	27,738.6	341,345
3	アマゾンジャパン　アマゾンプライム	165,585	3,645	1,168.3	3,201	161,940	37,042.2	466,611
4	ジャパネットたかた　通信販売	161,860	124,655	9,145.9	79,767	37,205	4,092.0	82,536
5	ユニバーサルスタジオジャパン	152,145	855	254.0	771	151,290	36,373.4	442,080
6	関西電力	145,320	22,920	3,883.9	14,468	122,400	13,620.8	272,860
7	夢グループ　通信販売	132,720	1,500	167.3	600	131,220	4,658.6	296,421
8	アサヒ　SUPER DRY	130,680	49,440	8,882.9	37,546	81,240	11,485.3	217,163
9	リクルート　SUUMO製品	127,905	3,300	1,396.6	2,661	124,605	33,561.3	312,511
10	ラクス　楽楽精算	112,380	30	26.8	27	112,350	21,072.6	243,608
11	トリバゴジャパン　トリバゴ	111,090	—	—	—	111,090	13,664.5	256,032
12	積水化学グループ	107,970	17,160	4,577.8	11,265	90,810	25,013.8	236,717
13	ACジャパン	107,160	—	—	—	107,160	22,517.6	285,556
14	ユニクロ	103,350	10,725	2,232.2	6,113	92,625	12,273.2	236,881
15	アリナミン製薬　アリナミンEXプラスα	100,710	14,655	3,895.2	7,829	86,055	18,413.4	194,194
16	ソニー損害保険　自動車保険	96,810	22,545	2,962.9	13,677	74,265	13,847.4	196,622
17	丸亀製麺	96,135	810	117.7	499	95,325	20,855.6	235,944
18	Cygames　ウマ娘　プリティーダービー	92,475	2,385	188.6	976	90,090	13,843.2	201,237
19	ラクス　楽楽明細	91,035	—	—	—	91,035	13,075.7	196,069
20	ビズリーチ　ビズリーチ	89,730	13,500	1,353.2	9,278	76,230	10,343.4	230,571
21	はなさく生命保険　はなさく定期	83,430	56,160	6,297.3	32,475	27,270	1,189.3	47,092
22	サントリー　ロコモア	82,950	21,675	1,620.3	8,772	61,275	3,926.7	118,328
23	Uber Japan　Uber Eats	80,625	1,455	379.0	1,024	79,170	20,000.4	207,122
24	日本ケンタッキー　フライドチキン	76,605	16,185	7,182.2	10,307	60,420	17,021.6	159,561
25	ウェルスナビ	73,965	—	—	—	73,965	14,129.7	156,779
26	BOAT RACE振興会	73,290	4,950	981.8	4,116	68,340	5,795.5	135,034
27	アサヒ　アサヒ生ビール	72,285	24,930	5,200.5	19,093	47,355	6,118.2	128,734
28	ライフアンドデザイングループ　西日本　葬儀場案内	71,475	—	—	—	71,475	17,957.3	175,613
29	アマゾンジャパン	67,590	4,590	1,452.8	4,060	63,000	12,979.7	184,416
30	Indeed　Indeed	66,120	10,800	1,937.9	7,618	55,320	19,838.4	167,334

注1：社名表記は出典元の表記をそのまま用いている
注2：広告費は各放送局の放送広告料金を参考に算出

番組・スポットCMの業種別、秒数区分別出稿量（2023年4月～24年3月／関東）

業種名	秒数区分	番組CM			スポットCM			番組＋スポット	
		本数(本)	秒数(秒)	GRP(%)	本数(本)	秒数(秒)	GRP(%)	GRP(%)	広告費(万円)
基礎材	15秒	1,331	19,965	8,187.8	11,233	168,495	44,681.2	52,869.0	616,812
	30秒	1,708	51,240	8,090.7	942	28,260	3,620.3	11,711.0	144,364
	他	120	7,200	428.1	31	4,925	73.9	502.0	16,630
	計	3,159	78,405	16,706.6	12,206	201,680	48,375.4	65,082.0	777,807
食品・飲料	15秒	28,789	431,835	160,396.0	240,782	3,611,730	789,798.2	950,194.2	12,982,750
	30秒	15,925	477,750	88,505.6	16,087	482,610	61,536.5	150,042.1	2,385,175
	他	3,070	219,465	15,978.5	2,476	186,260	6,765.8	22,744.3	687,783
	計	47,784	1,129,050	264,880.1	259,345	4,280,600	858,100.5	1,122,980.6	16,055,708
薬品	15秒	21,708	325,620	120,272.0	107,683	1,615,245	311,582.8	431,854.8	5,152,075
	30秒	3,952	118,560	24,148.6	6,078	182,340	22,535.7	46,684.3	724,286
	他	254	15,245	1,024.6	51	3,870	197.8	1,222.4	23,025
	計	25,914	459,425	145,445.2	113,812	1,801,455	334,316.3	479,761.5	5,899,386
化粧品・洗剤	15秒	16,286	244,290	91,764.2	87,156	1,307,340	309,978.3	401,742.5	4,625,770
	30秒	8,993	269,790	48,535.1	5,770	173,100	22,745.6	71,280.7	826,437
	他	2,230	182,430	10,167.1	387	39,970	1,454.0	11,621.1	198,367
	計	27,509	696,510	150,466.4	93,313	1,520,410	334,177.9	484,644.3	5,650,574
衣料品・身の回り品	15秒	2,278	34,170	8,836.7	18,885	283,275	66,434.9	75,271.6	978,927
	30秒	1,091	32,730	6,110.1	3,916	117,480	12,383.1	18,493.2	419,880
	他	11	780	77.4	15	1,005	61.7	139.1	3,980
	計	3,380	67,680	15,024.2	22,816	401,760	78,879.7	93,903.9	1,402,786
出版	15秒	7,078	106,170	14,795.2	17,785	266,775	61,332.4	76,127.6	984,583
	30秒	2,288	68,640	5,393.5	3,388	101,640	10,683.0	16,076.5	393,107
	他	9	540	66.8	195	1,705	129.1	195.9	5,128
	計	9,375	175,350	20,255.5	21,368	370,120	72,144.5	92,400.0	1,382,818
一般産業機器	15秒	276	4,140	2,044.9	4,088	61,320	16,415.9	18,460.8	220,037
	30秒	925	27,750	5,258.3	1,056	31,680	4,506.9	9,765.2	151,615
	他	203	15,300	613.4	1	60	5.2	618.6	13,069
	計	1,404	47,190	7,916.6	5,145	93,060	20,928.0	28,844.6	384,721
精密・事務機器	15秒	2,031	30,465	8,420.8	22,699	340,485	75,970.8	84,391.6	1,167,087
	30秒	5,177	155,310	23,377.3	5,954	178,620	21,623.0	45,000.3	747,117
	他	81	11,250	234.5	30	2,270	100.1	334.6	14,099
	計	7,289	197,025	32,032.6	28,683	521,375	97,693.9	129,726.5	1,928,303

注：広告費は各放送局の放送広告料金を参考に算出

業種名	秒数区分	番組CM			スポットCM			番組＋スポット	
		本数(本)	秒数(秒)	GRP(%)	本数(本)	秒数(秒)	GRP(%)	GRP(%)	広告費(万円)
電気機器	15秒	3,165	47,475	17,798.3	27,312	409,680	101,678.7	119,477.0	1,520,922
	30秒	3,569	107,070	19,784.8	9,648	289,440	39,550.5	59,335.3	1,272,993
	他	265	17,160	1,244.8	79	7,580	232.7	1,477.5	36,618
	計	6,999	171,705	38,827.9	37,039	706,700	141,461.9	180,289.8	2,830,533
輸送機器	15秒	5,992	89,880	40,323.9	39,491	592,365	153,101.6	193,425.5	2,270,568
	30秒	5,591	167,730	35,223.0	4,232	126,960	16,125.8	51,348.8	650,960
	他	209	12,570	1,202.3	41	2,715	211.3	1,413.6	24,357
	計	11,792	270,180	76,749.2	43,764	722,040	169,438.7	246,187.9	2,945,885
家庭用品・機器	15秒	13,951	209,265	56,837.3	31,855	477,825	98,314.1	155,151.4	1,790,059
	30秒	5,217	156,510	27,040.9	5,258	157,740	19,472.6	46,513.5	727,201
	他	25	1,620	129.9	34	2,580	110.5	240.4	9,673
	計	19,193	367,395	84,008.1	37,147	638,145	117,897.2	201,905.3	2,526,933
住宅・建材	15秒	3,802	57,030	12,446.7	28,906	433,590	111,849.7	124,296.4	1,593,081
	30秒	10,241	307,230	49,841.4	5,338	160,140	19,438.9	69,280.3	809,056
	他	270	16,440	1,146.0	169	13,020	671.7	1,817.7	60,616
	計	14,313	380,700	63,434.1	34,413	606,750	131,960.3	195,394.4	2,462,753
卸売・百貨店	15秒	2,184	32,760	13,965.8	22,857	342,855	78,370.2	92,336.0	1,142,486
	30秒	3,589	107,670	19,743.1	3,057	91,710	12,192.2	31,935.3	420,656
	他	2,877	314,780	11,071.1	540	58,790	1,743.8	12,814.9	353,903
	計	8,650	455,210	44,780.0	26,454	493,355	92,306.2	137,086.2	1,917,044
金融・保険業	15秒	2,367	35,505	10,426.5	73,223	1,098,345	229,647.8	240,074.3	3,722,139
	30秒	12,297	368,910	65,822.5	9,488	284,640	30,648.2	96,470.7	1,299,209
	他	2,794	172,425	13,357.0	1,223	78,840	2,457.0	15,814.0	325,658
	計	17,458	576,840	89,606.0	83,934	1,461,825	262,753.0	352,359.0	5,347,005
サービス・娯楽	15秒	16,975	254,625	73,637.6	339,450	5,091,750	1,145,284.8	1,218,922.4	17,811,124
	30秒	18,276	548,280	83,879.1	37,644	1,129,320	123,785.3	207,664.4	4,360,547
	他	329	20,925	2,003.1	1,717	66,875	3,593.6	5,596.7	207,561
	計	35,580	823,830	159,519.8	378,811	6,287,945	1,272,663.7	1,432,183.5	22,379,232
その他	15秒	4,189	62,835	16,935.0	46,954	704,310	160,257.1	177,192.1	2,418,324
	30秒	7,261	217,830	36,326.4	9,258	277,740	36,244.8	72,571.2	1,192,684
	他	230	15,780	1,337.8	284	20,225	1,164.0	2,501.8	95,391
	計	11,680	296,445	54,599.2	56,496	1,002,275	197,665.9	252,265.1	3,706,399
合計	15秒	132,402	1,986,030	657,088.7	1,120,359	16,805,385	3,754,698.5	4,411,787.2	58,996,745
	30秒	106,100	3,183,000	547,080.4	127,114	3,813,420	457,092.4	1,004,172.8	16,525,288
	他	12,977	1,023,910	60,082.4	7,273	490,690	18,972.2	79,054.6	2,075,856
	計	251,479	6,192,940	1,264,251.5	1,254,746	21,109,495	4,230,763.1	5,495,014.6	77,597,888

番組・スポットCMの業種別、秒数区分別出稿量(2023年4月～24年3月／関西)

業種名	秒数区分	番組CM 本数(本)	番組CM 秒数(秒)	番組CM GRP(%)	スポットCM 本数(本)	スポットCM 秒数(秒)	スポットCM GRP(%)	番組＋スポット GRP(%)	番組＋スポット 広告費(万円)
基礎材	15秒	1,327	19,905	9,172.1	9,694	145,410	32,744.8	41,916.9	341,465
	30秒	2,261	67,830	11,158.6	5,321	159,630	18,640.6	29,799.2	409,527
	他	120	7,200	317.9	2	80	10.3	328.2	2,629
	計	3,708	94,935	20,648.6	15,017	305,120	51,395.7	72,044.3	753,621
食品・飲料	15秒	25,502	382,530	151,217.2	222,355	3,335,325	807,230.8	958,448.0	8,640,856
	30秒	15,314	459,420	87,372.4	15,938	478,140	64,519.2	151,891.6	1,656,609
	他	1,940	134,365	10,661.5	3,087	247,355	8,829.2	19,490.7	548,857
	計	42,756	976,315	249,251.1	241,380	4,060,820	880,579.2	1,129,830.3	10,846,322
薬品	15秒	19,287	289,305	113,374.4	105,970	1,589,550	332,374.2	445,748.6	3,675,507
	30秒	3,955	118,650	24,116.2	5,280	158,400	19,670.3	43,786.5	463,152
	他	240	14,015	1,093.4	91	9,470	366.4	1,459.8	27,249
	計	23,482	421,970	138,584.0	111,341	1,757,420	352,410.9	490,994.9	4,165,908
化粧品・洗剤	15秒	15,778	236,670	96,533.6	78,189	1,172,835	320,087.0	416,620.6	3,137,092
	30秒	8,699	260,970	50,996.4	5,524	165,720	22,037.5	73,033.9	603,890
	他	1,457	96,510	7,007.1	1,396	162,620	3,551.7	10,558.8	350,865
	計	25,934	594,150	154,537.1	85,109	1,501,175	345,676.2	500,213.3	4,091,847
衣料品・身の回り品	15秒	1,990	29,850	7,416.2	21,728	325,920	82,141.8	89,558.0	814,664
	30秒	1,060	31,800	5,961.5	3,212	96,360	12,249.0	18,210.5	265,947
	他	8	480	65.3	2	240	5.2	70.5	1,080
	計	3,058	62,130	13,443.0	24,942	422,520	94,396.0	107,839.0	1,081,691
出版	15秒	8,839	132,585	16,008.6	14,698	220,470	57,602.7	73,611.3	622,371
	30秒	1,911	57,330	4,751.7	2,633	78,990	9,529.2	14,280.9	227,219
	他	12	720	67.1	9	540	20.7	87.8	2,168
	計	10,762	190,635	20,827.4	17,340	300,000	67,152.6	87,980.0	851,758
一般産業機器	15秒	282	4,230	2,223.9	4,186	62,790	15,120.0	17,343.9	156,555
	30秒	1,021	30,630	6,216.5	1,405	42,150	5,099.9	11,316.4	133,699
	他	202	15,240	559.9	0	0	0.0	559.9	8,017
	計	1,505	50,100	9,000.3	5,591	104,940	20,219.9	29,220.2	298,272
精密・事務機器	15秒	1,991	29,865	8,380.4	23,441	351,615	84,896.4	93,276.8	862,886
	30秒	3,596	107,880	14,664.2	6,145	184,350	22,295.5	36,959.7	507,376
	他	78	10,830	196.6	21	1,720	66.1	262.7	9,262
	計	5,665	148,575	23,241.2	29,607	537,685	107,258.0	130,499.2	1,379,524

注：広告費は各放送局の放送広告料金を参考に算出

216

業種名	秒数区分	番組CM			スポットCM			番組+スポット	
		本数(本)	秒数(秒)	GRP(%)	本数(本)	秒数(秒)	GRP(%)	GRP(%)	広告費(万円)
電気機器	15秒	4,297	64,455	26,753.4	27,858	417,870	110,295.8	137,049.2	1,110,725
	30秒	3,421	102,630	20,472.1	10,255	307,650	43,786.3	64,258.4	902,402
	他	262	16,980	1,292.1	4	360	14.2	1,306.3	11,339
	計	7,980	184,065	48,517.6	38,117	725,880	154,096.3	202,613.9	2,024,466
輸送機器	15秒	5,875	88,125	40,884.1	41,583	623,745	176,241.8	217,125.9	1,738,249
	30秒	5,481	164,430	35,102.4	4,094	122,820	16,543.6	51,646.0	471,225
	他	208	12,510	1,165.2	114	4,953	472.5	1,637.7	19,728
	計	11,564	265,065	77,151.7	45,791	751,518	193,257.9	270,409.6	2,229,202
家庭用品・機器	15秒	13,717	205,755	56,381.3	33,142	497,130	107,981.0	164,362.3	1,295,580
	30秒	5,390	161,700	26,997.8	4,948	148,440	19,832.7	46,830.5	496,472
	他	24	1,560	96.8	7	650	15.9	112.7	2,243
	計	19,131	369,015	83,475.9	38,097	646,220	127,829.6	211,305.5	1,794,295
住宅・建材	15秒	3,850	57,750	14,940.5	41,908	628,620	159,042.4	173,982.9	1,590,947
	30秒	9,642	289,260	48,798.1	4,291	128,730	15,150.0	63,948.1	499,884
	他	211	12,900	817.2	166	17,730	374.8	1,192.0	40,476
	計	13,703	359,910	64,555.8	46,365	775,080	174,567.2	239,123.0	2,131,308
卸売・百貨店	15秒	1,759	26,385	12,226.2	30,549	458,235	107,469.7	119,695.9	1,089,368
	30秒	3,267	98,010	19,420.1	2,344	70,320	9,177.3	28,597.4	248,558
	他	1,277	112,580	5,831.8	2,832	299,530	8,962.3	14,794.1	671,613
	計	6,303	236,975	37,478.1	35,725	828,085	125,609.3	163,087.4	2,009,539
金融・保険業	15秒	1,964	29,460	9,601.7	55,894	838,410	214,884.9	224,486.6	2,165,690
	30秒	11,574	347,220	65,973.3	9,869	296,070	37,313.1	103,286.4	1,008,297
	他	2,214	133,065	10,596.1	2,022	157,950	6,196.6	16,792.7	372,446
	計	15,752	509,745	86,171.1	67,785	1,292,430	258,394.6	344,565.7	3,546,433
サービス・娯楽	15秒	17,275	259,125	82,385.8	365,921	5,488,815	1,373,884.8	1,456,270.6	13,835,335
	30秒	15,461	463,830	78,908.3	33,634	1,009,020	117,374.9	196,283.2	2,795,867
	他	304	18,625	1,839.6	1,671	71,095	4,087.6	5,927.2	132,688
	計	33,040	741,580	163,133.7	401,226	6,568,930	1,495,347.3	1,658,481.0	16,763,890
その他	15秒	2,799	41,985	10,296.1	70,183	1,052,745	239,899.1	250,195.2	2,475,648
	30秒	6,938	208,140	34,600.0	9,501	285,030	39,984.6	74,584.6	863,416
	他	117	7,440	660.8	730	58,420	2,017.1	2,677.9	136,018
	計	9,854	257,565	45,556.9	80,414	1,396,195	281,900.8	327,457.7	3,475,082
合計	15秒	126,532	1,897,980	657,795.5	1,147,299	17,209,485	4,221,897.2	4,879,692.7	43,552,939
	30秒	98,991	2,969,730	535,509.6	124,394	3,731,820	473,203.7	1,008,713.3	11,553,541
	他	8,674	595,020	42,268.4	12,154	1,032,713	34,990.6	77,259.0	2,336,677
	計	234,197	5,462,730	1,235,573.5	1,283,847	21,974,018	4,730,091.5	5,965,665.0	57,443,158

企業トップ10

順位	2023年度（23年4月〜24年3月度）				2022年度（22年4月〜23年3月度）				2021年度（21年4月〜22年3月度）			
	企業名	銘柄数	作品数	好感度(P‰)	企業名	銘柄数	作品数	好感度(P‰)	企業名	銘柄数	作品数	好感度(P‰)
1	日本マクドナルド	43	114	2,762.7	日本マクドナルド	39	111	2,442.0	KDDI	2	49	1,893.3
2	日清食品	11	43	2,723.3	日清食品	12	41	2,309.3	日清食品	18	37	1,843.3
3	サントリー	28	126	1,574.0	花王	51	145	1,556.7	日本マクドナルド	39	109	1,634.0
4	花王	41	111	1,446.7	リクルート	18	113	1,514.7	花王	63	159	1,402.0
5	P&G	27	86	1,412.7	P&G	27	86	1,072.0	P&G	30	97	1,164.0
6	キリンビール	17	81	1,047.3	アサヒビール	15	63	981.3	キリンビール	16	120	1,074.7
7	アサヒビール	12	77	1,020.0	任天堂	19	50	920.0	ソフトバンク	3	35	1,066.7
8	ソフトバンク	2	33	984.7	サントリー	25	92	916.0	日本コカ・コーラ	22	74	1,006.7
9	任天堂	23	49	782.0	KDDI	3	31	811.3	リクルート	20	103	963.3
10	サントリー食品インターナショナル	11	35	760.7	キリンビール	14	74	680.0	アサヒビール	14	62	904.7

銘柄トップ10

順位	2023年度（23年4月〜24年3月度）		2022年度（22年4月〜23年3月度）		2021年度（21年4月〜22年3月度）	
	商品名	好感度(P‰)	商品名	好感度(P‰)	商品名	好感度(P‰)
1	カップヌードル	1,126.0	カップヌードル	1,040.7	au	1,222.0
2	SoftBank	570.7	タウンワーク	630.0	UQ	671.3
3	チキンラーメン	561.3	UNIQLO	610.0	SoftBank	610.0
4	au	488.7	au	560.7	UNIQLO	559.3
5	アタックZERO	448.0	スーパードライ	459.3	Uber Eats	544.0
6	UNIQLO	433.3	ワイモバイル	404.7	楽天モバイル	458.7
7	ワイモバイル	414.0	アサヒ生ビール	349.3	出前館	420.0
8	Uber Eats	370.0	Uber Eats	320.0	タウンワーク	379.3
9	ボールド	366.0	スプラトゥーン3	316.0	ワイモバイル	364.0
10	アサヒ生ビール	341.3	どん兵衛	314.0	アサヒ生ビール	354.7

注1：各年度の期間は3月20日〜翌年3月19日
注2：P‰＝ポイントパーミルで、CM好感度スコアを表す。毎月2回（前期・後期）、1500人ずつを対象に実施するCM好感度調査の票数を、1000人当たりの数値（‰）に換算し、合算した値

新聞広告掲載量（2023年4月〜24年3月）

	合計		全国紙		ブロック紙		地方紙		スポーツ紙	
	(段)	前年同月比(%)	(段)	前年同月比(%)	(段)	前年同月比(%)	(段)	前年同月比(%)	(段)	前年同月比(%)
4月	318,586	92.9	129,275	95.2	24,605	96.7	139,435	89.9	25,272	95.0
5月	315,467	93.5	126,144	95.6	24,746	97.8	139,491	91.5	25,086	91.3
6月	320,986	95.8	128,918	96.2	24,469	96.7	142,786	95.8	24,813	93.5
7月	327,580	96.0	129,772	96.7	24,045	94.8	148,699	95.7	25,064	94.9
8月	315,658	96.4	124,355	97.9	24,633	99.9	141,230	94.9	25,440	94.9
9月	327,326	96.5	136,289	99.7	24,381	95.0	141,635	93.9	25,021	96.1
10月	336,390	93.9	137,400	95.0	23,491	93.6	149,695	93.1	25,803	93.4
11月	329,767	91.0	138,149	90.1	23,264	91.0	142,563	91.0	25,791	95.3
12月	333,359	91.7	139,602	91.1	22,867	90.0	144,442	92.6	26,448	91.5
1月	372,751	90.5	147,130	91.5	25,439	90.0	173,050	89.0	27,131	95.9
2月	299,177	92.9	126,240	95.4	21,521	88.7	128,335	90.2	23,081	100.0
3月	360,168	93.7	157,953	94.9	25,681	93.4	151,128	92.3	25,405	94.9
合計	3,957,215	92.9	1,621,227	93.8	289,142	92.1	1,742,489	91.2	304,355	99.4

注：対象となる新聞の各月の実績を集計・分類したもの

新聞広告ページ数（2023年4月〜24年3月）

	合計		全国紙		ブロック紙		地方紙		スポーツ紙	
	(頁)	前年同月比(%)	(頁)	前年同月比(%)	(頁)	前年同月比(%)	(頁)	前年同月比(%)	(頁)	前年同月比(%)
4月	77,612	96.8	25,282	98.7	4,966	97.7	36,806	95.0	10,558	98.6
5月	77,014	96.7	24,772	99.5	4,928	98.0	36,580	94.9	10,734	95.7
6月	76,970	96.1	25,062	98.0	4,938	96.4	36,606	94.5	10,364	97.4
7月	80,106	95.7	25,938	97.9	5,050	95.8	38,286	93.8	10,832	96.9
8月	77,890	98.1	25,300	100.6	5,010	98.9	36,906	96.3	10,674	98.6
9月	77,272	98.1	25,712	102.1	4,932	97.7	36,192	95.4	10,436	98.4
10月	78,824	95.5	25,918	97.6	4,810	97.0	37,338	94.0	10,758	95.1
11月	75,796	93.8	25,414	94.7	4,582	93.1	35,508	92.7	10,292	95.8
12月	77,326	93.9	25,890	94.4	4,638	93.3	36,106	93.2	10,692	95.6
1月	79,704	95.2	26,228	97.1	4,928	96.2	38,422	93.8	10,126	95.0
2月	71,596	98.4	23,990	101.0	4,432	97.8	33,446	96.3	9,728	100.0
3月	81,502	95.8	27,882	96.9	5,078	96.4	37,904	94.6	10,638	97.4
合計	931,612	95.7	307,388	96.8	58,292	94.7	440,100	93.1	125,832	103.5

注：対象となる新聞の各月の実績を集計・分類したもの

新聞グループ別発行ページ数（2023年度月別）

(単位：ページ)

月＼媒体紙	中央紙 39紙	ブロック紙 6紙	地方紙 51紙	スポーツ紙 12紙	タブロイド紙 4紙	経済紙 3紙	その他 1紙	合計 116紙
4 月	24,322	3,176	34,940	8,200	2,796	1,070	348	74,852
5 月	23,832	3,092	34,916	8,492	2,848	1,110	360	74,650
6 月	24,142	3,154	34,793	8,068	2,972	1,160	348	74,637
7 月	24,922	3,230	36,526	8,508	2,724	1,150	360	77,420
8 月	24,336	3,194	35,084	8,322	2,940	1,098	360	75,334
9 月	24,732	3,160	34,484	8,174	2,780	1,170	348	74,848
上 期 計	146,286	19,006	210,743	49,764	17,060	6,758	2,124	451,741
10 月	24,940	2,982	35,662	8,416	2,760	1,190	360	76,310
11 月	24,466	2,850	33,872	8,018	2,672	1,198	348	73,424
12 月	24,886	2,890	34,328	8,356	2,700	1,058	336	74,554
1 月	25,232	3,081	37,075	7,902	2,616	1,140	360	77,406
2 月	23,064	2,766	31,896	7,562	2,524	1,020	336	69,168
3 月	26,770	3,202	36,294	8,270	2,648	1,122	360	78,666
下 期 計	149,358	17,771	209,127	48,524	15,920	6,728	2,100	449,528
年 計	295,644	36,777	419,870	98,288	32,980	13,486	4,224	901,269
構成比（%）	32.8	4.1	46.6	10.9	3.7	1.5	0.5	100.0
発行ページ数（段）	4,434,660	551,655	6,298,050	1,474,320	362,780	202,290	63,360	13,387,115

新聞グループ別広告量（2023年度月別）

(単位：段)

月＼媒体紙	中央紙 39紙	ブロック紙 6紙	地方紙 51紙	スポーツ紙 12紙	タブロイド紙 4紙	経済紙 3紙	その他 1紙	合計 116紙
4 月	122,503.1	16,119.8	138,510.0	18,730.3	3,044.0	5,544.8	1,538.0	305,990.0
5 月	119,892.0	15,954.3	138,979.4	18,732.0	3,178.8	5,910.5	1,607.0	304,254.0
6 月	122,370.9	15,983.0	142,074.1	18,539.4	3,373.8	6,064.6	1,550.0	309,955.8
7 月	122,865.4	16,044.6	146,537.5	18,719.1	3,346.0	6,152.5	1,604.0	315,269.1
8 月	118,083.8	16,363.2	139,342.0	19,040.2	3,568.4	5,848.3	1,599.0	303,844.9
9 月	129,302.2	16,171.3	139,885.5	19,029.7	3,365.2	6,695.2	1,558.0	316,007.1
上 期 計	735,017.4	96,636.2	845,328.5	112,790.7	19,876.2	36,215.9	9,456.0	1,855,320.9
10 月	130,382.5	15,220.6	147,728.5	19,521.2	3,729.2	6,594.1	1,567.0	324,743.1
11 月	131,033.9	15,145.6	141,409.5	19,692.4	3,519.4	6,531.5	1,539.0	318,871.3
12 月	132,143.3	14,801.5	142,740.0	19,972.7	3,390.2	5,613.8	1,491.0	320,152.5
1 月	140,275.8	17,138.4	175,558.0	20,231.9	3,427.4	6,692.3	1,605.0	364,928.8
2 月	119,651.0	14,413.4	126,625.1	16,818.8	2,968.0	5,084.4	1,481.0	287,042.2
3 月	149,479.6	17,269.3	149,106.4	18,762.7	3,143.2	5,835.2	1,605.0	345,201.4
下 期 計	802,966.1	93,988.8	883,167.5	114,999.7	20,177.4	36,351.8	9,288.0	1,960,939.3
年 計	1,537,983.5	190,625.0	1,728,496.0	227,790.4	40,053.6	72,567.7	18,744.0	3,816,260.2
構成比（%）	40.3	5.0	45.3	6.0	1.0	1.9	0.5	100.0
広告比率（%）	34.7	34.6	27.4	15.5	11.0	35.9	29.6	28.5

注1：広告量は、臨時・案内広告を含む
注2：広告比率は、発行ページ数（段）に対する総広告量の割合

新聞広告出稿量上位30社 (2023年度)

順位	広告主名	2023年度　116紙		2022年度　119紙		広告量前年度比(%)
		広告量(段)	広告費(千円)	広告量(段)	広告費(千円)	
1	阪急交通社	64,866.6	44,899,303	49,506.1	31,492,375	131.0
2	興和	47,217.0	17,791,350	47,943.6	17,674,270	98.5
3	オークローンマーケティング	45,498.1	18,706,917	53,819.5	20,945,884	84.5
4	世田谷自然食品	36,771.5	18,318,507	52,505.7	24,016,554	70.0
5	山田養蜂場	36,546.9	15,092,912	51,120.2	20,575,439	71.5
6	日本経済新聞社	36,217.0	13,054,763	36,303.2	12,882,278	99.8
7	富山常備薬	35,486.4	14,591,536	31,807.8	11,599,652	111.6
8	夢グループ (夢み堂)	32,541.8	10,258,039	30,462.3	9,638,094	106.8
9	日経BP	32,463.8	13,108,296	29,628.8	12,034,273	109.6
10	サントリーホールディングス	31,002.0	16,353,666	34,837.6	17,501,959	89.0
11	快適生活	30,791.8	14,162,378	27,406.3	12,145,847	112.4
12	日本経済社	30,455.8	10,311,037	24,437.7	9,310,209	124.6
13	ハルメク	25,796.2	13,567,882	19,381.0	10,719,516	133.1
14	MTG	25,757.5	12,400,145	27,166.5	13,827,126	94.8
15	ACジャパン	25,231.0	5,699,799	31,097.0	6,917,502	81.1
16	学文社	23,253.9	10,006,953	23,215.0	10,175,085	100.2
17	アリナミン製薬	22,328.0	12,829,108	19,695.0	10,267,845	113.4
18	新日本製薬	21,531.3	9,417,664	18,214.8	7,693,850	118.2
19	日本新聞協会	20,205.5	4,996,281	23,715.0	5,751,357	85.2
20	クラブツーリズム	18,531.0	18,168,010	13,522.4	14,324,235	137.0
21	ユーキャン	18,195.8	9,751,801	21,477.0	11,291,617	84.7
22	日本直販	17,636.9	10,252,687	16,064.5	9,100,958	109.8
23	朝日新聞社	17,586.1	12,154,854	17,261.9	11,386,749	101.9
24	はなさく生命保険	17,535.0	9,770,520	19,005.0	10,092,595	92.3
25	中日新聞社	16,459.0	5,636,328	18,487.2	6,532,768	89.0
26	アサヒグループ食品	15,781.1	9,677,037	18,508.6	11,003,060	85.3
27	ベルーナ	15,695.1	11,576,926	17,885.8	12,486,709	87.8
28	ピュール	15,660.5	6,820,448	12,900.0	6,500,240	121.4
29	47クラブ	15,515.8	3,978,935	27,628.8	7,126,652	56.2
30	東京ディベロ	15,450.8	6,249,642	10,352.7	3,741,669	149.2

注：年度により対象の紙数が違うため、広告量（段）の前年度比は単純計算による

新聞業種別広告出稿量(段) 上位10社(2023年度)

電気製品

		段数	前年度比(%)
1	MTG	25,757.5	94.8
2	ヤーマン	2,853.5	197.5
3	パナソニック	1,385.8	96.6
4	理研産業	614.5	84.9
5	三菱電機	520.0	64.1
6	リオン	509.9	103.2
7	日本電気	449.1	74.2
8	日本コロムビア	309.7	64.2
9	日本サムスン	289.5	66.6
10	日本電化工機	260.6	107.5

輸送用機器

		段数	前年度比(%)
1	トヨタ自動車	4,154.9	105.4
2	ボルボカージャパン	762.5	62.2
3	フォルクスワーゲングループジャパン	675.0	174.0
4	スズキ	660.5	66.0
5	日本自動車販売協会連合会	451.3	186.6
6	ビーエムダブリュー(BMW)	422.7	74.2
7	ビーワイディージャパン	415.0	—
8	日本特殊陶業	370.0	84.5
9	全国輸入自動車販売店協会	353.3	146.4
10	本田技研工業	315.1	76.0

時計

		段数	前年度比(%)
1	スウォッチグループジャパン	3,828.7	126.6
2	リシュモンジャパン	2,935.0	315.6
3	セイコーウオッチ	1,570.0	135.9
4	シチズン時計	816.5	143.8
5	PPジャパン	791.6	135.8
6	日本ロレックス	680.0	93.8
7	ミスズ(時計)	550.0	80.3
8	セイコーグループ	435.0	67.6
9	ボールウォッチジャパン	430.0	191.1
10	LVMHウォッチジュエリージャパン	390.0	56.5

光学機器・その他精密機器

		段数	前年度比(%)
1	キヤノン	2,205.0	588.0
2	リコー	350.1	92.3
3	キヤノンマーケティングジャパン	349.0	143.2
4	エドワーズライフサイエンス	300.0	117.6
5	富士フイルム	275.4	206.9
6	シップヘルスケアホールディングス	193.0	593.8
7	日置電機	181.1	100.8
8	日本電子	175.0	437.5
9	ニプロ	154.6	341.3
10	日本メドトロニック	140.5	263.1

電子機器

		段数	前年度比(%)
1	応研	4,018.0	125.3
2	NIコンサルティング	2,000.0	105.3
3	ピーシーエー	1,841.0	101.4
4	ミロク情報サービス	1,725.8	93.7
5	ダイテック(電子機器)	1,644.0	135.2
6	セールスフォースジャパン	1,145.1	51.2
7	セイコーエプソン	1,111.3	139.9
8	オービックビジネスコンサルタント	955.0	166.1
9	ソリマチ	856.5	175.7
10	日本HP	762.5	186.0

機械器具

		段数	前年度比(%)
1	木村工機	1,076.0	139.5
2	石垣	866.5	131.4
3	ローム	592.3	106.6
4	小松製作所	572.7	78.3
5	アマダ	532.6	122.1
6	クボタ	511.3	46.9
7	トーヨーカネツ	474.0	103.0
8	高砂熱学工業	434.5	774.5
9	ナブテスコ	346.3	74.0
10	ニチコン	316.5	100.3

住宅機器用品

		段数	前年度比(%)
1	ウチムラ	3,631.8	87.6
2	アサヒ軽金属工業	2,160.0	94.7
3	ダイト薬品	1,802.9	53.8
4	朝日ソーラー	1,155.0	157.1
5	バカラパシフィック	706.3	123.9
6	ユニオンテクノス販売	620.0	96.1
7	ダイニチ工業	400.0	228.6
8	ショーワ	375.0	164.8
9	フランスベッド	369.2	157.2
10	ドリームベッド	304.9	147.9

その他身回り品

		段数	前年度比(%)
1	バルコス	7,654.0	102.8
2	かぐらや	3,598.5	81.6
3	三晴社	2,958.0	88.1
4	ルイ・ヴィトン・ジャパン	2,130.0	61.5
5	カルティエジャパン(リシュモンジャパン)	2,052.5	122.9
6	ウェレンドルフ	1,626.2	75.1
7	田中貴金属工業	1,224.7	75.3
8	ブルガリジャパン	1,131.2	942.7
9	リモワジャパン	852.5	134.5
10	京セラ	493.6	115.4

注:年度により対象の紙数が違うため、広告量(段)の前年度比は単純計算による

スポーツ用品

		段数	前年度比 (%)
1	オーナーばり	731.4	111.1
2	アシックス	348.8	129.7
3	ヨネックス	300.0	146.3
4	ミズノ	291.5	141.2
5	スゥー	194.0	93.7
6	タマス	175.0	437.5
7	エムエス製作所	108.0	83.7
8	ニューアートスポーツ	100.0	250.0
9	ブリヂストン・スポーツ	98.7	55.8
10	レクザム (スキー)	54.2	42.2

エネルギー・加工基礎材

		段数	前年度比 (%)
1	積水化学工業	2,471.6	122.1
2	大王製紙	2,084.1	95.5
3	東北電力	1,636.8	128.6
4	UACJ	1,585.3	227.0
5	九州電力	947.4	160.3
6	日本製紙	921.7	55.6
7	丸住製紙	834.2	96.1
8	東京電力	832.5	155.3
9	アサヒペン	779.8	106.5
10	北陸電力	717.5	90.0

化粧品

		段数	前年度比 (%)
1	ピュール	15,660.5	121.4
2	東京ディベロ	15,450.8	149.2
3	エモテント	9,430.8	97.1
4	河野メリクロン	9,248.7	159.6
5	ニッピコラーゲン化粧品	8,600.0	169.0
6	フューチャーラボ (化粧品)	8,067.3	76.8
7	井上誠耕園	7,935.9	85.5
8	富士フイルムヘルスケアラボラトリー	5,615.0	134.0
9	加美乃素本舗	5,361.5	108.7
10	ダリヤ	4,520.5	112.9

一般食品

		段数	前年度比 (%)
1	世田谷自然食品	36,771.5	70.0
2	山田養蜂場	36,546.9	71.5
3	アサヒグループ食品	15,781.1	85.3
4	アカシアの樹	13,478.5	156.1
5	トウキユーピー	11,490.0	67.3
6	ファーマフーズ	10,383.5	98.1
7	金氏高麗人参	9,163.0	69.0
8	ヴェントゥーノ	6,267.5	86.0
9	フジッコ	6,013.7	79.8
10	万田発酵	5,882.7	134.1

雑品

		段数	前年度比 (%)
1	フローラ	8,777.4	97.3
2	キングレコード	1,551.5	91.1
3	王子ネピア	1,467.8	91.3
4	アートネイチャー	1,253.8	57.6
5	ウォルトディズニージャパン	1,071.0	137.3
6	ソニー・ミュージックエンタテインメント・インク	994.5	108.4
7	日本製紙クレシア	968.6	89.3
8	アズ (アズクリニーク)	750.5	68.4
9	大和農園	647.4	119.3
10	イトーキ	633.9	422.6

薬品・衛生用品

		段数	前年度比 (%)
1	興和	47,217.0	98.5
2	富山常備薬	35,486.4	111.6
3	アリナミン製薬	22,328.0	113.4
4	大正製薬	15,327.6	91.5
5	奈良大和生薬	11,668.0	124.4
6	塩野義製薬	9,720.5	87.5
7	大塚製薬	6,100.7	93.4
8	源平製薬	4,757.5	115.1
9	明治薬品	4,607.4	64.2
10	ロート製薬	4,600.5	43.3

石鹸・洗剤

		段数	前年度比 (%)
1	サンスター	4,700.9	96.0
2	ライオン	1,588.5	95.7
3	サンギ	1,027.7	250.7
4	ウエキ	417.0	77.2
5	シケン	405.0	90.0
6	サラヤ	352.0	164.6
7	第一工業製薬	316.8	552.9
8	シャボン玉石けん	293.1	153.4
9	花王	284.0	32.1
10	加齢歯科	275.9	63.6

菓子

		段数	前年度比 (%)
1	カルビー	907.0	5,182.9
2	旭製菓	850.5	143.5
3	ロッテ	781.3	77.0
4	江崎グリコ	756.3	80.9
5	桔梗屋 (山梨)	633.2	134.4
6	もち吉	603.0	106.3
7	大麦工房ロア	597.7	82.8
8	森永製菓	487.5	51.0
9	渋谷食品 (芋屋金次郎)	447.2	87.2
10	徳永製菓	361.5	79.9

注：年度により対象の紙数が違うため、広告量 (段) の前年度比は単純計算による

アルコール飲料	段数	前年度比(%)
1 サントリーホールディングス	31,002.0	89.0
2 キリンホールディングス	15,016.3	100.0
3 アサヒビール	7,738.7	380.8
4 日本盛	5,122.3	105.4
5 宝酒造	1,409.5	349.9
6 サッポロビール	1,196.2	98.8
7 チョーヤ梅酒	577.6	65.2
8 霧島酒造	449.0	232.4
9 二階堂酒造	393.0	89.5
10 日本酒造組合中央会	326.3	435.1

非アルコール飲料・嗜好品	段数	前年度比(%)
1 ダイドードリンコ	9,266.9	40.9
2 アロエ本舗	7,298.5	107.7
3 財宝	5,714.7	122.8
4 日本たばこ産業	4,548.7	52.5
5 キューサイ	4,365.0	164.3
6 宇治田原製茶場	2,350.2	85.7
7 日本コカコーラ	1,512.5	76.0
8 荒畑園	1,094.0	150.7
9 カフェーパウリスタ	1,000.4	117.2
10 松田商店（真茶園）	808.1	119.0

繊維	段数	前年度比(%)
1 加茂繊維	6,815.3	90.7
2 エアウィーヴ	1,733.5	116.1
3 有木	910.6	99.2
4 クリスチャンディオール	900.0	120.0
5 クルーズカンパニー	633.7	272.6
6 今村	623.3	87.3
7 ロフテー	440.0	66.7
8 エドウイン	388.8	127.5
9 西川（寝具）	368.1	118.4
10 エルメスジャポン	360.0	96.0

出版	段数	前年度比(%)
1 日本経済新聞社	36,217.0	99.8
2 日経BP	32,463.8	109.6
3 ハルメク	25,796.2	133.1
4 日本新聞協会	20,205.5	85.2
5 朝日新聞社	17,586.1	101.9
6 中日新聞社	16,459.0	89.0
7 講談社	14,773.3	71.4
8 毎日新聞社	14,283.0	101.1
9 文藝春秋	13,450.4	96.8
10 文響社	12,858.6	152.7

銀行	段数	前年度比(%)
1 三井住友信託銀行	1,905.7	108.7
2 UI銀行	1,257.8	914.8
3 三菱UFJ信託銀行	909.8	122.4
4 みずほフィナンシャルグループ	844.8	87.6
5 三菱UFJ銀行	796.3	144.6
6 常陽銀行	637.1	110.0
7 きらぼし銀行	562.9	624.1
8 群馬銀行	521.2	95.6
9 北國銀行	512.7	112.9
10 北陸銀行	456.1	81.9

保険	段数	前年度比(%)
1 はなさく生命保険	17,535.0	92.3
2 メディケア生命保険	6,315.0	87.2
3 オリックス生命保険	3,694.3	60.5
4 明治安田生命保険	3,225.1	102.6
5 SBIいきいき少額短期保険	1,876.0	86.3
6 アフラック生命保険	1,776.9	98.3
7 健康年齢少額短期保険	1,414.8	119.3
8 あいおいニッセイ同和損害保険	1,156.6	75.2
9 三井住友海上火災保険	1,043.1	56.7
10 SOMPOひまわり生命保険	1,016.5	109.6

証券	段数	前年度比(%)
1 大和証券グループ本社	3,677.9	288.0
2 野村ホールディングス	1,151.7	25.0
3 東海東京証券	962.4	125.9
4 SMBC日興証券	652.6	1,284.6
5 Jトラストグローバル証券	650.0	61.6
6 投資信託協会	448.0	259.7
7 野村アセットマネジメント	349.8	56.3
8 三菱UFJモルガンスタンレー証券	310.3	97.8
9 ブラックストーングループジャパン	300.0	141.5
10 三井住友トラストアセットマネジメント	215.3	81.1

その他金融	段数	前年度比(%)
1 全国信用金庫協会	806.4	105.2
2 全国労働金庫協会	757.6	111.5
3 全国信用組合中央協会	697.4	137.4
4 プランネル	620.0	274.3
5 格付投資情報センター	615.0	114.0
6 日本マテリアル	534.0	96.9
7 日電社	283.3	98.6
8 全国信用保証協会連合会	230.0	89.8
9 横浜幸銀信用組合	146.7	—
10 城南信用金庫	127.2	114.9

注：年度により対象の紙数が違うため、広告量（段）の前年度比は単純計算による

百貨店

		段数	前年度比 (%)
1	高島屋	1,530.9	94.5
2	大和	1,085.0	92.1
3	トキハ	1,057.4	93.0
4	大丸松坂屋百貨店	861.3	97.9
5	金沢丸越百貨店	749.7	117.8
6	福屋	710.5	140.3
7	百貨店連合ガイド	630.0	96.5
8	天満屋	546.3	122.5
9	三越伊勢丹	537.2	65.7
10	一畑百貨店	536.2	104.6

量販店

		段数	前年度比 (%)
1	ケーズホールディングス	5,697.5	101.8
2	あかひげ薬局	5,662.5	148.9
3	ヤマダデンキ	5,423.3	87.5
4	ティーバイティーホールディングス	5,060.5	87.1
5	イオン	4,125.7	122.1
6	リゲート	3,798.0	180.5
7	ニトリ	3,390.9	121.2
8	リサイクルマイスター	2,973.0	87.2
9	マシーンコーポレーション	2,471.0	88.1
10	アストロプロダクツ	2,085.0	87.4

商社

		段数	前年度比 (%)
1	三菱商事	1,363.1	138.5
2	伊藤忠商事	1,196.4	83.9
3	三井物産	854.6	65.9
4	丸紅	386.6	27.6
5	八木通商	350.0	—
6	長瀬産業	315.0	140.0
7	住友商事	310.5	250.4
8	双日	197.7	181.4
9	丸善雄松堂	171.0	99.4
10	鈴木商館	170.0	400.0

不動産

		段数	前年度比 (%)
1	スターツコーポレーション	3,892.8	180.7
2	アンドゥホールディングス	2,250.3	97.3
3	高松総合住宅展示場	1,758.9	103.5
4	三井不動産レジデンシャル	1,747.3	74.6
5	三井不動産	1,651.2	59.3
6	中駒産業	1,585.0	101.6
7	三菱地所	1,526.5	71.0
8	フージャースコーポレーション	1,390.5	95.4
9	HESTA大倉	1,221.0	83.0
10	ライダースパブリシティ	1,003.5	84.6

プレハブ

		段数	前年度比 (%)
1	大和ハウス工業	4,830.6	81.0
2	積水ハウス	2,631.1	100.3
3	ミサワホーム	2,554.7	80.5
4	旭化成ホームズ	1,830.9	86.0
5	パナソニックホームズ	989.1	96.5
6	富士住建	955.0	160.9
7	ゼロコーポレーション（ゼロホーム）	879.7	106.7
8	ヤマネホールディングス	620.0	85.8
9	デザオ建設	606.7	99.9
10	日建ホームズ	510.5	73.9

建設・倉庫業

		段数	前年度比 (%)
1	清水建設	841.6	120.0
2	中川工務店	672.5	85.4
3	大林組	668.0	117.2
4	奥村組	508.3	187.1
5	鹿島建設	496.4	115.5
6	長谷工コーポレーション	490.4	62.8
7	竹中工務店	474.2	131.9
8	ナカミライズホールディングス	385.0	916.7
9	新日本建設	290.0	374.2
10	大成建設	248.2	50.5

運輸・観光・娯楽

		段数	前年度比 (%)
1	阪急交通社	64,866.6	131.0
2	クラブツーリズム	18,531.0	137.0
3	JTB	8,327.0	114.7
4	日本中央競馬会	6,770.7	93.1
5	HIS	4,815.4	109.4
6	ビーエス朝日	4,377.8	95.4
7	JKA	4,058.5	102.6
8	ザ・テラスホテルズ	3,542.0	100.3
9	第一観光	3,155.0	124.7
10	日本財団	3,128.9	103.0

官庁・地方自治体

		段数	前年度比 (%)
1	住宅金融支援機構	3,812.0	92.9
2	内閣府	3,533.4	137.7
3	中小企業基盤整備機構	2,186.3	120.5
4	愛知県	1,690.7	101.8
5	資源エネルギー庁	1,671.3	195.8
6	福島県	1,613.0	87.1
7	石川県	1,571.0	97.2
8	国土交通省	1,548.6	115.2
9	農林水産省	1,293.4	190.0
10	厚生労働省	1,277.1	31.3

注：年度により対象の紙数が違うため、広告量（段）の前年度比は単純計算による

教育・通信教育

		段数	前年度比(%)
1	学文社	23,253.9	100.2
2	ユーキャン	18,195.8	84.7
3	社会通信教育協会	2,368.5	106.3
4	日本園芸協会	2,177.5	121.8
5	日本創芸教育	2,075.0	83.5
6	代々木ゼミナール	1,380.4	82.6
7	みすず学苑	1,080.0	94.7
8	リソー教育	1,034.1	64.2
9	国際医療福祉大学	965.0	157.5
10	ワオコーポレーション	907.9	133.2

情報通信サービス業

		段数	前年度比(%)
1	47クラブ	15,515.8	56.2
2	ファーストブランド	4,186.2	78.5
3	ビジネスインフォメーションテクノロジー	3,761.4	118.7
4	クーリエ	3,168.3	113.8
5	日経HR	2,919.5	152.6
6	アマゾンジャパン	1,805.0	62.6
7	ココペリ	1,370.0	290.3
8	ネスク	973.6	197.4
9	NTT関連会社	941.0	38.4
10	KDDI	824.7	70.0

その他専門サービス

		段数	前年度比(%)
1	司法書士法人杉山事務所	5,026.0	96.7
2	ビデオリサーチ	4,395.5	117.1
3	アンバーアセットマネジメント	3,506.5	85.5
4	リネットジャパンリサイクル	3,113.5	135.2
5	日清医療食品	2,655.0	177.9
6	トッパン	2,291.1	282.5
7	平松剛法律事務所	2,073.1	263.7
8	日本インプラント	1,863.5	95.5
9	プリントパック	1,731.0	98.9
10	キューボー	1,511.0	87.7

通信販売

		段数	前年度比(%)
1	オークローンマーケティング	45,498.1	84.5
2	夢グループ(夢み堂)	32,541.8	106.8
3	快適生活	30,791.8	112.4
4	日本経済社	30,455.8	124.6
5	新日本製薬	21,531.3	118.2
6	日本直販	17,636.9	109.8
7	ベルーナ	15,695.1	87.8
8	新光通販	14,849.7	68.3
9	トゥーコネクト	14,295.0	97.7
10	八幡物産	13,850.5	65.7

その他対人サービス

		段数	前年度比(%)
1	東京上野クリニック	3,398.0	75.1
2	マイナビ	2,846.4	103.5
3	本田ヒルズタワークリニック	2,541.0	129.1
4	ばらと霊園	2,105.5	93.6
5	サンケイ新聞関連事業者グループ	1,900.6	166.0
6	毎日サービス	1,658.5	132.2
7	日本経済新聞関連事業者グループ	1,631.9	126.8
8	毎日新聞関連事業者グループ	1,434.2	99.4
9	想いコーポレーション	953.2	—
10	道新文化事業社	902.7	69.9

注：年度により対象の紙数が違うため、広告量(段)の前年度比は単純計算による

新聞の発行部数

日本新聞協会経営業務部　　資料編

発行部数と世帯数

	合計 (部)	種類別		発行形態別			1世帯 当たり (部)	世帯数 (戸)
		一般紙(部)	スポーツ紙 (部)	セット部数 (部)	朝刊単独(部)	夕刊単独(部)		
2009年	50,352,831	45,659,885	4,692,946	14,727,162	34,399,779	1,225,890	0.95	52,877,802
2010年	49,321,840	44,906,720	4,415,120	13,877,495	34,259,015	1,185,330	0.92	53,362,801
2011年	48,345,304	44,091,335	4,253,969	13,235,658	33,975,622	1,134,024	0.90	53,549,522
2012年	47,777,913	43,723,161	4,054,752	12,876,612	33,827,147	1,074,154	0.88	54,171,475
2013年	46,999,468	43,126,352	3,873,116	12,396,510	33,552,159	1,050,799	0.86	54,594,744
2014年	45,362,672	41,687,125	3,675,547	11,356,360	32,979,682	1,026,630	0.83	54,952,108
2015年	44,246,688	40,691,869	3,554,819	10,874,446	32,365,532	1,006,710	0.80	55,364,197
2016年	43,276,147	39,821,106	3,455,041	10,413,426	31,889,399	973,322	0.78	55,811,969
2017年	42,128,189	38,763,641	3,364,548	9,700,510	31,487,725	939,954	0.75	56,221,568
2018年	39,901,576	36,823,021	3,078,555	9,025,146	29,993,652	882,778	0.70	56,613,999
2019年	37,811,248	34,877,964	2,933,284	8,422,099	28,554,249	834,900	0.66	56,996,515
2020年	35,091,944	32,454,796	2,637,148	7,252,724	27,064,065	775,155	0.61	57,380,526
2021年	33,027,135	30,657,153	2,369,982	6,484,982	25,914,024	628,129	0.57	57,849,163
2022年	30,846,631	28,694,915	2,151,716	5,928,317	24,400,468	517,846	0.53	58,226,982
2023年	28,590,486	26,674,129	1,916,357	4,456,199	23,681,695	452,592	0.49	58,493,428

注：発行部数は朝夕刊セットを1部として計算。セット紙を朝・夕刊別に数えた場合は、33,046,685部（2023年10月現在）。
　　各年10月現在。世帯数は2014年から1月1日現在、13年までは3月31日現在の住民基本台帳による

発行部数と普及度

	発行部数 (千部)	人口千人 当たり部数 (部)	日刊紙数
2009年	65,080	512	121
2010年	63,199	497	120
2011年	61,581	487	119
2012年	60,655	478	118
2013年	59,396	469	117
2014年	56,719	448	117
2015年	55,121	436	117
2016年	53,690	426	117
2017年	51,829	412	117
2018年	48,927	390	117
2019年	46,233	370	116
2020年	42,345	340	116
2021年	39,512	319	113
2022年	36,775	298	112
2023年	33,047	270	110

注：朝夕刊セットの新聞を朝刊1部、夕刊1部の計2部として計算。
　　各年10月現在

戸別配達率

	戸別配達 (%)	即売 (%)	郵送 (%)	その他 (%)
2009年	94.73	4.73	0.04	0.50
2010年	94.86	4.60	0.04	0.50
2011年	94.97	4.52	0.04	0.48
2012年	94.94	4.57	0.04	0.45
2013年	95.08	4.43	0.04	0.45
2014年	95.19	4.28	0.04	0.49
2015年	95.07	4.39	0.04	0.49
2016年	95.06	4.40	0.04	0.50
2017年	95.01	4.44	0.04	0.51
2018年	95.29	4.16	0.04	0.50
2019年	95.17	4.27	0.04	0.52
2020年	95.51	3.93	0.04	0.51
2021年	95.77	3.66	0.04	0.52
2022年	95.85	3.56	0.06	0.52
2023年	95.95	3.50	0.04	0.51

注：各年10月現在

雑誌グループ別発行ページ数（2023年度月別）

(単位：ページ)

月 ＼ 媒体誌	一般週刊誌 10誌	女性週刊誌 6誌	娯楽週刊誌 26誌	総合月刊誌 12誌	趣味・娯楽月刊誌 106誌	女性月刊誌 120誌	少年少女コミック誌 26誌	健康誌 4誌	経済誌 15誌	住宅誌 8誌	カード・機内誌 6誌	コンピュータ誌 10誌	自動車誌 10誌	合計 359誌
4 月	4,948	2,858	9,588	4,000	12,380	13,634	22,124	122	3,160	586	586	1,270	1,772	77,028
5 月	4,676	2,668	9,402	3,514	11,536	13,836	20,182	130	3,128	802	586	1,254	1,720	73,434
6 月	4,428	2,936	9,494	4,270	13,852	14,050	23,370	254	3,116	656	586	1,214	1,720	79,946
7 月	3,760	2,598	9,118	4,040	11,302	12,576	23,402	302	3,468	630	582	1,270	1,772	74,820
8 月	3,956	2,768	9,352	3,500	10,868	13,192	21,202	278	3,040	610	486	1,394	1,580	72,226
9 月	3,964	2,578	9,076	3,632	14,020	15,804	21,760	426	2,952	734	590	1,326	1,768	78,630
上 期 計	25,732	16,406	56,030	22,956	73,958	83,092	132,040	1,512	18,864	4,018	3,416	7,728	10,332	456,084
10 月	4,126	2,618	9,498	4,004	12,636	14,080	23,438	278	3,464	612	618	1,286	1,744	78,402
11 月	4,140	2,752	9,440	3,488	12,360	14,414	24,162	278	3,244	706	606	1,302	1,764	78,656
12 月	3,982	2,380	9,644	4,372	12,832	13,930	18,868	426	3,312	644	618	1,294	1,772	74,074
1 月	3,840	2,624	8,670	3,126	10,834	11,490	19,640	294	3,168	410	506	1,278	1,556	67,436
2 月	4,052	2,470	8,218	4,368	11,414	12,708	23,036	294	3,164	634	622	1,114	1,756	73,850
3 月	3,954	2,756	8,870	3,430	14,852	15,582	22,004	426	3,248	696	606	1,270	1,728	79,422
下 期 計	24,094	15,600	54,340	22,788	74,928	82,204	131,148	1,996	19,600	3,702	3,576	7,544	10,320	451,840
年 計	49,826	32,006	110,370	45,744	148,886	165,296	263,188	3,508	38,464	7,720	6,992	15,272	20,652	907,924
構成比（%）	5.5	3.5	12.2	5.0	16.4	18.2	29.0	0.4	4.2	0.9	0.8	1.7	2.3	100.0
年間発行冊数（冊）	385	231	670	128	1,008	1,028	649	25	365	52	70	132	130	4,873

雑誌グループ別広告量（2023年度月別）

(単位：ページ)

月 ＼ 媒体誌	一般週刊誌 10誌	女性週刊誌 6誌	娯楽週刊誌 26誌	総合月刊誌 12誌	趣味・娯楽月刊誌 106誌	女性月刊誌 120誌	少年少女コミック誌 26誌	健康誌 4誌	経済誌 15誌	住宅誌 8誌	カード・機内誌 6誌	コンピュータ誌 10誌	自動車誌 10誌	合計 359誌
4 月	453.45	248.71	513.83	105.23	1,523.04	2,198.03	137.66	6.00	413.10	135.17	97.32	56.41	224.91	6,112.86
5 月	358.06	251.71	513.68	77.71	1,303.55	2,063.36	133.66	28.33	371.95	121.00	89.65	61.57	167.91	5,542.14
6 月	396.04	244.39	496.00	101.56	1,658.76	1,881.13	144.66	39.33	428.02	201.50	75.66	48.83	190.58	5,906.46
7 月	348.41	228.40	479.74	83.89	1,190.63	1,608.69	170.66	33.99	486.34	103.32	85.98	58.49	188.91	5,067.45
8 月	356.11	234.90	504.90	98.22	1,392.47	1,991.79	155.81	36.00	357.30	143.17	62.65	86.83	137.91	5,558.06
9 月	362.65	218.66	570.74	82.76	1,974.40	2,804.34	146.08	52.66	386.72	105.17	88.65	125.57	164.91	7,083.31
上 期 計	2,274.72	1,426.77	3,078.89	549.37	9,042.85	12,547.34	888.53	196.31	2,443.43	809.33	499.91	437.70	1,075.13	35,270.28
10 月	398.53	225.88	568.49	116.42	1,914.94	2,625.36	158.66	46.58	445.74	149.75	102.48	79.49	206.91	7,039.23
11 月	381.74	248.90	534.11	82.22	1,832.03	2,430.69	164.99	37.32	487.08	120.84	92.32	79.32	198.41	6,689.97
12 月	426.71	237.78	566.97	153.42	1,636.61	2,009.51	110.66	47.16	497.57	150.34	115.65	81.58	188.58	6,222.54
1 月	328.80	238.00	490.81	75.10	1,120.10	1,417.69	143.16	29.15	432.37	48.50	83.15	69.90	150.91	4,627.64
2 月	366.57	187.54	485.14	105.72	1,339.61	2,038.81	144.33	40.83	380.22	178.67	108.49	53.99	169.91	5,599.83
3 月	431.80	256.72	534.96	90.97	2,189.65	2,658.28	167.33	54.82	578.56	103.84	98.98	67.16	217.91	7,450.98
下 期 計	2,334.15	1,394.82	3,180.48	623.85	10,032.94	13,180.34	889.13	255.86	2,821.54	751.94	601.07	431.44	1,132.63	37,630.19
年 計	4,608.87	2,821.59	6,259.37	1,173.22	19,075.79	25,727.68	1,777.66	452.17	5,264.97	1,561.27	1,100.98	869.14	2,207.76	72,900.47
構成比（%）	6.3	3.9	8.6	1.6	26.2	35.3	2.4	0.6	7.2	2.1	1.5	1.2	3.0	100.0
広告掲載比率（%）	9.2	8.8	5.7	2.6	12.8	15.6	0.7	12.9	13.7	20.2	15.7	5.7	10.7	8.0

注：広告掲載比率は、発行ページ数に対する広告量の割合

雑誌広告出稿量上位30社（2023年度）

順位	広告主名	2023年度 359誌		2022年度 355誌		広告量前年度比(%)
		広告量(ページ)	広告費(千円)	広告量(ページ)	広告費(千円)	
1	シャネル	1,232.50	2,553,063	1,208.00	2,478,484	102.0
2	ソーダストリーム	741.00	1,285,710	638.00	1,110,440	116.1
3	リシュモンジャパン	704.99	1,287,623	663.49	1,191,160	106.3
4	スウォッチグループジャパン	701.15	1,221,790	440.20	749,606	159.3
5	資生堂	655.50	1,035,721	567.50	916,618	115.5
6	ルイ・ヴィトン・ジャパン	425.00	844,470	375.00	747,950	113.3
7	野草酵素	407.00	353,988	416.00	370,643	97.8
8	旭化成ホームズ	379.00	373,460	366.00	352,840	103.6
9	クリスチャンディオール	374.00	796,120	332.00	701,060	112.7
10	パルファンクリスチャンディオール	368.00	744,849	416.50	821,893	88.4
11	パナソニック	366.53	581,124	375.67	584,445	97.6
12	日本たばこ産業	350.99	460,406	882.48	1,195,915	39.8
13	ラルフローレン	329.00	587,790	319.00	555,315	103.1
14	アールシーコア	311.00	402,400	231.00	296,000	134.6
15	プラダジャパン	291.00	630,400	296.50	616,170	98.1
16	TSI	290.50	417,935	244.00	362,100	119.1
17	東風の会	281.29	280,780	291.29	289,080	96.6
18	ブルガリジャパン	281.00	575,120	159.00	324,815	176.7
18	住友ゴム工業	281.00	314,057	305.00	337,475	92.1
20	カカクコム	273.00	439,370	380.00	598,990	71.8
21	フジテレビジョン	267.50	425,440	276.34	446,890	96.8
22	日本ロレックス	263.00	476,750	246.58	452,905	106.7
23	コーセー	262.50	448,591	204.17	356,910	128.6
24	大和ハウス工業	253.00	367,180	269.00	376,900	94.1
25	フィリップモリス	246.00	359,184	15.00	18,040	1,640.0
26	東京ノーストクリニック	234.00	253,900	243.00	272,800	96.3
27	三陽商会	227.00	376,720	193.00	318,250	117.6
28	キヨラ（食品）	218.00	374,550	157.00	256,150	138.9
29	ドリームファクトリー（貴金属）	215.00	322,880	355.00	597,460	60.6
30	マッシュスタイルラボ	212.00	360,500	242.00	397,620	87.6

注：年度により対象の誌数が違うため、広告量（ページ）の前年度比は単純計算による

雑誌業種別広告出稿量（ページ）上位10社（2023年度）

	電気製品	ページ数	前年度比(%)
1	パナソニック	366.53	97.6
2	ハイアールジャパンセールス	88.00	58.7
3	ウィナーズ	79.00	—
4	MTG	64.00	125.5
5	レッドレンザージャパン	56.00	74.7
6	ヤーマン	55.00	59.8
7	ソニーマーケティング	50.00	108.7
8	日本コロムビア	45.00	125.1
9	小泉産業	44.00	95.7
10	バルミューダ	31.00	155.0

	輸送用機器	ページ数	前年度比(%)
1	トヨタ自動車	130.00	98.5
2	日産自動車	109.00	279.5
3	三菱自動車工業	107.00	97.3
4	本田技研工業	80.00	113.2
5	アウトモビリランボルギーニジャパン	79.00	86.8
6	ステランティスジャパン	78.00	81.3
6	SUBARU	78.00	79.4
8	スズキ	74.00	88.5
9	アライヘルメット	73.00	101.4
10	データシステム	47.00	117.5

	時計	ページ数	前年度比(%)
1	リシュモンジャパン	704.99	106.3
2	スウォッチグループジャパン	701.15	159.3
3	日本ロレックス	263.00	106.7
4	PPジャパン	210.58	168.9
5	LVMHウォッチジュエリージャパン	168.45	96.6
6	ミスズ（時計）	156.00	113.0
7	ユーロパッション	152.00	112.6
8	リシャールミルジャパン	128.00	110.3
9	ベル＆ロスジャパン	111.00	116.8
10	オーデマピゲジャパン	98.45	106.4

	光学機器・その他精密機器	ページ数	前年度比(%)
1	キヤノンマーケティングジャパン	180.01	92.7
2	阪神交易	69.00	111.3
3	富士フイルム	36.50	165.9
4	シグマ（光学機器）	28.00	107.7
5	ライカカメラジャパン	26.00	54.2
6	大沢商会	25.00	1,250.0
7	ニコン	22.00	157.1
8	ロカユニバーサルデザイン	20.00	—
9	スタージャパン	14.00	350.0
9	ケーアンドエフコンセプト	14.00	—

	電子機器	ページ数	前年度比(%)
1	ギデオン	74.00	97.4
2	カシオ計算機	43.00	86.4
3	セイコーエプソン	40.00	166.7
4	アーク情報システム	37.00	100.0
5	テクタイト	31.00	93.9
6	LPIジャパン	30.00	130.4
7	ヘンゲ	25.00	89.3
8	ディジキー	24.00	92.3
9	ネオジャパン	23.00	85.2
10	NIコンサルティング	21.00	161.5

	機械器具	ページ数	前年度比(%)
1	ダイフク	25.50	98.1
2	兵神装備	24.00	100.0
3	東芝三菱電機産業システム	20.00	100.0
4	ブラザー工業	17.00	1,133.3
5	高砂熱学工業	13.00	216.7
6	ダイヘン	12.00	92.3
6	SUS	12.00	100.0
8	クボタ	11.00	69.8
8	トーエイ工業	11.00	84.6
10	セブンビューティー	9.00	56.3
10	伯東	9.00	124.1
10	フリュー	9.00	100.0

	住宅機器用品	ページ数	前年度比(%)
1	ソーダストリーム	741.00	116.1
2	ツヴィリングJAヘンケルスジャパン	96.00	115.0
3	フィスカースジャパン	84.00	93.3
4	フォーユアアンビエントすけの	53.20	96.4
5	アルフレックスジャパン	44.60	85.1
6	リンナイ	37.20	97.9
7	パラマウントベッド	37.00	462.5
8	イーケーオージャパン	35.00	—
9	FFJ	31.20	88.6
10	クライスアンドカンパニー	21.40	175.4

	その他身回り品	ページ数	前年度比(%)
1	ルイ・ヴィトン・ジャパン	425.00	113.3
2	ブルガリジャパン	281.00	176.7
3	カルティエジャパン（リシュモンジャパン）	209.58	123.5
4	ハリーウィンストンジャパン	184.00	98.9
5	フェンディジャパン	178.00	96.7
6	グッチジャパン	174.00	89.7
7	HMAEN	172.00	85.6
8	ティファニー＆カンパニー	164.00	100.0
9	ミルク	159.00	119.5
10	ブシュロンジャパン	149.00	114.6
10	エース（バッグ）	149.00	106.4

注：年度により対象の誌数が違うため、広告量（ページ）の前年度比は単純計算による

スポーツ用品		ページ数	前年度比 (%)
1	キャロウェイゴルフ	145.00	95.7
2	テーラーメイドゴルフ	116.00	117.8
3	モンベル	93.00	96.9
4	アシックス	78.00	140.5
5	ボディデザイン	77.00	95.1
6	アメアスポーツジャパン	68.00	178.9
7	ピンゴルフジャパン	63.50	75.6
8	ネクサスブランズ	60.00	107.1
9	ミレーマウンテングループジャパン	56.00	147.4
10	アクシネットジャパンインク	52.00	38.0

雑品		ページ数	前年度比 (%)
1	ヤマハ	97.99	134.9
2	藤倉コンポジット	90.00	100.0
3	スケッチャーズジャパン	73.00	221.2
4	ウォルトディズニージャパン	66.00	103.1
5	ソニー・ミュージックエンタテインメント・インク	61.16	141.1
6	バンダイ	60.00	75.0
7	ニューバランスジャパン	57.50	117.3
8	NBCユニバーサルエンターテイメントジャパン	54.00	270.0
9	バンダイナムコミュージックライブ	51.00	87.9
10	キングレコード	49.00	49.5

エネルギー・加工基礎材		ページ数	前年度比 (%)
1	住友ゴム工業	281.00	92.1
2	ハンターダグラスジャパン	61.00	107.0
3	東京ガス	57.00	87.7
4	YKKAP	38.75	84.7
5	LIXIL	38.20	130.8
6	ブリヂストン	31.00	89.9
7	日本製鉄	30.25	186.2
8	アサヒペン	30.00	103.4
9	電気事業連合会	28.50	135.7
10	日本ガイシ	25.50	102.0

薬品・衛生用品		ページ数	前年度比 (%)
1	ロート製薬	198.40	157.6
2	興和	154.50	90.9
3	大塚製薬	142.00	114.1
4	第一三共ヘルスケア	130.00	95.9
5	救心製薬	90.42	101.4
6	ハイパワーセンカー	64.00	100.0
7	ピジョン	48.00	51.1
8	太田胃散	46.46	66.5
9	クロノス(衛生用品)	45.00	281.3
10	佐藤製薬	43.66	102.3

化粧品		ページ数	前年度比 (%)
1	シャネル	1,232.50	102.0
2	資生堂	655.50	115.5
3	パルファンクリスチャンディオール	368.00	88.4
4	コーセー	262.50	128.6
5	カネボウ化粧品	201.50	105.2
6	ナチュラルサイエンス	158.00	92.4
7	ランコム	144.50	123.5
8	ネイチャーラボ	102.00	50.0
9	イオン化粧品	96.00	100.0
10	エキップ	94.50	97.4

石鹸・洗剤		ページ数	前年度比 (%)
1	花王	148.97	92.2
2	サラヤ	116.00	95.1
3	美健コーポレーション	36.00	240.0
4	シャボン玉石けん	31.00	221.4
5	サンギ	25.00	80.6
6	牛乳石鹸共進社	24.00	109.1
7	ミヨシ油脂	17.17	132.1
8	ライオン	16.50	94.3
9	太陽油脂	16.00	―
10	クラデンジャパン	11.00	―

一般食品		ページ数	前年度比 (%)
1	野草酵素	407.00	97.8
2	キヨラ(食品)	218.00	138.9
3	日清製粉グループ本社	139.00	106.9
4	MLA豪州食肉家畜生産者事業団	128.00	287.6
5	キユーピー	100.00	75.6
6	ヤクルト本社	98.00	163.3
7	ジェイピーエスラボ	93.00	116.3
8	明治	69.50	126.4
9	アサヒグループ食品	64.00	79.0
10	キッコーマン	53.50	133.8

菓子		ページ数	前年度比 (%)
1	ロッテ	34.00	70.8
1	森永製菓	34.00	97.1
3	グレープストーン	27.00	117.4
4	カルビー	20.00	142.9
5	徳永製菓	19.31	101.6
6	かんの屋	15.00	107.1
7	春華堂	14.00	421.7
8	江崎グリコ	13.00	30.6
9	宗家源吉兆庵	12.00	100.0
9	洋菓子舗ウエスト	12.00	100.0

注：年度により対象の誌数が違うため、広告量（ページ）の前年度比は単純計算による

アルコール飲料		ページ数	前年度比(%)
1	モトックス	123.00	166.2
2	サントリーホールディングス	117.00	97.5
3	宝酒造	106.50	82.7
4	キリンビール	80.00	2,666.7
5	三和酒類	66.00	108.8
6	アサヒビール	64.00	111.3
7	MHDモエヘネシーディアジオ	56.00	57.7
8	黄桜	54.00	91.5
9	ディアジオジャパン	46.00	191.7
10	日欧商事	42.00	97.7

非アルコール飲料・嗜好品		ページ数	前年度比(%)
1	日本たばこ産業	350.99	39.8
2	フィリップモリス	246.00	1,640.0
3	言歩木	82.00	139.0
4	ハワイコーヒーカンパニー	48.00	320.0
5	日本コカコーラ	38.00	84.4
6	キリンビバレッジ	26.00	433.3
7	ネスレ日本	17.00	121.4
8	松田商店(眞茶園)	14.00	107.7
9	ルーデル	12.00	300.0
9	パラディーゾジャパン	12.00	120.0

繊維		ページ数	前年度比(%)
1	クリスチャンディオール	374.00	112.7
2	ラルフローレン	329.00	103.1
3	プラダジャパン	291.00	98.1
4	TSI	290.50	119.1
5	三陽商会	227.00	117.6
6	マッシュスタイルラボ	212.00	87.6
7	エルメスジャポン	205.00	97.6
8	ヘルノジャパン	189.00	131.3
9	オンワード樫山	126.00	196.9
10	ジョルジオアルマーニジャパン	124.00	89.9

出版		ページ数	前年度比(%)
1	聖教新聞社	65.74	73.2
2	文藝春秋	45.69	73.5
3	東京化学同人	40.00	129.0
4	日本図書普及	29.50	151.3
5	日本経済新聞社	25.00	208.3
6	小学館	24.43	69.9
7	白泉社	24.00	103.2
8	岩波書店	19.87	101.7
9	読売新聞社	19.81	131.5
10	集英社	17.83	87.0

銀行		ページ数	前年度比(%)
1	三井住友銀行	159.30	98.8
2	みずほフィナンシャルグループ	26.25	119.3
3	三井住友フィナンシャルグループ	13.00	325.0
3	三菱UFJ銀行	13.00	65.0
5	大和ネクスト銀行	11.00	275.0
6	三井住友信託銀行	10.00	76.9
7	三菱UFJフィナンシャルグループ	9.00	300.0
8	全国銀行協会	7.00	—
8	三菱UFJ信託銀行	7.00	58.3
10	セブン銀行	6.00	—

保険		ページ数	前年度比(%)
1	日本生命保険	74.58	112.0
2	SBIいきいき少額短期保険	64.00	98.5
3	健康年齢少額短期保険	38.00	52.8
4	AIG損害保険	22.00	110.0
5	オリーブ少額短期保険	21.64	—
6	三井住友海上火災保険	21.00	42.0
7	アフラック生命保険	20.00	125.0
8	プラス少額短期保険	19.32	100.0
9	富国生命保険	18.20	90.1
10	ソニー生命保険	17.00	283.3

証券		ページ数	前年度比(%)
1	グローバルXジャパン	26.00	650.0
2	ムームー証券	24.00	—
3	マネックス証券	16.00	69.6
4	東洋証券	11.00	—
5	松井証券	9.00	100.0
6	三井住友DSアセットマネジメント	8.00	800.0
7	GMOクリック証券	7.00	140.0
7	SMBC日興証券	7.00	233.3
7	三菱UFJモルガンスタンレー証券	7.00	70.0
10	auカブコム証券	6.00	—
10	東海東京証券	6.00	—

その他金融		ページ数	前年度比(%)
1	外為オンライン	60.00	100.0
2	ジェーシービー	40.00	1,333.3
3	日本マテリアル	37.00	94.9
4	外為どっとコム	34.00	161.9
5	アプラス	30.00	200.0
6	ゴールドリンク	20.00	66.7
7	インヴァスト証券	16.00	177.8
8	プランネル	9.00	128.6
9	アメリカンエキスプレス	8.00	400.0
10	三井住友カード	4.00	30.8

注：年度により対象の誌数が違うため、広告量（ページ）の前年度比は単純計算による

百貨店		ページ数	前年度比 (%)
1	阪急阪神百貨店	130.00	91.5
2	そごう・西武	89.00	122.8
3	高島屋	50.75	112.6
4	三越伊勢丹	40.25	147.7
5	大丸松坂屋百貨店	32.50	168.8
6	小田急百貨店	6.00	600.0
7	丸井グループ	5.00	100.0
8	東武百貨店	4.50	300.0
9	松屋	4.00	200.0
10	東急百貨店	3.50	233.3

量販店		ページ数	前年度比 (%)
1	ドリームファクトリー（貴金属）	215.00	60.6
2	セブンイレブン・ジャパン	124.00	—
3	しまむら	118.00	121.6
4	ジュエリーピコ	93.00	320.7
5	イデアポート	92.00	164.3
6	ヨシダ（時計　渋谷）	89.00	107.2
7	ヴィクトリア	84.00	115.9
8	リヴェラーノ＆リヴェラーノ	77.00	160.4
9	ユナイテッドアローズ	74.00	84.1
10	レッドバロングループ	73.00	101.4

商社		ページ数	前年度比 (%)
1	八木通商	135.00	84.9
2	コロネット	115.00	130.7
3	DKSHジャパン	67.00	167.5
4	伊藤忠商事	49.58	90.8
5	丸紅	46.25	165.2
6	ウエニ貿易	33.00	66.0
7	三菱商事	29.00	150.6
8	長瀬産業	14.00	175.0
9	三井物産	11.00	157.1
10	丸善雄松堂	9.50	90.5

不動産		ページ数	前年度比 (%)
1	三井ホーム	66.33	125.2
2	サイエンスホーム	49.00	75.4
3	住友林業	47.00	68.1
4	アンドゥホールディングス	46.00	102.2
5	三井不動産	38.90	205.8
6	住友不動産	37.53	117.2
7	三菱地所	33.25	138.5
8	野村不動産	32.77	366.6
9	ハウストラッド	20.00	90.9
10	東急不動産	17.00	97.1

プレハブ		ページ数	前年度比 (%)
1	旭化成ホームズ	379.00	103.6
2	アールシーコア	311.00	134.6
3	大和ハウス工業	253.00	94.1
4	ミサワホーム	55.00	96.5
5	積水ハウス	39.00	32.6
6	タマホーム	36.00	102.9
6	ベルクハウス	36.00	100.0
8	ログリゾート	23.00	121.1
9	富士住建	18.00	60.0
10	ハウジングオペレーションアーキテクツ	17.00	106.3

建設・倉庫業		ページ数	前年度比 (%)
1	横河システム建築	24.00	109.1
1	ピーエス三菱	24.00	88.9
3	長谷工コーポレーション	13.00	68.4
4	鹿島建設	12.50	108.7
5	大成建設	12.00	85.7
6	大林組	10.34	36.9
7	清水建設	10.00	66.7
8	戸田建設	7.00	233.3
9	竹中工務店	5.00	125.0
10	五洋建設	4.00	—

運輸・観光・娯楽		ページ数	前年度比 (%)
1	フジテレビジョン	267.50	96.8
2	テアトルアカデミー	131.50	103.5
3	星野リゾート	121.50	116.8
4	日本中央競馬会	107.00	82.9
5	東海旅客鉄道	98.85	94.0
6	ワウワウ（WOWOW）	83.33	84.2
7	フェニックスリゾート	70.00	134.6
8	日本放送協会	68.58	84.7
9	東日本旅客鉄道	68.50	117.7
10	ワールドハイビジョンチャンネル	64.00	133.3
10	カトープレジャーグループ（KPG）	64.00	112.3

官庁・地方自治体		ページ数	前年度比 (%)
1	東京都	50.61	183.3
2	鳥取県	21.50	187.0
3	滋賀県近江八幡市	18.50	142.3
4	内閣府	18.00	128.6
4	カナダ大使館	18.00	600.0
6	岐阜県	17.50	250.0
7	オンタリオ州	16.00	—
8	欧州連合（EU）	15.00	750.0
8	佐賀県	15.00	375.0
10	中小企業基盤整備機構	13.33	222.2

注：年度により対象の誌数が違うため、広告量（ページ）の前年度比は単純計算による

教育・通信教育	ページ数	前年度比(%)
1 立正大学	54.75	99.5
2 ユーキャン	52.00	27.7
3 東京ストリート学舎	46.00	83.6
4 鹿島学園高等学校	27.00	87.1
5 近畿大学・短期大学	22.00	81.5
6 総合資格	19.00	90.5
7 総合学院テクノスカレッジ	16.00	133.3
8 京都先端科学大学	15.00	—
9 金沢工業大学	14.00	100.0
10 武蔵野大学	12.50	192.3

情報通信サービス業	ページ数	前年度比(%)
1 カカクコム	273.00	71.8
2 サイゲームス	68.00	87.2
3 シロク（ブランド事業）	34.25	1,712.5
4 ビーンズ（ショッピングサイト）	32.00	103.2
5 NTTデータ	28.25	111.9
6 アンダーワールド	28.00	87.5
7 ゼクサバース	27.00	—
7 メディエア	27.00	225.0
7 GMOアダム	27.00	57.4
10 アマゾンジャパン	26.00	27.4

その他専門サービス	ページ数	前年度比(%)
1 ヴァンガードスミス	60.00	1,000.0
2 サテライトオフィス	38.00	93.8
3 カーサプロジェクト	35.00	125.0
4 モノマート	30.00	120.0
5 山川設計	28.00	93.3
6 大日本印刷	26.55	84.2
7 内外切抜通信社	24.00	100.0
8 ベリーベスト法律事務所	22.00	129.4
8 北浜グローバル経営	22.00	183.3
8 コナミグループ	22.00	91.7

通信販売	ページ数	前年度比(%)
1 東風の会	281.29	96.6
2 大成堂	144.00	252.6
3 エーアンドイー	142.00	74.3
4 ジャパンメールサービス	133.00	101.5
5 水晶院	110.00	97.3
6 新日本製薬	104.00	85.2
7 毎日元気	91.00	91.0
8 インペリアルエンタープライズ	79.00	43.6
9 元気堂本舗	74.00	92.5
10 ココロカンパニー	73.00	83.0

その他対人サービス	ページ数	前年度比(%)
1 東京ノーストクリニック	234.00	96.3
2 アニコム損害保険	158.00	108.2
3 アサミ美容外科	116.00	1,160.0
4 ABCクリニック	110.00	34.1
5 銀座コジマ	49.00	100.0
6 東都ジャパン	48.00	100.0
7 想いコーポレーション	47.00	940.0
8 ウェルネスダイニング	42.00	79.2
9 東京上野クリニック	34.00	1,133.3
10 キーパー技研	30.00	100.0

注：年度により対象の誌数が違うため、広告量（ページ）の前年度比は単純計算による

雑誌発行銘柄数・推定販売部数・推定販売金額　　　　出版科学研究所

発行銘柄数

(▲は減)

	雑誌 (点)	増減率 (%)	月刊誌 (点)	増減率 (%)	週刊誌 (点)	増減率 (%)
2019年	2,734	▲ 3.1	2,652	▲ 3.2	82	0.0
2020年	2,626	▲ 4.0	2,542	▲ 4.1	84	2.4
2021年	2,536	▲ 3.4	2,454	▲ 3.5	82	▲ 2.4
2022年	2,482	▲ 2.1	2,400	▲ 2.2	82	0.0
2023年	2,389	▲ 3.7	2,309	▲ 3.8	80	▲ 2.4

注：当年中に発行回数に関係なく1号でも刊行のあった銘柄はすべて1点と数えた

推定販売部数

(▲は減)

	雑誌 (万冊)	増減率 (%)	月刊誌 (万冊)	増減率 (%)	週刊誌 (万冊)	増減率 (%)
2019年	97,554	▲ 8.0	70,477	▲ 6.8	27,077	▲11.0
2020年	95,427	▲ 2.2	71,170	1.0	24,257	▲10.4
2021年	88,069	▲ 7.7	66,794	▲ 6.1	21,275	▲12.3
2022年	77,132	▲12.4	57,475	▲14.0	19,657	▲ 7.6
2023年	67,087	▲13.0	50,527	▲12.1	16,560	▲15.8

注：取次出荷部数－小売店から取次への返品部数＝販売部数

推定販売金額

(▲は減)

	雑誌 (億円)	増減率 (%)	月刊誌 (億円)	増減率 (%)	週刊誌 (億円)	増減率 (%)
2019年	5,637	▲ 4.9	4,639	▲ 4.2	998	▲ 8.1
2020年	5,576	▲ 1.1	4,662	0.5	913	▲ 8.5
2021年	5,276	▲ 5.4	4,451	▲ 4.5	825	▲ 9.7
2022年	4,795	▲ 9.1	4,017	▲ 9.7	778	▲ 5.7
2023年	4,418	▲ 7.9	3,728	▲ 7.2	690	▲11.3

注：推定販売部数を本体価格で換算した金額。消費税分は含まない
　　取次出荷額－小売店から取次への返品額＝販売金額
　　各項目の計算値を表示単位で四捨五入したため、合計と異なる場合がある
出所：『季刊出版指標』2024年冬号（3つとも）

番組・スポットCM合計秒数の上位30社 (2023年4月～2024年3月／関東)

順位	広 告 主 名	番組・スポット合計秒数(秒)	番組CM			スポットCM		
			本数(本)	秒数(秒)	広告費(万円)	本数(本)	秒数(秒)	広告費(万円)
1	中央事務所	714,995	3,371	138,130	59,937	12,610	576,865	304,752
2	再春館製薬所	307,390	52	3,130	729	5,898	304,260	150,635
3	ベリーベスト法律事務所	286,515	—	—	—	6,680	286,515	158,296
4	ACジャパン	173,740	—	—	—	6,573	173,740	86,780
5	マイケア	132,030	—	—	—	1,101	132,030	68,421
6	バイセルテクノロジーズ	121,720	—	—	—	2,309	121,720	61,026
7	アマゾンジャパン	85,570	208	9,130	4,133	2,207	76,440	39,785
8	エイチームライフデザイン	76,810	—	—	—	2,421	76,810	30,136
9	FWD生命保険	75,280	—	—	—	1,575	75,280	34,540
10	MOTA	74,080	—	—	—	3,634	74,080	37,040
11	ファーストブランド	73,200	—	—	—	3,660	73,200	29,226
12	IDOM	72,900	—	—	—	2,618	72,900	39,061
13	radiko	72,215	—	—	—	2,384	72,215	31,417
14	ランクアップ	68,895	—	—	—	620	68,895	38,746
15	クレディセゾン	68,345	1,620	60,080	17,909	273	8,265	3,331
16	カカクコム	65,120	1,914	44,340	8,824	1,105	20,780	11,186
17	カービュー	63,080	—	—	—	1,971	63,080	33,349
18	明治	60,825	918	23,315	8,155	1,766	37,510	18,384
19	BOAT RACE振興会	54,785	1,355	38,000	9,531	586	16,785	7,653
20	扶桑社	52,920	—	—	—	1,645	52,920	30,074
21	大日本除虫菊	52,020	—	—	—	820	52,020	24,955
22	スズキ	51,000	1,823	45,820	16,992	259	5,180	2,856
23	ヨドバシカメラ	49,420	1,096	21,920	5,397	1,893	27,500	15,177
24	興和	48,200	—	—	—	2,410	48,200	24,466
25	龍角散	46,950	1,506	39,395	11,549	441	7,555	3,907
26	自然食研	46,750	—	—	—	472	46,750	26,380
27	未来都市開発	46,680	1,026	41,000	10,935	250	5,680	2,272
28	日本民間放送連盟	45,810	—	—	—	1,744	45,810	20,452
29	日本広告審査機構	45,100	—	—	—	1,659	45,100	21,229
30	東日本高速道路	44,705	105	6,075	2,430	953	38,630	19,763

注1：社名表記は出典元の表記をそのまま用いている
注2：広告費は各放送局の放送広告料金を参考に算出

番組・スポットCM合計秒数の上位30社（2023年4月〜2024年3月／関西）

順位	広告主名	番組・スポット合計秒数(秒)	番組CM			スポットCM		
			本数(本)	秒数(秒)	広告費(万円)	本数(本)	秒数(秒)	広告費(万円)
1	ACジャパン	372,860	—	—	—	12,581	372,860	109,289
2	再春館製薬所	350,490	52	3,135	470	7,097	347,355	104,840
3	中央事務所	294,555	716	26,890	5,378	5,386	267,665	79,922
4	FWD生命保険	141,660	—	—	—	2,701	141,660	45,507
5	チューリッヒ保険	141,595	9	180	36	2,932	141,415	45,960
6	杉山事務所	137,920	—	—	—	3,453	137,920	44,824
7	イーシーシー	136,430	1,148	25,065	5,209	5,522	111,365	34,605
8	ベリーベスト法律事務所	113,000	—	—	—	2,872	113,000	35,216
9	メビウス	102,075	18	360	72	498	101,715	33,057
10	マイケア	96,200	—	—	—	799	96,200	29,615
11	バイセルテクノロジーズ	95,250	—	—	—	2,048	95,250	30,956
12	はなまる	91,640	—	—	—	4,582	91,640	23,926
13	日本広告審査機構	81,540	—	—	—	2,275	81,540	21,837
14	ティーバイティーホールディングス	81,210	1	60	14	1,888	81,150	24,362
15	JCOM	80,645	14	300	60	3,166	80,345	22,166
16	なないろ生命保険	79,890	—	—	—	1,406	79,890	25,622
17	MOTA	78,960	—	—	—	3,876	78,960	20,530
18	シーエスシー	76,705	—	—	—	162	76,705	24,929
19	興和	72,220	—	—	—	3,251	72,220	19,465
20	創価学会	68,160	1,134	34,440	6,302	1,215	33,720	10,335
21	radiko	68,020	—	—	—	1,742	68,020	19,612
22	エイチームライフデザイン	66,680	—	—	—	2,254	66,680	18,474
23	産経新聞社	65,900	575	11,500	2,300	2,720	54,400	16,220
24	ヨドバシカメラ	65,840	—	—	—	3,812	65,840	19,989
25	日本民間放送連盟	64,480	—	—	—	2,424	64,480	17,506
26	だいにち堂	55,540	1	650	130	145	54,890	17,839
27	牛乳石鹸共進社	51,595	623	12,430	2,547	2,066	39,165	11,777
28	ファーマフーズ	50,800	—	—	—	363	50,800	16,428
29	栄光フーズ	47,875	4	785	157	121	47,090	15,304
30	スズキ	45,800	1,822	45,800	8,512	—	—	—

注1：社名表記は出典元の表記をそのまま用いている
注2：広告費は各放送局の放送広告料金を参考に算出

番組・スポットCMの業種別、秒数区分別出稿量(2023年4月～24年3月／関東)

業種名	秒数区分	番組CM 本数(本)	番組CM 秒数(秒)	番組CM 広告費(万円)	スポットCM 本数(本)	スポットCM 秒数(秒)	スポットCM 広告費(万円)	番組＋スポット 本数(本)	番組＋スポット 秒数(秒)	番組＋スポット 広告費(万円)
基礎材	20秒	2,301	46,020	19,865	2,944	58,880	29,192	5,245	104,900	49,058
	他	1,006	43,495	17,837	1,419	51,310	23,018	2,425	94,805	40,854
	計	3,307	89,515	37,702	4,363	110,190	52,210	7,670	199,705	89,912
食品・飲料	20秒	11,051	221,020	97,599	12,078	241,560	123,953	23,129	462,580	221,552
	他	2,328	117,955	36,492	4,245	200,725	102,534	6,573	318,680	139,025
	計	13,379	338,975	134,091	16,323	442,285	226,487	29,702	781,260	360,577
薬品	20秒	6,003	120,060	55,555	6,317	126,340	65,511	12,320	246,400	121,065
	他	1,862	88,380	29,813	8,662	439,785	216,218	10,524	528,165	246,032
	計	7,865	208,440	85,368	14,979	566,125	281,729	22,844	774,565	367,097
化粧品・洗剤	20秒	2,590	51,800	24,226	2,487	49,740	25,599	5,077	101,540	49,826
	他	1,635	89,280	27,962	1,497	148,515	80,733	3,132	237,795	108,694
	計	4,225	141,080	52,188	3,984	198,255	106,332	8,209	339,335	158,520
衣料品・身の回り品	20秒	1,106	22,120	9,332	1,151	23,020	11,755	2,257	45,140	21,086
	他	298	13,585	4,086	527	20,310	8,320	825	33,895	12,407
	計	1,404	35,705	13,418	1,678	43,330	20,075	3,082	79,035	33,493
出版	20秒	6,345	126,900	46,353	7,473	149,460	75,898	13,818	276,360	122,251
	他	830	53,960	18,586	4,132	183,190	93,984	4,962	237,150	112,570
	計	7,175	180,860	64,939	11,605	332,650	169,882	18,780	513,510	234,821
一般産業機器	20秒	1,104	22,080	10,335	562	11,240	6,004	1,666	33,320	16,339
	他	598	33,345	13,095	176	7,940	3,903	774	41,285	16,998
	計	1,702	55,425	23,430	738	19,180	9,907	2,440	74,605	33,337
精密・事務機器	20秒	2,886	57,720	18,980	4,197	83,940	44,059	7,083	141,660	63,039
	他	981	56,295	17,489	1,403	21,525	12,384	2,384	77,820	29,873
	計	3,867	114,015	36,469	5,600	105,465	56,443	9,467	219,480	92,912

注1：秒数区分の「他」は、「20秒」以外の区分を足し合わせたもの
注2：広告費は各放送局の放送広告料金を参考に算出

業種名	秒数区分	番組CM			スポットCM			番組+スポット		
		本数(本)	秒数(秒)	広告費(万円)	本数(本)	秒数(秒)	広告費(万円)	本数(本)	秒数(秒)	広告費(万円)
電気機器	20秒	1,264	25,280	9,819	1,894	37,880	19,555	3,158	63,160	29,374
	他	867	43,990	12,912	1,700	33,270	17,295	2,567	77,260	30,207
	計	2,131	69,270	22,731	3,594	71,150	36,850	5,725	140,420	59,581
輸送機器	20秒	8,363	167,260	56,864	18,012	360,240	176,412	26,375	527,500	233,276
	他	3,521	176,900	53,176	5,880	109,000	64,250	9,401	285,900	117,426
	計	11,884	344,160	110,040	23,892	469,240	240,662	35,776	813,400	350,702
家庭用品・機器	20秒	4,574	91,480	36,922	1,871	37,420	18,534	6,445	128,900	55,456
	他	783	47,115	14,602	523	9,745	5,282	1,306	56,860	19,885
	計	5,357	138,595	51,524	2,394	47,165	23,816	7,751	185,760	75,341
住宅・建材	20秒	10,795	215,900	93,525	8,731	174,620	88,963	19,526	390,520	182,488
	他	2,767	135,845	43,671	3,045	71,200	34,416	5,812	207,045	78,086
	計	13,562	351,745	137,196	11,776	245,820	123,379	25,338	597,565	260,574
卸売・百貨店	20秒	1,939	38,780	17,251	3,118	62,360	32,109	5,057	101,140	49,359
	他	566	32,860	12,619	3,869	267,420	137,359	4,435	300,280	149,979
	計	2,505	71,640	29,870	6,987	329,780	169,468	9,492	401,420	199,338
金融・保険業	20秒	4,045	80,900	36,429	4,305	86,100	43,872	8,350	167,000	80,300
	他	2,906	140,615	43,683	3,138	129,495	62,344	6,044	270,110	106,027
	計	6,951	221,515	80,112	7,443	215,595	106,216	14,394	437,110	186,327
サービス・娯楽	20秒	20,093	401,860	159,321	37,044	740,880	366,172	57,137	1,142,740	525,493
	他	8,965	465,620	158,720	27,605	1,281,620	659,738	36,570	1,747,240	818,459
	計	29,058	867,480	318,041	64,649	2,022,500	1,025,910	93,707	2,889,980	1,343,952
その他	20秒	6,001	120,020	46,320	13,907	278,140	137,899	19,908	398,160	184,219
	他	2,372	112,830	41,739	5,947	205,430	103,689	8,319	318,260	145,428
	計	8,373	232,850	88,059	19,854	483,570	241,588	28,227	716,420	329,647
合計		122,745	3,461,270	1,285,178	199,859	5,702,300	2,890,954	322,604	9,163,570	4,176,132

番組・スポットCMの業種別、秒数区分別出稿量(2023年4月～24年3月／関西)

業種名	秒数区分	番組CM 本数(本)	番組CM 秒数(秒)	番組CM 広告費(万円)	スポットCM 本数(本)	スポットCM 秒数(秒)	スポットCM 広告費(万円)	番組+スポット 本数(本)	番組+スポット 秒数(秒)	番組+スポット 広告費(万円)
基礎材	20秒	648	12,960	2,417	1,456	29,120	8,377	2,104	42,080	10,795
	他	486	21,335	4,290	977	30,510	9,013	1,463	51,845	13,302
	計	1,134	34,295	6,707	2,433	59,630	17,390	3,567	93,925	24,097
食品・飲料	20秒	8,924	178,480	35,397	11,450	229,000	69,949	20,374	407,480	105,346
	他	1,661	91,705	17,851	9,188	591,740	186,042	10,849	683,445	203,893
	計	10,585	270,185	53,248	20,638	820,740	255,991	31,223	1,090,925	309,239
薬品	20秒	3,102	62,040	12,224	6,877	137,540	41,182	9,979	199,580	53,406
	他	1,359	72,975	14,245	7,466	417,380	126,581	8,825	490,355	140,826
	計	4,461	135,015	26,469	14,343	554,920	167,763	18,804	689,935	194,232
化粧品・洗剤	20秒	2,810	56,200	11,140	3,980	79,600	24,076	6,790	135,800	35,216
	他	911	39,790	8,504	1,435	282,805	90,557	2,346	322,595	99,061
	計	3,721	95,990	19,644	5,415	362,405	114,633	9,136	458,395	134,277
衣料品・身の回り品	20秒	919	18,380	3,761	1,466	29,320	9,397	2,385	47,700	13,158
	他	107	8,460	1,759	137	53,870	17,272	244	62,330	19,030
	計	1,026	26,840	5,520	1,603	83,190	26,669	2,629	110,030	32,188
出版	20秒	2,322	46,440	9,306	5,368	107,360	31,322	7,690	153,800	40,628
	他	276	15,590	3,143	371	15,890	4,163	647	31,480	7,306
	計	2,598	62,030	12,449	5,739	123,250	35,485	8,337	185,280	47,934
一般産業機器	20秒	1,036	20,720	3,803	392	7,840	2,307	1,428	28,560	6,110
	他	164	2,730	620	825	7,615	3,158	989	10,345	3,778
	計	1,200	23,450	4,423	1,217	15,455	5,465	2,417	38,905	9,888
精密・事務機器	20秒	1,966	39,320	7,957	3,681	73,620	21,100	5,647	112,940	29,057
	他	396	20,570	4,381	1,110	32,710	11,068	1,506	53,280	15,449
	計	2,362	59,890	12,338	4,791	106,330	32,168	7,153	166,220	44,506

注1：秒数区分の「他」は、「20秒」以外の区分を足し合わせたもの
注2：広告費は各放送局の放送広告料金を参考に算出

業種名	秒数区分	番組CM			スポットCM			番組＋スポット		
		本数(本)	秒数(秒)	広告費(万円)	本数(本)	秒数(秒)	広告費(万円)	本数(本)	秒数(秒)	広告費(万円)
電気機器	20秒	2,877	57,540	11,946	2,116	42,320	12,450	4,993	99,860	24,395
	他	371	15,730	3,164	233	13,020	3,678	604	28,750	6,843
	計	3,248	73,270	15,110	2,349	55,340	16,128	5,597	128,610	31,238
輸送機器	20秒	7,849	156,980	31,757	22,675	453,500	121,585	30,524	610,480	153,342
	他	1,431	80,685	16,239	4,741	120,475	37,916	6,172	201,160	54,155
	計	9,280	237,665	47,996	27,416	573,975	159,501	36,696	811,640	207,497
家庭用品・機器	20秒	2,082	41,640	8,629	1,326	26,520	7,732	3,408	68,160	16,361
	他	539	19,180	3,632	534	12,135	3,471	1,073	31,315	7,103
	計	2,621	60,820	12,261	1,860	38,655	11,203	4,481	99,475	23,464
住宅・建材	20秒	11,197	223,940	45,336	7,770	155,400	46,457	18,967	379,340	91,793
	他	1,017	41,490	8,294	2,140	59,700	18,448	3,157	101,190	26,742
	計	12,214	265,430	53,630	9,910	215,100	64,905	22,124	480,530	118,535
卸売・百貨店	20秒	1,372	27,440	5,913	3,441	68,820	20,798	4,813	96,260	26,711
	他	730	45,775	8,359	3,593	262,500	84,314	4,323	308,275	92,674
	計	2,102	73,215	14,272	7,034	331,320	105,112	9,136	404,535	119,385
金融・保険業	20秒	3,223	64,460	13,423	4,002	80,040	23,522	7,225	144,500	36,945
	他	1,403	71,695	15,144	7,893	416,525	134,944	9,296	488,220	150,088
	計	4,626	136,155	28,567	11,895	496,565	158,466	16,521	632,720	187,033
サービス・娯楽	20秒	21,716	434,320	86,990	49,601	992,020	289,961	71,317	1,426,340	376,950
	他	5,341	218,660	44,474	21,379	1,000,690	305,241	26,720	1,219,350	349,716
	計	27,057	652,980	131,464	70,980	1,992,710	595,202	98,037	2,645,690	726,666
その他	20秒	9,775	195,500	39,610	27,194	543,880	162,061	36,969	739,380	201,670
	他	2,314	95,205	18,594	11,661	446,735	126,902	13,975	541,940	145,497
	計	12,089	290,705	58,204	38,855	990,615	288,963	50,944	1,281,320	347,167
合計		100,324	2,497,935	502,302	226,478	6,820,200	2,055,044	326,802	9,318,135	2,557,346

交通広告出稿量上位30社(2023年4月〜24年3月／関東)

順位	広 告 主 名	広告費(千円)	順位	広 告 主 名	広告費(千円)
1	東京地下鉄(東京メトロ)	4,355,588	16	東急電鉄	832,973
2	東日本旅客鉄道	3,861,471	17	フジテレビジョン	815,525
3	東京都	3,147,038	18	キリンビール	808,303
4	サントリーホールディングス	3,077,107	19	アマゾンジャパン	743,210
5	東武鉄道	2,991,238	20	京成電鉄	705,804
6	小田急電鉄	1,877,282	21	任天堂	651,588
7	マイナビ	1,803,865	22	京浜急行電鉄	651,539
8	西武鉄道	1,579,773	23	ドーナツ	632,220
9	京王電鉄	1,402,533	24	パナソニック	615,560
10	ブシロード	1,197,102	25	キリンビバレッジ	603,659
11	アサヒビール	1,137,071	26	パスモ	591,875
12	東急	1,021,304	27	レバレジーズ	559,940
13	メトロアドエージェンシー	905,389	28	湘南美容クリニック	552,000
14	ACジャパン	892,015	29	早稲田アカデミー	486,912
15	リクルートホールディングス	878,121	30	ライザップグループ	465,960

注1：京浜急行・相模鉄道・京成電鉄・都営地下鉄は、中づりのデータのみ対象
注2：鉄道会社および各エージェンシーのメディアガイドに記載された正価料金(作業費を含めない掲出料金のみ)を適用。季節変動料金などは適用せず、代表的な料金を適用
出所：交通広告データ集計システム(広告主の社名表記も依拠)

交通広告　ユニット別クロス集計(関東)

(単位：千円)

ユニット識別	ユニットタイプ	2019年	2020年	2021年度	2022年度	2023年度
車両	中づり	44,909,707	33,331,192	39,985,039	39,799,258	37,022,686
	まど上	13,103,122	8,242,850	9,015,001	8,583,495	6,579,014
	ドア横	7,424,092	5,909,054	6,710,504	6,856,400	6,700,505
	ステッカー	5,661,313	3,793,668	3,425,768	3,201,770	3,537,132
	ツインステッカー	1,908,756	1,243,060	1,254,516	1,521,602	1,747,097
	広告貸切電車	630,400	423,822	560,501	496,894	710,398
	車体広告	741,500	533,904	363,005	357,600	402,600
	女性専用車両広告	270,601	64,800	59,800	33,600	54,900
車両 計		74,685,827	53,569,571	61,374,134	60,850,619	56,754,332
駅	駅ばりポスター	3,689,690	2,260,891	2,699,567	3,067,887	3,196,033
	ボード／シート	2,698,575	1,874,691	2,537,355	2,349,983	2,457,371
	フラッグ／バナー	412,432	178,130	239,152	253,920	267,400
	柱巻き	231,353	122,870	178,426	163,880	99,100
	集中展開	1,618,219	652,940	1,254,740	771,935	1,065,191
駅 計		8,666,769	5,100,522	6,909,240	6,607,605	7,085,095
車内デジタルサイネージ		24,642,527	18,253,667	19,498,507	18,337,725	19,132,404
駅デジタルサイネージ		6,894,953	5,454,155	8,189,790	8,569,796	8,791,267
広告費 計		114,890,076	82,377,915	95,971,671	94,365,745	91,763,098

注1：鉄道会社および各エージェンシーのメディアガイドに記載された正価料金(作業費を含めない掲出料金のみ)を適用。季節変動料金などは適用せず、代表的な料金を適用
注2：2020年までは暦年で集計。21年より4月〜翌年3月の年度集計とした
注3：年度により対象のユニット、駅等が異なる
出所：交通広告データ集計システム

屋外広告出稿量上位30社 (2023年4月～2024年3月)

順位	広 告 主 名	広告費 (千円)	順位	広 告 主 名	広告費 (千円)
1	サントリーホールディングス	883,402	16	森ビル	235,450
2	ヴィークレア	675,675	17	オリエンタルランド	220,050
3	ウェーブコーポレーション	631,800	18	エイチツーオー (化粧品)	219,375
4	スギ薬局	579,150	19	多田	210,600
4	キューボー	579,150	20	湖池屋	209,360
6	アイエヌイー	476,650	21	ユニバーサルミュージック	203,250
7	ウーバージャパン	432,300	22	リクルートホールディングス	176,750
8	ロート製薬	375,550	23	東京都	158,190
9	アップルジャパン	298,350	24	ヘンケルジャパン	157,950
10	キリンホールディングス	269,750	24	レフトユー	157,950
11	ワーカーホリック	263,250	24	ヒューマンホールディングス	157,950
11	スウェーデンハウス	263,250	27	ハウステンボス	156,000
13	日本弁護士連合会	250,650	28	ミホヨ	142,300
14	日本コカコーラ	238,845	29	グッチジャパン	134,065
15	キリンビバレッジ	238,100	30	日本航空	121,200

注：セールスシートなどに記載された正価料金 (原則として、撤去料、電気代、作成料金等を含めた金額) を適用
出所：交通広告データ集計システム (広告主の社名表記も依拠)

屋外広告商品大分類別広告費

(単位：千円)

商品大分類	2019年	2020年	2021年度	2022年度	2023年度
電気製品	437,374	621,102	295,020	82,464	62,700
輸送用機器	194,450	58,000	289,340	268,000	0
精密機器	141,975	25,800	21,000	50,326	116,399
機械器具	809,118	434,046	838,814	276,740	330,650
住宅設備機器・用品	138,000	116,760	110,000	0	0
雑品	1,376,366	650,728	902,142	1,336,232	1,568,061
エネルギー・原材料・加工基礎材	0	44,308	0	0	15,900
薬品・衛生用品	313,418	221,540	1,386,420	705,840	175,950
化粧品・石鹸・洗剤	4,431,314	3,340,903	5,502,702	6,169,000	3,810,789
食品	609,730	263,491	233,632	180,945	227,760
飲料・嗜好品	790,284	480,096	497,069	812,012	2,044,799
繊維製品	298,297	83,150	622,560	215,515	252,790
出版	126,072	42,100	68,000	108,525	31,400
金融・保険・証券	214,386	171,398	403,420	572,080	148,800
百貨店・商店・商社	560,598	416,550	218,195	363,370	956,900
不動産・建設	493,634	742,115	862,450	1,031,140	476,370
観光・娯楽	2,979,868	1,318,153	1,718,592	1,209,865	1,212,103
雑件	2,200,410	1,936,242	1,913,544	2,096,245	2,119,486
企業・サービス・催し物	309,544	706,365	730,970	1,139,990	694,072
商品大分類 計	16,424,838	11,672,847	16,613,870	16,618,289	14,244,929

注1：セールスシートなどに記載された正価料金 (原則として、撤去料、電気代、作成料金等を含めた金額) を適用
注2：2020年までは暦年で集計。21年より4月～翌年3月の年度集計とした
注3：年度により対象のユニット、駅等が異なる
出所：交通広告データ集計システム

デジタルサイネージ広告市場

(単位：億円)

	年	全体	交通	商業施設・店舗	屋外	その他
実績	2018	665	429	78	80	78
	2019	764	495	98	87	84
	2020	519	316	77	65	61
	2021	582	319	103	94	66
	2022	674	358	137	107	72
	2023	801	399	171	136	95
見通し	2024	934	441	220	163	110
	2025	1,075	486	266	192	131
	2026	1,224	535	320	219	150
	2027	1,396	590	381	250	175

月平均枚数（2023年度：1世帯当たり）　　　　　　　　　　　　　　　　　　　（単位：枚）

	年度合計	2023年									2024年		
		4月	5月	6月	7月	8月	9月	10月	11月	12月	1月	2月	3月
総合計	3,521.9	311.9	270.1	286.0	294.5	251.9	281.0	281.1	308.8	323.5	301.5	273.3	338.1
流通	1,772.3	156.5	132.1	137.5	144.0	129.8	139.4	137.6	158.1	198.1	148.3	127.9	162.9
百貨店	28.7	2.5	2.5	2.0	1.6	2.1	2.7	2.9	2.3	2.5	2.8	2.1	2.7
SC・ビル	26.0	2.7	1.1	2.1	2.1	1.7	1.5	2.1	2.7	4.8	1.5	1.0	2.6
スーパー	679.1	53.6	54.8	51.3	56.6	57.5	56.1	53.9	55.7	75.5	53.5	53.2	57.4
コンビニエンス	3.0	0.3	0.2	0.3	0.2	0.2	0.2	0.2	0.3	0.3	0.2	0.3	0.2
ホームセンター	84.5	9.6	6.1	7.4	6.3	7.4	6.1	6.9	7.7	8.5	6.8	4.8	6.8
ディスカウント	50.3	3.9	3.7	4.0	4.5	4.5	3.8	3.8	4.1	6.7	3.8	3.6	3.9
その他総合小売	3.5	0.7	0.1	0.2	0.1	0.1	0.4	0.2	0.6	0.2	0.2	0.1	0.6
食料品	58.4	4.5	3.4	4.7	5.5	4.7	4.7	4.4	6.1	8.7	3.1	4.1	4.5
衣料洋品	161.8	16.5	14.9	12.4	8.4	4.8	11.1	15.2	18.5	16.5	14.3	10.7	18.5
宝飾・身回品	58.8	6.0	2.6	3.7	4.7	3.9	4.6	3.7	5.4	7.1	6.7	4.1	6.3
家電・精密	180.4	15.6	13.7	14.1	18.0	12.8	14.4	11.4	12.9	20.8	15.6	12.1	19.1
医薬・化粧品	142.1	11.3	11.1	11.5	11.9	11.1	11.1	11.5	11.7	16.5	11.8	11.2	11.5
家具・インテリア・仏壇	70.4	6.9	3.9	5.9	6.3	4.5	5.4	5.7	6.4	6.1	6.5	6.4	6.6
輸送機器	106.7	10.2	6.7	9.5	8.8	6.9	9.2	7.8	9.4	7.4	12.1	8.1	10.5
趣味・娯楽	5.8	0.5	0.1	0.1	0.2	0.4	0.1	0.2	0.7	1.1	1.3	0.3	0.8
スポーツレジャー	15.7	2.8	0.3	2.4	1.5	0.8	0.7	0.3	1.4	3.9	0.6	0.0	1.1
書籍・文具	2.4	0.1	0.0	0.1	0.2	0.2	0.1	0.1	0.4	0.2	0.3	0.4	0.4
総合通信販売業	64.1	6.2	5.9	3.5	4.5	4.3	5.2	4.9	8.3	7.7	5.0	3.3	5.2
ペット・ペット用品	5.4	0.6	0.1	0.4	0.2	0.5	0.4	0.1	0.6	0.9	0.4	0.3	0.8
その他小売店	25.0	1.8	1.1	1.8	2.4	1.4	1.7	2.2	2.9	2.6	1.8	1.9	3.3
サービス業	934.3	84.7	77.0	76.1	78.4	72.3	77.8	80.2	77.2	72.3	77.6	71.8	89.0
理美容	11.9	1.1	1.2	1.2	0.7	1.0	0.7	1.4	0.8	1.1	0.7	0.8	1.2
外食	100.1	10.0	7.6	8.5	9.9	7.4	7.1	7.3	8.0	9.2	7.6	6.5	11.0
宅配	45.0	3.8	3.9	3.4	2.9	4.1	4.0	4.1	3.7	4.4	4.0	3.1	3.5
旅行・ホテル・式場	139.9	11.8	11.3	10.9	10.9	10.7	11.4	12.5	11.5	9.5	12.0	13.1	14.5
引越・代行	127.1	11.6	10.9	11.0	10.2	9.0	12.1	11.3	10.7	6.3	11.8	10.0	12.3
遊技・娯楽	65.2	8.5	5.7	4.9	6.5	6.2	4.9	4.6	4.8	6.5	4.4	3.8	4.4
スポーツ	34.2	4.3	2.7	3.4	2.5	1.6	3.5	3.7	1.9	0.8	4.1	2.0	3.7
マスコミ	43.9	4.2	3.6	3.3	3.9	3.3	3.9	3.1	3.4	3.8	3.1	3.9	4.6
医療・介護	51.7	4.8	4.3	4.6	4.6	4.3	4.4	4.9	4.0	3.3	4.1	4.1	4.4
その他	315.3	24.7	25.9	24.9	26.1	24.7	25.8	27.4	28.3	27.4	26.0	24.6	29.5
教育・教養	163.1	9.8	7.3	19.8	17.7	4.3	8.3	8.0	15.4	10.2	15.9	21.3	25.2
進学	131.1	7.4	4.9	17.8	15.8	2.6	3.7	6.0	13.7	9.3	11.1	18.4	20.3
各種学校	32.0	2.4	2.4	2.0	1.9	1.6	4.6	2.0	1.6	0.9	4.8	2.9	4.9
金融・保険	42.7	3.3	3.4	4.0	3.3	3.4	2.8	3.2	3.5	3.3	4.6	4.5	3.5
金融	13.1	0.8	0.5	1.8	1.6	0.8	0.5	0.7	1.1	1.9	1.0	1.4	1.0
保険	29.6	2.5	2.9	2.2	1.7	2.6	2.3	2.4	2.3	1.5	3.6	3.1	2.5
不動産	154.7	14.1	12.0	12.5	13.1	11.0	17.0	12.3	12.2	8.2	15.5	12.5	14.2
不動産	154.7	14.1	12.0	12.5	13.1	11.0	17.0	12.3	12.2	8.2	15.5	12.5	14.2
メーカー	244.2	19.4	21.3	20.0	19.2	16.3	20.3	20.2	24.6	16.4	23.0	20.8	22.8
食品・飲料・嗜好品	38.4	3.1	3.5	1.6	3.5	2.2	1.8	3.5	4.6	3.2	3.6	3.6	4.2
健康食品	68.4	7.3	7.7	6.7	5.9	5.1	5.8	4.7	5.6	2.6	6.1	5.7	5.3
製薬・医療用品	20.1	1.1	2.2	1.6	2.5	1.8	1.0	1.9	1.5	0.8	1.2	1.1	3.4
化粧品	68.7	5.4	4.7	5.5	4.0	4.7	7.1	5.8	5.9	5.7	6.7	5.8	7.3
日用雑貨・家庭用品	28.6	2.2	2.3	3.5	2.1	1.3	2.5	1.9	3.0	2.8	2.4	2.8	1.8
ファッション・アクセサリー	6.0	0.2	0.7	0.4	0.6	0.7	0.7	0.3	1.0	0.4	0.5	0.4	0.1
家電・AV機器	4.0	0.0	0.0	0.2	0.0	0.0	0.2	0.3	1.8	0.5	0.1	0.7	0.1
輸送・自動車関係	0.6	0.0	0.0	0.0	0.1	0.1	0.1	0.1	0.0	0.1	0.1	0.1	0.1
その他メーカー	9.6	0.2	0.2	0.5	0.6	0.3	1.1	1.6	1.2	0.4	2.2	0.7	0.5
その他	210.6	24.1	17.1	16.1	18.9	14.9	15.4	19.7	17.9	14.9	16.6	14.5	20.5
官公庁	20.7	1.8	1.6	1.5	1.7	1.8	1.6	1.9	2.0	1.4	2.1	1.4	1.9
組合・団体	31.2	2.6	3.2	2.2	2.5	2.2	3.2	3.7	2.6	2.0	2.4	2.1	2.6
通信関係	5.5	0.4	0.4	0.4	0.4	0.4	0.4	0.3	0.4	0.4	0.4	0.4	0.9
運輸・輸送	1.6	0.1	0.0	0.1	0.1	0.1	0.1	0.2	0.3	0.1	0.1	0.2	0.3
求人連合	66.1	5.8	5.7	5.7	6.8	4.1	5.0	6.4	5.0	4.5	5.4	5.2	6.5
その他	85.5	13.4	6.1	6.3	7.5	6.2	5.0	7.2	7.6	6.4	6.3	5.2	8.3
通信販売計	296.0	25.7	26.4	22.2	23.0	20.8	25.1	24.0	31.1	22.6	27.7	23.2	24.3

各種広告賞

第61回JAA広告賞　消費者が選んだ広告コンクール

JAA賞グランプリ
新聞広告部門：北海道新聞社「#北海道をコブしたいプロジェクト「昆布新聞」」
雑誌広告部門：味の素「ハンパ野菜の叫び」
テレビ広告部門：岡山トヨペット「横断歩道の恋？」
ラジオ広告部門：ニッポン放送「ラジオ・チャリティ・ミュージックソン　白杖体験篇」
デジタル広告部門：相鉄ホールディングス「父と娘の風景　相鉄東急直通記念ムービー」
屋外・交通広告部門：森永製菓「ひっそり合格祈願」

経済産業大臣賞
ニッポン放送「ラジオ・チャリティ・ミュージックソン　白杖体験篇」(ラジオ広告部門)

https://www.jaa.or.jp/assets/uploads/docs/61th-JAAaward.pdf

2023年 CREATOR OF THE YEAR賞
日本広告業協会

2023 CREATOR OF THE YEAR
高崎卓馬 (dentsu Japan／電通コーポレートワン)

メダリスト
永井貴浩 (博報堂ケトル／博報堂)、片岡良子 (ADKマーケティング・ソリューションズ／CHERRY)、
小布施典孝 (dentsu Japan／電通コーポレートワン)、原口亮太 (TBWA＼HAKUHODO)、村田俊平 (電通)、有元沙矢香 (電通)、
小島翔太 (博報堂)、松尾昇 (九州博報堂)、大石将平 (TBWA＼HAKUHODO)、森井聖浩 (東急エージェンシー)、高橋尚睦 (読売広告社)

https://www.jaaa.ne.jp/2023_coy_award/

第3回鈴木三郎助全広連地域広告大賞
全日本広告連盟

最優秀賞
海の中道海洋生態科学館＝「ウニのボールジョイント」篇／「ネコザメのドリル卵」篇／「カラッパの抜け殻」篇 (CM)

プリント部門賞
日本たばこ産業 (JT) ＝「裏技で読もう！表裏一体　富士山世界文化遺産10周年」企画 (新聞)
沖縄セルラー電話＝生物多様性沖縄2紙マルチ新聞広告「わたしたちが、絶滅危惧種になるまえに。」(新聞)

フィルム・オーディオ部門賞
海の中道海洋生態科学館＝「ウニのボールジョイント」篇／「ネコザメのドリル卵」篇／「カラッパの抜け殻」篇 (CM)
大口酒造＝黒伊佐錦の詩「映画館と温泉」篇／「上を向く」篇／「のむという意味」篇 (ラジオCM)

チャレンジ部門賞
アクリルアニマルプロジェクト実行委員会＝アクリルアニマルプロジェクト(プロダクト、イベント)
みんなの冷蔵庫実行委員会＝みんなの冷蔵庫 in 太宰府 (イベント)

キャンペーン部門賞
岩手日報社＝育てよう災害救助犬プロジェクト「いわてワンプロ」(新聞)
「寄り道しよう。to the BAR in KOBE 2023」実行委員会＝「寄り道しよう。to the BAR in KOBE 2023」(新聞・雑誌・OOH)

http://www.ad-zenkoren.org/activity/kenshoukatsudou.html

第63回 ACC TOKYO CREATIVITY AWARDS   ACC

総務大臣賞／ACCグランプリ

フィルム部門

Aカテゴリー (テレビCM)：大塚製薬＝カロリーメイト「狭い広い世界で」篇

Bカテゴリー (Online Film)：MIXI＝モンスターストライク「生徒指導篇／闇の神殿篇／保冷剤篇／公園篇／友達の兄篇／起床篇／父篇／年越し篇」

フィルムクラフト部門

クラシエホームプロダクツ＝いち髪「日本の四季」篇

ラジオ＆オーディオ広告部門

Aカテゴリー (ラジオCM)：大日本除虫菊＝金鳥の渦巻き等蚊対策シリーズ「KINCHO Kingdom　Episode 0　伝説の始まり　ほか」

Bカテゴリー (オーディオエグゼキューション)：該当なし

マーケティング・エフェクティブネス部門

リゾーツ琉球＝The Breakfast Hotel「パーパス起点のブランド変革でV字回復〜The Breakfast Hotel〜」

ブランデッド・コミュニケーション部門

Aカテゴリー (デジタル・エクスペリエンス)：サントリーホールディングス＝サントリー 天然水「サントリー 天然水／ENDLESS DAWN そしてまた、朝が来る。」

Bカテゴリー (プロモーション／アクティベーション)：NHK＝展覧会　岡本太郎「TAROMAN 岡本太郎式特撮活劇」

Cカテゴリー (ソーシャル・インフルーエンス)：CoeFont＝CoeFont (コエフォント)「おしゃべりひろゆきメーカー」

PR部門

ヘラルボニー「1・31 異彩の日 ヘラルボニー企業キャンペーン」

デザイン部門

甲子化学工業＝HOTAMET「守るのは、頭と地球。HOTAMET」

メディアクリエイティブ部門

楽天グループ＝日産自動車「ProPILOT MOP」

クリエイティブイノベーション部門

グッドバトン＝病児保育予約サービス「あずかるこちゃん」

https://www.acc-awards.com/festival/2023fes_result/

第76回広告電通賞   電通

総合賞

静岡市＝静岡市シティプロモーション「静岡市プラモデル化計画」

部門別最高賞

プリント広告：岩手日報社＝3月11日震災広告「震災拾得物」

オーディオ広告：サントリーホールディングス＝ほろよい「仕事断り方講座」

フィルム広告：大塚製薬＝カロリーメイト「狭い広い世界で」

OOH広告：静岡市＝静岡市シティプロモーション「静岡市プラモデル化計画」

ブランドエクスペリエンス：静岡市＝静岡市シティプロモーション「静岡市プラモデル化計画」

エリアアクティビティ：静岡市＝静岡市シティプロモーション「静岡市プラモデル化計画」

イノベーティブ・アプローチ：静岡市＝静岡市シティプロモーション「静岡市プラモデル化計画」

特別賞

ACジャパン＝「寛容ラップ」篇

SDGs特別賞

LIFULL＝LIFULL HOME'S「FRIENDLY DOOR」

https://adawards.dentsu.jp/assets/daaDownload/daa76/76list_231010.pdf

2023年度ADC賞

ADCグランプリ
PlayStation「Steam「HUMANITY」」のビデオゲーム　中村勇吾

ADC賞
広告電通賞審議会「walk, walk,」のポスター、ジェネラルグラフィック　関戸貴美子、岩崎宏俊
凸版印刷「グラフィックトライアル / 5 SISTERS」のポスター　田中良治
サントリー「天然水」のウェブサイト　鎌谷聡次郎、菅野薫、鎌田貴史
静岡市「静岡市プラモデル化計画」の環境空間　永井貴浩
博報堂「広告 Vol.413〜417」のブック＆エディトリアル　上西祐理、加瀬透、牧寿次郎、小野直紀
ユニクロ「母の日・父の日」の新聞広告　玉置太一
日本放送協会「TAROMAN 岡本太郎式特撮活劇」のテレビ番組　藤井亮
JRグループ「MY JAPAN RAILWAY」のジェネラルグラフィック、ウェブアプリ　加藤寛之、畠山大介、STATION STAMP design team
森永乳業「マウントレーニア」のコマーシャルフィルム　塚本哲也、大野大樹、尾上永晃
MAKI Gallery「Pointed」のポスター　後智仁

原弘賞
集英社「TANAAMI!! AKATSUKA!! / That's All Right!!」のブック＆エディトリアル　柿木原政広、岡本正史

https://www.tokyoadc.com/new/winners/index.html

2023年度TCC賞

TCCグランプリ
麻生哲朗 (TUGBOAT)　日本マクドナルド＝ビッグマック「俺たちまだまだ　ビッグマックなんて、ペロリだよ。」

審査委員長賞
片岡良子 (CHERRY)、岩崎裕介 (OND°)、鈴木美生 (フリーランス)　明治＝明治エッセルスーパーカップ「ふつうの日、スーパー最高では？」
児島令子 (児島令子事務所)　大阪ブレストクリニック＝企業広告「医療は奇跡の人を対象にしない。」

最高新人賞
波間知良子 (サン・アド)　青森県＝青天の霹靂「お米を買って帰ろう。あ、袋はいいです。そのままで」

https://www.tcc.gr.jp/2023年度-tcc賞/

第65回日本雑誌広告賞

経済産業大臣賞 (グランプリ)
キユーピー「キユーピー マヨネーズ」

総合賞
キユーピー

金賞
第一部純広告：キユーピー「キユーピー マヨネーズ」、エルメスジャポン「ルージュ・エルメス」、
プラダ ジャパン「2022年「The Symbole (シンボル)」広告キャンペーン」、パナソニック「パルック LED電球」
第二部タイアップ広告
パタゴニア・インターナショナル・インク日本支社「なぜ、パタゴニアが日本酒なのか。」、
カネボウ化粧品「カネボウ ライブリースキンウェア」、ミキモト「レ ペタル プラス ヴァンドーム」、バルミューダ「BALMUDA The Gohan」、
東海旅客鉄道「めでたい縁起物を巡る、京都旅。」
第三部シリーズ広告：キユーピー「キユーピー マヨネーズ」(経済産業大臣賞)
第四部メディア複合型広告：エイベックス通信放送「dTV® 井上尚弥選手 全力応援キャンペーン」(審査委員特別賞)

https://www.zakko.or.jp/prize

新聞広告賞2023

新聞広告大賞

近畿大学「上品な大学、ランク外。」

広告主部門　新聞広告賞

味の素「合格御守　たくさんの栄養と「がんばれ」をこめて」、佐伯市観光協会「別府から佐伯いこうキャンペーン」、
宝島社「世界を敵にまわして、生き残ったヤツはいない。」、田中宏和の会「#タナカヒロカズを探しています　尋ね人広告」、
日本バレーボール協会「#指導ですか暴力ですか」

新聞社企画・マーケティング部門　新聞広告賞

北海道新聞社営業局「#北海道をコブしたいプロジェクト」、福島民報社「未来創造局」プロジェクト「2032年の福島民報」、
茨城新聞社東京支社「さらば「いばらぎ」濁点宇宙発射計画」、
京都新聞社京都新聞COM事業推進局「祇園甲部歌舞練場新開場記念 柿落し公演 都をどり特集」、
中国新聞社地域ビジネス局「G7広島サミット企画「Smile for Peace Project〜笑顔を世界に届けよう〜」」

https://www.pressnet.or.jp/adarc/pri/202343.html

2023年日本民間放送連盟賞

CM部門最優秀賞

ラジオCM第1種(20秒以内)：エフエム栃木「三和住宅　企業CM／居留守」
ラジオCM第2種(21秒以上)：朝日放送ラジオ「中央軒　企業CM／記者会軒 篇」
テレビCM：CBCテレビ「公共キャンペーン・スポット／「人生100年時代を考える」〜きぬさんは"看護師"一筋80年」

https://j-ba.or.jp/award2023/

第71回朝日広告賞

新聞広告の部

一般公募(朝日広告賞)：課題　真光寺「樹木葬」＝飯岡萌音、高津颯真、辻村慶太「死ぬのが怖いのは、冷たいお墓にも責任があると思う。」
広告主参加(朝日広告賞)：ルイ・ヴィトン ジャパン「VICTORY IS A STATE OF MIND」

デジタル連携の部

一般公募(朝日広告賞)：課題　講談社「読書をテーマに子どもたちが喜び、興味を示すような新聞広告を！」＝大利光輝、德岡淳司、松村紘世「ペラペラほんだな」
広告主参加(朝日広告賞)：テレビ朝日「テッテレー！ドラえもん誕生日プレゼント」

朝日新聞読者賞

〈一般公募〉新聞広告の部：課題　集英社の企業広告＝中村理紗、今村瑠奈「机の上も、机の下も。」
〈広告主参加〉新聞広告の部：近畿大学「上品な大学、ランク外。」
〈一般公募〉デジタル連携の部：課題　国境なき医師団「紛争地で人道援助がテロ行為や犯罪とされる問題を訴える広告」＝根岸亜紗美、宮田和弥、九鬼慧太、今田蛍斗「暗闇に光を。」
〈広告主参加〉デジタル連携の部：セイコーグループ　元旦AR広告「#希望のうさぎ」

https://www.asahi-aaa.com/backnumber/

第91回毎日広告デザイン賞

毎日新聞社

一般公募・広告主課題の部
最高賞：課題　地球の歩き方「地球の歩き方」30段カラー3点シリーズ＝砂田肇（TBWA＼HAKUHODO）、石原拓実（博報堂）

広告主参加作品の部
最高賞：放送大学学園＝2023年4月入学生募集広告「ここだけの話。俺は今、大学生だ。」
部門賞
食品：味の素＝企業広告「どうする？キャベツ問題」
薬品・家庭用品：大塚製薬＝ポカリスエット「野球を好きでよかった。」
出版・映画・興行・放送：筑摩書房＝澤地久枝『記録 ミッドウェー海戦』「この数字が、一人ひとりの名前で出来ているのだと知る。」
自動車・産業：トヨタ自動車＝トヨタイムズ「年初に読むべきトヨタイムズ記事10選」
情報・精密・電機・事務機：シグマ＝メッセージ広告「これからも私たちの取り組みは続いていきます。」
旅行・運輸・流通・サービス：トゥモローゲート＝江戸川乱歩作家デビュー＆毎日新聞入社100周年 記念イベント「100文字ミステリ」
住宅・不動産・金融保険：積水ハウス＝企業広告「家に帰れば、積水ハウス。」
官公庁・団体・教育：石川県＝観光誘客広告「ぜひ、おぼえてください。石川県の形はカニのツメ！」

https://macs.mainichi.co.jp/design/ad-m/work/9101.html

第40回読売広告大賞

読売新聞社

グランプリ
スウォッチ グループ ジャパン

部門賞最優秀賞
Taste：カルビー
Fashion：クリスチャン ディオール
Health：明治ホールディングス
Pleasure：石川県
Entertainment：阪神甲子園球場
Technology：ピクシーダストテクノロジーズ
Society：味の素
Asset：鹿島建設

https://adv.yomiuri.co.jp/adv/award/yaa/

第72回日経広告賞

日本経済新聞社

大賞
ニチレキ

最優秀賞
赤城乳業、ルイ・ヴィトン ジャパン

部門別最優秀賞
電機・通信・事務機・情報部門：リコー
コンサルティング・HR・教育部門：Indeed
素材・機械・エネルギー部門：コマツ
金融部門：東京海上ホールディングス
建設・不動産部門：三菱地所
食品・医薬日用品部門：日本コカ・コーラ
流通・観光・スポーツ・サービス部門：日本財団
出版・エンターテインメント部門：宝島社
政府公共・外国政府・商社・物流部門：日本貨物鉄道（JR貨物）

ブランド・自動車部門：スウォッチ グループ ジャパン
環境部門：ニトリ
パーパス・ESG部門：カネカ
アニバーサリー部門：カモ井加工紙
文化・スポーツ部門：ユニクロ
日経・FTグローバル特別賞：カプコン
ダイバーシティエクイティ＆インクルージョン特別賞：資生堂
ソーシャルインパクト特別賞：本田技研工業
デジタル特別賞：旭化成、沢井製薬

https://marketing.nikkei.com/adawards/2023/index.html

第53回フジサンケイグループ広告大賞

メディアミックス部門
グランプリ：大塚製薬＝ポカリスエット「青が舞う」篇

メディア部門最優秀賞
テレビ（60秒以上）：東海旅客鉄道＝企業広告「すべての会いたい人へ」篇
テレビ（60秒未満）：アサヒビール＝アサヒ生ビール「はじめてのおつかれ生です」篇ほか
新聞：東日本旅客鉄道＝ああ、来てよかった。TOHOKU Relax「東北の四季」篇
ラジオ（40秒以上）：ライオン＝アクロンスマートケア「干すか干されるか」篇
ラジオ（40秒未満）：パナソニック＝音声プッシュ通知「話しかけられない」篇ほか
雑誌：貝印＝AUGERマルチユーズブラシ「心に触れて"整える"時間」

https://www.fujisankei-g.co.jp/koukoku-taisho/archive/53/index.html

交通広告グランプリ2023

グランプリ
日本チューインガム協会「よく噛んで生きよう。」

最優秀部門賞
デジタルメディア部門：新生フィナンシャル「レはレイクのレ」
車両メディア部門：日本テレビ放送網「FIBAバスケットボール ワールドカップ2023」
駅メディア部門：福井市「春の福いいネ！」
駅サインボード部門：マルタイ「マルタイ棒ラーメン柱」
空間プロデュース部門：三協エアテック「うるおリッチで要潤（よううるおい）」
メディアプロモーション部門：Indeed Japan「ハロー、ニュールール！　キャンペーン」

https://awards.jeki.co.jp/archive/

第38回全日本DM大賞

金賞グランプリ
北海道産地直送センター「購入履歴反映ビンゴDM」「ほたて型DM」

金賞
アシックスジャパン「ブランド40周年・エンゲージメントDM」（審査委員特別賞）
ソフトバンク「過去のDM施策から得られた知見をもとにDMをリニューアル」
常磐興産（スパリゾートハワイアンズ）「PRG風DM、夏のハワイの大冒険」

日本郵便特別賞
コピーライティング部門：三井住友カード「行動デザインを取り入れたナッジDM」三井住友カード「行動デザインを取り入れたナッジDM」
エンゲージメント部門：ハタジルシ「お茶の年賀状」
インビテーション部門：アジュバンコスメジャパン「ロウ引き封筒でPR」

https://www.dm-award.jp/winner/38th/

	受付総件数	苦情	照会	称賛	その他
2023年度	10,874	8,727	1,531	19	597
2022年度	12,030	9,206	2,136	18	670
2021年度	13,771	10,319	2,668	11	773

注：電話、メール、FAX、手紙等での相談と、ウェブサイト上の受付フォームに寄せられる苦情・意見の件数を合算。その他は、JARO関連と広告以外を合算

業種別	苦情	照会
《商品一般》		
衣食住関連	**1399**	**297**
▼一般食品		
主食（米・パン・麺類）	10	3
加工食品	151	23
生鮮食品（肉・魚・野菜・果物等）	30	4
嗜好食品（菓子等）	54	4
非アルコール飲料	97	9
アルコール飲料	131	1
嗜好品（タバコ等）	23	4
調味料・油脂製品・乳製品	36	4
その他	5	2
▼健康食品		
健康食品（痩身食品含む）	244	79
保健機能食品（トクホ・機能性・栄養機能）	188	44
その他	0	0
▼住居関連備品・機器		
家具・寝具類	42	12
食器・厨房用品	23	6
建具・建材・畳等	13	3
家庭用燃料	1	0
厨房関連機器	15	4
洗濯・清掃機器	36	2
空調・冷暖房機器	48	10
その他	52	12
▼土地・建物		
土地	3	1
集合住宅	8	0
戸建住宅	8	2
墓地・霊園	2	2
その他	1	0
▼衣料品		
和服	1	0
洋服	78	11
下着	27	17
生地・毛糸類	0	0
その他	6	10
▼身の回り品		
履物	14	9
鞄・財布	10	5
アクセサリー	13	3
貴金属	13	1
その他	13	9
▼衣食住関連その他	3	1
保健衛生品	**1580**	**730**
▼医薬品・医薬部外品		
医薬品	479	31
医薬部外品	491	136
その他	0	0
▼医療機器・医療機器類似品		
医療機器	24	36
眼鏡・コンタクトレンズ	55	3
医療機器類似品	20	50
その他	2	3
▼化粧品・石けん・洗剤等		
化粧品	303	402
石けん・洗剤	48	5
その他	50	4

業種別	苦情	照会
▼理容美容用具・機器		
理容美容用具・機器	19	26
理容美容用具［その他］	0	6
▼環境改善用品・機器		
空気清浄器	25	1
浄水器・整水器	5	2
その他	33	6
▼保健衛生品その他	26	19
教養娯楽品	**322**	**33**
▼出版物等		
出版物等	38	5
その他	11	0
▼学習教材品		
学習教材品	2	0
その他	0	0
▼音響・映像機器		
音響機器	17	1
映像機器	29	1
音響・映像ソフト	5	0
その他	1	0
▼コンピューター・通信機器		
パソコン	6	0
周辺機器	24	0
通信機器・携帯電話	70	0
ソフトウェア・ゲームソフト	8	3
その他	17	0
▼光学機器・時計		
カメラ類	3	0
フィルム類	1	0
時計	9	0
その他	0	0
▼スポーツ／レジャー用品・玩具		
スポーツ用品	10	7
レジャー用品	3	1
玩具	21	2
その他	5	2
▼文具・事務機器		
文具	5	0
事務機器	3	0
その他	1	1
▼美術・工芸品		
美術品	1	0
工芸品	0	0
その他	1	0
▼ペット		
ペット	1	0
その他	13	3
▼教養娯楽品その他	17	7
車両・乗り物	**191**	**10**
▼車両・乗り物		
自動車	130	3
自動二輪車	3	0
自転車	5	0
カー用品	52	7
▼車両・乗り物その他	1	0
《役務一般》		
金融・保険	**406**	**22**
▼銀行		
邦銀	32	2

業種別	苦情	照会
外資系銀行	0	0
その他	0	0
▼証券・債券・投資		
証券取引	26	3
債券取引	0	0
投資信託	6	3
先物・FX投資	6	1
暗号資産（仮想通貨）	5	0
その他	23	2
▼貸金業		
消費者金融	20	2
消費者金融-銀行系カードローン	6	0
消費者金融［その他］	0	0
▼保険		
生命保険	60	3
生命保険-医療保険	21	6
損害保険	55	0
その他	15	0
▼信販・カード・決済		
信販	1	0
カード	51	0
プリペイドカード・商品券	3	0
電子決済・電子マネー	34	0
その他	2	0
▼宝くじ		
宝くじ	31	0
その他	2	0
▼金融・保険その他	7	0
教育・教養・娯楽・飲食	**851**	**46**
▼学校		
一般学校	14	4
各種学校	16	2
その他	2	0
▼塾・教室・講座		
塾・予備校	35	3
教室・講座	123	9
養成所	3	0
その他	4	3
▼家庭教師派遣		
家庭教師派遣	3	0
その他	0	0
▼通信教育		
通信教育	3	2
その他	0	0
▼旅行・宿泊施設		
旅行代理店	63	2
ホテル・旅館等	36	0
その他	1	0
▼観覧・観賞・レジャー		
映画・演劇・スポーツ観戦	72	4
遊園地	50	0
その他	31	1
▼飲食業		
外食	189	2
外食-持ち帰り・中食	66	4
宅配食	67	7
その他	0	0

業種別	苦情	照会
▼風俗・ギャンブル		
風俗店	7	0
パチンコ	17	0
公営競技（競馬・競輪・競艇・オートレース）	44	1
その他	2	0
▼教育・教養・娯楽・飲食その他	3	0
保健・福祉	416	142
▼医療機関		
医院・病院	205	74
あはき・整骨院	10	5
動物病院	0	5
民間療法	22	17
検査（遺伝子・体質・がん等）	5	6
その他	0	4
▼理容・美容		
理容院	4	0
美容院	9	5
かつら	4	0
植毛・増毛・育毛	1	2
その他	0	0
▼エステティック		
エステティック	115	12
その他	1	0
▼浴場・サウナ		
浴場	7	1
サウナ	2	2
その他	1	0
▼介護福祉		
介護福祉	16	3
老人ホーム・高齢者向け住宅	12	5
その他	0	0
▼保健・福祉その他	2	1
生活関連サービス	363	32
▼冠婚葬祭		
冠婚葬祭	73	7
その他	0	0
▼クリーニング		
クリーニング	4	0
その他	2	0
▼生活サービス		
生活サービス	35	2
その他	1	0
▼清掃・回収		
清掃	6	0
回収	13	1
その他	4	0
▼修理・修繕		
住宅関連	59	11
身の回り品	3	0

業種別	苦情	照会
その他	16	3
▼不動産・建築関連		
不動産仲介	92	4
建築・建設	46	3
その他	4	0
▼生活関連サービスその他	5	1
運輸・流通	791	66
▼旅客運輸		
鉄道	13	0
バス	4	0
航空	11	2
海上	2	0
その他	6	0
▼宅配・引越		
宅配	4	0
引越	9	0
その他	1	0
▼小売業		
デパート	5	1
スーパー	70	18
コンビニエンスストア	43	0
一般小売店	13	0
専門店	135	7
ドラッグストア・薬局	31	1
買取・売買	261	14
通信販売	123	20
その他	1	1
▼レンタル・リース		
駐車場	12	1
貸自動車	24	1
レジャー・家庭用品	15	0
事務機器・用品	1	0
その他	6	0
▼運輸・流通その他	1	0
通信・放送	225	9
▼通信・放送		
固定電話サービス	1	0
携帯電話サービス	120	4
インターネット接続サービス	48	5
放送	52	0
▼通信・放送その他	4	0
オンラインサービス・デジタルコンテンツ	881	11
▼オンラインサービス		
ポータル・プラットフォーム	153	1
CtoCプラットフォーム	18	0
比較サイト	80	2
ポイントサービス	7	0
その他	51	2
▼デジタルコンテンツ		
オンラインゲーム	288	1
電子書籍・ビデオ・音楽配信	262	3

業種別	苦情	照会
その他	19	1
▼オンラインサービス・デジタルコンテンツその他	3	1
《募集一般》		
募集・調査・相談	428	24
▼人事募集		
人事募集	60	4
人材派遣	30	1
その他	80	2
▼モデル・タレント募集		
モデル・タレント募集	3	0
その他	2	0
▼内職・副業募集		
内職・副業募集	15	1
その他	1	0
▼代理店募集		
代理店募集	3	1
その他	1	0
▼会員募集		
結婚相談・男女交際	35	3
その他	3	0
▼委託業務		
委託業務	7	0
その他	4	0
▼相談業務		
相談業務	172	9
信用調査	3	1
その他	7	1
▼募集・調査・相談その他	2	1
《その他》		
公益サービス	71	2
▼光熱水道		
電力	50	0
ガス	18	2
水道	0	0
その他	0	0
▼公益サービスその他	3	0
行政・団体	252	8
▼行政・団体		
行政	58	1
団体	194	7
▼行政・団体その他	0	0
その他（業種無特定等）	551	99
▼その他		
業種無特定等	268	68
企業広告	121	23
BtoB取引・事業者向け商品／サービス	161	8
▼その他／その他	1	0

注：「取扱対象外」として広告とは無関係の相談が509件、「JARO関連」が88件あった

媒体別の件数（苦情）

媒体名	2023年度	2022年度
インターネット	4,035	4,001
テレビ	3,633	4,044
ラジオ	338	299
店頭	234	225
チラシ	184	244
折込	166	162

媒体名	2023年度	2022年度
新聞	119	144
ラベル・パッケージ等	119	140
無特定	94	59
屋外	88	135
交通	86	70
DM	57	77

媒体名	2023年度	2022年度
パンフレット等	56	65
ポスター	46	28
その他	35	27
ミニコミ誌	19	31
雑誌	18	17
電話帳・時刻表等	5	1
合計	9,332	9,769

注1：媒体は1案件で複数関係するケースがあるため、総件数と一致しない
注2：「その他」には電話勧誘、街頭放送などが入る
注3：「無特定」は、媒体を特定しない消費者や事業者からの相談

監 修 ・ 執 筆 ・ 協 力

監修

中央大学名誉教授
田中洋

編集長

日経広告研究所研究部長
坂井直樹
(1-1、1-2、1-3、3-3、4-4)

執筆

博報堂DYメディアパートナーズ
ナレッジイノベーション局 上席研究員
新美妙子
(2-1)

博報堂DYメディアパートナーズ
メディア環境研究所 上席研究員
山本泰士
(2-1)

電通　電通メディアイノベーションラボ
主任研究員
天野 彬
(2-2)

NHK放送文化研究所 世論調査部
芳賀紫苑
(2-3)

銀河ライター
河尻亨一
(5-1、5-2)

明治大学 国際日本学部准教授
戸田裕美子
(6-1)

広告審査協会 調査部次長
梅根千鶴
(8)

日経広告研究所 主席研究員
土山誠一郎
(3-1、3-2、4-5)

日経広告研究所 主席研究員
村上拓也
(3-2、4-1、4-3、4-6、5-3、5-4)

日経広告研究所 専務理事
北村裕一
(4-2)

日経広告研究所 主席研究員
二瓶正也
(4-7)

日経広告研究所 研究員
吉野蔵一
(4-8)

日経広告研究所 研究部
石村具美
(6-2、資料編)

日経広告研究所 主任研究員
寺本勝俊
(7、資料編)

協力

日経広告研究所
運営グループ長 兼 主席研究員
甲斐弘之

広告白書
2024-25 年版
Advertising Whitepaper

2024 年 10 月 9 日 1 版 1 刷

編者
日経広告研究所
東京都千代田区内神田 1-6-6 MIF ビル 8 階 郵便番号 101-0047
電話（03）5259-2626

発行者
北村裕一

発行
日経広告研究所

発売
日経 BP マーケティング
東京都港区虎ノ門 4-3-12 郵便番号 105-8308

装幀
新井大輔

本文組版
マーリンクレイン

印刷・製本
富士リプロ

ISBN978-4-296-12110-6

広告主動態調査　2024年版
―デジタル時代の広告戦略と意識―

日経広告研究所 編

A4判｜168ページ｜11,000円（税込）

広告活動の現在を多岐にわたり調査

　毎年、広告宣伝活動に熱心な企業を対象に実施しています。

　従来の設問を継続しつつ、関心を集める領域については見直しを加えて構成しています。広告宣伝部門の体制や業務、デジタル対応、生活者に対する捉え方などを詳しく尋ねているほか、今回はクリエイティブ制作の状況についての設問を加えました。

　これらを関連付けて分析することで、広告活動の背景や方向性を確認できる構成となっています。

　クロス集計ページを収録したCD-ROM版（税込33,000円）も発売しています。

日経広告研究所の会員社は、過去3年分の報告書の全ページのPDFをホームページ（会員専用ページ）でご覧いただけます。